lua de
papel

E L James
As Cinquenta Sombras mais Negras

Fifty Shades Darker

Traduzido do inglês por
Leonor Bizarro Marques

Título Original
Fifty Shades Darker

© 2011, Fifty Shades Ltd 2011
A autora publicou uma versão anterior desta história *online*, com personagens diferentes, como "Masters of the Universe", sob o pseudónimo Snowqueen's Icedragon.

1.ª edição / setembro de 2012
18.ª edição / dezembro de 2013
ISBN: 978-989-23-2112-7
Depósito Legal n.º: 367 474/13

[Uma chancela do grupo LeYa]
Rua Cidade de Córdova, n.º 2
2610-038 Alfragide
Tel. (+351) 21 427 22 00
Fax. (+351) 21 427 22 01
luadepapel@leya.pt
editoraluadepapel.blogs.sapo.pt
www.luadepapel.pt

Dedicado a Z e J.
Poderão sempre contar com o meu amor incondicional.

AGRADECIMENTOS

A minha dívida de gratidão para com Sarah, Kay e Jada é imensa. Obrigada por tudo o que fizeram por mim.

Agradeço também encarecidamente a Kathleen e Kristi que fizeram o trabalho mais difícil e resolveram tantos problemas.

Obrigada também a ti, Niall, meu marido, meu amante e (quase sempre) meu melhor amigo.

Uma grande saudação a todas as mulheres absolutamente maravilhosas que tive o prazer de conhecer, em todas as partes do mundo, desde que iniciei esta aventura e que agora considero amigas, incluindo: Ale, Alex, Amy, Andrea, Angela, Azucena, Babs, Bee, Belinda, Betsy, Brandy, Britt, Caroline, Catherine, Dawn, Gwen, Hannah, Janet, Jen, Jenn, Jill, Kathy, Katie, Kellie, Kelly, Liz, Mandy, Margaret, Natalia, Nicole, Nora, Olga, Pam, Pauline, Raina, Raizie, Rajka, Rhian, Ruth, Steph, Susi, Tasha, Taylor e Una. E também às inúmeras mulheres (e homens) talentosos, divertidos e calorosos que conheci *on-line*. Vocês sabem quem são.

Os meus agradecimentos a Morgan e Jenn por tudo o que tem a ver com o Heathman.

E finalmente, obrigada Janine, a minha editora. És a maior, ponto final.

PRÓLOGO

Ele tinha voltado. A mamã estava a dormir ou estava outra vez doente.

Escondi-me e enrolei-me num novelo, debaixo da mesa da cozinha. Conseguia ver a mamã por entre os meus dedos. Estava a dormir no sofá. Tinha a mão caída sobre o tapete pegajoso, verde. Ele estava com as suas botas enormes, de fivelas brilhantes, debruçado sobre a mamã, aos gritos.

Bateu na mamã com um cinto. – *Levanta-te! Levanta-te! És uma cabra marada, és uma cabra marada, és uma cabra marada, és uma cabra marada.*

A mamã soluçou. – *Para, por favor, para.* – A mamã não gritou, a mamã enrolou-se num novelo.

Eu estava com os dedos nos ouvidos e fechei os olhos. O ruído cessou.

Ele virou-se e eu conseguia ver-lhe as botas, ao entrar pesadamente na cozinha. Ainda tinha o cinto e estava a ver se me encontrava. Curvou-se e sorriu. Cheirava horrivelmente a tabaco e a álcool. – *Aí estás tu, meu merdinhas.*

Um lamento arrepiante acordou-o. *Meu Deus!* Estava ensopado em suor e o coração martelava-lhe no peito. *Mas que raio?* Sentou-se bruscamente na cama, direito que nem um fuso, aninhando a cabeça nas mãos. *Merda. Voltaram. Era eu que estava a fazer aquele barulho.* Respirou fundo para se acalmar, tentando libertar o nariz e a mente do cheiro a *bourbon* barato e a beatas de cigarros *Camel*.

CAPÍTULO UM

Eu sobrevivera ao Dia Três Pós-Christian e ao meu primeiro dia de trabalho, uma distração bem-vinda. O tempo voou graças à confusão de caras novas, ao trabalho e a Mr. Jack Hyde. Mr. Jack Hyde… sorriu para mim com os olhos azuis a cintilar, encostando-se à minha secretária.

— Excelente trabalho, Ana. Acho que vamos formar uma grande equipa.

Eu consegui de alguma forma arquear os lábios para cima, numa tentativa de um sorriso.

— Se não se importa, vou sair — murmurei.

— Claro, são cinco e meia. Vemo-nos amanhã.

— Boa noite, Jack.

— Boa noite, Ana.

Peguei na minha mala, vesti o casaco e encaminhei-me para a porta. Lá fora respirei fundo, enchendo os pulmões com o ar daquele princípio de noite em Seattle, mas o ar não me preencheu o vazio no peito, um vazio que estava presente desde sábado de manhã, como uma lembrança oca e dolorosa da minha perda. Caminhei em direção à paragem de autocarro, de cabeça baixa, a olhar para os pés, a pensar no facto de que estava sem a minha querida Wanda, o meu velho Carocha… ou o *Audi*.

Bloqueei imediatamente esse pensamento. Não, não penses nele. É claro que eu agora tinha dinheiro para comprar um carro — um belo carro novo. Suspeitava que ele fora excessivamente generoso no pagamento e a ideia deixou-me um gosto amargo na boca, mas pu-la de parte, tentando manter a mente tão entorpecida e vazia quanto possível. Não podia pensar nele, pois não queria desatar a chorar outra vez — não no meio da rua.

O apartamento estava deserto. Sentia a falta de Kate e imaginei-a deitada numa praia em Barbados a beber um *cocktail* fresco. Liguei a televisão para que o ruído preenchesse o vácuo e me desse a ilusão de companhia, mas não estava a ouvir nem a ver nada. Sentei-me e olhei inexpressivamente para a parede de tijolos. Estava entorpecida. Não sentia nada a não ser dor. Quanto tempo teria de aguentar aquilo?

A campainha da porta arrancou-me em sobressalto da minha angústia e o coração parou-me por instantes. Quem poderia ser? Carreguei no botão do intercomunicador.

– Uma entrega para Miss Steele – respondeu uma voz entediada, despojada de corpo e eu fui varrida pela deceção. Desci letargicamente as escadas e deparei-me com um jovem encostado à porta da frente, a mastigar ruidosamente uma pastilha elástica, com uma grande caixa de cartão na mão. Assinei o registo do pacote e levei-o para cima. A caixa era grande e surpreendentemente leve. No interior estavam duas dúzias de rosas brancas, de pé comprido, e um cartão.

Parabéns pelo teu primeiro dia de trabalho.
Espero que tenha corrido bem.
Obrigado pelo planador. Foi muito amável da tua parte.
Tem um lugar de honra na minha secretária.
Christian

Olhei para o cartão impresso e o vazio no meu peito aumentou. Sem dúvida que fora a sua assistente que o enviara. Christian devia ter muito pouco a ver com ele. Era demasiado doloroso pensar nisso. Examinei as rosas – eram lindas e eu não consegui atirá-las para o lixo, por isso dirigi-me diligentemente à cozinha, à procura de uma jarra.

E assim começou a surgir um padrão: acordar, trabalhar, chorar e dormir. Ou melhor, tentar dormir. Nem em sonhos lhe conseguia escapar. Os olhos cinzentos, ardentes, o seu olhar perdido, o cabelo escovado e brilhante, tudo isso me assombrava. E a música… toda aquela música… já não suportava ouvir música. Evitava-a a todo o custo. Até a música dos anúncios me fazia estremecer.

Não falara com ninguém, nem mesmo com a minha mãe ou com Ray. Naquele momento não me sentia com capacidade para conversa fiada. Não, não queria nada disso. Transformara-me no meu próprio estado insular. Uma terra devastada, assolada pela guerra, onde nada crescia e os horizontes eram sombrios. Sim, essa era eu. Conseguia interagir impessoalmente no trabalho, mas nada mais. Se falasse com a minha mãe, sabia que iria ficar ainda mais deprimida, e já não tinha por onde ficar mais deprimida.

Era-me difícil comer. Na quarta-feira, à hora do almoço, consegui comer um iogurte, mas era a primeira coisa que metia à boca desde sexta-feira. Estava a sobreviver às custas de uma recém-descoberta tolerância ao café com leite e à Coca-Cola Light. Era a cafeína que me mantinha de pé, mas estava a deixar-me ansiosa.

Jack começara a pairar à minha volta e a irritar-me com perguntas pessoais. O que pretenderia ele? Eu era educada, mas tinha de o manter à distância.

Sentei-me e comecei a examinar uma pilha de correspondência dirigida a ele, e aceitei de bom grado a distração que o trabalho de subalterna me proporcionava. O meu e-mail piscou e eu verifiquei-o rapidamente para ver de quem era.

Com os diabos. Um e-mail de Christian. Oh não, aqui não... no trabalho não.

———

De: Christian Grey
Assunto: Amanhã
Data: 8 de junho de 2011 14:05
Para: Anastasia Steele

Querida Anastasia,
Perdoa-me esta intrusão no trabalho. Espero que esteja a correr bem.
Recebeste as minhas flores?
Faço notar que amanhã é a inauguração da exposição do teu amigo.

Tenho a certeza de que não tiveste tempo de comprar um carro e a viagem é longa. Teria o maior prazer em levar-te – se o desejares.

Diz-me qualquer coisa.

Christian Grey
CEO, Grey Enterprises Holdings, Inc.

———

As lágrimas vieram-me aos olhos. Abandonei apressadamente a secretária e corri para os lavabos, refugiando-me num dos compartimentos. A exposição do José. Tinha-me esquecido completamente dela e prometera-lhe que ia. Merda, Christian tinha razão: como iria lá chegar?

Levei as mãos à cabeça. Porque não teria José telefonado? Pensando melhor no assunto, porque não teria ninguém telefonado? Andava de tal forma alheada que nem reparara que o meu telemóvel estivera o dia inteiro silencioso.

Merda! Que idiota que eu era! Ainda o tinha programado para reencaminhar as chamadas para o BlackBerry. Com os diabos, Christian estava a receber as minhas chamadas – a menos que tivesse deitado o BlackBerry fora. Como conseguira ele o meu endereço de e-mail?

Ele sabia o meu número de sapatos. Um endereço de e-mail dificilmente representaria um grande problema para ele.

Seria capaz de vê-lo de novo? Seria capaz de aguentar? Fechei os olhos e inclinei a cabeça, trespassada pela mágoa e pela saudade. Claro que sim.

Talvez... talvez lhe pudesse dizer que tinha mudado de ideias... Não, não, não. Não podia estar com alguém que tinha prazer em infligir-me dor, alguém que era incapaz de me amar.

Vieram-me à memória lembranças torturantes – o voo de planador, nós de mãos dadas, os beijos, a banheira, a sua delicadeza, o seu sentido de humor e o seu olhar sombrio, taciturno e *sexy*. Sentia a falta dele. Tinham passado cinco dias, cinco dias de agonia que pareciam uma eternidade. À noite, chorava até adormecer, desejando não me ter vindo embora, desejando que ele fosse diferente, desejando que estivéssemos juntos. Quanto tempo iria durar aquela sensação hedionda, arrasadora? Estava no purgatório.

Envolvi o corpo com os braços, abraçando-me com força, tentando manter a compostura. Sentia a falta dele, sentia tanto a falta dele... Amava-o, tão simples quanto isso.

Anastasia Steele, estás no trabalho! Tinha de ser forte, mas queria ir à exposição do José e, lá no fundo, a masoquista em mim queria ver o Christian. Respirei fundo e voltei para a minha secretária.

De: Anastasia Steele
Assunto: Amanhã
Data: 8 de junho de 2011 14:25
Para: Christian Grey

Olá Christian,
Obrigada pelas flores, são lindas.
Sim, gostava que me desses boleia.

Obrigada.

Anastasia Steele
Assistente de Jack Hyde, Editor, SIP

Verifiquei o meu telefone e vi que ainda estava programado para reencaminhar as chamadas para o BlackBerry. Jack estava numa reunião, por isso telefonei rapidamente a José.

— Olá, José, fala a Ana.

— Olá, desaparecida. — O seu tom de voz foi tão afetuoso e recetivo que quase bastou para me fazer ir abaixo de novo.

– Não posso falar muito tempo. A que horas é para estar aí amanhã, para a tua exposição?

– Sempre vens? – Parecia entusiasmado.

– Claro que sim. – Sorri, ao imaginar o seu sorriso de orelha a orelha. Era o meu primeiro sorriso genuíno em cinco dias.

– Sete e meia?

– Vemo-nos a essa hora. Até amanhã, José.

– Adeus, Ana.

De: Christian Grey
Assunto: Amanhã
Data: 8 de junho de 2011 14:27
Para: Anastasia Steele

Querida Anastasia,
A que horas te vou buscar?

Christian Grey
CEO, Grey Enterprises Holdings, Inc.

De: Anastasia Steele
Assunto: Amanhã
Data: 8 de junho de 2011 14:32
Para: Christian Grey

A exposição do José começa às 19:30. A que horas sugeres?

Anastasia Steele
Assistente de Jack Hyde, Editor, SIP

De: Christian Grey
Assunto: Amanhã
Data: 8 de junho de 2011 14:34
Para: Anastasia Steele

Querida Anastasia,
Portland fica um pouco longe. Vou buscar-te às 17:45.
Estou ansioso por te ver.

Christian Grey
CEO, Grey Enterprises Holdings, Inc.

———

De: Anastasia Steele
Assunto: Amanhã
Data: 8 de junho de 2011 14:38
Para: Christian Grey

Vemo-nos a essa hora.

Anastasia Steele
Assistente de Jack Hyde, Editor, SIP

———

Oh meu Deus, ia ver o Christian. Pela primeira vez em cinco dias o meu estado de espírito melhorou ligeiramente e eu permiti-me pensar como estaria ele.

Teria sentido a minha falta? Provavelmente não da mesma forma que eu sentira a falta dele. Teria encontrado uma nova submissa? A ideia era tão dolorosa que a pus imediatamente de parte. Olhei para a pilha de correspondência que tinha de separar para o Jack e atirei-me a ela, tentando mais uma vez tirar Christian da cabeça.

Nessa noite, dei voltas e voltas na cama, tentando dormir. Era a primeira vez desde há algum tempo que não adormecia a chorar.

Visualizei mentalmente o rosto de Christian da última vez que o vira, quando me fora embora. A sua expressão torturada assombrava-me. Lembrava-me que ele não queria que eu me fosse embora, o que foi estranho. Porque haveria de ficar, tendo as coisas chegado àquele ponto? Estávamos ambos a tentar contornar os nossos problemas – o meu receio de punição e o medo dele de... de quê? Do amor?

Virei-me de lado e abracei a almofada, inundada de uma tristeza arrasadora. Ele achava que não merecia ser amado. Porque se sentiria assim? Teria a ver com a sua infância? Com a sua mãe biológica, a prostituta viciada em *crack*? Estes pensamentos atormentaram-me até às primeiras horas da manhã, até que finalmente caí num sono inquieto e exausto.

O dia arrastou-se interminavelmente e Jack estava invulgarmente atento a mim. Desconfiava que era por causa do vestido cor de ameixa de Kate e das botas de salto alto que roubara do seu armário, mas decidi não matutar muito no assunto. Resolvi que iria comprar roupa com o meu primeiro salário. O vestido estava-me mais largo do que antes, mas eu fingi não reparar.

Finalmente as cinco e meia chegaram e eu peguei no casaco e na bolsa, tentando acalmar os nervos. *Vou vê-lo!*

– Tem algum encontro hoje à noite? – perguntou-me Jack, ao passar pela minha secretária, quando ia a sair.

– Sim. Não, não propriamente.

Ele arqueou uma sobrancelha, com um ar claramente interessado.

– Namorado?

Eu corei.

– Não, é um amigo. Um ex-namorado.

– Talvez amanhã queira vir tomar uma bebida depois do trabalho. A sua primeira semana foi excelente, Ana. Devíamos celebrar. – Ele sorriu e uma emoção desconhecida e inquietante surgiu-lhe por instantes no rosto, o que me fez sentir desconfortável.

Ele meteu as mãos nos bolsos e saiu calmamente pelas portas duplas.

Eu franzi o sobrolho ao vê-lo bater em retirada. Bebidas com o patrão? Seria uma boa ideia?

Abanei a cabeça. Primeiro tinha uma noite para passar com Christian Grey. Como iria fazer aquilo? Dirigi-me apressadamente à casa de banho para uns retoques de última hora.

Olhei demoradamente para o meu rosto no grande espelho pendurado na parede. Estava pálida como habitualmente, com grandes olheiras escuras à volta dos olhos demasiado grandes. Parecia abatida, assombrada. Quem me dera saber maquilhar-me. Apliquei um pouco de rímel e de *eyeliner* e belisquei as faces, esperando ver nelas alguma cor. Prendi o cabelo de maneira a que este me caísse airosamente pelas costas e respirei fundo. Teria de ser o suficiente.

Percorri nervosamente o vestíbulo, sorrindo e acenando a Claire, na receção. Achava que eu e ela nos podíamos vir a tornar amigas. Ao dirigir-me para a porta da saída, Jack estava a falar com Elizabeth. Ele apressou-se a abrir-ma, com um grande sorriso.

– Faça favor, Ana – murmurou ele.

– Obrigada – disse eu, sorrindo embaraçada.

Taylor estava lá fora à espera, no passeio. Abriu a porta de trás do carro e eu olhei hesitantemente para Jack, que me seguira até ao exterior. Ele estava a olhar na direção do jipe da *Audi*, com um ar consternado.

Virei-me e entrei para o banco de trás do carro e ali estava ele, sentado – Christian Grey – com o seu fato cinzento, sem gravata, e uma camisa branca com o colarinho aberto. Os seus olhos cinzentos brilhavam.

Senti a boca seca. Ele estava com um ar maravilhoso, só que estava a franzir-me o sobrolho. Porquê?

– Há quanto tempo não comes? – perguntou-me, bruscamente, assim que Taylor fechou a porta.

Raios.

– Olá, Christian. Prazer em ver-te, também.

– O teu sarcasmo não me interessa agora. Responde-me. – Os seus olhos estavam flamejantes.

Com os diabos.

– Hum... comi um iogurte à hora do almoço. Ah... e uma banana.

– Há quanto tempo não comes uma refeição decente? – perguntou num tom acre.

Taylor sentou-se no lugar do condutor, pôs o carro a trabalhar e mergulhou no trânsito.

Levantei os olhos e Jack estava a acenar-me, embora eu não percebesse como me conseguia ver através do vidro fumado. Eu retribuí-lhe o aceno.

– Quem é aquele? – perguntou Christian, bruscamente.

– É o meu patrão. – Olhei para o belo homem sentado a meu lado, e ele tinha a boca cerrada numa linha rígida.

– Então? A tua última refeição?

– Isso não te diz respeito, Christian – murmurei, sentindo-me extraordinariamente corajosa.

– Tudo o que fazes me diz respeito. Diz-me.

– Não, não diz – resmunguei frustrada, revirando os olhos. Christian fitou-me de olhos semicerrados e eu senti vontade de rir, pela primeira vez desde há muito tempo, esforçando-me para conter uma gargalhada que ameaçava borbulhar por mim acima. O rosto de Christian tornou-se mais brando. Tentei a custo manter uma expressão séria e vi vestígios de um sorriso a aflorar aqueles lábios perfeitos.

– Então? – perguntou-me, num tom de voz mais suave.

– *Pasta alla vongole*, na sexta-feira passada – respondi num murmúrio.

Ele fechou os olhos e eu vi fúria, e talvez algum pesar, perpassar-lhe o rosto.

– Compreendo – disse, num tom de voz inexpressivo. – Pareces ter perdido pelo menos três quilos, ou talvez mais, desde então. Por favor come, Anastasia – disse, num tom repreensivo.

Eu olhei para os dedos entrelaçados no meu colo. Porque me faria sempre sentir como uma criança malcomportada?

Ele mudou de posição e virou-se para mim.

– Como estás? – perguntou-me, num tom de voz suave.

Bom, na verdade estou na merda… Engoli em seco.

– Se te dissesse que estou bem, estaria a mentir.

Ele inspirou bruscamente.

– Eu também – murmurou, apertando-me a mão. – Sinto a tua falta – acrescentou.

Oh, não, pele contra pele.

– Christian, eu…

– Por favor, Ana. Precisamos de falar.

Vou chorar. Não.

– Christian, eu… por favor… já chorei tanto – disse, tentando controlar as emoções.

– Oh, meu amor, não. – Ele puxou-me pela mão e, quando dei por mim, já estava no seu colo. Ele estava a abraçar-me com o nariz no meu cabelo. – Senti tanto a tua falta, Anastasia – sussurrou.

Queria libertar-me dele para manter alguma distância, mas ele envolvera-me nos seus braços e estava a apertar-me contra o seu peito. Derreti. Era ali que eu queria estar.

Encostei a cabeça à dele e ele beijou-me o cabelo repetidas vezes. Sentia-me em casa. Ele cheirava a linho, a amaciador de roupa, a gel de banho e ao meu odor preferido – a Christian. Por instantes, abandonei-me à ilusão de que tudo iria ficar bem, e isso apaziguou-me a alma destroçada.

Minutos depois, Taylor parou junto do passeio, embora ainda estivéssemos na cidade.

– Anda. – Christian tirou-me do seu colo. – Já chegámos.

O quê?

– Há um heliporto… no topo deste edifício – disse Christian olhando de relance na direção do edifício, a título de explicação.

Claro, *Charlie Tango.* Taylor abriu a porta e eu saí. Dirigiu-me um sorriso afetuoso, que me fez sentir segura, e eu sorri-lhe também.

– Devia devolver-te o teu lenço.

– Fique com ele, Miss Steele, com os meus cumprimentos.

Christian contornou o carro, pegou-me na mão e eu corei. Ele olhou interrogativamente para Taylor, que o fitou com uma expressão impassível, sem dar a entender nada.

– Nove? – perguntou-lhe Christian.

– Sim, senhor.

Christian acenou com a cabeça e virou-se, conduzindo-me pelas portas duplas, até ao grandioso vestíbulo. Eu rejubilei ao sentir a mão dele e os seus longos dedos experientes à volta da minha. O apelo familiar estava lá – sentia-me atraída para o meu sol, como Ícaro. Já me tinha queimado e, no entanto, ali estava eu outra vez.

Ao chegar ao elevador, carregou no botão para o chamar. Olhei-o de relance e ele estava com aquele meio sorriso enigmático. Quando as portas se abriram, ele largou-me a mão e conduziu-me para o interior.

As portas fecharam-se e eu aventurei-me a olhá-lo uma segunda vez. Ele baixou os olhos para mim e eu senti a eletricidade presente no ar entre nós. Era palpável. Quase conseguia sentir-lhe o sabor. Pulsava entre nós, atraindo-nos um para o outro.

– Oh, meu Deus – arquejei, desfrutando por breves instantes da intensidade daquela atração primitiva e visceral.

– Eu também a sinto – disse ele, com um olhar velado e intenso.

Um desejo obscuro e mortífero cresceu-me entre as virilhas. Ele agarrou-me na mão, roçando-me com o polegar pelos nós dos dedos, e todos os músculos se retesaram deliciosamente nas minhas entranhas.

Como era possível que ele provocasse isto em mim?

– Por favor não mordas o lábio, Anastasia – sussurrou.

Eu olhei para ele e soltei o lábio. Queria tê-lo ali mesmo, naquele momento, no elevador. Como poderia não querer?

– Tu sabes o que isso provoca em mim – murmurou.

Ah, eu ainda o afetava. A minha deusa interior mexeu-se, depois de um amuo de cinco dias.

As portas abriram-se abruptamente, quebrando o feitiço. Estávamos no telhado. O vento soprava e eu sentia frio, apesar de ter o meu casaco preto vestido. Christian envolveu-me com o braço, puxando-me para o seu lado e ambos nos dirigimos apressadamente para o local onde estava *Charlie Tango*, no centro do heliporto, com as pás do rotor a girarem lentamente.

Um homem alto e loiro, de queixo quadrado e fato escuro, saltou para o exterior e baixou-se, correndo na nossa direção. Apertou a mão a Christian e gritou sobre o ruído dos rotores:

– Está pronto, senhor. É todo seu.

– Fizeram todas as verificações?

– Sim, senhor.

– Vais buscá-lo por volta das oito e meia?

– Sim, senhor.

– O Taylor está à tua espera na parte da frente do edifício.

– Obrigado, Mr. Grey. Desejo-lhe um voo seguro até Portland. Minha senhora... – disse ele, cumprimentando-me. Christian acenou com a cabeça, sem me largar, baixou-se e conduziu-me até à porta do helicóptero.

Uma vez lá dentro, prendeu-me firmemente ao meu arnês, apertando as correias com força. Depois olhou-me com um ar sabido e o seu sorriso secreto.

– Isso deve manter-te segura – murmurou. – Tenho de confessar que gosto de te ver com esse arnês. Não toques em nada.

Corei até às orelhas e ele passou-me o indicador pela face, antes de me dar os auscultadores. *Eu também gostava de te tocar, mas tu não me deixas.* Franzi o sobrolho. Além disso, apertara-me de tal forma as correias que eu não me conseguia mexer.

Ele sentou-se no seu lugar e prendeu o arnês, iniciando de seguida todas as verificações necessárias para descolar. Era muito competente e isso era bastante sedutor. Colocou os auscultadores, ligou um interruptor e os rotores começaram a girar mais depressa, ensurdecendo-me.

Virou-se e olhou para mim.

– Estás pronta, querida? – A sua voz ecoou através dos auscultadores.

– Sim.

Ele fez-me o seu sorriso infantil. Uau. Há quanto tempo que não o via.

– Torre de controlo de Sea-Tac, aqui *Charlie Tango*, Golf – Golf Echo Hotel, pronto para descolar com destino a Portland, via PDX. Por favor, confirme. Terminado.

A voz impercetível do controlador de tráfego aéreo respondeu, dando instruções:

– Entendido, torre de controlo, *Charlie Tango* a postos. Câmbio e desligo. – Christian ligou dois interruptores, agarrou no manípulo e o helicóptero ergueu-se lenta e suavemente no céu do entardecer. Seattle e o meu estômago ficaram para trás, e havia tanto para ver.

– Já perseguimos o nascer do Sol, Anastasia, e agora vamos perseguir o crepúsculo. – Ouvi a sua voz através dos auscultadores e virei-me, olhando-o surpreendida.

O que queria aquilo dizer? Como conseguia ele dizer coisas tão românticas? Ele sorriu e eu não consegui conter um sorriso tímido.

– Desta vez há mais para ver, para além do sol de fim de tarde – disse.

Da última vez que tínhamos voado até Seattle estava escuro, mas naquela tarde a vista era espetacular, literalmente fora de série. Voávamos por entre os edifícios mais altos e estávamos a subir cada vez mais.

– O Escala está ali. – Apontou em direção ao edifício. – Se passares lá num Boeing só consegues ver o Space Needle.

Eu inclinei a cabeça para trás.

– Nunca lá fui.

– Eu levo-te lá. Podemos comer lá.

– Christian, nós acabámos.

– Eu sei, mas ainda te posso levar lá e alimentar-te – respondeu, olhando-me fixamente.

Eu abanei a cabeça e decidi não o contrariar.

– Isto é muito bonito aqui em cima. Obrigada.

– Impressionante, não é?

– O que é impressionante é que consigas fazer isto.

– Lisonjas vindas de si, Miss Steele? Mas eu sou um homem de muitos talentos.

– Estou perfeitamente consciente disso, Mr. Grey.

Ele virou-se e sorriu-me afetadamente e eu descontraí-me um pouco, pela primeira vez em cinco dias. Talvez aquilo não fosse correr assim tão mal.

– Que tal está a correr o novo emprego?

– Bem, obrigada. É interessante.

– Que tal é o teu chefe?

– É bom. – Como poderia dizer a Christian que Jack me fazia sentir desconfortável? Christian olhou-me de relance.

– O que se passa? – perguntou-me.

– Para além do óbvio, nada.

— O óbvio?

— Oh, Christian, às vezes és realmente muito obtuso.

— Obtuso, eu? Não sei se esse tom me agrada, Miss Steele.

— Paciência.

Um sorriso estremeceu-lhe nos lábios.

— Tinha saudades dessa tua língua afiada, Anastasia.

Eu arquejei e apeteceu-me gritar: *pois eu tinha saudades não só da tua língua mas de ti, inteirinho!* Mas fiquei calada e olhei através do para-brisas do *Charlie Tango*, semelhante a um aquário, enquanto continuávamos a voar para sul. O crepúsculo estava à nossa direita, com um sol enorme, flamejante, de um laranja intenso, junto do horizonte, e eu era de novo Ícaro, a voar demasiado perto dele.

O crepúsculo seguiu-nos desde Seattle e o céu estava banhado em tons de opala, rosa e água-marinha, entrelaçados uns nos outros, numa trama ininterrupta, que só a Mãe Natureza sabe tecer. Estava uma noite fresca e límpida e as luzes de Portland cintilavam, a dar-nos as boas-vindas, quando Christian poisou o helicóptero no heliporto. Estávamos no topo do estranho edifício de tijolos castanhos de Portland, de onde partíramos há menos de três semanas.

Passara muito pouco tempo e, no entanto, era como se conhecesse Christian desde sempre. Ele desligou o motor do *Charlie Tango*, apagando diversos interruptores para que os rotores parassem. Por fim, tudo o que ouvia era a minha própria respiração através dos auscultadores. Hum. Isso recordou-me, por instantes, a experiência de Thomas Tallis. Empalideci. Não queria pensar nisso, agora.

Christian abriu o seu arnês e inclinou-se para abrir o meu.

— Foi boa a viagem, Miss Steele? — perguntou, de olhos brilhantes, num tom de voz brando.

— Foi, sim, Mr. Grey, obrigada — respondi, cortês.

— Bom, vamos lá ver as fotos do rapaz. — Estendeu-me a mão e eu agarrei nela, descendo do *Charlie Tango*.

Um homem de cabelo grisalho e barba veio ao nosso encontro, com um sorriso de orelha a orelha e eu reconheci-o: era o mesmo velhote que nos acolhera da última vez que lá tínhamos estado.

– Joe. – Christian sorriu e largou-me a mão, apertando calorosamente a mão a Joe. – Cuida dele para o Stephan. Ele estará cá entre as oito e as nove.

– Com certeza, Mr. Grey. Minha senhora – disse ele, acenando-me com a cabeça. – O seu carro está à espera lá em baixo. Ah, o elevador está avariado, terá de usar as escadas.

– Obrigado, Joe. – Christian deu-me a mão e dirigimo-nos para as escadas de incêndio.

– Ainda bem que só vais ter de descer três andares com esses saltos – murmurou, desaprovadoramente.

A sério?

– Não gostas das botas?

– Gosto muito delas, Anastasia. – O seu olhar tornou-se mais sombrio e eu pensei que ele fosse dizer mais alguma coisa, mas calou-se. – Anda, vamos descer devagar. Não quero que caias e partas o pescoço.

Fizemos a viagem em silêncio, enquanto o motorista nos levava à galeria. A minha ansiedade voltara a atacar-me em força e eu percebi que o tempo que passáramos no *Charlie Tango* era apenas o olho da tempestade. Christian estava silencioso e absorto… dir-se-ia até apreensivo. A descontração que sentíramos anteriormente dissipara-se. Eu tinha tanto para lhe dizer, mas aquela viagem era demasiado curta. Christian olhava através da janela com ar pensativo.

– O José é apenas um amigo – murmurei.

Christian virou-se e fitou-me, com um olhar sombrio e reservado, que não deixava transparecer nada. A sua boca – ah, a sua boca era perturbadora e intrusiva. Lembrei-me de a sentir em mim – por toda a parte. A minha pele aqueceu. Ele remexeu-se no assento e franziu o sobrolho.

– Esses olhos lindos parecem demasiado grandes para o teu rosto, Anastasia. Promete-me que vais comer.

– Sim, Christian, vou comer – respondi, automaticamente, como se isso fosse uma banalidade.

– Estou a falar a sério.

– Não me digas! – Não consegui conter o desdém na voz. Sinceramente, que atrevimento o deste homem, o mesmo homem que me fizera a vida num inferno nos últimos cinco dias. Não, não era verdade. Eu é que fizera a minha própria vida num inferno. Não, a culpa era dele. Abanei a cabeça, confusa.

– Não quero discutir contigo, Anastasia. Quero-te de volta e quero-te saudável – disse ele.

– Mas nada mudou. – *Tu continuas a ser o Cinquenta Sombras.*

– Falamos no regresso. Já chegámos. – O carro parou em frente à galeria. Christian saiu do carro, deixando-me sem palavras. Depois abriu-me a porta e eu saí.

– Porque fazes isso? – Falei num tom mais alto do que esperava.

– Isso o quê? – Christian foi apanhado de surpresa.

– Dizeres uma coisa desse género e depois calares-te.

– Anastasia, chegámos ao sítio onde querias estar. Vamos fazer isto e depois falamos. Não tenho nenhum interesse numa cena no meio da rua.

Olhei em redor. Ele tinha razão. Era um local demasiado público. Crispei os lábios e ele olhou-me fixamente.

– Ok – murmurei, com um ar amuado. Ele agarrou-me na mão e levou-me para dentro do edifício.

Estávamos num armazém reconvertido, com paredes de tijolo, soalhos de madeira escura, tetos brancos e tubagens brancas. Era arejado e moderno e viam-se várias pessoas a vaguear pela galeria, a beber vinho e a admirar os trabalhos do José. Todas as minhas preocupações se diluíram por instantes ao perceber que José concretizara o seu sonho. *É assim mesmo, José!*

– Boa noite. Bem-vindos à exposição de José Rodríguez – cumprimentou-nos uma jovem vestida de negro, com o cabelo castanho, muito curto, batom vermelho vivo e umas grandes argolas nas orelhas. Olhou-me de relance e depois, durante muito mais tempo do que seria estritamente necessário, para Christian. Olhou de novo para mim, piscou os olhos e corou.

Eu franzi a testa. *Ele é meu* – ou era. Fiz um esforço para não lhe franzir o sobrolho. Quando voltou a conseguir focar a visão, voltou a piscar os olhos.

– Ah, és tu, Ana. Também queremos a tua opinião sobre a exposição. – Sorriu e deu-me uma brochura, indicando-me uma mesa com bebidas e aperitivos.

– Conhece-la? – perguntou Christian, franzindo o sobrolho.

Eu abanei a cabeça, igualmente intrigada. Ele encolheu os ombros, distraidamente.

– O que queres beber?

– Um copo de vinho branco, se não te importas.

Ele franziu a testa, mas conteve-se e dirigiu-se ao bar aberto.

– Ana! – José apareceu, caminhando apressadamente por entre um amontoado de gente.

Com os diabos! Ele tinha vestido um fato. Estava com boa aparência, a sorrir-me radiosamente. Envolveu-me nos seus braços e abraçou-me com força. Eu fiz os possíveis para não rebentar em lágrimas. O meu amigo. Enquanto Kate estivesse fora, ele era o meu único amigo. As lágrimas inundaram-me os olhos.

– Ana, estou tão contente por teres conseguido vir – sussurrou-me ao ouvido. Subitamente, segurou-me à distância e examinou-me.

– O que foi?

– Estás bem? Estás com um ar... esquisito. *Dios mío*, perdeste peso? Tentei conter as lágrimas – oh, não, ele também?

– José, eu estou bem. Estou tão feliz por ti. Parabéns pela exposição. – A minha voz vacilou ao ver a preocupação estampada naquele rosto tão familiar, mas tive de manter a compostura.

– Como vieste? – perguntou-me.

– O Christian trouxe-me – respondi, subitamente apreensiva.

– Ah, bom. – O seu rosto esmoreceu e ele largou-me. – Onde está ele? – A sua expressão tornou-se mais sombria.

– Está ali. Foi buscar bebidas. – Acenei com a cabeça na direção de Christian e reparei que ele estava a trocar gracejos com alguém que esperava na fila. Christian levantou a cabeça e ficámos de olhos fixos um no outro. Durante aqueles breves instantes eu fiquei paralisada a olhar para aquele homem incrivelmente atraente que me fitava, com uma emoção qualquer inescrutável. O seu olhar sensual parecia queimar-me e ficámos por instantes perdidos nos olhos um do outro.

Caramba... Aquele homem lindo queria-me de volta. Uma deliciosa alegria começou a florescer lentamente, no meu íntimo, como uma glória-da-manhã às primeiras horas do amanhecer.

– Ana! – José distraiu-me, trazendo-me de volta à realidade. – Estou tão contente por teres vindo. Escuta… é melhor avisar-te…

Subitamente, a Miss Cabelos Curtos e Batom Vermelho interrompeu-o:

– José, a jornalista do *Portland Printz* está aqui para falar contigo, anda. – Sorriu-me cortesmente.

– A fama. É ou não é fantástico? – disse-me, sorrindo e eu não pude deixar de sorrir de volta… ele estava tão feliz. – Vemo-nos mais tarde, Ana. – Beijou-me na cara e vi-o caminhar na direção de uma jovem, que estava junto de um fotógrafo alto e magricela.

As fotografias de José estavam por toda a parte, algumas delas ampliadas em enormes telas. Havia fotografias a cores e monocromáticas. Havia uma beleza etérea em muitas das paisagens. Numa delas, tirada ao fim da tarde perto do lago, em Vancouver, viam-se nuvens cor-de-rosa, refletidas na quietude das águas e eu deixei-me, por instantes, transportar pela paz e tranquilidade que inspirava. Era assombrosa.

Christian reuniu-se a mim e deu-me um copo de vinho branco.

– É satisfatório? – Eu estava com uma voz mais normal.

Ele olhou-me intrigado.

– O vinho.

– Não. Neste tipo de eventos raramente é. O rapaz é bastante talentoso, não é? – Christian estava a admirar a foto do lago.

– Porque achas que lhe pedi que te fotografasse? – O orgulho na minha voz era notório. Ele desviou os olhos da fotografia e olhou-me, com um ar impassível.

– Christian Grey? – O fotógrafo do *Portland Printz* aproximou-se de Christian. – Posso fotografá-lo?

– Claro – disse Christian, disfarçando a raiva. Eu recuei, mas ele agarrou-me na mão e puxou-me para o seu lado. O fotógrafo olhou para ambos, incapaz de esconder a sua surpresa.

– Obrigado, Mr. Grey. – Tirou uma série de fotografias. – Miss…? – perguntou o fotógrafo.

– Ana Steele – respondi.

– Obrigado, Miss Steele – disse, afastando-se rapidamente.

– Procurei fotografias tuas acompanhado, na Internet, mas não há nenhuma. Foi por isso que a Kate pensou que eras *gay*.

Um sorriso aflorou-lhe os lábios.

– Isso explica a tua pergunta inconveniente. Não, eu não costumo andar acompanhado, a não ser contigo, Anastasia. Mas tu já sabes disso. – Falava num tom calmo e sincero.

– Então nunca... – olhei nervosamente em redor, para ter a certeza de que ninguém nos ouvia – saíste com as tuas submissas?

– Às vezes, mas não como namoradas. Só para fazer compras, percebes? – disse, encolhendo os ombros, sem tirar os olhos de mim.

Oh, então só se encontravam no quarto do prazer – no Quarto Vermelho da Dor – e no seu apartamento. Não sabia o que pensar acerca daquilo.

– Só contigo, Anastasia – sussurrou.

Corei e olhei para os dedos. Ele gostava de mim, à sua maneira.

– Aqui o teu amigo parece ser mais homem para paisagens do que para retratos. Vamos dar uma volta para ver. – Eu agarrei-lhe na mão estendida.

Passámos por mais alguns trabalhos e reparei num casal a acenar-me com a cabeça, com um grande sorriso, como se me conhecessem. Devia ser por eu estar com o Christian, mas um dos jovens olhava-me ostensivamente. Que estranho.

Virámos a esquina e eu percebi porque estava a ser alvo de olhares tão curiosos. Pendurados na parede do lado oposto estavam sete enormes retratos... meus.

Olhei para eles estupefacta, sentindo o sangue fugir-me das faces – eu a fazer beicinho, a rir, a franzir o sobrolho, séria, divertida. Todos eles em grande plano, a preto e branco.

Caraças! Lembrava-me de várias ocasiões em que o José se pusera a brincar com a máquina. Eu tinha saído com ele como motorista e assistente de fotógrafo e ele tirara-me alguns instantâneos, ou pelo menos era o que eu pensava. Não aquelas fotos invasivas e indiscretas.

Christian estava fascinado, a olhar para cada uma das imagens.

– Parece que não sou o único – murmurou cripticamente, cerrando a boca numa linha rígida.

Acho que estava zangado.

– Com licença – disse ele, prendendo-me no seu olhar brilhante, por breves instantes. Depois encaminhou-se para a receção.

Qual seria o problema, agora? Fiquei a observá-lo como que hipnotizada, enquanto ele falava animadamente com a Miss Cabelos Curtos e Batom Vermelho. Tirou a carteira do bolso e estendeu o cartão de crédito.

Merda. Devia ter comprado um deles.

– Oi. Tu és a musa. Estas fotografias estão formidáveis. – Fui surpreendida por um jovem com uma basta cabeleira loira platinada. Senti uma mão no meu cotovelo. Christian voltara.

– É um homem com sorte – disse o Trunfa Loira a Christian, que o olhou friamente.

– Lá isso é verdade – murmurou ele, num tom sombrio, puxando-me para um lado.

– Acabaste de comprar um daqueles retratos?

– Um deles? – repetiu, sem desviar os olhos deles, tentando conter uma gargalhada.

– Compraste mais do que um?

Ele revirou os olhos.

– Comprei-os todos, Anastasia. Não quero que nenhum estranho olhe para ti com lascívia na privacidade do seu lar.

O meu primeiro impulso foi rir.

– Preferes ser tu a fazê-lo? – perguntei, zombeteiramente.

Ele olhou-me fixamente, apanhado de surpresa pela minha ousadia, creio eu, mas ao mesmo tempo a tentar esconder que aquilo o divertia.

– Para ser franco, sim.

– Pervertido – sussurrei, mordendo o lábio inferior para conter o riso.

Ele ficou de boca aberta, agora visivelmente divertido, coçando o queixo com um ar pensativo.

– Essa avaliação é inquestionável, Anastasia – disse ele, abanando a cabeça e o humor suavizou-lhe o olhar.

– Não me importaria de continuar a discutir o assunto contigo, mas assinei um Acordo de Confidencialidade.

Suspirou e fitou-me, com um olhar mais sombrio.

– O que eu faria com essa tua língua afiada – murmurou.

Arquejei, pois percebi perfeitamente o que ele queria dizer com aquilo.

– És muito grosseiro – respondi-lhe, tentando parecer chocada, e consegui. Será que não tinha limites?

Ele sorriu afetadamente, divertido, e depois franziu o sobrolho.

– Pareces muito descontraída nestas fotografias, Anastasia. Não é muito frequente ver-te assim.

O quê? Uau! Mudou de assunto – falem-me de falácias lógicas – primeiro brincalhão, agora sério.

Eu corei e olhei para os meus dedos. Ele colocou a mão no meu queixo e inclinou-me a cabeça para trás e eu inspirei bruscamente, ao sentir o contacto dos seus dedos.

– Quero-te assim descontraída comigo – disse-me em voz baixa. Todos os vestígios de humor tinham desaparecido.

No meu íntimo, senti de novo aquela alegria a agitar-se. *Mas como é possível?* Nós temos problemas.

– Se queres isso, tens de parar de me intimidar – respondi, bruscamente.

– E tu tens de aprender a comunicar e a dizer-me como te sentes – retorquiu num tom igualmente brusco, de olhos flamejantes.

Eu respirei fundo.

– Christian, tu querias-me como submissa. É aí que está o problema, na definição de submissa. Tu mandaste-ma uma vez por e-mail. – Fiz uma pausa, tentando recordar-me da formulação. – Acho que os sinónimos eram, e passo a citar: "condescendente, flexível, recetiva, passiva, afável, resignada, paciente, dócil e mansa". Eu não deveria olhar para ti nem falar contigo a não ser que me desses permissão para o fazer. O que esperavas? – perguntei, num tom de voz sibilante.

Ele franziu mais o sobrolho, quando prosseguiu.

– É muito confuso estar contigo. Não queres que eu te desafie, mas depois gostas da minha "língua afiada". Queres obediência, exceto quando não queres, para que me possas punir. Nunca sei para que lado me hei de virar, quando estou contigo.

Ele semicerrou os olhos:

– Bem visto, como de costume, Miss Steele. – A sua voz era glacial. – Anda, vamos comer.

– Só chegámos há meia hora.

– Já viste as fotos e já falaste com o rapaz.

– O nome dele é José.

– Já falaste com o José, o homem que estava a tentar enfiar a língua à força na tua boca relutante, quando estavas embriagada e doente, da última vez que o vi – rosnou ele.

– Ele nunca me bateu – respondi, num tom brusco.

Christian franziu o sobrolho, a emanar fúria por todos os poros.

– Isso é um golpe baixo, Anastasia – sussurrou, em tom ameaçador.

Eu empalideci e Christian passou as mãos pelo cabelo, irritado, praticamente incapaz de conter a raiva. Eu olhei-o fixamente.

– Vou levar-te para comeres qualquer coisa. Estás a desaparecer diante dos meus próprios olhos. Procura o rapaz e despede-te.

– Por favor. Não podemos ficar mais um pouco?

– Não. Vai despedir-te imediatamente.

Eu olhei-o furiosa, com o sangue a ferver. O Controlador Mor. Ainda bem que estava zangada. Antes zangada que lacrimejante.

Desviei lentamente os olhos dele e sondei a sala, à procura de José. Ele estava a falar com um grupo de raparigas. Aproximei-me subtilmente dele, afastando-me do Cinquenta. Tinha de fazer tudo o que ele queria, só porque me tinha levado lá? Quem pensava ele que era?

As raparigas bebiam as palavras de José. Uma delas arquejou, ao ver-me aproximar, sem dúvida por me reconhecer dos retratos.

– José.

– Ana. Desculpem-me, meninas. – José sorriu-lhes, envolvendo-me com um braço, o que me divertiu até certo ponto. O José todo falinhas mansas, a impressionar as senhoras.

– Pareces zangada – disse-me.

– Tenho de me ir embora – expliquei, relutantemente.

– Acabaste de chegar.

– Eu sei, mas o Christian tem de regressar. As fotografias estão fantásticas, José. És muito talentoso.

Ele presenteou-me com um sorriso luminoso.

– Foi tão bom ver-te.

José deu-me um abraço muito apertado e fez-me girar, por isso eu conseguia ver Christian do outro lado da galeria. Ele estava de sobrolho franzido e eu percebi que era por eu estar nos braços de José, por isso coloquei os braços à volta do pescoço dele, num gesto absolutamente calculado. Christian parecia estar para morrer. O seu olhar escureceu de forma muito sinistra e começou a caminhar lentamente na nossa direção.

– Obrigada por me avisares sobre os meus retratos – murmurei.

– Merda. Desculpa, Ana, eu devia ter-te dito. Não gostas deles?

– Hum… não sei – respondi, com sinceridade, momentaneamente apanhada de surpresa pela pergunta.

– Bom, estão todos vendidos. Alguém gostou deles. Não é bestial? És um modelo fotográfico. – Ele abraçou-me com mais força no preciso instante em que Christian nos alcançava, a olhar-me furioso. Felizmente, José não deu por isso.

José largou-me.

– Aparece, Ana. Ah, Mr. Grey, boa noite.

– Impressionante, Mr. Rodríguez. – A cortesia de Christian era gelada. – Lamento não podermos ficar mais tempo, mas temos de regressar a Seattle. Anastasia? – Enfatizou subtilmente o nós, dando-me a mão ao dizê-lo.

– Adeus, José, e mais uma vez parabéns. – Beijei-o rapidamente na cara e quando dei por mim, Christian estava a arrastar-me para fora do edifício. Eu sabia que ele estava a ferver de raiva, em silêncio, mas eu também estava.

Olhou brevemente para um lado e para o outro da rua, e virou para a esquerda, arrastando-me de repente para uma viela lateral, e empurrando-me bruscamente contra uma parede. Agarrou-me no rosto entre as mãos, forçando-me a fitar os seus olhos ardentes e determinados.

Eu arquejei e a sua boca precipitou-se sobre a minha. Beijou-me violentamente. Os nossos dentes entrechocaram-se por instantes e a sua língua penetrou na minha boca.

O desejo explodiu-me pelo corpo como fogo de artifício e eu retribuí-lhe o beijo com o mesmo fervor, arrepanhando-lhe os cabelos com as mãos, e puxando-os com força. Ele deixou escapar um gemido *sexy* e gutural que ecoou através de mim e os seus dedos deslizaram até ao cimo da minha coxa, enterrando-se na minha carne através do vestido cor de ameixa.

Eu concentrei toda a angústia e toda a mágoa dos últimos dias naquele beijo, cingindo-o contra mim e – naquele momento deslumbrante de paixão – percebi subitamente que ele estava a fazer o mesmo e a sentir o mesmo que eu.

Ele interrompeu o beijo, ofegante. Os seus olhos estavam luminosos de desejo, incendiando-me o sangue já quente que me pulsava pelo corpo. Senti a boca frouxa ao tentar inspirar uma preciosa lufada de ar para os pulmões.

– Tu. És. Minha – rosnou, enfatizando cada palavra. Afastou-se de mim e curvou-se sobre os joelhos como se tivesse acabado de fazer uma maratona. – Por amor de Deus, Ana.

Eu encostei-me à parede, ofegante, tentando controlar a tumultuosa reação do meu corpo e recuperar o meu equilíbrio.

– Lamento – sussurrei, assim que recuperei o fôlego.

– E é para lamentar. Eu sei o que estás a fazer. Queres o fotógrafo, Anastasia? É óbvio que ele sente algo por ti.

Eu abanei a cabeça com um ar culpado.

– Não. Ele é apenas um amigo.

– Passei toda a minha vida adulta a tentar evitar emoções extremas e no entanto, tu… tu despertas-me sentimentos que me são totalmente estranhos. É muito… – Franziu o sobrolho, à procura da palavra certa. – Inquietante.

– Eu gosto de controlar, Ana, mas quando estou perto de ti – levantou-se, com um olhar intenso – isso evapora-se. – Acenou vagamente com a mão, passando-a pelo cabelo e inspirou profundamente, agarrando-me na mão. – Anda, precisamos de falar e tu precisas de comer.

CAPÍTULO DOIS

Ele conduziu-me rapidamente para dentro de um restaurante pequeno e íntimo.

– Terá de ser mesmo aqui – resmungou Christian. – Não temos muito tempo.

O restaurante parecia-me agradável. Tinha cadeiras de madeira, toalhas de mesa de linho e paredes da mesma cor que as do quarto do prazer de Christian – vermelho sangue – com alguns espelhos doura-dos dispostos aleatoriamente, velas brancas e vasos de rosas brancas. Ouvia-se a voz de Ella Fitzgerald a cantar sobre essa coisa chamada amor. Era muito romântico.

O empregado conduziu-nos a uma mesa para dois, num pequeno nicho e eu sentei-me, apreensiva, interrogando-me sobre o que ele me iria dizer.

– Não temos muito tempo – disse Christian ao empregado de mesa, ao sentarmo-nos –, por isso queremos ambos um bife do lombo mal passado, com molho *béarnaise*, se tiverem, batatas fritas e legumes: os que o chefe de cozinha arranjar. E traga-me a lista de vinhos.

– Com certeza, senhor. – Surpreendido pela eficiência descontraí-da e calma de Christian, o empregado de mesa afastou-se apressada-mente. Christian poisou o BlackBerry na mesa. Caramba, eu não tinha direito a escolher?

– E se eu não gostar de bife?

Ele suspirou.

– Não comeces, Anastasia.

– Eu não sou uma criança, Christian.

– Então para de te comportar como se fosses.

Foi como se me tivesse esbofeteado. Então era assim que ia ser; uma conversa agitada e pesada, num cenário extremamente romântico, mas certamente sem corações nem flores.

– Sou uma criança porque não gosto de bife? – perguntei, tentando esconder que ficara melindrada.

– Por me fazeres ciúmes deliberadamente. É uma atitude infantil. Não tens respeito pelos sentimentos do teu amigo? Achas bem iludi-lo assim? – Christian cerrou os lábios numa linha fina, franzindo o sobrolho ao empregado que voltara com a carta de vinhos.

Eu corei – não tinha pensado nisso. Pobre José. Não era de todo minha intenção encorajá-lo. Subitamente senti-me mortificada. Christian tinha uma certa razão; fora uma atitude bastante irrefletida. Ele olhou para a lista de vinhos.

– Queres escolher o vinho? – perguntou-me, arqueando as sobrancelhas, com um ar expectante. A arrogância em pessoa. Ele sabia que eu não percebia nada de vinhos.

– Escolhe tu – respondi, mal-humorada, mas rendida.

– Dois copos de Barossa Valley Shiraz, por favor.

– Hum… só vendemos desse vinho à garrafa.

– Então uma garrafa – disse Christian, bruscamente.

– Sim, senhor – respondeu o empregado, retirando-se com um ar subjugado, e eu não o podia censurar por isso. Franzi o sobrolho a Cinquenta. O que estaria a consumi-lo? Provavelmente, a minha pessoa. Algures nas profundezas da minha psique, a minha deusa interior ergueu-se, sonolenta, e espreguiçou-se, sorrindo. Estava adormecida há algum tempo.

– Estás muito rezingão.

Ele olhou-me com um ar impassível.

– Porque será?

– Bom, é melhor escolhermos o tom certo para termos uma conversa íntima e honesta sobre o futuro, não te parece? – Sorri-lhe docemente.

Ele cerrou a boca numa linha rígida, mas depois os seus lábios ergueram-se, quase com relutância, e eu percebi que ele estava a conter um sorriso.

– Desculpa – disse-me.

– Desculpas aceites. Tenho o prazer de te informar de que não me decidi tornar vegetariana desde a última vez que comemos juntos.

– Mas como essa foi a última vez que comeste, isso é irrelevante.

– Outra vez aquela palavra: "irrelevante".

– Irrelevante – repetiu com os lábios e o humor suavizou-lhe o olhar. Passou a mão pelo cabelo e voltou a ficar sério. – Ana, da última vez que falámos tu deixaste-me. Estou um pouco nervoso. Já te disse que te quero de volta e tu não me disseste… nada. – Estava com um olhar intenso e expectante. A sua sinceridade era totalmente desarmante. Que raio poderia eu dizer?

– Eu senti a tua falta… senti mesmo a tua falta, Christian. Os últimos dias têm sido… difíceis. – Engoli em seco e senti o nó na garganta aumentar, ao recordar a minha angústia desesperada desde que o deixara.

Aquela última semana fora a pior semana da minha vida. A dor era quase indescritível. Nunca sentira nada semelhante. Mas compenetrei-me da realidade, o que me deu alento.

– Nada mudou. Eu não posso ser aquilo que tu queres que eu seja. – Deixei as palavras saírem da garganta apertada.

– Tu és aquilo que eu quero que sejas – retorquiu, num tom enfático.

– Não, Christian, não sou.

– Estás transtornada, devido ao que aconteceu da última vez. Eu agi estupidamente e tu… tu também. Porque não disseste a palavra de segurança, Anastasia? – O seu tom de voz modificou-se, tornando-se acusador.

O quê? Uau – mudámos de direção.

– Responde-me.

– Não sei. Sentia-me esmagada. Estava a tentar ser o que tu querias que eu fosse, a tentar lidar com a dor e nem me passou pela cabeça. Sabes como é… esqueci-me – sussurrei, envergonhada, encolhendo os ombros, num gesto apologético.

Talvez tivéssemos conseguido evitar toda aquela dor de cabeça.

– Esqueceste-te? – arquejou, horrorizado, agarrando a mesa de ambos os lados e olhando-me furioso. Eu definhei sob o seu olhar.

Merda! Estava outra vez furioso. A minha deusa interior olhou-me, igualmente furiosa. *Estás a ver? Foste tu que fizeste isto a ti mesma!*

– Como poderei alguma vez confiar em ti? – Falava num tom de voz grave.

Quando o empregado chegou com o nosso vinho, estávamos sentados a olhar um para o outro – um par de olhos azuis, fixos nuns olhos cinzentos – ambos cheios de recriminações por expressar. O empregado tirou a rolha da garrafa com um floreado desnecessário, vertendo um pouco de vinho no copo de Christian, que pegou automaticamente no copo e bebeu um gole.

– Está bom – disse ele, num tom de voz áspero.

O empregado encheu-nos cuidadosamente os copos, poisando a garrafa na mesa, antes de se retirar, apressado. Christian não tirou os olhos de mim, durante todo esse tempo. Eu fui a primeira a ceder, desviando o olhar e pegando no copo de seguida, para beber um grande gole de vinho. Mal o saboreei.

– Desculpa – sussurrei, sentindo-me subitamente estúpida. Viera-me embora porque achava que éramos incompatíveis, mas ele estava a dizer que eu poderia tê-lo detido.

– Desculpa porquê? – perguntou, alarmado.

– Por não ter usado a palavra de segurança.

Ele fechou os olhos, como que aliviado.

– Poderíamos ter evitado todo este sofrimento – murmurou.

– Tu pareces-me estar bem. – Melhor do que bem. Pareces igual a ti mesmo.

– As aparências enganam – retorquiu, calmamente. – Se há coisa que não estou é bem. É como se o Sol se tivesse posto e não nascesse há cinco dias, Ana. Estou a viver numa noite perpétua.

A sua confissão animou-me. *Oh meu Deus, tal como eu.*

– Disseste-me que nunca te irias embora e, no entanto, bastou que as coisas se complicassem um pouco, para saíres porta fora.

– Quando é que eu disse que nunca me iria embora?

– Enquanto dormias. Foi a coisa mais reconfortante que já ouvi até hoje, Anastasia. Tranquilizou-me.

Eu senti o coração apertado e peguei no copo de vinho.

– Tu disseste que me amavas – sussurrou. – Será que isso pertence ao passado? – Havia uma certa ansiedade na sua voz.

– Não, Christian, não pertence.

Parecia tão vulnerável ao respirar fundo.

– Ótimo – murmurou.

Fiquei perplexa com a sua confissão. Ele mudara de ideias. Quando anteriormente lhe dissera que o amava, ele ficara horrorizado. O empregado

voltou, poisando rapidamente os nossos pratos na mesa, e afastando-
-se apressado.

Com os diabos. Comida.

– Come – ordenou Christian.

No meu íntimo sabia que tinha fome, mas naquele momento sentia um nó no estômago. Estar sentada em frente ao único homem que alguma vez amara, a discutir o nosso futuro incerto, não era grande incentivo para um apetite saudável. Olhei com ar duvidoso para a minha comida.

– Juro-te por Deus, Anastasia, que se não comeres, deito-te em cima do joelho aqui mesmo, neste restaurante, e não será para minha gratificação sexual. Come!

Não te irrites, Grey. O meu subconsciente olhou-me por cima dos seus óculos em meia-lua. Concordava em absoluto com o Cinquenta Sombras.

– Ok, eu vou comer. Acalma-me essa palma da mão irrequieta, por favor.

Ele não sorriu e continuou a olhar-me fixamente. Eu ergui relu-tantemente a faca e o garfo e cortei o meu bife. Ah, estava delicioso e eu estava esfomeada, realmente esfomeada. Comecei a mastigá-lo e ele descontraiu-se visivelmente.

Jantámos em silêncio. A música mudara. Ouvia-se o som de uma mulher de voz suave a cantar e as suas palavras eram um eco dos meus pensamentos. Jamais seria a mesma desde que ele entrara na minha vida.

Olhei para o Cinquenta. Ele estava a comer e a observar-me. Fome, desejo e ansiedade combinados num único olhar sensual.

– Sabes quem está a cantar? – perguntei, tentando iniciar uma conversa normal.

Christian fez uma pausa e pôs-se a ouvir.

– Não… mas é boa, seja ela quem for.

– Eu também gosto.

Finalmente, dirigiu-me o seu sorriso enigmático. O que estaria ele a planear?

– O que foi? – perguntei.

Ele abanou a cabeça.

– Come – disse, brandamente.

Eu tinha devorado metade da comida do meu prato, mas não conseguia comer mais. Como poderia negociar aquilo?

– Não consigo comer mais. Terei comido o suficiente para si, Senhor?

Ele fitou-me com um ar impassível, sem responder, e depois olhou para o relógio de pulso.

– Estou realmente cheia – acrescentei, bebendo um gole do delicioso vinho.

– Temos de nos ir embora daqui a pouco. O Taylor já chegou e tu tens de te levantar cedo amanhã, para ires trabalhar.

– Tu também.

– Eu aguento-me com muito menos horas de sono do que tu, Anastasia. Pelo menos comeste qualquer coisa.

– Não vamos regressar no *Charlie Tango*?

– Não, porque achei que iria beber. O Taylor vem buscar-nos. Além disso, assim poderei ter-te no carro, só para mim, pelo menos durante algumas horas. O que poderemos fazer para além de falar?

Ah, então o plano era esse.

Christian chamou o empregado para lhe pedir a conta e depois pegou no BlackBerry e fez uma chamada.

– Estamos no Le Picotin, na Terceira Avenida, em Southwest. – Desligou o telefone. O seu tom de voz, ao telefone, ainda fora brusco.

– Estás muito brusco com o Taylor. Na verdade, estás muito brusco com a maior parte das pessoas.

– Limito-me a ir direto ao assunto, Anastasia.

– Esta noite não foste direto ao assunto. Nada mudou, Christian.

– Tenho uma proposta a fazer-te.

– Isto começou com uma proposta.

– É uma proposta diferente.

O empregado voltou e Christian entregou-lhe o cartão de crédito, sem verificar a conta. Olhou-me, interrogativamente, enquanto o empregado passava o cartão na máquina. O telefone de Christian zuniu uma vez e ele olhou para ele.

Uma proposta? O que seria agora? Ocorreram-me vários cenários possíveis: sequestro, trabalhar para ele. Não, nada me fazia sentido. Christian acabou de pagar.

— Anda, o Taylor está lá fora.

Levantou-se e deu-me a mão.

— Não te quero perder, Anastasia. — Beijou-me ternamente os nós dos dedos e o toque dos seus lábios ressoou-me pelo corpo.

O *Audi* estava lá fora à espera. Christian abriu-me a porta. Eu entrei e afundei-me no cabedal macio. Ele foi para o lado do condutor. Taylor saiu do carro e conversaram ambos por breves instantes. Aquele não era o protocolo habitual deles. Estava curiosa. De que estariam a falar? Momentos depois, regressaram ambos para o carro e eu olhei de relance para Christian que estava a olhar em frente, com o seu ar impassível.

Dei-me ao direito de examinar por instantes o seu perfil: o nariz reto, os lábios cheios e perfeitos, o cabelo deliciosamente caído sobre a testa. De certeza que aquele homem divino não me era destinado.

Uma música suave inundou a parte traseira do carro, uma majestosa peça orquestral que eu não conhecia, e Taylor mergulhou no trânsito ligeiro, dirigindo-se para a T-5 a caminho de Seattle.

Christian mudou de posição, virando-se para mim.

— Como eu estava a dizer, tenho uma proposta para te fazer, Anastasia.

Olhei nervosamente para Taylor.

— O Taylor não te consegue ouvir — disse-me Christian, para me tranquilizar.

— Como é que isso é possível?

— Taylor — chamou Christian. Taylor não respondeu. Ele voltou a chamá-lo e continuou a não obter reposta. Christian inclinou-se e bateu-lhe no ombro. Taylor removeu um auricular que me passara despercebido.

— Sim?

— Obrigado, Taylor, está tudo bem, podes continuar a ouvir a tua música.

— Sim, senhor.

— Satisfeita? Ele está a ouvir o iPod. Puccini. Esquece que ele aqui está. Eu vou esquecer.

— Pediste-lhe que o fizesse?

— Sim.

Ah, bom.

– Ok, qual é a tua proposta?

Christian assumiu subitamente uma postura determinada e profissional. *Com os diabos.* Íamos negociar um acordo. Escutei-o atentamente.

– Primeiro, deixa-me perguntar-te uma coisa. Queres ter uma relação baunilha normal, sem qualquer espécie de merdas depravadas?

Eu fiquei de queixo caído.

– Merdas depravadas? – guinchei.

– Merdas depravadas.

– Mal posso acreditar que tenhas dito isso.

– Mas disse. Responde-me – disse ele, calmamente.

Eu corei. A minha deusa interior estava com um joelho assente no chão, de mãos postas, em pose de súplica, implorando-me que lhe respondesse.

– Eu gosto das tuas merdas depravadas – sussurrei.

– Foi isso que eu pensei. Então de que é que não gostas?

De não te poder tocar, do facto de te deleitares com a minha dor, da dor do cinto...

– Da ameaça de punições cruéis e invulgares.

– O que quer isso dizer?

– Bom, tenho um medo de morte de todas aquelas vergastas, chicotes e coisas do tipo, que tens no quarto do prazer. Não quero que as uses em mim.

– Ok, nada de chicotes nem vergastas... nem cintos, já agora – disse ele, num tom sardónico.

Eu olhei-o, intrigada.

– Estás a tentar redefinir os limites intransponíveis?

– Não propriamente. Estou apenas a tentar entender-te, a tentar ter uma ideia mais concreta do que gostas e do que não gostas.

– Essencialmente, é-me difícil lidar com o prazer que sentes em infligir-me dor, Christian. Isso e a ideia de que o possas fazer pelo facto de eu ter quebrado uma regra arbitrária.

– Mas não são regras arbitrárias. As regras estão escritas.

– Eu não quero regras.

– Nenhuma?

– Nada de regras. – Abanei a cabeça, mas sentia o coração na boca. Onde estaria ele a querer chegar com aquela conversa?

– Mas não te importas que eu te espanque?

– Que me espanques com o quê?

– Com isto. – Ergueu a mão.

Eu torci-me, constrangida.

– Não propriamente. Especialmente com aquelas bolas prateadas… – Graças a Deus que estava escuro. Sentia o rosto a arder e emudeci, ao lembrar-me daquela noite. Sim… voltaria a fazer aquilo.

Ele sorriu-me afetadamente.

– Sim, isso foi divertido.

– Mais do que divertido – murmurei.

– Então consegues suportar alguma dor.

Eu encolhi os ombros.

– Sim, suponho que sim. – Oh, onde estaria ele a querer chegar? O meu nível de ansiedade disparou, subindo vários pontos na escala de Richter.

Ele afagou o queixo, pensativo.

– Anastasia, eu quero começar de novo. Iniciar uma relação baunilha e depois, quando tu confiares em mim e eu tiver a certeza de que és sincera e falas comigo, talvez possamos avançar e fazer algumas das coisas que eu gosto de fazer.

Olhei para ele assombrada, com a cabeça completamente vazia – era como o *crash* de um computador. Eu achava que ele estava nervoso, mas não conseguia vê-lo bem, pois estávamos envoltos na escuridão de Oregon. Finalmente, ocorreu-me. Era isso mesmo.

Ele queria a luz, mas poderia eu pedir-lhe que fizesse aquilo por mim? Não gostaria eu da escuridão? De alguma escuridão, às vezes. As memórias da noite de Thomas Tallis vieram-me convidativamente à mente.

– E os castigos?

– Nada de castigos – respondeu, abanando a cabeça. – Nenhum.

– E as regras?

– Nada de regras.

– Nenhuma? Mas tu tens necessidades.

– Preciso mais de ti, Anastasia. Estes últimos dias foram um inferno. Todos os meus instintos me dizem que te liberte, que não te mereço. Aquelas fotografias que o rapaz tirou... Eu percebo como ele te vê. Estavas despreocupada, linda. Não é que não estejas bonita agora, aqui sentada, mas eu sinto a tua dor. É-me difícil imaginar que fui eu que a causei. Mas eu sou um homem egoísta. Desejo-te desde o dia em que entraste no meu escritório. És encantadora, honesta, afetuosa, forte, espirituosa, sedutoramente inocente; a lista é interminável. Estou assombrado contigo, desejo-te, e a ideia de qualquer outra pessoa te ter é como uma faca torcida na minha alma negra.

Eu fiquei com a boca seca. Com os diabos. Se aquilo não era uma declaração de amor, não sei o que seria. As palavras precipitaram-se de dentro de mim, como de uma represa fendida.

– Christian, porque achas que tens uma alma negra? Eu jamais diria isso. Triste, talvez, mas tu és um bom homem. Eu consigo ver isso... és generoso, amável e nunca me mentiste. Eu não me esforcei o suficiente. O sábado passado foi um choque enorme para o meu organismo. Foi um abanão. Apercebi-me de que tinhas sido brando comigo e de que eu não podia ser a pessoa que tu querias que eu fosse. Depois de sair, cheguei à conclusão de que a dor física que me tinhas infligido não era tão má como a dor de te perder. Eu quero agradar-te, mas é difícil.

– Tu agradas-me a toda a hora – sussurrou. – Quantas vezes tenho de te dizer isto?

– Eu nunca sei o que estás a pensar. Às vezes és tão fechado... pareces uma ilha deserta. Intimidas-me. É por isso que fico calada. Nunca sei para que lado estás virado. Oscilas de norte para sul e de novo para norte, num nanossegundo. É confuso. Além disso, não me deixas tocar-te e eu quero tanto mostrar-te como te amo.

Ele piscou os olhos na escuridão. Estava apreensivo e eu não consegui resistir-lhe mais. Desapertei o cinto de segurança e enrosquei-me no seu colo, apanhando-o de surpresa. Segurei-lhe a cabeça entre as mãos.

– Eu amo-te, Christian Grey, e tu estás disposto a fazer tudo isso por mim. Sou eu que sou indigna disso e só lamento não poder fazer todas essas coisas por ti. Talvez com o tempo... não sei... mas aceito a tua proposta, sim. Onde assino?

Ele envolveu-me nos seus braços, esmagando-me contra si.

– Oh, Ana – sussurrou, enterrando o nariz no meu cabelo.

Ficámos sentados, enlaçados nos braços um do outro, a ouvir a música – uma reconfortante peça de piano – em tudo semelhante às emoções que pairavam pelo carro: a calma doce e tranquila depois da tempestade. Eu aconcheguei-me nos braços dele, poisando a cabeça na curva do seu pescoço e ele afagou-me delicadamente as costas.

– Tocar é um limite intransponível para mim, Anastasia – confessou-me.

– Eu sei. Quem me dera perceber porquê.

Instantes depois, suspirou e disse num tom de voz brando:

– Tive uma infância horrível. Um dos chulos da prostituta viciada em *crack*... – Emudeceu e ficou hirto, ao recordar um horror qualquer inimaginável. – Lembro-me disso – murmurou, estremecendo.

Subitamente, senti um aperto no coração ao lembrar-me das cicatrizes de queimaduras que lhe desfiguravam a pele. Oh, Christian. Apertei os braços à volta do seu pescoço.

– A tua mãe era abusiva? – A minha voz era grave e branda, carregada de lágrimas por derramar.

– Que eu me lembre, não. Era negligente. Não me protegia do seu chulo. – Conteve uma gargalhada. – Acho que era eu que cuidava dela. Quando finalmente se matou, só ao fim de quatro dias é que alguém deu o alarme e nos descobriram... Eu lembro-me disso.

Eu arquejei, horrorizada, incapaz de me conter. Raios me partam. A bílis subiu-me à garganta.

– Isso é horrível – sussurrei.

– Cinquenta sombras – murmurou.

Eu colei os lábios ao seu pescoço, procurando e oferecendo consolo, imaginando um rapazinho sujo, de olhos cinzentos, perdido e só, junto do corpo da mãe.

Oh, Christian. Inalei o seu odor. Cheirava divinalmente. Para mim era o melhor perfume do mundo. Ele apertou-me mais nos seus braços e eu deixei-me envolver no seu abraço, enquanto Taylor acelerava pela noite fora.

44

Quando acordei, estávamos a percorrer Seattle.

– Olá – disse Christian, brandamente.

– Desculpa – murmurei, endireitando-me, piscando os olhos e espreguiçando-me. Estava ainda nos seus braços, sentada no seu colo.

– Poderia ficar uma eternidade a ver-te dormir, Ana.

– Eu disse alguma coisa?

– Não. Estamos quase a chegar a tua casa.

– Ah, sim? Não vamos para tua casa?

– Não.

Eu endireitei-me e olhei para ele:

– Porque não?

– Porque amanhã tens de trabalhar.

– Oh – disse eu, fazendo beicinho.

– Porquê? Tinhas alguma coisa em mente?

Eu retorci-me.

– Bom, talvez.

Ele riu baixinho.

– Não voltarei a tocar-te até que me implores que o faça, Anastasia.

– O quê?

– Para que comeces a falar mais comigo. Da próxima vez que fizermos amor, terás de me dizer exatamente o que queres, com todos os detalhes.

– Ah, bom. – Taylor parou em frente ao meu apartamento e Christian tirou-me do seu colo. Depois saiu e segurou na porta para eu sair.

– Tenho uma coisa para ti. – Foi à parte de trás do carro, abriu a mala e tirou uma grande caixa embrulhada. O que raio seria aquilo?

– Abre-a quando entrares.

– Não vais entrar?

– Não, Anastasia.

– Então quando te voltarei a ver?

– Amanhã.

– O meu patrão quer que eu vá tomar uma bebida com ele, amanhã.

O rosto de Christian endureceu.

– Ah, quer? – Sentia-se uma ameaça latente na sua voz.

– Para festejar a minha primeira semana – acrescentei, rapidamente.

– Onde?

– Não sei.

– Eu podia ir lá buscar-te.

– Ok... eu mando-te um e-mail ou uma mensagem escrita.

– Ótimo.

Acompanhou-me até à porta do vestíbulo e esperou enquanto eu tirava as chaves da mala. Quando abri a porta, ele inclinou-se para a frente e aninhou-me o queixo na mão, inclinando-me a cabeça para trás. A boca dele ficou a pairar sobre a minha. Ao mesmo tempo que fechava os olhos, foi-me deixando um rasto de beijos do canto do olho ao canto da boca.

Deixei escapar um pequeno gemido, sentindo as entranhas derreterem e expandirem-se.

– Até amanhã – sussurrou.

– Boa noite, Christian. – Apercebi-me da carência na minha voz.

– Toca a entrar – ordenou-me e eu percorri o vestíbulo, com o meu misterioso pacote.

– Até logo, amor – disse ele, em voz alta, virando-se e voltando para o carro com a sua elegância natural.

Assim que cheguei ao apartamento, abri o presente e vi o meu portátil MacBook Pro, o BlackBerry e outra caixa retangular. O que seria aquilo? Desembrulhei o papel prateado. Lá dentro estava um estojo fino de cabedal preto.

Abri o estojo e vi um iPad. Com os diabos... um iPad. Em cima do ecrã estava um cartão branco escrito à mão por Christian:

Anastasia – isto é para ti.

Eu sei o que queres ouvir.

A música que aqui está di-lo por mim.

Christian

Uma compilação de Christian Grey sob a forma de um sofisticado iPad. Abanei a cabeça em desaprovação, devido à despesa, mas no meu íntimo tinha adorado. Jack tinha um no escritório, por isso eu sabia como funcionava.

Liguei-o e arquejei, ao ver a imagem do *wallpaper*: o modelo de um pequeno planador. Oh, meu Deus, era o *Blanik L-23* que eu lhe oferecera, montado num suporte de vidro, em cima do que eu julgava ser a secretária de Christian no escritório. Fiquei pasmada a olhar para ele.

Ele montou-o! Ele montou-o mesmo. Lembrei-me então de que ele falava disso no bilhete que acompanhava as flores. Fiquei vacilante e percebi nesse instante que ele ponderara bastante naquele presente.

Arrastei a seta até ao fundo do ecrã, para o abrir e voltei a arquejar. A fotografia de fundo era a que tirara com Christian na tenda, durante a minha formatura. Era a fotografia que aparecera no *Seattle Times*. Christian estava de tal forma atraente que eu não consegui conter um sorriso de orelha a orelha – *Sim, e é meu!*

Arrastei o dedo e os ícones deslizaram, dando lugar a outros, no ecrã seguinte. Uma aplicação Kindle, iBooks e Words – fosse lá o que isso fosse.

A Biblioteca Britânica? Toquei no ícone e apareceu um menu: COLEÇÃO HISTÓRICA. Percorri a lista selecionei: ROMANCES DO SÉC. XVIII E XIX. Mais um menu. Toquei ao de leve num título: *The American*, de Henry James. Abriu-se outra janela que me revelou uma cópia digitalizada do livro para ler. Caramba – era uma das primeiras edições, publicada em 1879, e estava no meu iPad! Ele comprara-me a Biblioteca Britânica, limitando-se a carregar num botão.

Saí num ápice, consciente de que poderia perder-me eternamente naquela aplicação. Reparei numa aplicação chamada "boa comida" e revirei os olhos, sorrindo ao mesmo tempo. Havia uma aplicação de notícias e outra de meteorologia. Mas a sua nota falava em música. Voltei ao ecrã principal, carreguei no ícone do iPod, e surgiu-me uma lista de músicas. Percorri as canções e a lista fez-me sorrir. Thomas Tallis – tão cedo não iria esquecer isso. Afinal de contas, ouvira-o duas vezes, enquanto ele me açoitava e me fodia.

"Whitchraft". O meu sorriso alargou-se. A dança na sala grande. A peça "Marcello", de Bach – *oh, não, isso era demasiado triste para o meu atual estado de espírito.* Hum. Jeff Buckley – sim, já ouvira falar dele. Snow Patrol – a minha banda favorita. Uma canção chamada "Principles of Lust", dos Enigma – muito Christian –, outra intitulada

"Possession"… Ah, sim, muito Cinquenta Sombras. E mais algumas que nunca ouvira.

Selecionei uma canção que me chamou a atenção e carreguei no *play*. Chamava-se "Try", da Nelly Furtado. Ela começou a cantar e a sua voz enrolou-se em torno de mim, envolvendo-me como um lenço de seda. Deitei-me na minha cama.

Quereria aquilo dizer que Christian ia tentar? Experimentar aquela nova forma de relacionamento? Absorvi a letra, de olhos pregados no teto, tentando perceber a sua mudança. Ele sentira a minha falta e eu sentira a falta dele. Isso queria dizer que devia sentir algo por mim. Tinha mesmo de sentir. Aquele iPad, aquelas canções, aquelas aplicações – ele gostava de mim, gostava realmente de mim. O meu coração encheu-se de esperança.

A canção terminou e vieram-me as lágrimas aos olhos. Passei rapidamente para outra – "The Scientist", dos Coldplay – uma das bandas preferidas de Kate. Eu conhecia a faixa mas nunca antes dera atenção à letra. Fechei os olhos e deixei-me inundar pelas palavras.

As lágrimas começaram a correr, sem que as conseguisse conter. Se aquilo não era um pedido de desculpas, não sei o que seria. Oh, Christian.

Ou seria um convite? Iria ele responder às minhas perguntas? *Estarei a ver demasiado nisto? Talvez esteja a dar demasiada importância a isto.*

Limpei as lágrimas. Tinha de lhe mandar um e-mail a agradecer. Saltei da cama e fui buscar a máquina cruel.

Os Coldplay continuaram a tocar, enquanto me sentava na cama, de pernas cruzadas. Liguei o Mac e fiz o *log in*.

———

De: Anastasia Steele
Assunto: iPAD
Data: 9 de junho de 2011 23:56
Para: Christian Grey

Fizeste-me chorar outra vez.

Adoro o iPad.

Adoro as canções.

Adoro a aplicação da Biblioteca Britânica.

Adoro-te.

Obrigada.

Boa noite.

Bjs, Ana

———

De: Christian Grey

Assunto: iPad

Data: 10 de junho de 2011 00:03

Para: Anastasia Steele

Ainda bem que gostas. Comprei um para mim.

Se eu aí estivesse, limpava-te as lágrimas com beijos.

Mas não estou, por isso vai dormir.

Christian Grey

CEO, Grey Enterprises Holdings, Inc.

———

A resposta dele fez-me sorrir — continuava tão autoritário, tão Christian. Será que isso também iria mudar? Nesse instante percebi que esperava que não mudasse. Eu gostava dele assim — dominante —, desde que pudesse defrontá-lo, sem receio de ser castigada.

———

De: Anastasia Steele

Assunto: Rezingão

Data: 10 de junho de 2011 00:07
Para: Christian Grey

Continua autoritário e, possivelmente, tenso e rezingão como sempre, Mr. Grey.

Sei de uma coisa que o poderia apaziguar, mas não está aqui. Não me deixou ficar em sua casa e esperava que eu implorasse...

Continue a sonhar, Senhor.

Bjs,
Ana

PS: Reparei também que incluiu o Hino do Perseguidor, "Every Breath You Take". Aprecio realmente o seu sentido de humor, mas será que o Dr. Flynn sabe?

———

De: Christian Grey
Assunto: Calma Zen
Data: 10 de junho de 2011 00:10
Para: Anastasia Steele

Prezada Miss Steele,

Também há espancamentos em relações baunilha, sabe? São habitualmente consensuais e ocorrem num contexto sexual... mas terei o maior prazer em abrir uma exceção.

Ficará aliviada por saber que o Dr. Flynn também aprecia o meu sentido de humor.

Agora, por favor, vá dormir, pois amanhã não vai dormir muito. Por falar nisso – acabará por implorar, acredite, e eu estou ansioso por isso.

Christian Grey
CEO Tenso, Grey Enterprises Holdings, Inc.

———

De: Anastasia Steele
Assunto: Boa Noite e Bons Sonhos
Data: 10 de junho de 2011 00:12
Para: Christian Grey

Bom, já que o pede tão cortesmente e a sua deliciosa ameaça me agrada, vou aninhar-me com o iPad que tão amavelmente me ofereceu e ador-mecer a explorar a Biblioteca Britânica, a ouvir a música que fala por si.

Bjs, A

———

De: Christian Grey
Assunto: Mais um Pedido
Data: 10 de junho de 2011 00:15
Para: Anastasia Steele

Sonhe comigo.
Beijo,

Christian Grey
CEO, Grey Enterprises Holdings, Inc.

———

Sonhar contigo, Christian Grey? Sempre.
Vesti rapidamente o pijama, escovei os dentes e meti-me na cama.

Coloquei os auscultadores e tirei o balão vazio do *Charlie Tango* debaixo da almofada, abraçando-me a ele.

Estava a transbordar de alegria, com um grande sorriso idiota estampado no rosto. Que diferença podia fazer um dia. Como iria conseguir dormir?

José Gonzalez começou a cantar uma melodia relaxante com acordes de guitarra hipnóticos e eu fui adormecendo lentamente, maravilhada pelo facto de o mundo se ter endireitado numa noite, e interrogando-me de forma indolente se deveria fazer uma lista de músicas para Christian.

CAPÍTULO TRÊS

Uma das vantagens de estar sem carro era poder ligar os auscultadores ao meu iPad no autocarro, guardá-lo em segurança na minha bolsa e ouvir todas as músicas maravilhosas que Christian me oferecera. Quando cheguei ao escritório, estava com o sorriso mais ridículo que se possa imaginar.

Jack olhou-me de relance e teve uma reação retardada.

— Bom dia, Ana. Está com um ar... radiante. — O comentário dele perturbou-me. *Que inoportuno!*

— Dormi bem, obrigada, Jack. Bom dia.

Ele franziu a testa.

— Importa-se de ler estes manuscritos e fazer-me os relatórios até à hora do almoço, por favor? — Deu-me quatro manuscritos. Ao ver a minha expressão horrorizada, acrescentou: — É só o primeiro capítulo.

— Claro — respondi, sorrindo aliviada, e ele retribuiu-me com um grande sorriso.

Liguei o computador para começar a trabalhar, enquanto terminava a minha meia de leite e comia uma banana. Tinha um e-mail de Christian.

———

De: Christian Grey
Assunto: Que Deus Me...
Data: 10 de junho de 2011 08:05
Para: Anastasia Steele

Espero sinceramente que tenhas tomado o pequeno-almoço.

Senti a tua falta ontem à noite.

Christian Grey
CEO, Grey Enterprises Holdings, Inc.

De: Anastasia Steele
Assunto: Livros Antigos...
Data: 10 de junho de 2011 08:33
Para: Christian Grey

Estou a comer uma banana enquanto escrevo. Há vários dias que não tomo o pequeno-almoço, portanto já é um passo em frente. Adoro a aplicação da Biblioteca Britânica – comecei a reler o *Robinson Crusoé*... e amo-te, é claro.

Agora deixa-me em paz, estou a tentar trabalhar.

Anastasia Steele
Assistente de Jack Hyde, Editor, SIP

De: Christian Grey
Assunto: Só Comeste Isso?
Data: 10 de junho de 2011 08:36
Para: Anastasia Steele

Consegues fazer melhor do que isso. Vais precisar de toda a tua energia para implorar.

Christian Grey
CEO, Grey Enterprises Holdings, Inc.

De: Anastasia Steele
Assunto: Peste
Data: 10 de junho de 2011 08:39
Para: Christian Grey

Mr. Grey, estou a tentar ganhar a vida. Você é que vai implorar.

Anastasia Steele
Assistente de Jack Hyde, Editor, SIP

De: Christian Grey
Assunto: Vamos a Isso!
Data: 10 de junho de 2011 08:36
Para: Anastasia Steele

Ora essa, Miss Steele, adoro um desafio...

Christian Gray
CEO, Grey Enterprises Holdings, Inc.

Fiquei sentada, a sorrir como uma idiota, mas precisava de ler aqueles capítulos para Jack e escrever relatórios sobre todos eles. Poisei os manuscritos em cima da secretária e comecei.

À hora do almoço fui ao café comer uma sanduíche de *pastrami* e ouvir a compilação de músicas do meu iPad. A primeira música era de Nitin Sawhney: um tema étnico chamado "Homelands" – era bom. Mr. Grey tinha um gosto musical eclético. Comecei a recuar e ouvi uma peça clássica, "Fantasia on a Theme by Thomas Tallis", de Ralph Vaughn Williams. O Cinquenta tinha sentido de humor e eu adorava-o por isso. Será que aquele sorriso idiota me iria desaparecer do rosto?

A tarde arrastou-se e eu decidi mandar um e-mail a Christian, num momento mais calmo.

———

De: Anastasia Steele
Assunto: Entediada...
Data: 10 de junho de 2011 16:05
Para: Christian Grey

Estou a girar os polegares.
Como estás?
O que estás a fazer?

Anastasia Steele
Assistente de Jack Hyde, Editor, SIP

———

De: Christian Grey
Assunto: Os Teus Polegares
Data: 10 de junho de 2011 16:15
Para: Anastasia Steele

Devias vir trabalhar comigo.
Não estarias a girar os polegares, tenho a certeza de que lhes daria melhor uso.
Na verdade, ocorrem-me uma série de possibilidades.
Estou na minha rotina habitual de fusões e aquisições.
É tudo muito seco.
Os teus e-mails na SIP são monitorizados.

Christian Grey
CEO Distraído, Grey Enterprises Holdings, Inc.

———

Oh, bolas. Não fazia ideia. Como raio saberia ele isso? Franzi o sobrolho para o ecrã e verifiquei rapidamente os e-mails que tínhamos trocado, apagando-os enquanto o fazia.

Às cinco e meia em ponto, Jack estava junto da minha secretária. Era sexta-feira, dia de vestir roupa informal, por isso ele estava de calças de ganga e de camisa preta.

— Uma bebida, Ana? Normalmente vamos ao bar do outro lado da rua, tomar um copo rápido.

— Nós? — perguntei, esperançosa.

— Sim, quase todos vamos... quer vir?

Por qualquer razão que não me apetecia examinar em detalhe, fui percorrida por uma sensação de alívio.

— Claro, com prazer. Como se chama o bar?

— Cinquenta.

— Está a brincar.

Ele olhou-me com estranheza.

— Não. Isso tem algum significado para si?

— Não, desculpe. Vou lá ter convosco.

— O que quer beber?

— Uma cerveja, por favor.

— Bestial.

Encaminhei-me para os lavabos e enviei um e-mail a Christian do BlackBerry.

———

De: Anastasia Steele
Assunto: Vais Encaixar-te Bem
Data: 10 de junho de 2011 17:36
Para: Christian Grey

Vamos a um bar chamado Cinquenta.

Poderia explorar um interminável filão de humor nisto.

Estou ansiosa por o ver lá, Mr. Grey.

Bjs, A

_____

De: Christian Grey
Assunto: Perigos
Data: 10 de junho de 2011 17:38
Para: Anastasia Steele

A exploração de filões é uma atividade muito perigosa.

Christian Grey
CEO, Grey Enterprises Holdings, Inc.

_____

De: Anastasia Steele
Assunto: Perigos?
Data: 10 de junho de 2011 17:40
Para: Christian Grey

E isso significa que...?

_____

De: Christian Grey
Assunto: Estou apenas...
Data: 10 de junho de 2011 17:42
Para: Anastasia Steele

Estou a fazer uma observação, Miss Steele.

Vemo-nos daqui a pouco.

Antes até já do que até logo.

Christian Grey

CEO, Grey Enterprises Holdings, Inc.

_____

Vi-me ao espelho. A diferença que um dia podia fazer. Estava com as faces mais coradas e os olhos brilhantes. Era o efeito Christian Grey. Um pouco de pugilismo com ele por e-mail produzia esse efeito numa rapariga. Sorri ao espelho e endireitei a minha camisa azul-clara – a que Taylor me comprara. Vestira também os meus *jeans* preferidos. A maior parte das mulheres do escritório usava calças de ganga ou saias vaporosas. Teria de investir numa ou duas saias vaporosas. Talvez o fizesse nesse fim de semana e depositasse o cheque que Christian me dera pelo Wanda, o meu Carocha.

Ao sair do edifício, ouvi chamarem o meu nome.

– Miss Steele?

Virei-me, expectante, e uma jovem macilenta aproximou-se cautelosamente de mim. Estava de tal forma pálida e inexpressiva que parecia um fantasma.

– Miss Anastasia Steele? – repetiu ela, e a sua fisionomia permaneceu estática, embora estivesse a falar.

– Sim?

Ela parou e olhou para mim, a cerca de um metro de distância, no passeio. E eu olhei também para ela, paralisada. Quem seria? O que quereria?

– Posso ajudá-la? – perguntei-lhe. Como saberia ela o meu nome?

– Não… queria apenas olhar para si. – Falava num tom de voz assustadoramente suave.

Tal como eu, o seu cabelo escuro contrastava fortemente com a sua pele clara. Tinha uns olhos cor de mel, mas baços e totalmente despojados de vida. O seu belo rosto estava pálido e marcado pela mágoa.

– Desculpe, mas estou em desvantagem – disse eu, tentando ignorar o formigueiro premonitório que me percorreu a espinha. Depois de a observar mais atentamente, pareceu-me estranha, desalinhada e desprezada. Vestia roupas dois números acima do seu, incluindo a gabardina de *design*.

Deu uma gargalhada estranha e dissonante, que serviu apenas para alimentar a minha ansiedade.

– O que é que você tem que eu não tenho? – perguntou, tristemente.

A ansiedade deu lugar ao medo.

– Desculpe, mas quem é você?

– Eu? Não sou ninguém. – Ergueu o braço e passou a mão pelo cabelo até aos ombros e, ao fazê-lo, a manga da gabardina escorregou, revelando uma ligadura suja no pulso.

Merda.

– Bom dia, Miss Steele. – Virou-se e subiu a rua, deixando-me pregada ao chão. Fiquei a ver a sua figura esguia desaparecer, no meio dos trabalhadores que saíam dos diferentes escritórios.

O que foi aquilo?

Atravessei a rua para o bar, confusa, tentando assimilar o que acabara de acontecer. O meu subconsciente empinou a sua cabeça horrível e sussurrou-me num tom sibilante – *Ela tem alguma coisa a ver com o Christian.*

O Cinquenta era um bar enorme e impessoal, com galhardetes de basebol e cartazes pendurados na parede. Jack estava ao balcão com Elizabeth, Courtney, a outra editora, dois tipos do Departamento Financeiro e Claire da receção. Ela usava as suas argolas prateadas de sempre.

– Olá, Ana! – disse Jack, passando-me uma garrafa de *Bud*.

– Saúde… obrigada – murmurei, ainda abalada pelo encontro com a Rapariga Fantasma.

– Saúde. – Tocámos ao de leve com as garrafas e ele prosseguiu a sua conversa com Elizabeth. Claire sorriu-me docemente.

– Então, como correu a tua primeira semana? – perguntou-me ela.

– Bem, obrigada. Todos parecem bastante simpáticos.

– Hoje pareces muito mais feliz.

– É sexta-feira – murmurei, rapidamente. – Então… tens planos para este fim de semana?

A minha manobra de dispersão patenteada resultou e eu safei-me. Claire tinha seis irmãos e ia a uma grande reunião familiar em Tacoma. Começou a ficar bastante animada e eu apercebi-me de que não falava com nenhuma mulher da minha idade desde que Kate partira para os Barbados.

Interroguei-me distraidamente como estaria Kate... e Elliot. Não me podia esquecer de perguntar a Christian se tivera notícias dele. Ah, é verdade, e o irmão de Kate, Ethan, voltaria na terça-feira e iria ficar no nosso apartamento. Acho que Christian não ia ficar muito satisfeito com isso. O meu anterior encontro com a estranha Rapariga Fantasma esbateu-se um pouco mais na minha mente.

Enquanto conversava com Claire, Elizabeth passou-me outra cerveja.

– Obrigada. – Sorri-lhe em sinal de agradecimento.

Claire era muito simpática e gostava de falar, por isso quando dei por mim, ia na terceira cerveja, oferecida pelos tipos do Departamento Financeiro.

Quando Elizabeth e Courtney saíram, Jack juntou-se a mim e a Claire. Onde estaria Christian? Um dos tipos do Departamento Financeiro entabulou conversa com Claire.

– Ana, acha que tomou a decisão certa ao vir para aqui? – O tom de voz de Jack era brando e ele estava um pouco perto demais, mas já me tinha apercebido de que ele tinha tendência para fazer isso com toda a gente, mesmo no escritório.

– Diverti-me bastante durante esta semana, obrigada. Sim, acho que tomei a decisão certa.

– É uma rapariga muito inteligente, Ana. Vai chegar longe.

Corei.

– Obrigada – respondi, pois não sabia o que dizer mais.

– Vive longe?

– No bairro de Pike Market.

– É perto de mim. – Ele sorriu e aproximou-se ainda mais, encostando-se ao balcão e aprisionando-me efetivamente. – Tem planos para este fim de semana?

– Bom... hum...

Senti-o antes de o ver. Era como se todo o meu corpo estivesse completamente sintonizado para a sua presença e eu senti-o descontrair-se e incendiar-se em simultâneo – uma estranha dualidade interior – devido a uma misteriosa eletricidade palpitante.

Christian colocou um braço sobre o meu ombro, numa demonstração de afeto, aparentemente descontraída, mas eu sabia que não era bem assim. Estava a reclamar o que lhe pertencia, o que era bastante bem-vindo naquela ocasião. Beijou-me suavemente o cabelo.

– Olá, meu amor – murmurou ele.

Senti-me aliviada, protegida e excitada com o seu braço à volta do meu corpo. Ele puxou-me para o seu lado e eu olhei para ele, ao vê-lo olhar para Jack com um ar impassível. Desviando depois a sua atenção para mim, fez-me um breve sorriso enviesado, beijando-me rapidamente. Estava com o seu casaco azul-escuro, listrado, uns *jeans* e uma camisa branca, aberta. Estava comestível.

Jack recuou, constrangido.

– Jack, este é o Christian – murmurei, apologeticamente. Porque estaria a pedir desculpa? – Christian, este é o Jack.

– Sou o namorado – disse Christian, ao apertar a mão a Jack, com um sorriso frio que não lhe chegava aos olhos. Eu olhei de relance para Jack, que parecia estar a avaliar mentalmente o belo espécime de masculinidade que tinha diante de si.

– Eu sou o patrão – disse Jack, arrogantemente. – A Ana falou num ex-namorado.

Oh, merda, não queiras entrar nesse jogo com o Cinquenta.

– Bom, agora já não sou ex – replicou Christian, calmamente. – Anda, querida, é altura de nos irmos embora.

– Por favor, fique e tome uma bebida connosco – disse Jack, brandamente.

Não me parecia boa ideia. Porque seria aquilo tão desconfortável? Olhei de relance para Claire. É claro que estava estarrecida a olhar para Christian com uma postura francamente carnal. Quando iria deixar de me preocupar com o efeito que ele produzia nas mulheres?

– Nós temos outros planos – respondeu Christian com o seu sorriso enigmático.

Ah, sim? Um frémito de expectativa percorreu-me o corpo. – Talvez noutra altura – acrescentou ele. – Anda – disse-me, dando-me a mão.

– Até segunda-feira. – Sorri para Jack, Claire e os tipos do Departamento Financeiro, fazendo os possíveis por ignorar a expressão muito pouco satisfeita de Jack, e saí atrás de Christian.

Taylor estava à espera, junto do passeio, ao volante do *Audi*.

– Porque é que aquilo me pareceu uma disputa de machos? – perguntei a Christian, enquanto ele me abria a porta.

– Porque era – respondeu-me, com o seu sorriso enigmático, fechando-me depois a porta.

– Olá, Taylor – disse eu e os nossos olhos cruzaram-se no retrovisor.

– Miss Steele – disse Taylor, cumprimentando-me com um sorriso ameno.

Christian sentou-se ao meu lado, agarrou-me na mão e beijou-me delicadamente os nós dos dedos. – Olá – disse ele, brandamente.

Eu fiquei com as faces coradas, pois sabia que Taylor nos estava a ouvir, grata pelo facto de ele não poder ver o olhar escaldante, capaz de incendiar um par de cuecas, que Christian me estava a dirigir. Tive de me controlar ao máximo para não saltar para cima dele, ali mesmo, no banco traseiro do carro.

Oh, o banco traseiro do carro... hum.

– Olá – sussurrei eu, com a boca seca.

– O que queres fazer esta noite?

– Julgava que tinhas dito que tínhamos planos.

– Eu sei o que gostaria de fazer, Anastasia, mas estou a perguntar-te o que te apetece a ti fazer.

Eu dirigi-lhe um sorriso radioso.

– Compreendo – disse ele com um sorriso libertino e malévolo. – Seja, então... implorar. Queres implorar em minha casa ou na tua? – Inclinou a cabeça para um lado, dirigindo-me aquele sorriso estupidamente *sexy*.

– Acho que está a ser muito presunçoso, Mr. Grey, mas podíamos ir para o meu apartamento, para variar. – Mordi o lábio propositadamente e ele ficou com uma expressão mais sombria.

– Taylor, para casa de Miss Steele, por favor.

– Sim, senhor – respondeu Taylor, mergulhando no trânsito.

– Então, como correu o teu dia? – perguntou-me.

– Bem. E o teu?

– Bem, obrigado. – O seu sorriso ridiculamente rasgado era um perfeito reflexo do meu e ele voltou a beijar-me a mão.

– Estás linda – disse ele.

– Tu também.

– O teu patrão, Jack Hyde, é bom no seu trabalho?

Eh lá! Aquilo era uma mudança brusca de direção. Franzi o sobrolho.

– Porquê? Tem a ver com a vossa disputa de machos?

Christian sorriu afetadamente.

– Aquele homem quer saltar-te para cima, Anastasia – disse ele, secamente.

Corei, estarrecida, e olhei nervosamente para Taylor.

– Bom, ele pode querer tudo o que quiser... mas porque estamos a ter esta conversa? Tu sabes que eu não tenho qualquer interesse nele. É apenas o meu patrão.

– A questão é essa. Ele quer o que é meu, por isso preciso de saber se é bom no seu trabalho.

Eu encolhi os ombros.

– Penso que sim. – Onde é que ele estaria a querer chegar com aquela conversa?

– Bom, é melhor que te deixe em paz, caso contrário é bem capaz de ir parar ao olho da rua.

– De que estás a falar, Christian? Ele não fez nada de errado... – *Por enquanto*. Limita-se a aproximar-se demais.

– Se ele fizer alguma coisa, dizes-me logo. Chama-se depravação grosseira, ou assédio sexual.

– Foi apenas uma bebida depois do trabalho.

– Estou a falar a sério. Um gesto que seja, e corro com ele.

– Tu não tens esse tipo de poder. – Sinceramente! Mas antes que pudesse revirar-lhe os olhos a evidência atingiu-me com a força de um camião TIR, a alta velocidade. – Ou será que tens, Christian?

Christian sorriu-me, enigmático.

– Vais comprar a empresa – sussurrei horrorizada.

O seu sorriso desapareceu ao sentir o pânico na minha voz.

– Não propriamente – disse ele.

– Tu já compraste a SIP.

Ele piscou-me os olhos cautelosamente.

– É possível.

– Compraste ou não?

– Comprei.

O que raio?

– Porquê? – arquejei, horrorizada. Aquilo era demais.

– Porque posso, Anastasia. Quero que estejas segura.

– Mas tu disseste que não ias interferir na minha carreira!

– E não vou.

Tirei bruscamente a minha mão da dele.

– Christian… – Fiquei sem palavras.

– Estás zangada comigo?

– Sim, é claro que estou zangada contigo – respondi, a ferver de raiva. – Quer dizer, que raio de executivo responsável toma decisões com base na pessoa com quem anda a foder? – Empalideci e voltei a olhar nervosamente para Taylor, que nos estava a ignorar estoicamente.

Merda. Que momento mais inconveniente para sofrer uma avaria no filtro entre a boca e a cabeça.

Christian abriu a boca e voltou a fechá-la, franzindo-me o sobrolho. Olhei para ele furiosa e o ambiente afetuoso e doce do reencontro, que pairava dentro do carro, arrefeceu, dando lugar a uma atmosfera gelada, carregada de palavras por dizer e potenciais recriminações, ao olharmos enfurecidos um para o outro. Felizmente, a nossa desconfortável viagem de carro não durou muito e Taylor parou em frente ao meu apartamento. Saí apressadamente do carro, sem esperar que ninguém me abrisse a porta.

Ouvi Christian murmurar para Taylor:

– Acho melhor esperares aqui.

Sentia-o bem perto de mim, enquanto lutava para encontrar as chaves da porta da frente, na minha bolsa.

– Anastasia – disse ele, calmamente, como se eu fosse um animal selvagem, encurralado.

Eu suspirei e virei-me para ele. Estava tão furiosa com ele que a minha raiva era palpável – como uma entidade obscura prestes a sufocar-me.

– Primeiro, há algum tempo que não te fodo – mais parece uma eternidade – e segundo, eu queria envolver-me no meio editorial. A SIP é a mais lucrativa das quatro empresas de Seattle, mas está no seu auge e vai acabar por estagnar. Precisa de se expandir.

Eu olhei-o friamente. Ele estava com um olhar intenso, dir-se-ia até ameaçador, mas *sexy* como o raio. Poderia perder-me nas profundezas daquele olhar.

– Então agora és o meu patrão – disse, bruscamente.

– Tecnicamente, sou patrão dos patrões do teu patrão.

– Tecnicamente, é uma depravação grosseira andar a foder com o patrão dos patrões do meu patrão.

– Neste momento estás a discutir com ele – disse Christian de sobrolho franzido.

– Porque ele é um imbecil – retorqui, num tom de voz sibilante.

Christian recuou surpreendido, com um ar perplexo. Oh, merda. Teria ido longe de mais?

– Um imbecil? – murmurou ele. A sua expressão modificou-se. Agora parecia divertido.

Raios me partam! Estou furiosa contigo, não me faças rir!

– Sim – respondi, esforçando-me para manter um ar indignado.

– Um imbecil? – repetiu Christian, mas desta vez os seus lábios estremeceram com um sorriso contido.

– Não me faças rir quando estou furiosa contigo! – gritei.

Ele dirigiu-me um sorriso rasgado e deslumbrante de menino bem comportado e eu não consegui resistir. Dei por mim a sorrir e a rir ao mesmo tempo. Foi mais forte do que eu. Como poderia ficar indiferente à alegria que emanava do seu sorriso?

– Lá porque estou com um sorriso idiota, não quer dizer que não esteja furiosa contigo – murmurei, sem fôlego, tentando conter as minhas gargalhadas de líder de claque do secundário. *Embora nunca tivesse sido líder de claque*, pensei eu, amargamente.

Ele inclinou-se para mim e eu julguei que me fosse beijar, mas não. Roçou-me o nariz pelo cabelo e inspirou profundamente.

– Inesperada como sempre, Miss Steele. – Inclinou-se para trás e olhou-me, com o riso a saltitar-lhe nos olhos. – Então, vais convidar-me

para entrar, ou vou ser despachado por exercer o meu direito democrá-
tico de cidadão americano, empreendedor e consumidor, de comprar o
que me dá na real gana?

– Falaste com o Dr. Flynn acerca disso?

Ele deu uma gargalhada.

– Vais deixar-me entrar ou não, Anastasia?

Eu tentei fazer uma expressão mal-humorada – morder o lábio aju-
dava –, mas ao abrir a porta estava a sorrir. Christian virou-se, acenou
a Taylor e o *Audi* afastou-se.

Era estranho ter Christian Grey no apartamento. A casa parecia
demasiado pequena para ele.

Ainda estava furiosa com ele – a sua perseguição não tinha limites – e, subitamente, percebi que fora assim que ele soubera que o meu
e-mail estava a ser monitorizado na SIP. Provavelmente, sabia mais
acerca da SIP do que eu. A ideia era moralmente ofensiva.

O que poderia eu fazer? Porque teria ele tanta necessidade de me
proteger? Por amor de Deus, eu era uma mulher adulta – mais ou menos
adulta. O que poderia eu fazer para o tranquilizar?

Olhei para o seu rosto, ao vê-lo deambular pela sala como um predador, e a minha raiva abrandou. Vê-lo ali, no meu espaço, quando
pensava que tudo acabara entre nós, era mais do que reconfortante.
Eu amava-o. Uma inebriante sensação de júbilo cresceu-me no coração.
Ele olhou em redor, com um ar avaliador.

– Bela casa – afirmou.

– Foram os pais da Kate que a compraram para ela.

Ele acenou distraidamente com a cabeça, e os seus arrojados olhos
cinzentos fixaram-se nos meus, olhando-me intensamente.

– Hum… queres uma bebida? – balbuciei, corando com os nervos.

– Não, obrigado, Anastasia. – Os seus olhos escureceram.

Porque estaria eu tão nervosa?

– O que gostarias de fazer, Anastasia? – perguntou, brandamente,
aproximando-se de mim, todo felino e *sexy*. – Eu sei o que quero fazer
– acrescentou, num tom de voz grave.

Recuei até chocar contra a bancada da cozinha.

– Ainda estou furiosa contigo.

– Eu sei – disse ele, com um sorriso apologético e enviesado. Derreti-me toda... Bom, talvez não estivesse assim tão furiosa.

– Queres comer alguma coisa? – perguntei.

Ele acenou lentamente com a cabeça.

– Sim. A ti – murmurou. Tudo se contraiu dentro de mim, da cintura para baixo. A sua voz, só por si, seduzia-me, mas aquele olhar, aquele olhar esfomeado que parecia dizer "quero possuir-te agora"... Oh, meu Deus.

Ele estava diante de mim, sem me tocar propriamente, de olhos postos nos meus, a banhar-me com o calor que emanava do seu corpo. Eu estava aturdida e terrivelmente quente. Um desejo obscuro percorreu-me o corpo e senti as pernas frouxas como gelatina. Desejava-o.

– Já comeste hoje? – murmurou.

– Comi uma sanduíche ao almoço – sussurrei. Não queria falar de comida.

Ele semicerrou os olhos:

– Precisas de comer.

– Não sinto fome... de comida... neste momento.

– Sente fome de quê, Miss Steele?

– Acho que sabe muito bem, Mr. Grey.

Ele inclinou-se para mim e eu voltei a pensar que ele me ia beijar, mas não o fez.

– Queres que eu te beije, Anastasia? – segredou-me suavemente ao ouvido.

– Sim – sussurrei.

– Onde?

– Em toda a parte.

– Terás de ser um pouco mais específica. Eu disse-te que não te tocaria até que me implorasses para o fazer e me dissesses o que fazer.

Senti-me perdida; ele não estava a fazer jogo limpo.

– Por favor – sussurrei.

– Por favor, o quê?

– Toca-me.

– Onde, amor?

Ele estava irresistivelmente próximo e o seu cheiro era intoxicante. Ergui um braço e ele recuou imediatamente.

– Não, não – disse ele, num tom repreensivo, arregalando subitamente os olhos, alarmado.

– O que foi? – *Não... volta para aqui.*

– Não – disse ele, abanando a cabeça.

– De todo? – Eu não conseguia esconder a ânsia na minha voz.

Ele olhou para mim, hesitante, e a sua hesitação encorajou-me. Dei um passo na direção dele e ele recuou, erguendo as mãos na defensiva, mas sorrindo.

– Vá lá, Ana. – Era um aviso. Passou a mão pelo cabelo, exasperado.

– Às vezes não te importas – disse, num tom lamentoso. – Talvez fosse melhor eu arranjar um marcador e assinalarmos as áreas interditas.

Ele arqueou uma sobrancelha.

– Não é má ideia. Onde é o teu quarto?

Acenei com a cabeça na direção do quarto. Estaria a mudar de assunto propositadamente?

– Tens tomado a pílula?

Oh, merda, a pílula.

Ele ficou com um ar desanimado, ao ver a minha expressão.

– Não – guinchei.

– Compreendo – disse ele, cerrando os lábios numa linha fina. – Anda, vamos comer qualquer coisa.

– Julgava que íamos para a cama. Eu quero ir para a cama contigo.

– Eu sei, amor. – Sorriu, avançou subitamente para mim, e agarrou-me nos pulsos, puxando-me para os seus braços, e apertando o seu corpo contra o meu.

– Tu precisas de comer e eu também – murmurou, fitando-me com um olhar ardente. – Além disso... a expectativa é a chave da sedução e eu estou bastante interessado em adiar a gratificação, neste momento.

O quê? Desde quando?

– Mas eu sinto-me seduzida e quero a minha gratificação já. Por favor, eu imploro – disse eu, num tom choramingas.

Ele sorriu-me ternamente.

— Come. Estás demasiado magra. — Beijou-me a testa e largou-me.

Aquilo era um jogo, fazia parte de um plano pérfido. Franzi-lhe o sobrolho.

— Eu ainda estava furiosa contigo por teres comprado a SIP, e agora estou furiosa por me estares a fazer esperar. — Fiz beicinho.

— És uma rapariga muito irritadiça, não és? Sentir-te-ás melhor depois de uma boa refeição.

— Eu sei o que me faria sentir melhor.

— Anastasia Steele, estou chocado. — Falava num tom suave e zombeteiro.

— Para de me provocar. Não estás a ser justo.

Ele mordeu o lábio inferior, contendo um sorriso. Estava simplesmente adorável... o Christian divertido, a brincar com a minha libido. Se tivesse melhores aptidões para seduzir, saberia o que fazer, mas o facto de não lhe poder tocar estava a dificultar-me a vida.

A minha deusa interior semicerrou os olhos. Parecia pensativa. O assunto tinha de ser trabalhado.

Enquanto olhámos um para o outro — eu alvoroçada e desejosa, ele descontraído e divertido à minha custa — apercebi-me de que não tinha comida no apartamento.

— Eu podia cozinhar qualquer coisa, só que temos de ir às compras.

— Ir às compras?

— Sim, temos de ir comprar mantimentos.

— Não tens comida em casa? — A expressão dele tornou-se mais dura. Eu abanei a cabeça. Parecia bastante zangado, raios.

— Então, vamos às compras — disse ele, num tom severo. Deu meia volta e encaminhou-se para a porta, abrindo-a, para me dar passagem.

— Há quanto tempo não vens a um supermercado?

Christian parecia deslocado, mas seguia-me obsequiosamente, com um cesto de compras na mão.

— Não me lembro.

— É Mrs. Jones que faz todas as compras?

— Acho que o Taylor a ajuda, mas não tenho a certeza.

— Gostas de legumes salteados? É rápido.

– Sim, parece-me bem – disse Christian, sorrindo, sem dúvida por perceber o motivo ulterior da refeição rápida.

– Eles trabalham para ti há muito tempo?

– O Taylor há quatro anos e Mrs. Jones mais ou menos o mesmo. Porque não tinhas comida nenhuma no apartamento?

– Tu sabes porquê – respondi, corando.

– Foste tu que me abandonaste – murmurou ele, num tom desa-provador.

– Eu sei – respondi debilmente, por não me querer lembrar disso.

Chegámos à caixa e esperámos em silêncio na fila.

Será que ele me teria oferecido a alternativa baunilha se eu não tivesse saído?, pensei, distraidamente.

– Tens alguma coisa que se beba? – perguntou-me, trazendo-me de volta ao presente.

– Cerveja… acho eu.

– Vou comprar vinho.

Oh diabo, eu não sabia ao certo que tipo de vinhos tinha o Ernie's. Christian voltou a aparecer de mãos a abanar e o rosto franzido, com uma expressão de desagrado.

– Há uma boa loja de bebidas alcoólicas aqui ao lado – disse eu, rapidamente.

– Vou ver o que têm.

Talvez se fôssemos para casa dele não tivéssemos de passar por todos aqueles incómodos. Vi-o sair da loja, com uma elegância natu-ral e determinada. Duas mulheres que iam a entrar pararam e ficaram a olhar para ele. *Sim, olhem para o meu Cinquenta Sombras*, pensei eu, desanimada.

Queria voltar a lembrar-me dele na minha cama, mas ele estava a fazer-se difícil. O melhor seria eu fazer o mesmo. A minha deusa inte-rior acenou freneticamente com a cabeça e arquitetámos um plano enquanto esperávamos na fila. Hum…

Christian carregou os sacos com as compras para o apartamento. Levara-os desde a loja até lá. Estava com um comportamento estranho, muito diferente da sua habitual postura de Diretor-Geral.

– Estás com um ar muito... caseiro.

– Nunca ninguém me acusou disso antes – disse ele, secamente, poisando os sacos sobre a bancada central da cozinha. Quando comecei a esvaziá-los, ele tirou uma garrafa de vinho branco e foi à procura de um saca-rolhas.

– Esta casa ainda é nova para mim. Acho que o saca-rolhas está ali, naquela gaveta – disse eu, apontando com o queixo.

Tudo aquilo parecia... tão normal – duas pessoas a fazerem uma refeição juntas, para se conhecerem melhor uma à outra – e ao mesmo tempo tão estranho. O medo que eu sempre sentira na sua presença desaparecera. Já tínhamos feito tanta coisa juntos que eu corei só de pensar – mas eu mal o conhecia.

– Estás a pensar em quê? – Christian arrancou-me dos meus devaneios, tirando o casaco listrado, e colocando-o sobre o sofá.

– Em como te conheço mal.

Os seus olhos tornaram-se mais brandos.

– Conheces-me melhor do que ninguém.

– Acho que isso não é verdade. – Mrs. Robinson veio-me à cabeça sem querer e de forma bastante indesejável.

– É verdade, Anastasia, sou uma pessoa muito reservada.

Deu-me um copo de vinho branco.

– Saúde – disse ele.

– Saúde – retorqui, bebendo um gole de vinho, enquanto ele punha a garrafa no frigorífico.

– Posso ajudar-te? – perguntou-me.

– Não, não é preciso... senta-te.

– Eu gostaria de ajudar. – Estava com uma expressão sincera.

– Podes cortar os legumes.

– Eu não sei cozinhar – respondeu, olhando desconfiado para a faca que lhe dei.

– Acho que não precisas de saber. – Coloquei uma tábua de picar e alguns pimentos diante dele. Ele olhou para eles, confuso.

– Nunca cortaste legumes?

– Não.

Eu sorri-lhe afetadamente.

– Isso é um sorriso afetado?

– Parece ser algo que eu sei fazer e tu não. Sejamos realistas, Christian, acho que isto é uma estreia. Eu mostro-te como é.

Rocei-me nele e ele recuou. A minha deusa interior endireitou-se e ficou atenta.

– É assim. – Cortei cuidadosamente o pimento vermelho para remover as sementes.

– Parece simples.

– Não deves ter grandes dificuldades – murmurei, ironicamente.

Ele olhou-me por instantes com um ar impassível e deitou mãos à obra, enquanto eu cortava o frango aos pedaços. Começou a cortá-los lentamente, com toda a cautela. *Oh, meu Deus, vamos ficar aqui a noite inteira.*

Lavei as mãos e fui à procura do *wok*, do azeite e dos outros ingredientes de que precisava, roçando-me repetidamente nele – a anca, o braço, as costas, as mãos. Pequenos toques aparentemente inocentes. Ele imobilizava-se de cada vez que eu o fazia.

– Eu sei o que estás a fazer, Anastasia – murmurou, num tom sombrio, ainda de volta do primeiro pimento.

– Acho que se chama cozinhar – respondi, pestanejando. Agarrei noutra faca e aproximei-me dele, junto da tábua de picar, descascando e cortando alho, chalotas e feijão-verde, chocando continuamente contra ele.

– És bastante boa nisto – murmurou, atacando o segundo pimento vermelho.

– A cortar legumes? – perguntei, pestanejando. – Anos de prática. – Tornei a roçar-me nele, desta vez com o rabo, e ele voltou a imobilizar-se.

– Se voltas a fazer isso, possuo-te no chão da cozinha, Anastasia.

Uau, estava a resultar.

– Primeiro vais ter de implorar.

– Isso é um desafio?

– Talvez.

Ele poisou a faca e aproximou-se calmamente de mim, com um olhar ardente, inclinando-se e desligando o gás. O azeite no *wok* serenou quase de imediato.

– Acho que vamos comer mais tarde. Põe o frango no frigorífico.

Aquela não era uma frase que eu esperasse ouvir de Christian Grey e só ele a poderia tornar *sexy*, verdadeiramente *sexy*. Peguei na tigela com o frango cortado aos pedaços e coloquei-lhe muito tremulamente um prato por cima, guardando-o no frigorífico. Quando me virei, ele estava ao meu lado.

– Então, vais implorar? – sussurrei, olhando corajosamente para os seus olhos cada vez mais sombrios.

– Não, Anastasia – disse ele, abanando a cabeça. – Nada de súplicas. – O seu tom de voz era brando e sedutor.

Ficámos a olhar um para o outro, a absorver-nos mutuamente e o ambiente começou a mudar entre nós. Quase parecia crepitar. Nenhum de nós dizia nada. Limitávamo-nos a olhar um para o outro. Eu mordi o lábio ao sentir o desejo possuir-me à laia de vingança, incendiando-me o sangue, acelerando-me a respiração e acumulando-se abaixo da minha cintura. Vi as minhas reações refletidas na sua postura e no seu olhar.

Ele agarrou-me pelas ancas numa fração de segundo e puxou-me contra si. Eu mergulhei as mãos no seu cabelo e ele reclamou-me com a boca. Empurrou-me contra o frigorífico e eu ouvi o vago protesto das garrafas e dos jarros a trepidarem no interior, enquanto a sua língua se reunia à minha. Gemi contra a sua boca. Ele agarrou-me no cabelo com uma das mãos, puxou-me a cabeça para trás e beijámo-nos selvaticamente.

– O que queres, Anastasia? – sussurrou-me.

– Quero-te a ti – arquejei.

– Onde?

– Na cama.

Ele libertou-se, pegou-me ao colo e levou-me num instante para o quarto, sem esforço aparente. Poisou-me de pé junto da cama, curvou-se e acendeu a luz da mesa de cabeceira. Olhou rapidamente em redor, e correu apressadamente as cortinas creme.

– E agora? – perguntou, brandamente.

– Faz amor comigo.

– Como?

Caramba.

– Tens de me dizer, amor.

74

Raios.

— Despe-me — disse eu, já ofegante.

Ele sorriu e enfiou-me o indicador na camisa aberta, puxando-me contra si.

— Linda menina — murmurou e começou a desabotoar-me a camisa em gestos lentos, sem tirar os seus olhos ardentes de mim.

Eu coloquei as mãos hesitantes sobre os seus ombros para me amparar, mas ele não se queixou. Os seus braços eram uma área segura. Depois de me desapertar os botões puxou-me a camisa pelos ombros e larguei-o para que esta caísse no chão. Levou a mão ao cós dos meus *jeans*, desabotoou o botão e abriu-me o fecho.

— Diz-me o que queres, Anastasia. — Estava com um olhar ardente, de lábios entreabertos, com a respiração rápida e ofegante.

— Beija-me daqui aqui — sussurrei, traçando uma linha com o dedo, da base da orelha até à garganta. Ele afastou-me o cabelo da linha de fogo e curvou-se, depositando-me beijos doces e suaves ao longo do trajeto que o meu dedo traçara e depois de novo para cima.

— Os meus *jeans* e as minhas cuecas — murmurei e ele sorriu contra o meu pescoço, antes de cair de joelhos diante de mim. Sentia-me tão poderosa. Ele encaixou os dedos nos meus *jeans*, puxou-mos delicadamente pelas pernas, juntamente com as cuecas. Eu descalcei as sabrinas e saí de dentro da roupa, ficando apenas de sutiã. Ele deteve-se e olhou para mim, expectante, mas não se levantou.

— E agora, Anastasia?

— Beija-me — sussurrei.

— Onde?

— Tu sabes onde.

— Onde?

Ele estava a ser implacável. Embaraçada, apontei rapidamente para o cimo das coxas e ele sorriu malevolamente. Eu fechei os olhos, mortificada, mas terrivelmente excitada, ao mesmo tempo.

— Oh, com todo o prazer — disse ele, rindo baixinho. Beijou-me e soltou a língua, aquela sua língua experiente, que tanta alegria me inspirava. Eu gemi e cerrei os punhos no seu cabelo. Ele não parava e a sua língua descrevia círculos ininterruptos sobre o meu clítoris, enlouquecendo-me. Ahhh... tinham apenas passado... quanto tempo teria passado? Oh...

– Christian, por favor – implorei. Não queria vir-me de pé, pois estava sem forças para isso.

– Por favor o quê, Anastasia?

– Faz amor comigo.

– Estou a fazer – murmurou, soprando delicadamente no meu sexo.

– Não, eu quero-te dentro de mim.

– Tens a certeza?

– Por favor.

Ele não parava com aquela doce e requintada tortura. Gemi alto.

– Christian... por favor.

Ele levantou-se e olhou para mim. Os seus lábios estavam brilhantes, refletindo a minha excitação. Isto é tão *sexy*.

– Então? – perguntou-me.

– Então o quê? – disse eu, ofegante, olhando para ele com uma carência frenética.

– Ainda estou vestido.

Olhei-o pasmada e confusa.

Despi-lo? Sim, eu era capaz de o fazer. Levei as mãos à camisa e ele recuou.

– Ah, não – disse ele num tom repreensivo. Merda, ele estava a referir-se às calças de ganga.

Isso deu-me uma ideia. A minha deusa interior aplaudia efusivamente e eu deixei-me cair de joelhos em frente dele. Desapertei-lhe o cós das calças e a braguilha, de forma bastante desajeitada, de dedos trémulos, e puxei-lhe os *jeans* e os *boxers*, libertando-o. Uau.

Olhei-o com os olhos semicerrados. Ele estava a olhar para mim e eu vi nele... vi nele o quê? Ansiedade? Assombro? Surpresa?

Ele saiu de dentro dos *jeans* e tirou as meias. Eu agarrei-lhe no membro e apertei-o firmemente, fazendo deslizar a mão para trás, como ele me mostrara antes. Ele gemeu e retesou-se, deixando escapar o ar por entre os dentes. Coloquei-o muito hesitantemente na boca e chupei-o com força. Hum, sabia bem.

– Ahh, Ana... eh lá, cuidado.

Ele aninhou-me ternamente a cabeça nas mãos e eu empurrei-o mais para dentro da minha boca, contraindo o mais possível os lábios, em torno dos dentes, chupando-o com força.

– Foda-se – disse ele em surdina.

Ah, a palavra era *sexy* e inspiradora, por isso voltei a fazê-lo, mergulhando mais profundamente o seu membro na minha boca, e girando a língua pela ponta. Hum... sentia-me como Afrodite.

– Ana, já chega. Não faças mais.

Eu fi-lo mais uma vez – implora, Grey, implora – e outra ainda.

– Já provaste o teu ponto de vista, Ana – resmungou, de dentes cerrados. – Eu não me quero vir na tua boca.

Voltei a fazê-lo e ele curvou-se, agarrou-me pelos ombros e puxou-me, atirando-me para cima da cama. Despiu a camisa por cima da cabeça, pegou nos *jeans* que despira e tirou uma embalagem de preservativos, como um bom escuteiro. Estava ofegante, tal como eu.

– Tira o sutiã – ordenou-me.

Eu sentei-me e obedeci.

– Deita-te. Quero olhar para ti.

Eu deitei-me a olhar para ele, enquanto ele colocava o preservativo. Desejava-o tanto. Ele olhou para mim e lambeu os lábios.

– És uma bela visão, Anastasia Steele. – Depois, curvou-se sobre a cama e subiu lentamente para cima dela, beijando-me ao fazê-lo. Beijou-me ambos os seios, brincando ora com um mamilo, ora com o outro. Eu gemia e contorcia-me por baixo dele, mas ele não parava.

Não... Para. Desejo-te.

– Christian, por favor.

– Por favor, o quê? – murmurou, entre os meus seios.

– Quero-te dentro de mim.

– Ah, sim?

– Por favor.

Ele olhou para mim, afastou-me as pernas com as suas e ficou a pairar sobre mim, mergulhando depois lentamente dentro de mim, a um ritmo deliciosamente lento, sem desviar os olhos dos meus.

Eu fechei os olhos desfrutando da sensação de preenchimento, a maravilhosa sensação de ser possuída por ele. Ergui instintivamente a anca ao seu encontro, para me unir a ele, e gemi alto. Ele recuou, voltando depois a preencher-me lentamente. Os meus dedos mergulharam no seu cabelo acetinado e rebelde e ele voltou a mover-se muito lentamente para dentro e para fora.

– Mais depressa, Christian, mais depressa... por favor.

Ele olhou-me triunfante, beijando-me com força, e depois começou realmente a mover-se – numa cadência punitiva, implacável... ah, bolas.

Eu percebi que não ia demorar muito. Ele atingiu um ritmo vigoroso e eu comecei a ficar mais excitada, retesando as pernas por baixo dele.

– Vamos, amor – arquejou ele. – Dá-mo.

As suas palavras foram a minha desgraça e eu explodi num orgasmo maravilhoso, entorpecedor, desfazendo-me em mil pedaços em torno do seu sexo. Ele veio-se a seguir, gritando o meu nome.

– Ana! Ah, Ana, foda-se! – Caiu sobre mim, enterrando a cabeça no meu pescoço.

CAPÍTULO QUATRO

Quando recuperei a sanidade, abri os olhos e olhei para o rosto do homem que amava. Christian estava com uma expressão dócil e terna. Roçou o nariz no meu e apoiou-se nos cotovelos, agarrando-me nas mãos de ambos os lados da cabeça. Infelizmente, eu desconfiava que era para que eu não lhe tocasse. Beijou-me delicadamente os lábios, saindo lentamente de dentro de mim.

— Tive saudades disto — sussurrou.

— Eu também — murmurei.

Agarrou-me no queixo e beijou-me com força. Um beijo apaixonado e suplicante, a pedir o quê? Não sei. Deixou-me sem fôlego.

— Não me voltes a abandonar — implorou-me, olhando-me nos olhos, com uma expressão séria.

— Ok — assenti, sorrindo-lhe e ele retribuiu-me com um sorriso deslumbrante. Alívio, júbilo e deleite infantil, combinados num olhar encantador, capaz de derreter o mais frio dos corações. — Obrigada pelo iPad.

— Não tens de agradecer, Anastasia.

— Qual é a tua canção favorita do iPad?

— Bom, isso seria esclarecedor. — Sorriu. — Cozinha-me alguma coisa, mulher. Estou esfomeado — acrescentou, sentando-se subitamente e arrastando-me com ele.

— Mulher? — perguntei, rindo.

— Mulher. Comida, por favor.

— Já que o pede de forma tão cortês, tratarei imediatamente do assunto, senhor.

Ao sair apressadamente da cama, afastei a minha almofada, revelando o balão vazio do helicóptero por baixo dela. Christian pegou-lhe e olhou-me intrigado.

– Esse balão é meu – disse eu, sentindo que este me pertencia, pegando no robe e embrulhando-me nele. Caramba... porque haveria ele de ter encontrado aquilo?

– Na tua cama? – murmurou.

– Sim – respondi, corando. – Tem-me feito companhia.

– *Charlie Tango* felizardo – comentou, surpreendido.

Sim, Grey, eu sou sentimental porque te amo.

– O meu balão – disse de novo. Depois, dei meia-volta e saí para a cozinha, deixando-o com um sorriso de orelha a orelha.

Christian e eu estávamos sentados no tapete persa de Kate, a comer frango com legumes e massa salteados com pauzinhos, em tigelas de porcelana branca, e a beberricar *Pinot Grigio* branco, fresco. Christian estava encostado ao sofá, com o cabelo desgrenhado de quem acabara de ter sexo, e as pernas compridas esticadas à frente do corpo. Estava só de camisa e de *jeans*. Buena Vista Social Club tocava baixinho no seu iPod.

– Isto é bom – disse ele, com um ar apreciador, mergulhando os pauzinhos na comida.

Eu estava sentada de pernas cruzadas, ao seu lado, absolutamente esfomeada, a comer avidamente e a admirar os seus pés nus.

– Normalmente sou eu que cozinho. A Kate não é grande cozinheira.

– Foi a tua mãe que te ensinou?

– Não propriamente – disse eu, num tom trocista. – Na altura em que me interessei pela cozinha, a minha mãe estava a viver com o Marido Número Três, em Mansfield, no Texas. Se não fosse eu, o Ray teria vivido de tostas e comida de *take-away*.

Christian olhou para mim.

– Porque não ficaste no Texas com a tua mãe?

– Eu e o marido dela, o Steve... não nos dávamos bem e eu sentia a falta do Ray. O casamento dela com o Steve não durou muito. Creio que acabou por cair em si. Ela nunca fala dele – acrescentei, calmamente. – Acho que nunca falámos acerca dessa parte sombria da sua vida.

– Então ficaste em Washington com o teu padrasto.

– Vivi muito pouco tempo no Texas. Depois voltei para junto do Ray.

– Dá ideia que cuidaste dele – disse ele, num tom brando.

– Suponho que sim – respondi, encolhendo os ombros.

– Estás habituada a cuidar das pessoas.

A sua entoação chamou-me a atenção e eu olhei para ele.

– O que foi? – perguntei, sobressaltada com a sua expressão receosa.

– Quero cuidar de ti. – Uma emoção desconhecida brilhou-lhe nos olhos.

O meu coração disparou. – Já tinha reparado – sussurrei. – Só que o fazes de uma forma estranha.

Ele franziu a testa. – Só o sei fazer dessa forma.

– Ainda estou furiosa contigo por teres comprado a SIP.

Ele sorriu. – Eu sei, amor, mas não era o facto de ficares furiosa que me iria impedir de o fazer.

– O que vou eu dizer aos meus colegas de trabalho e ao Jack?

Ele semicerrou os olhos. – Aquele sacana que se ponha a pau.

– Christian! – exclamei, num tom repreensivo. – Ele é meu patrão.

Christian cerrou os lábios numa linha rígida. Parecia um miúdo de escola desobediente.

– Não lhes contes – disse ele.

– Não lhes conto o quê?

– Que eu sou dono da empresa. O protocolo do acordo foi assinado ontem. A notícia foi interditada durante quatro semanas, enquanto a administração da SIP faz algumas alterações.

– Oh... vou ficar sem emprego? – perguntei, alarmada.

– Tenho sérias dúvidas disso – disse Christian, ironicamente, tentando conter um sorriso.

Eu franzi o sobrolho.

– Se eu me for embora e arranjar outro emprego, também vais comprar essa empresa?

– Não estás a pensar ir-te embora, pois não? – A sua expressão alterou-se, tornando-se de novo receosa.

– Possivelmente, acho que não me deixaste grandes alternativas.

– Sim, comprarei também essa empresa. – Estava intransigente.

Eu voltei a franzir-lhe o sobrolho. Estava num impasse.

– Não achas que estás a ser um nadinha superprotetor?

– Sim, estou perfeitamente consciente do que isto parece.

– É de avisar o Dr. Flynn – murmurei.

Ele poisou a tigela vazia e olhou-me com um ar impassível. Suspirei. Não queria discutir. Levantei-me e peguei na tigela dele.

– Queres sobremesa?

– Assim é que é falar! – respondeu, com um sorriso lascivo.

– Eu não quero. – *Porque não?* A minha deusa interior despertou da sua soneca e sentou-se, direita, toda ela ouvidos. – Temos gelado de baunilha – disse, rindo entre dentes.

– A sério? – O sorriso de Christian alargou-se. – Acho que poderíamos fazer algo com isso.

O quê? Olhei-o pasmada e ele levantou-se graciosamente.

– Posso ficar? – perguntou-me.

– O que queres dizer com isso?

– Posso cá passar a noite?

– Deduzi que ias ficar.

– Ótimo. Onde está o gelado?

– No forno – respondi, sorrindo-lhe docemente.

Inclinou a cabeça para um lado e suspirou, abanando a cabeça. – O sarcasmo é a forma mais baixa de humor, Miss Steele. – Os seus olhos cintilaram.

Oh, merda, o que estaria ele a planear?

– Ainda te podia deitar em cima do meu joelho.

Coloquei as tigelas no lava-loiça.

– Tens aquelas bolas prateadas?

Bateu ao de leve no peito, na barriga e nos bolsos dos *jeans*.

– Por estranho que pareça, não costumo andar por aí com um par extra. Não tenho grande necessidade delas no escritório.

– Fico muito satisfeita por saber isso, Mr. Grey. Julgava que tinha dito que o sarcasmo era a forma mais baixa de humor.

– Bom, Anastasia, o meu novo lema é: Se não os podes vencer, junta-te a eles.

Olhei para ele, pasmada – *não podia acreditar que ele tinha dito isto.* Parecia escandalosamente satisfeito consigo mesmo, ao sorrir para mim. Depois virou-se, abriu o frigorífico e tirou um copo de meio litro de gelado de baunilha *Ben & Jerry's*.

– Isto serve perfeitamente. – Olhou para mim com um olhar sombrio. – *Ben & Jerry's* & Ana – disse ele, proferindo devagar cada palavra, pronunciando claramente cada sílaba.

Oh, meu Deus! Acho que o meu maxilar inferior estava quase no chão. Ele abriu a gaveta dos talheres e tirou uma colher. Quando levantou a cabeça estava de olhos semicerrados, a passar a língua pelo lábio de cima. Ah, aquela língua.

Eu senti-me encorajada. Um desejo desenfreado, sombrio, aveludado e quente percorreu-me as veias. Íamos divertir-nos com comida.

– Espero que estejas quente – sussurrou. – Vou arrefecer-te com isto. Anda. – Estendeu-me o braço e eu dei-lhe a mão.

No meu quarto poisou o gelado em cima da mesa de cabeceira, puxou o edredão para fora da cama e removeu ambas as almofadas, empilhando-as no chão.

– Tens uma muda de lençóis, certo?

Eu anuí, observando-o, fascinada. Ele ergueu *Charlie Tango*.

– Não brinques com o meu balão – adverti eu.

Um meio sorriso desenhou-se nos seus lábios.

– Jamais me passaria tal coisa pela cabeça, querida, mas vou brincar contigo e com estes lençóis.

Eu tive praticamente uma convulsão.

– Quero amarrar-te.

Oh.

– Ok – sussurrei.

– Quero apenas amarrar-te as mãos à cama, por isso preciso que fiques quieta.

– Ok – concordei outra vez, incapaz do que quer que fosse.

Ele aproximou-se calmamente, sem desviar os olhos de mim.

– Vamos usar isto. – Agarrou-me no cinto do robe e desapertou o nó, soltando-o suavemente do robe com um gesto lento, deliciosamente provocador.

O robe abriu-se e eu fiquei paralisada sob o seu olhar quente. Instantes depois, puxou-mo dos ombros. O robe caiu aos meus pés e fiquei nua, à frente dele. Afagou-me o rosto com os nós dos dedos e o seu toque ressoou-me nas profundezas das virilhas. Depois, curvou-se e beijou--me brevemente os lábios.

– Deita-te na cama de rosto para cima – murmurou, com um olhar sombrio que me parecia queimar.

Eu assim fiz. O meu quarto estava mergulhado na escuridão, apenas iluminado pela luz suave e insípida do candeeiro.

Normalmente detestava lâmpadas de baixo consumo, por serem tão fracas, mas agora sentia-me agradecida pelo facto de a luz ser tão velada, por estar ali nua com Christian. Ele estava junto da cama, a olhar para mim.

– Poderia olhar para ti o dia inteiro, Anastasia. – Dito isto, subiu para a cama e depois para cima de mim, colocando-se sobre o meu corpo.

– Põe os braços por cima da cabeça – ordenou-me.

Obedeci e ele atou-me o cinto do robe ao pulso esquerdo. Passou as extremidades do cinto pelas barras de ferro da cama, e puxou-as com firmeza, prendendo-me de forma a ficar com o braço esquerdo fletido por cima de mim. Depois prendeu-me a mão direita, amarrando-a firmemente com o cinto.

Descontraiu-se visivelmente, depois de eu estar amarrada a olhar para ele. Gostava de me amarrar, pois dessa forma eu não lhe podia tocar. Ocorreu-me que nunca nenhuma das suas submissas lhe tocara – ou melhor –, nunca tivera oportunidade de o fazer, porque ele assumira sempre o controlo, mantendo-se assim à distância. Por isso apreciava tanto as suas regras.

Saiu de cima de mim e curvou-se, beijando-me ao de leve nos lábios. Depois levantou-se, tirou a camisa por cima da cabeça, despiu os *jeans* e deixou-os cair no chão.

Estava maravilhosamente nu. A minha deusa interior fez um triplo salto. Subitamente, fiquei com a boca seca. Ele tinha um físico de linhas clássicas: ombros largos e musculosos e ancas estreitas, o triângulo invertido. Era óbvio que fazia exercício. Poderia olhar para ele o dia inteiro. Dirigiu-se para os pés da cama, agarrou-me nos tornozelos e puxou-me bruscamente para baixo, imobilizando-me, de braços esticados.

– Assim está melhor – murmurou.

Olhou para o copo de gelado e voltou a subir suavemente para a cama, sentando-se de novo em cima de mim. Depois tirou a tampa muito devagar e mergulhou a colher no gelado.

– Hum… ainda está muito rijo – disse ele, arqueando uma sobrancelha. Tirou uma colher de gelado de baunilha e meteu-a na boca. – Delicioso – murmurou, lambendo os lábios. – Impressionante como uma velha e simples essência como baunilha pode saber tão bem. – Olhou para mim. – Queres um pouco? – perguntou, com ar provocador.

Parecia tão *sexy*, tão jovem e descontraído, sentado em cima de mim, a comer gelado, de olhos brilhantes e rosto luminoso. O que raio me iria ele fazer? Como se eu não soubesse. Acenei timidamente com a cabeça.

Ele tirou outra colher de gelado e virou-a para mim, por isso abri a boca, mas ele voltou a metê-la rapidamente na sua.

– Isto é demasiado bom para se partilhar – disse ele, com um sorriso malévolo.

– Eh – comecei por dizer, protestando.

– Porquê, Miss Steele, aprecia a baunilha?

– Sim – respondi num tom mais empolado do que pretendia, tentando em vão sacudi-lo de cima de mim.

Ele riu-se.

– Estamos a ficar irascíveis, não é? Eu não faria isso, se estivesse no teu lugar.

– Gelado – implorei.

– Bom, Miss Steele, como hoje me satisfez bastante – disse ele, condescendendo e oferecendo-me outra colher de gelado. Desta vez deixou-me comer.

Apetecia-me rir. Ele estava realmente a divertir-se e a sua boa disposição era contagiante. Tirou outra colher e deu-me mais um pouco de gelado, voltando a encher a colher. *Ok, já chega.*

– Hum, alimentar-te à força é uma forma de me assegurar de que comes. Quase me podia habituar a isto.

Tirou mais uma colher e voltou a oferecer-me gelado, mas desta vez eu fiquei de boca fechada e abanei a cabeça. Ele deixou o gelado derreter-se lentamente na colher, de forma que o líquido me escorreu pela garganta, até ao peito. Ele curvou-se e lambeu-o muito lentamente. O meu corpo incendiou-se de desejo.

– Hum, em si sabe ainda melhor, Miss Steele.

Repuxei o cinto e a cama rangeu horrivelmente, mas eu não me importei – estava a arder de desejo e este estava a consumir-me. Ele tirou outra colher de gelado e deixou-o pingar sobre os meus seios, espalhando-o depois pelos seios e pelos mamilos com a parte de trás da colher.

Oh... é frio. Os meus mamilos retesaram-se e endureceram, sob a frescura do gelado de baunilha.

– É frio? – perguntou Christian, brandamente, curvando-se e voltando a lamber e a sugar todo o gelado do meu corpo. A sua boca estava quente em contraste com a frescura do gelado.

Era uma tortura. Quando o gelado começou a derreter, escorreu para os lençóis. Os seus lábios prosseguiram a tortura lenta, sugando-me com força, ou tocando-me ao de leve no corpo – *Oh, por favor!* Eu estava ofegante.

– Queres um pouco? – Antes que pudesse aceitar ou recusar a sua oferta meteu-me a língua na boca. Uma língua fria e experiente, a saber a baunilha e a Christian. Era delicioso.

Quando eu me estava a habituar à sensação, voltou a sentar-se, passando-me uma colher de gelado pelo meio do corpo, ao longo do estômago e até ao umbigo, onde depositou um grande pedaço de gelado. *Oh, este estava mais frio do que o outro, mas por mais estranho que parecesse, queimava.*

– Já fizeste isto antes. – Os olhos de Christian estavam brilhantes. – Vais ter de ficar quieta, de contrário a cama vai ficar cheia de gelado. – Beijou-me ambos os seios, e sugou-me os mamilos, com força, seguindo o rasto de gelado ao longo do meu corpo, chupando-o e lambendo-o.

Eu bem tentei ficar quieta, apesar da inebriante combinação do frio com o seu toque inflamado, mas as minhas ancas começaram a mover-se involuntariamente, girando como se tivessem vontade própria, apanhadas no seu feitiço de gelado de baunilha. Ele moveu-se mais para baixo e começou a comer o gelado da minha barriga, girando a língua dentro do meu umbigo e à volta deste.

Eu gemi. Com os diabos. Era frio, era quente, era tentador, e ele não parava, seguindo o rasto de gelado até aos meus pelos púbicos, até ao meu clítoris. Gritei alto.

– Silêncio, agora – disse Christian brandamente, enquanto a sua língua mágica trabalhava, lambendo a baunilha. Eu gemia baixinho.

– Oh… por favor… Christian.

– Eu sei, amor, eu sei – sussurrou, produzindo a sua magia com a língua. Ele não parava, nunca mais parava e o meu corpo elevava-se cada vez mais. Meteu um dedo dentro de mim e depois outro, movendo-os para dentro e para fora com uma lentidão aflitiva.

– Só aqui – murmurou, afagando-me ritmicamente a parede dianteira da minha vagina, continuando a lamber-me e a sugar-me a um ritmo implacável, maravilhoso.

Eu explodi inesperadamente num orgasmo arrasador que me abalou todos os nervos, fazendo-me esquecer tudo o que se estava a passar fora do meu corpo, enquanto me contorcia e gemia. *Com os diabos, fora tudo tão rápido.*

Tive a vaga impressão de que ele interrompera o que estava a fazer. Agora pairava sobre mim enquanto colocava um preservativo. Depois penetrou-me rapidamente, com força.

– Oh, sim! – gemeu, ao arremeter contra mim. Estava pegajoso e os restos de gelado derretido espalhavam-se entre nós. Era uma sensação estranhamente incómoda, mas eu não consegui pensar nela mais do que alguns segundos, porque Christian saiu subitamente de dentro de mim e virou-me.

– Assim – murmurou, voltando a penetrar-me abruptamente, ainda que não arrancasse de imediato no seu habitual ritmo castigador. Inclinou-se sobre mim e libertou-me as mãos, endireitando-me de forma a ficar praticamente sentada sobre ele. As suas mãos subiram até aos meus seios e ele aninhou-os nas palmas das mãos, puxando-me delicadamente os mamilos. Eu gemi e atirei a cabeça para trás, contra o seu ombro. Ele roçou-me o nariz pelo pescoço e mordeu-o, fletindo ao mesmo tempo as ancas e penetrando-me repetidamente, deliciosamente, devagar.

– Sabes até que ponto és importante para mim? – segredou-me ao ouvido.

– Não – arquejei.

Ele sorriu contra o meu pescoço e os seus dedos fecharam-se em torno do meu maxilar e da minha garganta, prendendo-me firmemente, por instantes.

– Sabes, sim. Eu não te vou deixar ir embora.

Eu gemi, ao senti-lo ganhar velocidade.

– És minha, Anastasia.

– Sim, tua – respondi, ofegante.

– Eu cuido do que é meu – disse ele, em surdina, mordendo-me a orelha.

Eu gritei.

– Isso, meu amor, quero ouvir-te. – Ele contornou-me a cintura com uma mão, agarrando-me na anca com a outra, e penetrou-me com mais força, fazendo-me gritar de novo. Depois, começou a mover-se a um ritmo castigador, e a sua respiração foi-se tornando cada vez mais áspera e ofegante, conjugando-se com a minha e eu senti a habitual excitação crescer-me nas entranhas. Outra vez!

Toda eu era sensações. Era isso que ele provocava em mim – arrebatava-me o corpo e possuía-o tão completamente, que eu só conseguia pensar nele. A sua magia era poderosa e intoxicante e eu era uma borboleta apanhada na sua teia, incapaz de fugir ou de desejar fugir. Eu era dele... totalmente dele.

– Vá lá, querida – rosnou, de dentes cerrados. Eu deixei-me ir, no momento exato, como boa aprendiz de feiticeira que era, e viemo-nos ambos ao mesmo tempo.

Estava deitada sobre os lençóis pegajosos, enroscada nos seus braços. Ele estava com o peito encostado às minhas costas, com o nariz mergulhado no meu cabelo.

– O que sinto por ti assusta-me – sussurrei.

Ele imobilizou-se.

– A mim também, amor – disse ele, baixinho.

– E se fores tu a abandonar-me? – A ideia era horrenda.

– Eu não vou a lado nenhum. Acho que nunca me vou fartar de ti, Anastasia.

Virei-me e olhei para ele. Estava com uma expressão séria e sincera. Inclinei-me e beijei-o delicadamente. Ele sorriu e prendeu-me o cabelo atrás da orelha.

– Nunca me tinha sentido como me senti quando te foste embora, Anastasia. Moveria o Céu e a Terra para não voltar a sentir-me assim.

– Parecia tão triste. Dir-se-ia até aturdido.

Voltei a beijá-lo. Apetecia-me aligeirar de alguma forma o nosso estado de espírito, mas Christian fê-lo por mim.

– Queres vir comigo à festa de verão do meu pai, amanhã? É um evento de caridade anual e eu disse-lhe que ia.

Sorri, sentindo-me subitamente acanhada.

– Claro que vou. – Oh, merda, não tinha nada para vestir.

– O que foi?

– Nada.

– Diz-me – insistiu ele.

– Não tenho nada para vestir.

Christian pareceu ficar momentaneamente desconfortável.

– Não fiques zangada, mas ainda tenho todas aquelas roupas para ti, lá em casa. Tenho a certeza de que há lá alguns vestidos.

Crispei os lábios.

– Ah, sim? – perguntei num tom sarcástico, mas não me apetecia discutir com ele hoje à noite. Precisava de um duche.

A rapariga parecida comigo estava em frente à SIP. Espera aí – era eu.

Eu estava pálida e suja e toda a minha roupa me estava grande demais. Estava a olhar para ela e ela tinha as minhas roupas vestidas – parecia feliz e saudável.

– O que é que você tem que eu não tenho? – perguntei-lhe.

– Quem é você?

– Não sou ninguém… e você? Também não é ninguém…?

– Então já somos duas, mas não conte a ninguém, pois seríamos banidas, percebe? – Sorriu com um esgar cruel que lhe alastrou pelo rosto. Era tão arrepiante que desatei a gritar.

– Credo, Ana. – Christian estava a sacudir-me, para eu acordar.

Sentia-me tão desorientada. Estou em casa... no escuro... estou na cama com o Christian. Abanei a cabeça, tentando clarear as ideias.

– Estás bem, amor? Estavas a ter um pesadelo.

– Ah.

Ele acendeu o candeeiro que nos banhou na sua luz suave. Olhou para mim, com o rosto vincado de preocupação.

– A rapariga – sussurrei.

– O que é? Que rapariga? – perguntou-me, num tom tranquilizador.

– Estava uma rapariga em frente à SIP, quando saí, esta tarde. Era parecida comigo... mas não era realmente eu.

Christian ficou imóvel e quando a luz do candeeiro da mesa de cabeceira aqueceu, vi que ele estava pálido.

– Quando foi isso? – sussurrou, consternado, sentando-se e olhando para mim.

– Esta tarde, quando saí do trabalho – repeti. – Sabes quem ela é?

– Sei. – Christian passou uma mão pelo cabelo.

– Quem é?

Ele cerrou os lábios numa linha rígida, mas não disse nada.

– Quem é? – insisti eu.

– É a Leila.

Engoli em seco. A ex-submissa! Lembrava-me de Christian me ter falado dela, antes de irmos andar de planador. Subitamente, ele parecia irradiar tensão. Algo de errado se passava.

– A rapariga que fez o *download* do "Toxic" no teu iPod?

Ele olhou-me ansiosamente.

– Sim – confirmou. – Ela disse alguma coisa?

– Disse: "O que é que você tem que eu não tenho?", e quando lhe perguntei quem ela era, respondeu: "Ninguém".

Christian fechou os olhos como se estivesse a sentir dor. O que teria acontecido? Que importância teria ela para ele?

Senti um formigueiro no couro cabeludo e a adrenalina percorreu-me o corpo. *E se ela fosse muito importante para ele? Será que ele sentia a falta dela? Eu sabia tão pouco acerca do passado dele... Hum... sobre as suas relações do passado.* Ela devia ter um contrato e devia ter feito o que ele queria, devia ter-lhe dado de bom grado o que ele precisava.

E eu não conseguia... Oh, não. Senti-me nauseada só de pensar...

Christian saiu da cama e foi para a sala, levando consigo os *jeans*. Olhei de relance para o despertador e vi que eram cinco da manhã. Saí da cama, vesti a sua camisa branca e segui-o.

Com os diabos, estava ao telefone.

– Sim, em frente à SIP, ontem... ao princípio da noite – disse ele, em voz baixa. Enquanto me dirigia para a cozinha ele virou-se para mim e perguntou-me diretamente:

– A que horas, exatamente?

– Por volta das dez para as seis – murmurei. Para quem estaria ele a telefonar àquelas horas? O que teria feito Leila? Transmitiu a informação a quem quer que fosse que estivesse em linha, sem tirar os olhos de mim, com uma expressão sombria e sincera.

– Descobre como... Sim... Não era minha intenção dizê-lo, mas também nunca pensei que ela fizesse isto. – Fechou os olhos como se estivesse a sentir dor. – Não sei como ela o vai aceitar... Sim, eu falarei com ela... Sim... eu sei... Acompanha o assunto e informa-me. Encontra-a, Welch... ela está com problemas. Encontra-a. – Desligou.

– Queres chá? – perguntei. Chá, a resposta de Ray para todas as crises e a única coisa que sabia fazer bem, na cozinha. Enchi a chaleira de água.

– Na verdade, gostava de voltar para a cama. – O seu olhar dizia-me que não era para dormir.

– Bom, eu preciso de beber um chá. Não queres tomar uma chávena de chá comigo? Quero saber o que se passa e não vou permitir que me distraiam com sexo.

Ele passou a mão pelo cabelo, exasperado.

– Está bem – aquiesceu, mas eu percebi que ele estava irritado.

Coloquei a chaleira no fogão e preparei as chávenas e o bule. Os meus níveis de ansiedade tinham disparado e eu estava em ESTADO DE ALERTA MÁXIMO. Será que ele me iria dizer qual era o problema, ou teria de ser eu a averiguar?

Sentia os olhos dele pregados em mim, sentia a sua insegurança. A sua raiva era palpável. Olhei para ele e os seus olhos cintilavam de apreensão.

– O que se passa? – perguntei, brandamente.

Ele abanou a cabeça.

– Não me vais contar?

Ele suspirou e fechou os olhos:

– Não.

– Porquê?

– Porque não te deves preocupar com isso. Não te quero envolver nesta história.

– Não me devia preocupar, mas preocupo-me. Ela encontrou-me e abordou-me em frente ao meu escritório. Como sabe ela da minha existência? Como sabe onde eu trabalho? Acho que tenho o direito de saber o que se passa.

Ele voltou a passar uma mão pelo cabelo, irradiando frustração, como se estivesse a travar uma guerra interior.

– Por favor – pedi, brandamente.

Ele cerrou os lábios numa linha rígida e revirou-me os olhos.

– Ok – afirmou, resignado. – Não faço ideia de como ela te encontrou. Talvez por causa da fotografia que nos tiraram em Portland, não sei. – Suspirou de novo e eu senti que a sua frustração era dirigida a si mesmo.

Esperei pacientemente, vertendo água a ferver no bule, enquanto ele andava para trás e para diante. Instantes depois prosseguiu:

– Quando eu estava contigo na Geórgia, a Leila apareceu inesperadamente no meu apartamento e fez uma cena à Gail.

– Gail?

– Mrs. Jones.

– "Fez uma cena" como?

Ele olhou-me fixamente, com um ar avaliador.

– Diz-me. Não me estás a contar tudo. – O meu tom era mais categórico do que a forma como me estava a sentir.

Ele piscou-me os olhos, surpreendido.

– Ana, eu... – Calou-se.

– Por favor.

Ele suspirou, vencido.

– Ela tentou cortar uma veia, fortuitamente.

– Oh, não. – Isso explicava a ligadura no pulso.

– A Gail levou-a para o hospital, mas a Leila deu alta a si mesma antes que eu conseguisse lá chegar.

Raios. O que queria aquilo dizer. Suicida? Porquê?

– O psiquiatra que a examinou definiu o episódio como um típico grito de socorro. Não acreditava que ela estivesse verdadeiramente em risco, disse que ela estava a um passo da ideação suicida, como ele lhe chamou, mas eu não estou convencido. Desde então que estou a tentar localizá-la, para lhe arranjar quem a ajude.

– Ela disse alguma coisa a Mrs. Jones?

Ele olhou-me. Parecia bastante desconfortável.

– Pouca coisa – acabou por dizer, mas eu sabia que ele não me estava a contar tudo.

Tentei distrair-me a verter o chá para as chávenas. Leila queria voltar a fazer parte da vida de Christian e optara por uma tentativa de suicídio para lhe chamar a atenção? Eh lá… assustador, mas eficaz. Christian abandonara a Geórgia para estar a seu lado e ela desaparecera antes de ele lá chegar? Que estranho.

– Não a consegues encontrar? Então e a família dela?

– Não sabem onde ela está. Nem eles nem o marido dela.

– Marido?

– Sim – disse ele, distraidamente. – Ela está casada há uns dois anos.

O quê?

– Então ela era casada quando esteve contigo? – Merda. Ele não tinha de facto limites.

– Não! Santo Deus, não. Ela esteve comigo há quase três anos. Depois deixou-me e casou com este tipo pouco tempo depois.

Ah, bom.

– Então, porque está a tentar chamar-te a atenção agora?

Ele abanou a cabeça tristemente:

– Não sei. Tudo o que conseguimos descobrir foi que abandonou o marido há cerca de quatro meses.

– Deixa ver se percebo bem. Ela não é tua submissa há três anos?

– Há cerca de dois anos e meio.

– E queria mais.

– Sim.

– Mas tu não?

– Sabes que não.

– Por isso ela abandonou-te.

– Sim.

– Então porque veio ter contigo agora?

– Não sei. – O tom da sua voz dizia-me que ele tinha pelo menos uma teoria.

– Mas desconfias…

Ele semicerrou os olhos, visivelmente enraivecido.

– Desconfio que tem algo a ver contigo.

Comigo? Porque haveria ela de querer alguma coisa comigo? *O que é que você tem que eu não tenho?* Olhei para o Cinquenta, maravilhosamente nu, da cintura para cima. Eu tinha-o; ele era meu. Era isso que eu tinha a mais e, no entanto, ela era parecida comigo: o mesmo cabelo castanho, a mesma tez pálida. Franzi o sobrolho ao pensar no assunto. Sim, o que terei eu que ela não tem?

– Porque não me contaste ontem? – perguntou ele, brandamente.

– Porque me esqueci dela – respondi, encolhendo os ombros apologeticamente. – Sabes como é, umas bebidas depois do trabalho, no final da minha primeira semana de trabalho. O facto de apareceres no bar, o teu ataque de testosterona com Jack. Depois viemos para aqui e eu esqueci a questão. Tu tens por hábito fazer-me esquecer as coisas.

– Ataque de testosterona? – Os seus lábios estremeceram.

– Sim, a disputa de machos.

– Eu dou-te o ataque de testosterona.

– Não preferias beber uma chávena de chá?

– Não, Anastasia.

O seu olhar penetrante parecia queimar-me como quem diz "quero possuir-te já, imediatamente". *Bolas… que sexy que aquilo era.*

– Esquece-a. Anda. – Estendeu-me a mão.

A minha deusa interior deu três mortais de costas no chão do ginásio quando eu lhe agarrei na mão.

Acordei quente demais e dei comigo enrolada num Christian Grey despido. Ele apertava-me contra si, apesar de estar a dormir profundamente. A luz suave da manhã escoava-se através das cortinas. Eu estava com a cabeça encostada ao seu peito, com as pernas entrelaçadas nas dele e o braço poisado sobre o seu estômago.

Ergui a cabeça, com receio de o acordar. Parecia jovem e descontraído a dormir – e era meu.

Hum... Levantei o braço e acariciei-lhe hesitantemente o peito, passando os dedos pela mancha dispersa de pelos, mas ele não se mexeu. Eu mal podia acreditar. Seria verdadeiramente meu, durante mais alguns momentos preciosos. Debrucei-me sobre ele, beijando ternamente uma das suas queimaduras. Ele gemeu suavemente mas não acordou e eu sorri. Beijei outra cicatriz e os seus olhos abriram-se.

– Olá – disse eu, sorrindo-lhe com um ar culpado.

– Olá – respondeu ele cautelosamente. – O que estás a fazer?

– A olhar para ti. – Passei os dedos pelo trilho de pelos do seu baixo-ventre. Ele prendeu-me a mão e semicerrou os olhos, sorrindo-me na versão Christian-despreocupado e eu descontraí-me. Os meus toques secretos ficariam em segredo.

Ah... mas porque não me deixas tocar-te?

Subitamente, ele veio para cima de mim, enterrando-me no colchão, e poisou as suas mãos sobre as minhas, a título de advertência, roçando o nariz no meu.

– Acho que está a tramar qualquer coisa, Miss Steele – disse ele, com tom acusador, embora continuasse a sorrir.

– Agrada-me tramar coisas quando estou perto de ti.

– Ah, sim? – questionou-me, beijando-me ao de leve nos lábios. – Sexo ou pequeno-almoço? – perguntou, com um olhar sombrio, carregado de humor. A sua ereção estava cravada no meu corpo e eu ergui a anca contra ele.

– Boa escolha – murmurou contra o meu pescoço deixando-me um rasto de beijos até um dos seios.

Estava junto da minha cómoda, a olhar para o espelho e a tentar arranjar o cabelo de alguma forma, mas ele estava demasiado comprido.

Eu vestira uns *jeans* e uma *t-shirt* e Christian acabara de tomar duche e estava a vestir-se atrás de mim. Olhei avidamente para o seu corpo.

– Com que frequência fazes exercício? – perguntei-lhe.

– Todos os dias da semana – respondeu, abotoando a braguilha.

– O que fazes?

– Corro, levanto pesos e pratico *kickboxing* – disse ele, encolhendo os ombros.

– *Kickboxing?*

– Sim, tenho um *personal trainer*, um ex-lutador olímpico que me treina. Chama-se Claude. É muito bom. Ias gostar dele.

Virei-me para o olhar, enquanto ele abotoava a camisa branca.

– Ia gostar dele, como?

– Ias gostar dele como treinador.

– Porque haveria eu de precisar de um *personal trainer?* Tenho-te a ti para me manteres em forma.

Ele aproximou-se calmamente e envolveu-me nos seus braços. Os seus olhos sombrios foram ao encontro dos meus, no espelho.

– Mas eu quero-te em boa forma, para o que tenho em mente, meu amor. Preciso que acompanhes o ritmo.

O meu cérebro inundou-se de memórias do quarto do prazer e eu corei. Sim… o Quarto Vermelho da Dor era esgotante. Será que ele iria permitir que eu lá entrasse de novo? Será que eu queria lá entrar de novo?

Claro que queres!, gritou a minha deusa interior.

Fitei os seus olhos cinzentos inescrutáveis, hipnóticos.

– Tu sabes que queres – disse-me ele apenas com os lábios.

Eu corei e o pensamento indesejável de que Leila provavelmente conseguia acompanhar o seu ritmo invadiu-me inoportunamente o cérebro. Crispei os lábios e Christian franziu-me o sobrolho.

– O que foi? – perguntou, preocupado.

– Nada – respondi, abanando a cabeça. – Ok, eu falo com o Claude.

– Falas? – O rosto de Christian iluminou-se, de surpresa e incredibilidade e a sua expressão fez-me sorrir. Estava com ar de quem ganhara a lotaria, ainda que com certeza nunca tivesse comprado um bilhete, pois não precisava de o fazer.

– Caramba, se isso te faz feliz, falo – respondi, zombeteiramente.

Ele apertou-me nos seus braços e beijou-me a face.

– Nem fazes ideia – sussurrou. – Então, o que gostavas de fazer hoje? – Roçou-me o nariz no rosto, provocando-me deliciosos arrepios no corpo.

– Gostava de cortar o cabelo e… preciso de depositar um cheque e comprar um carro.

– Ah – disse ele num tom sabido, mordendo o lábio. Afastou uma mão e meteu-a no bolso dos *jeans*, erguendo a chave do meu pequeno *Audi*.

– Está aqui – disse ele baixinho, com um ar hesitante.

– Está aqui, como? – Caramba, eu parecia zangada. Estou zangada, sim, bolas. *Como é que ele se atreve?*

– O Taylor trouxe-o ontem.

Abri a boca e fechei-a, repetindo o movimento duas vezes, mas estava sem palavras. Ele estava a devolver-me o carro. Duas vezes, bolas. Porque é que não previ isto? Aquele jogo podia ser jogado a dois. Procurei no bolso de trás dos meus *jeans* e tirei o envelope com o cheque dele.

– Toma, isto é teu.

Christian olhou-me interrogativamente. Depois, reconheceu o envelope, ergueu ambas as mãos e afastou-se.

– Ah, não, esse dinheiro é teu.

– Não, não é. Eu gostaria de te comprar o carro.

A sua expressão modificou-se por completo e a fúria – sim, a fúria – perpassou-lhe o rosto.

– Não, Anastasia, o dinheiro é teu e o carro é teu – disse ele, bruscamente.

– Não, Christian, o dinheiro é meu, mas o carro é teu e eu vou comprar-to.

– Mas ofereci-te como um presente de licenciatura.

– Ofereceres-me uma caneta seria um presente de licenciatura adequado, mas tu ofereceste-me um *Audi*.

– Queres mesmo discutir sobre isto?

– Não.

– Ótimo, aqui tens as chaves. – Poisou-as sobre a cómoda.

– Não era isso que eu queria dizer!

– Acabou-se a discussão, Anastasia. Não puxes por mim.

Eu franzi-lhe o sobrolho e tive um ataque de inspiração. Peguei no envelope e rasguei-o ao meio duas vezes deitando o conteúdo no cesto de papel. Ah, que bem que me soube.

Christian olhou-me com um ar impassível, mas eu sabia que acabara de acender o rastilho e devia manter-me a uma boa distância. Ele afagou o queixo.

– Desafiadora como sempre, Miss Steele – disse ele, secamente. Depois deu meia volta, dirigindo-se para a outra sala, num passo decidido. Não era aquela a reação que eu esperava. Contava com um perfeito Armagedão. Olhei-me no espelho e encolhi os ombros, decidindo-me por um rabo-de-cavalo.

Estava curiosa. O que estaria o Cinquenta a fazer? Segui-o até à sala. Estava ao telefone.

– Sim, vinte e quatro mil dólares. Diretamente.

Olhou para mim, ainda com um ar impassível.

– Ótimo... segunda-feira? Excelente... Não, é tudo, Andrea.

Desligou bruscamente o telefone.

– Na segunda-feira o dinheiro estará depositado na tua conta bancária. Não brinques comigo. – Ele estava a ferver de raiva, mas eu não quis saber.

– Vinte e quatro mil dólares? – Quase gritei. – Como sabes o número da minha conta bancária?

A minha ira apanhou-o de surpresa.

– Eu sei tudo acerca de ti, Anastasia – disse ele, calmamente.

– É impossível que o meu carro valesse vinte e quatro mil dólares.

– Eu poderia concordar contigo, mas é preciso conhecer o mercado, seja para comprar, seja para vender. Um lunático qualquer queria aquela armadilha mortal e estava disposto a pagar esse montante. Parece que é um clássico. Se não acreditas em mim, pergunta ao Taylor.

Olhei para ele furiosa e ele fitou-me com um olhar igualmente furioso. Dois burros teimosos e furiosos a olharem carrancudos um para o outro.

E eu senti o apelo – a eletricidade entre nós, tangível, a atrair-nos um para o outro. Subitamente, ele agarrou-me e empurrou-me contra a porta, com a boca colada à minha, reclamando avidamente o meu corpo, com uma mão no meu rabo, a apertar-me contra as suas virilhas, e a outra na nuca, a puxar-me a cabeça para trás. Mergulhei os dedos no seu cabelo, torcendo-o com força e prendendo-o contra mim. Ele roçou o corpo contra o meu, aprisionando-me, com uma respiração áspera. Conseguia senti-lo. Ele desejava-me e eu fiquei inebriada e vacilante de excitação ao aperceber-me da necessidade que tinha de mim.

— Porque me desafias, porquê? — murmurou, entre beijos escaldantes.

O sangue zunia-me nas veias. Será que ele iria produzir sempre aquele efeito em mim? E eu nele?

— Porque posso — respondi, sem fôlego. Não o vi, mas senti o seu sorriso contra o meu pescoço e ele encostou a testa à minha.

— Meu Deus, apetece-me possuir-te agora, mas estou sem preservativos. Nunca me farto de ti. És uma mulher de enlouquecer.

— E tu pões-me doida — sussurrei — em todos os sentidos.

Ele abanou a cabeça.

— Anda, vamos sair para tomar o pequeno-almoço. Conheço um sítio onde podes cortar o cabelo.

— Ok — aquiesci, e a nossa discussão terminou assim, sem mais nem menos.

— Eu pago isto — disse eu, pegando na conta do pequeno-almoço antes que ele o pudesse fazer.

Ele franziu o sobrolho.

— Tens de ser rápido, Grey.

— Tens razão, tenho de ser rápido — disse ele num tom amargo, embora me parecesse que me estava a provocar.

— Não fiques com esse ar tão irritado. Sou vinte e quatro mil dólares mais rica do que era esta manhã. Posso pagar... — Olhei de relance para a conta. — Vinte e dois dólares e sessenta e sete cêntimos por um pequeno-almoço.

— Obrigado — disse ele, relutantemente. Oh, o miúdo de escola amuado estava de volta.

— Para onde vamos, agora?

— Queres mesmo cortar o cabelo?

— Sim, olha para ele.

— A mim pareces-me linda, como sempre.

Eu corei e olhei para os dedos, entrelaçados no meu colo.

— Além disso, temos o evento do teu pai esta noite.

— Não te esqueças de que é uma festa de cerimónia.

— Onde é?

— Em casa dos meus pais. Eles têm uma tenda. O habitual, percebes?

— Qual é a obra de caridade?

Christian esfregou as mãos nas coxas, parecendo desconfortável.

— É um programa de reabilitação de drogas para pais com filhos pequenos chamado Sobreviver Juntos.

— Parece ser uma boa causa — disse eu, brandamente.

— Anda, vamos embora — disse ele, acabando de vez com a conversa e estendendo-me a mão. Quando lha dei, apertou-me os dedos.

Era estranho. Era tão efusivo em alguns aspetos e tão fechado noutros. Conduziu-me para fora do restaurante e descemos a rua. Estava uma manhã bonita e amena. O sol brilhava e o ar cheirava a café e a pão acabado de fazer.

— Onde vamos?

— É surpresa.

Ah, ok. Eu não gostava muito de surpresas.

Percorremos dois quarteirões e as lojas começaram a parecer-me inegavelmente mais elitistas. Eu ainda não tivera oportunidade de explorar a zona, mas esta ficava mesmo ao virar da esquina. Kate iria ficar satisfeita. Havia inúmeras pequenas *boutiques* para alimentar a sua paixão pela moda e, por acaso, eu precisava de comprar algumas saias vaporosas para levar para o trabalho.

Christian parou do lado de fora de um salão de beleza de aparência elegante e abriu-me a porta. Chamava-se Esclava. O interior era todo branco com estofos de cabedal. Ao balcão da receção, imaculadamente branco, estava uma jovem loira com um uniforme branco. Quando entrámos levantou os olhos.

— Bom dia, Mr. Grey — disse ela, alegremente, pestanejando para Christian e começando a corar. Era o efeito Grey, mas ela conhecia-o! Como?

– Olá, Greta.

E ele conhecia-a também. O que era aquilo?

– O habitual? – perguntou ela cortesmente. Usava um batom muito cor-de-rosa.

– Não – respondeu ele, rapidamente, olhando-me nervosamente. O habitual? O que queria aquilo dizer?

Bolas! Era a Regra Número Seis, o maldito salão de beleza e a treta da depilação... Merda!

Seria ali que levava todas as suas submissas? Talvez até a Leila. O que raio poderia eu concluir daquilo?

– Miss Steele dir-lhe-á o que pretende.

Eu olhei-o furiosa. Estava a expor dissimuladamente as Regras. Eu concordara com o *personal trainer* – agora aquilo?

– Porquê aqui? – perguntei-lhe, em surdina.

– Porque sou dono deste salão e de outros três iguais.

– É teu? – arquejei, surpreendida. Aquilo era inesperado.

– Sim, é uma atividade paralela. De qualquer forma, seja o que for que pretendas fazer, poderás fazê-lo aqui, gratuitamente. Todo o tipo de massagens: suecas, *shiatsu*, massagens com pedras quentes, reflexologia, banhos de algas, tratamentos faciais, todas essas coisas que as mulheres apreciam – tudo isso se faz aqui. – Acenou displicentemente com a mão esguia.

– Depilação?

Ele deu uma gargalhada.

– Sim, depilação também. Todo o tipo de depilação – sussurrou--me, com um ar conspirador, desfrutando do meu desconforto.

Eu corei e olhei para Greta, que estava a olhar para mim, expectante.

– Gostaria de cortar o cabelo, por favor.

– Com certeza, Miss Steele.

Greta verificou o ecrã do computador, toda ela eficiência germânica e lábios cor-de-rosa.

– Franco estará disponível dentro de dez minutos.

– O Franco é bom – disse-me Christian num tom tranquilizador.

Eu estava a tentar assimilar tudo aquilo. Christian Grey, o CEO, possuía uma cadeia de salões de beleza.

Olhei para ele e, subitamente, ele empalideceu – algo, ou alguém lhe chamara a atenção. Virei-me para ver para onde estava ele a olhar. Ao fundo do salão, uma loira elegante, de cabelo platinado, fechou uma porta atrás de si e estava a falar com um dos cabeleireiros.

A Loira Platinada era alta, bronzeada, linda e devia ter trinta e muitos ou quarenta e poucos anos – era difícil de perceber. Usava o mesmo uniforme que Greta, só que em preto. Tinha um ar estonteante. O seu cabelo cortado a direito, à *garçonne*, brilhava como uma auréola. Ao virar-se, reparou em Christian e dirigiu-lhe um deslumbrante e amigável sorriso de reconhecimento.

– Dá-me um minuto – murmurou Christian, apressadamente.

Percorreu rapidamente o salão, passando pelos cabeleireiros de branco, pelos aprendizes, junto dos lavatórios, e foi ter com ela. Estavam demasiado longe para eu ouvir a conversa. A Loira Platinada saudou-o com visível afeição, beijando-o em ambas as faces, de mãos poisadas nos seus braços, e conversaram os dois animadamente.

– Miss Steele? – Greta, a rececionista, estava a tentar chamar a minha atenção.

– Um momento, por favor. – Eu observava Christian, fascinada.

A Loira Platinada virou-se e olhou para mim, dirigindo-me o mesmo sorriso deslumbrante, como se me conhecesse. Eu sorri-lhe educadamente.

Christian parecia perturbado com qualquer coisa. Estava a argumentar com ela e ela estava a acenar com a cabeça, de mãos levantadas, a sorrir para ele. E ele estava a sorrir para ela – era óbvio que se conheciam bem. Talvez tivessem trabalhado juntos durante muito tempo. Talvez ela dirigisse o local; afinal de contas denotava uma certa autoridade.

Depois a coisa bateu-me como uma bola a alta velocidade. No meu íntimo, a um nível visceral, eu sabia quem era. Era ela. Deslumbrante, mais velha e linda. Era Mrs. Robinson.

CAPÍTULO CINCO

– Greta, com quem está Mr. Grey a falar? – O meu couro cabeludo parecia prestes a abandonar o edifício. Estava arrepanhado de apreensão e o meu subconsciente gritava-me que o seguisse. Mas eu falei num tom bastante despreocupado.

– Ah, é Mrs. Lincoln. É a proprietária deste salão juntamente com Mr. Grey. – Greta parecia estar a partilhá-lo de boa vontade.

– Mrs. Lincoln? – Julgava que Mrs. Robinson era divorciada. Talvez tivesse voltado a casar com um pobre diabo qualquer.

– Sim, não é habitual ela cá estar, mas um dos nossos técnicos está doente hoje, por isso ela veio substituí-lo.

– Sabe o primeiro nome de Mrs. Lincoln?

Greta levantou os olhos para mim, de sobrolho franzido, e crispou os lábios cor-de-rosa vivo, questionando a minha curiosidade. Merda, talvez tivesse ido longe demais.

– Elena – disse ela, quase relutante.

Fui inundada por uma sensação de alívio por sentir que a minha intuição de aranha não me abandonara.

Intuição de aranha? O meu subconsciente conteve uma gargalhada. *Faro para pedófilos.*

Eles continuavam embrenhados na conversa. Christian falava depressa e Elena parecia preocupada, acenando afirmativamente, fazendo caretas e abanando a cabeça. Ela esfregou-lhe o braço tranquilizadoramente, mordeu o lábio e voltou a acenar com a cabeça, olhando de relance para mim, e dirigindo-me um breve sorriso pacificador.

Eu limitava-me a olhar para ela sem expressão. Acho que estava em estado de choque. Como é que ele me podia ter levado ali?

Ela murmurou algo a Christian e ele olhou brevemente na minha direção, virando-se de novo para ela e respondendo-lhe. Ela acenou com a cabeça e creio que lhe estava a desejar boa sorte, mas ler lábios não era propriamente o meu forte.

Voltou para junto de mim, com a ansiedade estampada no rosto – nem mais – e Mrs. Robinson voltou para a sala das traseiras, fechando a porta atrás de si.

Christian franziu o sobrolho:

– Estás bem? – perguntou-me, mas estava com uma voz tensa e cautelosa.

– Nem por isso. Não quiseste apresentar-me? – Falava num tom de voz frio e duro.

Ele ficou pasmado, como se eu lhe tivesse tirado o tapete debaixo dos pés.

– Mas eu pensei...

– Para inteligente, às vezes pareces... – Faltaram-me as palavras. – Gostaria de me ir embora, por favor.

– Porquê?

– Tu sabes porquê. – Revirei os olhos.

Ele fitou-me, com um olhar ardente.

– Lamento, Ana, eu não sabia que ela aqui estava. Ela nunca cá está. Abriu uma nova filial no Braven Center e é lá que normalmente trabalha. Alguém ficou doente hoje.

Dei meia volta e dirigi-me para a porta.

– Não vamos precisar do Franco, Greta – disse Christian, bruscamente, ao sairmos. Eu tive de resistir ao impulso de correr. Apetecia-me desatar a correr para bem longe. Sentia um desejo avassalador de chorar. Precisava de me distanciar daquela estupidez.

Christian caminhava em silêncio, ao meu lado, enquanto eu tentava interiorizar tudo aquilo. Envolvi protetoramente o corpo nos braços, de cabeça baixa, evitando as árvores da Segunda Avenida. Ele teve o bom senso de não me tentar tocar. A minha mente fervilhava de perguntas por responder. Iria o Evasivas confessar-se?

– Costumavas levar as tuas submissas ali? – perguntei, com brusquidão.

– Algumas delas, sim – respondeu calmamente, num tom de voz baixo.

– A Leila?

– Sim.

– O salão parece bastante recente.

– Foi remodelado há pouco tempo.

– Compreendo. Então Mrs. Robinson conheceu todas as tuas submissas.

– Sim.

– Elas sabiam da existência dela?

– Não, nenhuma delas sabia. Só tu.

– Mas eu não sou tua submissa.

– Não, sem dúvida que não és.

Eu parei e encarei-o. Ele estava de olhos arregalados, temerosos, de lábios cerrados numa linha rígida, inflexível.

– Não percebes até que ponto isto é retorcido? – perguntei, num tom de voz grave, olhando-o fixamente.

– Sim, lamento. – Teve a gentileza de se mostrar arrependido.

– Quero cortar o cabelo, de preferência num local onde não tenhas fodido nem com o pessoal nem com a clientela.

Ele vacilou.

– Agora, se não te importas.

– Não vais fugir, pois não? – perguntou.

– Não, quero apenas um maldito corte de cabelo, num local onde possa fechar os olhos, onde alguém me lave a cabeça e eu possa esquecer toda esta bagagem que te acompanha.

Ele passou a mão pelo cabelo.

– Posso pedir ao Franco que vá ao apartamento, ou a tua casa – disse ele, calmamente.

– Ela é muito atraente.

Ele piscou os olhos.

– Pois é.

– Ainda está casada?

– Não, divorciou-se há uns cinco anos.

– Porque não estás com ela?

– Porque isso acabou entre nós. Já te disse isso. – Subitamente franziu a testa, ergueu um dedo e tirou o BlackBerry do bolso do casaco. Devia estar a vibrar porque eu não o ouvi tocar.

– Welch – disse ele, bruscamente e depois ficou a ouvir. Estávamos na Segunda Avenida e eu olhei na direção de uma jovem árvore com folhas de um verde muito tenro, que tinha diante de mim.

As pessoas passavam por nós, numa azáfama, perdidas nas suas tarefas de sábado de manhã, a matutar nos seus dramas pessoais. Perguntei a mim mesma se estes incluiriam ex-submissas perseguidoras, ex-Dominadoras estonteantes, ou um homem sem noção de privacidade, segundo a lei dos Estados Unidos.

– Morreu num acidente de automóvel? Quando? – perguntou Christian, interrompendo os meus devaneios.

Oh, não. Quem? Escutei com mais atenção.

– É a segunda vez que esse estupor se fecha em copas. Ele deve saber. Será que não sente absolutamente nada por ela? – Christian abanou a cabeça indignado. – Isto está a começar a fazer sentido... ou melhor... explica o porquê, mas não onde. – Christian olhou em redor, como se estivesse à procura de algo, e eu dei comigo a fazer o mesmo, mas nada me chamou a atenção. Tudo o que via era gente a fazer compras, o trânsito e as árvores.

– Ela está cá – prosseguiu Christian – e anda a vigiar-nos... Sim... Não. Dois ou quatro, vinte e quatro horas por dia, sete dias por semana. Ainda não abordei esse assunto. – Christian olhou diretamente para mim.

Abordar o quê? Eu franzi o sobrolho e ele olhou-me receoso.

– O quê...? – sussurrou, pálido, de olhos muito abertos. – Compreendo. Quando?... Tão recentemente? Mas como?... Sem pesquisa pessoal?... Compreendo. Manda o nome, a morada e as fotos por e-mail, se as tiveres... vinte e quatro horas por dia, sete dias por semana, a partir desta tarde. Mantém-te em contacto com o Taylor. – Christian desligou.

– O que foi? – perguntei, exasperada. Será que ele me ia contar?

– Era o Welch.

– Quem é o Welch?

– O meu assessor de Segurança.

– Ok. Então, o que aconteceu?

– A Leila abandonou o marido há cerca de três meses e fugiu com um tipo que morreu num acidente de automóvel há quatro semanas.

– Oh.

– O imbecil do psiquiatra devia ter deslindado isso – disse ele, furioso. – Dor, é o que é. Anda. – Estendeu-me o braço e eu dei-lhe imediatamente a mão, mas voltei a afastá-la bruscamente.

– Espera aí. Estávamos a meio de uma conversa acerca de "nós". Acerca dela, a tua Mrs. Robinson.

O rosto de Christian endureceu.

– Ela não é a minha Mrs. Robinson. Podemos falar sobre isso em minha casa.

– Eu não quero ir para tua casa, quero cortar o cabelo! – gritei. Se ao menos me pudesse concentrar apenas nisso...

Ele voltou a tirar o BlackBerry do bolso e marcou um número.

– Greta, fala Christian Grey. Quero o Franco em minha casa dentro de uma hora. Pede a Mrs. Lincoln... Ótimo. – Guardou o telefone. – Ele vem à uma.

– Christian – balbuciei, exasperada.

– Anastasia, a Leila está obviamente a sofrer uma crise psicótica. Não sei se me anda a perseguir a mim ou a ti, nem até onde está disposta a ir. Vamos a tua casa buscar as tuas coisas e podes ficar comigo até a localizarmos.

– Porque haveria eu de querer fazer isso?

– Para que eu te possa manter em segurança.

– Mas...

Ele olhou para mim furioso.

– Vais voltar para o meu apartamento, nem que eu tenha de te arrastar pelos cabelos.

Olhei para ele de boca aberta... aquilo era inacreditável. O Cinquenta Sombras em Technicolor.

– Acho que estás a exagerar.

– Eu acho que não. Podemos continuar a nossa discussão em minha casa. Anda.

Cruzei os braços e olhei-o furiosa. Aquilo tinha ido longe demais.

– Não – disse eu, teimosamente. Tinha de marcar a minha posição.

– Ou caminhas pelo teu pé, ou levo-te ao colo. É-me indiferente, Anastasia.

– Não te atreverias – disse eu, franzindo-lhe o sobrolho. Certamente que não iria fazer uma cena na Segunda Avenida.

Ele fez-me um meio sorriso, mas este não lhe chegava aos olhos.

– Ah, amor, ambos sabemos que se me desafiares, terei o maior prazer em aceitar o desafio.

Olhámos furiosos um para o outro. Subitamente ele curvou-se, agarrou-me pelas coxas e ergueu-me. Quando dei por mim estava pendurada no seu ombro.

– Põe-me no chão! – gritei. Ah, que bem que me soube gritar.

Ele ignorou-me e começou a percorrer a Segunda Avenida. Depois prendeu-me firmemente as coxas com os braços e deu-me uma palmada no rabo com a mão livre.

– Christian – gritei. As pessoas estavam a olhar. Aquilo não podia ser mais humilhante. – Eu vou pelo meu pé! Eu vou pelo meu pé!

Poisou-me e, antes que ele conseguisse sequer endireitar-se, comecei a andar na direção do meu apartamento, a ferver de raiva, ignorando-o. É claro que ele me alcançou instantes depois, mas eu continuei a ignorá-lo. O que podia eu fazer? Estava furiosa, mas os motivos eram tantos, que eu nem sabia porque estava furiosa.

Ao caminhar determinadamente para casa, enumerei-os mentalmente.

1. Levar-me pendurada ao ombro – inaceitável para qualquer pessoa com mais de seis anos.

2. Levar-me ao cabeleireiro que possuía com a ex-amante. Haveria coisa mais estúpida?

3. Levar-me ao mesmo local onde levava as suas submissas – igualmente estúpido.

4. Não perceber sequer que isso não era boa ideia – sendo um tipo supostamente inteligente.

5. Ter ex-namoradas loucas. Poderia culpá-lo por isso? Estava tão furiosa… claro que podia.

6. Saber o meu número de conta bancária – já era perseguição a mais.

7. Comprar a SIP – tinha mais dinheiro do que juízo.

8. Insistir para que eu ficasse com ele – Leila devia estar pior do que ele receava… não falara no assunto no dia anterior.

A evidência abateu-se sobre mim. Algo mudara. O que teria sido? Eu parei e Christian parou comigo.

– O que aconteceu? – perguntei, enfaticamente.

Ele franziu a testa.

– O que queres dizer com isso?

– Com a Leila.

– Já te disse.

– Não, não disseste. Há mais qualquer coisa. Ontem não insististe para que eu fosse para tua casa. Então, o que aconteceu?

Ele remexeu-se, constrangido.

– Diz-me, Christian! – exigi, bruscamente.

– Ela ontem conseguiu uma licença de porte de arma.

Oh, merda. Olhei para ele e pisquei os olhos, sentindo o sangue fugir-me do rosto, ao interiorizar as notícias. Estava a ponto de desmaiar. E se ela quisesse matá-lo? Não!

– Isso significa que pode comprar uma arma – sussurrei.

– Ana – disse ele, com a voz carregada de preocupação, colocando--me as mãos nos ombros e puxando-me contra si –, não creio que ela faça nada de estúpido, mas... não quero correr esse risco contigo.

– Comigo não... então e tu? – murmurei.

Ele franziu-me o sobrolho. Eu envolvi-o nos meus braços e abracei-o com força, encostando o rosto no seu peito, mas ele não pareceu importar-se.

– Vamos voltar – murmurou. Inclinou-se, beijou-me o cabelo, e pronto, toda a minha fúria desapareceu, embora não estivesse esquecida. A ameaça de que algo de mau pudesse acontecer a Christian dissipara-a. A ideia era insuportável.

Preparei solenemente uma pequena mala, guardando o Mac, o BlackBerry, o iPad e o *Charlie Tango* na minha mochila.

– O *Charlie Tango* também vem? – perguntou Christian.

Eu acenei com a cabeça e ele dirigiu-me um breve sorriso, indulgente.

– O Ethan regressa na terça-feira – murmurei.

– O Ethan?

– O irmão da Kate. Vai ficar aqui até encontrar uma casa em Seattle.

Christian olhou-me inexpressivamente, mas eu reparei no frio glaciar no seu olhar.

– Então, ainda bem que vais ficar em minha casa. Dás-lhe mais espaço – replicou, calmamente.

– Não sei se ele tem as chaves. Terei de voltar nessa altura.

Christian não disse nada.

– Está tudo.

Ele agarrou na minha mala e saímos. Ao contornarmos o edifício para o parque de estacionamento nas traseiras, apercebi-me de que estava a olhar por cima do ombro sem perceber se a paranoia tomara conta de mim ou se estava realmente alguém a observar-me. Christian abriu a porta do passageiro do *Audi* e olhou-me expectante.

– Não vais entrar? – perguntou-me.

– Julgava que ia eu a conduzir.

– Não. Eu conduzo.

– Tens algum problema com a minha condução? Não me digas que sabes que nota tive no exame de condução... Com esse teu pendor para a perseguição, não me surpreenderia nada. – Talvez ele soubesse que eu passara no exame de código à tangente.

– Entra no carro, Anastasia – disse ele, bruscamente, num tom irritado.

– Ok – disse eu, entrando apressadamente. *Francamente, vê se te acalmas!*

Talvez ele estivesse com a mesma impressão desconfortável de termos uma sentinela sombria a observar-nos, ou melhor, uma morena pálida, de olhos castanhos, misteriosamente parecida comigo, muito possivelmente com uma arma de fogo escondida.

Christian mergulhou no trânsito.

– As tuas submissas eram todas morenas?

Ele franziu o sobrolho.

– Eram – murmurou. Parecia hesitante e eu imaginei-o a pensar: *Onde quererá ela chegar com isto?*

– Estava só a pensar.

– Já te disse que prefiro morenas.

– Mrs. Robinson não é morena.

– Talvez por isso tenha perdido para sempre o interesse nas loiras – murmurou.

– Estás a brincar! – exclamei, arquejando.

– Sim, estou a brincar – respondeu, exasperado.

Olhei impassível para fora da janela, vendo morenas em toda a parte, mas nenhuma delas era a Leila.

Com que então só gostava de morenas. Porque seria? Será que a Extraordinária e Glamorosa Robinson Apesar de Velha o levara realmente a perder o interesse pelas loiras? Abanei a cabeça – Christian Tormento Grey.

– Fala-me dela.

– O que queres saber? – Christian franziu a testa. O seu tom de voz parecia conter um aviso.

– Fala-me do vosso acordo de negócios.

Ele descontraiu-se visivelmente, claramente disposto a falar de trabalho.

– Sou um sócio comanditário, pois não tenho grande interesse no negócio de beleza, mas ela transformou-o numa iniciativa de sucesso. Eu limitei-me a investir e a ajudá-la a dar os primeiros passos.

– Porquê?

– Porque lhe devia isso.

– Ah, sim?

– Quando eu desisti de Harvard, ela emprestou-me cem mil dólares para iniciar o meu negócio.

Bolas... ela também é rica.

– Desististe?

– Não era a minha vocação, fiz dois anos. Infelizmente os meus pais não foram tão compreensivos.

Franzi o sobrolho. Mr. Grey e a Dr.ª Grace Trevelyan a oporem-se. Não conseguia imaginá-lo.

– Não pareces ter feito mal em desistir. Qual era o teu curso?

– Política e Economia.

Hum... tinha de ser.

– Então ela é rica? – perguntei.

– Era uma esposa troféu, entediada, Anastasia. O marido dela era abastado. Estava bem colocado na indústria madeireira. – Sorriu-me como um lobo. – Não a deixava trabalhar. Era controlador, percebes? Há homens assim. – Dirigiu-me um breve sorriso enviesado.

– A sério? Um homem controlador? Uma criatura mítica, por certo. – Acho que não podia injetar mais sarcasmo na minha resposta.

O sorriso de Christian alargou-se.

– Ela emprestou-te o dinheiro do marido?

Ele acenou com a cabeça, sorrindo maliciosamente.

– Isso é terrível.

– Ele recuperou o seu dinheiro – disse Christian, em tom sombrio, ao entrar na garagem subterrânea do Escala.

Ah, sim?

– Como?

Christian abanou a cabeça como se estivesse a recordar algo particularmente amargo e estacionou ao lado do jipe da *Audi* A4.

– Anda, o Franco deve estar a chegar.

Christian olhou para mim no elevador.

– Ainda estás zangada comigo? – perguntou, sem rodeios.

– Muito.

Ele acenou com a cabeça.

– Ok – afirmou, olhando em frente.

Quando chegámos ao vestíbulo, Taylor estava à nossa espera. Como saberia ele sempre que estávamos a chegar? Pegou-me na mala.

– O Welch contactou-te? – perguntou Christian.

– Sim, senhor.

– E?

– Está tudo tratado.

– Excelente. Como está a tua filha?

– Está bem, obrigado.

– Ótimo. Vem aí um cabeleireiro à uma, Franco De Luca.

– Miss Steele – disse Taylor, com um aceno de cabeça.

– Olá Taylor. Tens uma filha?

– Sim, minha senhora.

– Que idade tem?

– Sete anos.

Christian olhou-me impaciente.

– Vive com a mãe – esclareceu Taylor.

– Ah, sim, compreendo.

Taylor sorriu. Aquilo era inesperado. Taylor pai? Segui Christian até à sala grande, intrigada com aquela informação.

Olhei em redor. Não ia ali desde que partira.

– Tens fome?

Eu abanei a cabeça. Christian olhou-me por instantes, mas decidiu não argumentar.

– Tenho de fazer algumas chamadas. Fica à vontade.

– Ok.

Christian desapareceu no escritório e eu fiquei na grande galeria de arte a que ele chamava casa, a pensar no que fazer comigo mesma.

Roupa! Peguei na minha mochila e subi as escadas até ao meu quarto, examinando a sala de vestir. Continuava cheia de roupas, todas elas novas, ainda com a etiqueta do preço presa. Três vestidos de noite, compridos, três vestidos de *cocktail* e outros três para o dia a dia. Tudo aquilo devia ter custado uma fortuna.

Verifiquei a etiqueta de um dos vestidos de noite: 2998 dólares. Bolas. Deixei-me escorregar para o chão.

Aquilo não tinha nada a ver comigo. Aninhei a cabeça nas mãos, tentando assimilar as últimas horas. Era esgotante. Mas porque me apaixonara eu por um doido varrido? Lindo e *sexy* como o raio, mais rico do que Croesus e chanfrado com C grande – porquê?

Tirei o BlackBerry da mochila e telefonei à minha mãe.

– Ana, querida! Há quanto tempo. Como estás, querida?

– Oh, sabes como é…

– O que se passa? Ainda não resolveste as coisas com o Christian?

– É complicado, mãe. Eu acho que ele é doido. O problema é esse.

– Conta-me. Às vezes é impossível perceber os homens. O Bob está a pensar se foi boa ideia mudarmo-nos para a Geórgia.

– O quê?

– Sim. Ele está a pensar em voltar para Las Vegas.

Afinal não era só eu que tinha problemas.

Christian apareceu à porta.

– Aí estás tu. Julgava que tinhas fugido. – O seu alívio era óbvio. Eu levantei a mão para lhe mostrar que estava ao telefone.

– Desculpa, mãe, tenho de ir. Volto a telefonar em breve.

– Ok, querida, cuida bem de ti. Adoro-te.

– Eu também te adoro, mãe.

Desliguei e olhei para o Cinquenta. Ele franziu o sobrolho, com um ar estranhamente constrangido.

– Porque estás aqui escondida? – perguntou-me.

– Não estou escondida, estou a desesperar.

– A desesperar?

– Com tudo isto, Christian. – Fiz um gesto abrangente com a mão, em direção às roupas.

– Posso entrar?

– O quarto de vestir é teu.

Ele voltou a franzir o sobrolho e sentou-se de pernas cruzadas, de frente para mim.

– São apenas roupas. Se não gostas delas, eu devolvo-as.

– És demasiado difícil de assimilar, sabias?

Ele coçou o queixo... Aquele queixo com barba de dois dias. Os meus dedos estavam ansiosos por lhe tocar.

– Eu sei. Estou a tentar – murmurou.

– És bastante difícil.

– Tal como a menina, Miss Steele.

– Porque estás a fazer isto?

Ele arregalou os olhos e voltou a ficar com um olhar receoso.

– Tu sabes porquê.

– Não, não sei.

Ele passou uma mão pelo cabelo.

– És uma mulher frustrante.

– Podias ter uma bela submissa morena. Uma que te perguntasse "A que altura queres que salte?" sempre que lhe pedisses para saltar, desde que estivesse autorizada a falar, é claro. Porquê eu, Christian? Não consigo entender.

Ele olhou-me por instantes. Eu não fazia ideia do que ele estava a pensar.

– Fazes-me olhar para o mundo de forma diferente, Anastasia. Não me queres por causa do meu dinheiro. Dás-me... esperança – respondeu, brandamente.

O quê? O Críptico estava de volta.

– Esperança em relação a quê?

Ele encolheu os ombros.

– Esperança de mais. – O seu tom de voz era grave e baixo. – Tens razão. Eu estou habituado a mulheres que fazem exatamente o que eu lhes digo, quando digo, mulheres que fazem exatamente o que eu quero. Farto-me depressa. Há qualquer coisa em ti que apela ao meu íntimo a um nível muito profundo, que eu não entendo, Anastasia. É como o canto de uma sereia. Não consigo resistir-te e não quero perder-te. – Esticou o braço e pegou-me na mão. – Por favor, não fujas. Tem um pouco de fé em mim e um pouco de paciência. Por favor.

Parecia tão vulnerável... Era tão perturbante. Apoiei-me nos joelhos, inclinei-me e beijei-o delicadamente nos lábios.

– Ok, fé e paciência. Acho que consigo.

– Ótimo, porque o Franco já chegou.

Franco era baixo, moreno e *gay*. Adorei-o.

– Mas que cabelo tão lindo! – disse ele, impetuosamente, com um sotaque italiano, provavelmente fingido. Poderia apostar que era de Baltimore ou coisa do género, mas o seu entusiasmo era contagiante. Christian conduziu-nos a ambos para a sua casa de banho, saiu apressadamente, e voltou a entrar com uma cadeira da sala.

– Deixo-vos entregues ao assunto – murmurou ele.

– *Grazie*, Mr. Grey. – Franco virou-se para mim. – *Bene*, Anastasia o que vamos fazer contigo?

Christian estava sentado no sofá a examinar o que pareciam ser folhas de cálculo. Uma peça doce e suave de música clássica flutuava pela sala grande. Uma mulher cantava num tom apaixonado, vertendo a alma na canção. Era impressionante. Christian olhou de relance para cima e sorriu, distraindo-me da música.

– Vês? Eu disse-te que ele ia gostar – disse Franco, entusiasmado.

– Estás linda, Ana – afirmou Christian, aprovadoramente.

– O meu trabalho aqui terminou – exclamou Franco.

Christian levantou-se e veio ao nosso encontro.

– Obrigado, Franco.

Franco virou-se e deu-me um grande abraço, beijando-me ambas as faces.

– Nunca deixes que mais ninguém te corte o cabelo, belíssima Ana!

Eu dei uma gargalhada, embaraçada com a sua familiaridade. Christian conduziu-o à porta do vestíbulo, voltando momentos depois.

– Ainda bem que o deixaste comprido – disse ele, ao aproximar-se de mim, de olhos brilhantes. Agarrou numa madeixa entre os dedos.

– Tão macio – murmurou, olhando para mim. – Ainda estás zangada comigo?

Eu acenei com a cabeça e sorri.

– Porque é que estás zangada comigo, exatamente?

Eu revirei os olhos.

– Queres a lista?

– Há uma lista?

– E longa.

– Podemos discutir isso na cama?

– Não – disse eu, apontando para ele, com um ar infantil.

– Então, durante o almoço. Estou esfomeado e não apenas por comida – disse ele, com um sorriso lascivo.

– Não vou permitir que me deslumbres com a tua perícia sexual.

Ele conteve um sorriso.

– O que é que a está a incomodar especificamente, Miss Steele? Desembuche.

Ok.

– O que me incomoda? Bom, a tua invasão grosseira da minha privacidade; o facto de me teres levado a um lugar onde a tua ex-amante trabalha e onde costumavas levar todas as tuas queridas para fazerem a depilação; o facto de teres sido rude comigo na rua, como se eu tivesse seis anos e, acima de tudo, que deixasses a tua Mrs. Robinson tocar-te! – O volume da minha voz aumentara em crescendo.

Ele arqueou as sobrancelhas e a sua boa disposição desapareceu.

– É uma lista e peras mas, apenas para te esclarecer mais uma vez, ela não é a minha Mrs. Robinson.

– Mas pode tocar-te – repeti.

Ele crispou os lábios.

– Ela sabe onde.

– O que significa isso?

Ele passou ambas as mãos pelo cabelo, fechando os olhos por breves instantes, como se buscasse orientação divina, e engoliu em seco.

– Tu e eu não temos regras. Eu nunca tive uma relação sem regras e nunca sei onde me vais tocar. Isso deixa-me nervoso. O teu toque… – Deteve-se à procura das palavras. – O teu toque significa mais para mim… muito mais.

Mais? A resposta dele foi completamente inesperada e confundiu-me. E lá estava aquela pequena palavra de grande significado a pairar de novo entre nós.

O meu toque significava… mais para ele. Como poderia eu resistir-lhe se me dizia aquelas coisas? Os seus olhos cinzentos procuraram os meus, observando-me, apreensivos.

Eu estiquei o braço, hesitante, e a apreensão deu lugar ao alarme. Christian recuou e eu deixei cair a mão.

– Limite intransponível – sussurrou, com um olhar angustiado, apavorado.

Não pude deixar de sentir uma terrível deceção.

– Como te sentirias se não pudesses tocar-me?

– Devastado e privado – respondeu de imediato.

Oh, meu Cinquenta Sombras. Abanei a cabeça, sorrindo-lhe tranquilizadoramente e ele descontraiu-se.

– Um dia terás de me explicar exatamente por que razão isso é um limite intransponível, se não te importas.

– Um dia – murmurou ele, parecendo despertar do seu estado de vulnerabilidade, num segundo.

Como podia mudar de humor tão depressa? Era a pessoa mais inconstante que eu conhecia.

– Bom, quanto ao resto da tua lista. Invadir a tua privacidade…

– Fez um trejeito com a boca, ao pensar no assunto. – Por eu saber o número da tua conta bancária?

– Sim, isso é escandaloso.

– Eu faço pesquisa pessoal acerca de todas as minhas submissas. Eu mostro-te. – Virou-se e dirigiu-se para o escritório.

Eu segui-o obsequiosamente, atordoada. Tirou um dossiê de cartolina castanha de um armário de arquivos. A etiqueta impressa dizia: ANASTASIA ROSE STEELE.

Merda. Olhei furiosa para ele.

Ele encolheu os ombros num gesto apologético.

– Podes ficar com ele – disse, calmamente.

– Obrigadinha, sim? – retorqui bruscamente, folheando o conteúdo. Por amor de Deus, tinha uma cópia da minha certidão de nascimento, dos meus limites intransponíveis, do Acordo de Confidencialidade, do contrato – caramba – do meu número de Segurança Social, do meu currículo e dos meus registos de emprego.

– Tu sabias que eu trabalhava no Clayton's?

– Sabia.

– Então não foi uma coincidência. Não passaste lá por acaso.

– Não.

Eu não sabia se me devia sentir zangada ou enaltecida.

– Isto é tramado, sabes?

– Eu não o vejo dessa forma. Na minha profissão, tenho de ser cauteloso.

– Mas isto é pessoal.

– Eu não utilizo a informação indevidamente. Qualquer pessoa com dois dedos de testa a consegue, Anastasia. Para poder ter controlo, preciso de informação. Foi sempre assim que atuei. – Olhou para mim, com uma expressão reservada e ilegível.

– Tu utilizas a informação indevidamente. Depositaste vinte e quatro mil dólares que eu não queria na minha conta.

Ele cerrou os lábios numa linha rígida.

– Eu já te disse que esse foi o dinheiro que o Taylor conseguiu pelo teu carro. É inacreditável, eu sei, mas é verdade.

– Mas o *Audi*...

– Anastasia, fazes alguma ideia do dinheiro que eu ganho?

Eu corei.

– Porque haveria de fazer? Eu não preciso de conhecer o saldo da tua conta bancária, Christian.

O seu olhar tornou-se mais brando.

– Eu sei. É uma das coisas que adoro em ti.

Olhei para ele, chocada. *Que adora em mim?*

– Anastasia, eu ganho à volta de cem mil dólares por hora.

Eu fiquei de queixo caído. Era uma soma obscena.

– Vinte e quatro mil dólares não são nada. O carro, os livros da Tess, as roupas, não são nada. – Falava num tom de voz suave.

Olhei para ele. Christian realmente não fazia ideia. Extraordinário.

– Como te sentirias se fosses alvo de toda esta… generosidade, se estivesses no meu lugar? – perguntei.

Ele olhou-me inexpressivamente. Ali estava, o seu problema – empatia, ou falta dela. O silêncio prolongou-se entre nós. Finalmente, encolheu os ombros.

– Não sei – respondeu, parecendo genuinamente confuso.

O meu coração aumentou. Ali estava o cerne das suas Cinquenta Sombras. Não conseguia pôr-se no meu lugar. Agora já sabia.

– Não é muito agradável. Quer dizer, tu és muito generoso, mas isso faz-me sentir desconfortável. Já te disse isso várias vezes.

Ele suspirou.

– Eu quero oferecer-te o mundo, Anastasia.

– Mas eu só te quero a ti, Christian, e não todos esses acessórios.

– Mas eles fazem parte. São parte de mim.

Ah, aquela conversa não ia a lado nenhum.

– Vamos comer? – perguntei. Aquela tensão entre ambos era esgotante.

Ele franziu o sobrolho.

– Claro.

– Eu cozinho.

– Ótimo, senão há comida no frigorífico.

– Mrs. Jones tem folga aos fins de semana? Costumavas comer comida fria aos fins de semana?

– Não.

– Ah, não?

Ele suspirou.

– As minhas submissas cozinhavam, Anastasia.

– Ah, claro. – Corei. Como podia ser tão estúpida? Sorri-lhe docemente. – O que gostaria de comer, Senhor?

– O que a Senhora conseguir arranjar – disse ele, num tom sombrio.

Inspecionei o impressionante recheio do frigorífico e decidi-me
por uma tortilha. Havia até batatas frias – perfeito. Era rápido e fácil de
fazer. Christian estava ainda no escritório, certamente a invadir a privacidade de um pobre diabo incauto e a compilar informação. A ideia era
desagradável e deixou-me um sabor amargo na boca. Sentia-me mentalmente abalada. De facto, ele não tinha limites.

Eu precisava de música para cozinhar e iria fazê-lo de forma insub-
missa! Dirigi-me à aparelhagem, junto da lareira e peguei no iPod de
Christian. Devia conter outras escolhas de Leila – só a ideia me apavorava.

Onde estaria ela?, pensei eu. *O que pretenderia ela?*

Estremeci. Mas que herança a minha. Não conseguia entender aquilo.

Percorri a extensa lista. Apetecia-me algo alegre. Hum, Beyoncé –
não me parecia que fosse do agrado de Christian – "Crazy in Love". Ah,
sim! Muito adequado. Carreguei na tecla de repetição e pus a música alto.

Voltei calmamente para a cozinha, procurei uma tigela, abri o frigorífico e tirei os ovos. Parti-os e comecei a batê-los, dançando enquanto o fazia.

Fiz nova incursão ao frigorífico e reuni batatas, fiambre e… ervilhas
congeladas, *sim!* Todos aqueles ingredientes serviam. Procurei uma fri-
gideira, coloquei-a sobre o fogão, deitei-lhe um pouco de azeite e continuei a bater os ovos.

Sem empatia, pensei. Seria aquilo exclusivo de Christian? Talvez todos
os homens fossem assim e as mulheres os confundissem. Não fazia ideia.
Talvez não fosse uma grande revelação.

Quem me dera que Kate estivesse em casa; ela saberia. Estava em Barbados há demasiado tempo. Deveria regressar no final da semana depois
das suas férias suplementares com Elliot. Interroguei-me se tudo seria
ainda uma questão de luxúria à primeira vista para eles.

Uma das coisas que adoro em ti.

Parei de bater os ovos. Ele dissera-o. Quereria isso dizer que havia outras coisas? Sorri pela primeira vez desde que vira Mrs. Robinson – um sorriso de orelha a orelha, genuíno e sincero.

Christian envolveu-me nos seus braços e eu dei um salto.

– Interessante escolha de música – ronronou, beijando-me atrás da orelha. – O teu cabelo cheira bem. – Encostou-me o nariz ao cabelo e inspirou profundamente.

O desejo expandiu-se no meu vente. *Não.* Libertei-me dos seus braços.

– Ainda estou zangada contigo.

Ele franziu o sobrolho.

– Quanto tempo vais ficar assim? – perguntou, passando uma mão pelo cabelo.

Eu encolhi os ombros.

– Pelo menos até depois de comer.

Um sorriso divertido estremeceu-lhe nos lábios. Virou-se, tirou o comando do balcão e desligou a música.

– Foste tu que puseste isso no iPod? – perguntei.

Ele abanou a cabeça, com uma expressão sombria e eu percebi que fora ela – A Rapariga Fantasma.

– Não achas que ela estava a tentar dizer-te algo na altura?

– Bom, olhando para trás, é possível que sim – disse ele, calmamente.

Sem empatia, QED[1]. O meu subconsciente cruzou os braços e estalou os lábios, indignado.

– Porque é que ainda aí está?

– Eu gosto bastante da canção. Mas se te ofende, eu apago-a.

– Não, não tem importância. Gosto de cozinhar com música.

– O que gostarias de ouvir?

– Surpreende-me.

Ele encaminhou-se para a aparelhagem e eu continuei a bater os ovos. Momentos depois, a voz emotiva e divinalmente doce de Nina Simone impregnou a sala. Era uma das músicas favoritas de Ray. "I Put a Spell on You".

---

1. *Quod erat demonstrandum.* Expressão em latim que significa "como se queria demonstrar". (N. da T.)

Eu corei e virei-me, olhando para Christian, pasmada. O que estaria ele a tentar dizer-me? Há muito tempo que me enfeitiçara. Oh, meu Deus... o olhar dele mudara, toda a leveza desaparecera. Estava com um olhar mais sombrio e intenso.

Eu observei-o fascinada, ao vê-lo aproximar-se furtivamente de mim, como um predador, ao ritmo quente da música. Estava descalço, apenas de camisa branca, desfraldada, *jeans*, e um olhar ardente.

Nina cantou "you're mine" quando Christian me alcançou. As suas intenções eram claras.

– Christian, por favor – sussurrei, empunhando redundantemente o batedor.

– Por favor, o quê?

– Não faças isso.

– Isso o quê?

– Isso.

Ele estava à minha frente, a olhar para mim.

– Tens a certeza? – sussurrou, tirando-me o batedor da mão e voltando a colocá-lo na tigela dos ovos. Sentia o coração na boca. Eu não queria aquilo – ou melhor, eu ansiava muito por aquilo. Ele era tão frustrante, tão *sexy* e desejável. Desviei os olhos do seu olhar fascinante.

– Desejo-te, Anastasia – murmurou. – Adoro, detesto e adoro discutir contigo. É uma novidade para mim. Preciso de ter a certeza de que estamos bem e não sei fazê-lo de outra forma.

– Os meus sentimentos por ti não mudaram – sussurrei.

A sua proximidade era terrivelmente excitante. O apelo familiar estava presente e todas as minhas sinapses me incitavam a aproximar dele. A minha deusa interior estava mais libidinosa do que nunca. Mordi o lábio, impotente, estimulada pelo desejo, ao olhar para a mancha de pelos, no decote da sua camisa – apetecia-me saboreá-lo ali.

Ele estava muito próximo, mas não me tocava. O seu calor aquecia-me a pele.

– Não te tocarei até que digas sim – disse ele, brandamente. – Mas agora, depois de uma manhã tão merdosa, o que me apetece mesmo é enterrar-me dentro de ti e esquecer tudo menos nós.

Oh, meu Deus... Nós. Uma combinação mágica, um pequeno e

poderoso pronome selava o nosso acordo. Levantei a cabeça para olhar-lhe para o rosto belíssimo, ainda que sério.

– Vou tocar-te no rosto – sussurrei e vi a surpresa refletir-se por breves instantes nos seus olhos, antes de ver neles aceitação.

Levantei a mão e acariciei-lhe a face, passando-lhe a ponta dos dedos pela barba de dois dias. Ele fechou os olhos e exalou, inclinando o rosto para a minha mão.

Ele curvou-se lentamente e os meus lábios ergueram-se automaticamente ao encontro dos seus. Ele ficou a pairar sobre mim.

– Sim ou não, Anastasia? – sussurrou.

– Sim.

A sua boca fechou-se suavemente sobre a minha, incitando-me, coagindo-me a abrir os lábios, ao envolver-me nos seus braços e puxar-me para si. As suas mãos deslizaram até ao cimo das minhas costas. Os seus dedos entrelaçaram-se na minha nuca, puxando o cabelo delicadamente e a outra mão abriu-se sobre o meu rabo, empurrando-me contra si. Gemi suavemente.

– Mr. Grey – disse Taylor, tossindo, e Christian largou-me imediatamente.

– Taylor – disse ele, num tom de voz frio.

Dei meia volta e vi Taylor, constrangido, parado à soleira da porta da sala. Christian e Taylor olharam um para o outro, comunicando algo entre si, sem falarem.

– Para o meu escritório – disse Christian, bruscamente, e Taylor atravessou apressadamente a sala.

– Adiado – sussurrou-me Christian, antes de sair atrás de Taylor.

Respirei fundo, para me acalmar. Não conseguiria eu resistir-lhe um minuto que fosse? Abanei a cabeça, indignada comigo mesma, e grata pela interrupção de Taylor, por muito embaraçosa que tivesse sido.

Perguntei a mim própria o que teria Taylor interrompido no passado. O que teria ele visto? Não queria pensar nisso. Almoço. Iria fazer o almoço. Entreti-me a cortar batatas. O que pretenderia Taylor? A minha cabeça não parava – seria sobre Leila?

Ambos reapareceram dez minutos depois, estava eu precisamente a acabar de fazer a tortilha. Christian parecia preocupado, ao olhar para mim.

– Informá-los-ei dentro de dez minutos – disse ele a Taylor.

– Estaremos a postos – respondeu Taylor, saindo da sala grande.

Eu peguei em dois pratos aquecidos e coloquei-os sobre a bancada central da cozinha.

– Almoço?

– Por favor – disse Christian, empoleirando-se num dos bancos do balcão. Agora estava a observar-me atentamente.

– Algum problema?

– Não.

Franzi o sobrolho. Ele não estava a querer dizer-me. Coloquei o almoço nos pratos e sentei-me ao seu lado, resignando-me a ficar na ignorância.

– Isto é bom – murmurou Christian, num tom apreciador, ao comer uma garfada. – Queres um copo de vinho?

– Não, obrigada. – *Preciso de manter as ideias claras ao pé de ti, Grey.*

Estava de facto saboroso, embora eu não tivesse grande fome. Ainda assim comi, pois sabia que Christian iria aborrecer-me se eu não o fizesse. Finalmente, Christian interrompeu o nosso silêncio meditativo, colocando a peça clássica que eu ouvira antes.

– O que é isto? – perguntei.

– Canteloube, *Songs of the Auvergne*. Este tema chama-se "Bailero".

– É lindo. Em que língua é?

– É em francês arcaico – Langue d'oc, na verdade.

– Tu falas francês. Percebes a letra? – Veio-me à memória o seu francês fluente no jantar dos pais…

– Algumas palavras, sim. – Christian sorriu, descontraindo-se visivelmente. A minha mãe tinha um mantra: "um instrumento musical, uma língua estrangeira, uma arte marcial". O Elliot fala espanhol e toca guitarra. Eu toco piano e a Mia toca violoncelo.

– Uau. E as artes marciais?

– O Elliot pratica judo, a Mia fez finca-pé aos doze anos e recusou-se a praticar. – Sorriu ao lembrar-se.

– Quem me dera que a minha mãe fosse tão organizada.

– A Dr.ª Grace é formidável no que diz respeito à realização dos filhos.

– Ela deve estar muito orgulhosa de ti. Eu estaria.

Um pensamento sombrio perpassou o rosto de Christian e ele pareceu momentaneamente desconfortável, olhando-me receoso, como se estivesse em território desconhecido.

– Já decidiste o que vais vestir esta noite? Ou terei de lá ir escolher-te alguma coisa? – O seu tom de voz tornou-se subitamente brusco.

Eh lá! Parecia zangado. Porquê? O que disse eu?

– Hum… ainda não. Foste tu que escolheste todas aquelas roupas?

– Não, Anastasia, não fui eu. Entreguei uma lista e o teu número a uma *personal shopper* no Neiman Marcus. Devem-te servir. Gostaria que soubesses que contratei segurança suplementar para esta noite e para os próximos dias. Andando a Leila à solta pelas ruas de Seattle e a agir de forma tão imprevisível e inexplicável, creio que é uma precaução sensata. Não quero que saias sozinha, ok?

Eu pisquei-lhe os olhos.

– Ok. – O que teria acontecido ao "quero-te agora, Grey"?

– Ótimo. Vou dar-lhes instruções. Não me devo demorar.

– Eles estão aqui?

– Sim.

Onde?

Christian levantou o seu prato, colocou-o no lava-loiça e saiu da cozinha. Porque teria reagido assim? Parecia ser várias pessoas num só corpo. Isso não era um sintoma de esquizofrenia? Teria de fazer uma pesquisa acerca disso no Google.

Levantei o meu prato, lavei-o rapidamente e voltei a subir as escadas para o meu quarto, com o dossiê ANASTASIA ROSE STEELE. De regresso ao quarto de vestir, tirei três vestidos de noite compridos. E agora, qual deles usar?

Olhei para o Mac, para o iPad e para o BlackBerry, deitada na cama. Estava dominada pela tecnologia. Comecei a transferir a lista de música do meu iPad para o Mac e depois acedi ao Google para navegar na Internet.

Estava deitada a toda a largura da cama, a olhar para o meu Mac, quando Christian entrou.

– O que estás a fazer? – perguntou, brandamente.

Entrei por instantes em pânico, interrogando-me se deveria permitir que ele visse o *site* onde eu estava – Distúrbio de Personalidade Múltipla: Os Sintomas.

Ele estendeu-se a meu lado e olhou para a página da Internet, divertido.

– Há algum motivo para estares neste *site*? – perguntou, descontraidamente.

O Christian desabrido desaparecera, dando de novo lugar ao Christian brincalhão. Como raio seria possível acompanhar aquilo?

– Estou a pesquisar sobre uma personalidade difícil – disse-lhe eu com a maior cara de pau.

Os seus lábios estremeceram, contendo um sorriso.

– Uma personalidade difícil?

– O meu projeto de estimação.

– Com que então sou um projeto de estimação? Uma atividade paralela? Uma experiência científica, talvez. Agora que eu pensava que era tudo para si, você fere-me, Miss Steele.

– Como é que sabes que és tu?

– Mera suposição.

– É verdade que és o único controlador passado e volátil que conheço intimamente.

– Julgava que eu era a única pessoa que conhecias intimamente – retorquiu, arqueando as sobrancelhas.

Eu corei.

– Sim, isso também é verdade.

– Já chegaste a alguma conclusão?

Eu virei-me e fitei-o. Estava deitado de lado, junto de mim, com a cabeça apoiada no cotovelo e uma expressão branda e divertida.

– Acho que estás a precisar de terapia intensa.

Ele prendeu-me delicadamente o cabelo por trás das orelhas.

– Acho que estou a precisar de ti. Toma. – Deu-me um batom.

Eu franzi-lhe o sobrolho perplexa. Era vermelho-vivo e não era nada o meu estilo.

– Queres que eu use isto? – perguntei, num tom de voz esganiçado.

Ele deu uma gargalhada.

– Não, Anastasia, a menos que queiras usá-lo. Não me parece que seja a tua cor – rematou, secamente.

Sentou-se na cama, de pernas cruzadas, e despiu a camisa pela cabeça. Oh meu Deus.

– Gostei da tua ideia do mapa de estradas.

Olhei para ele, inexpressivamente. Mapa de estradas?

– As áreas interditas – disse ele a título de explicação.

– Ah, estava a brincar.

– Mas eu não estou.

– Queres que eu te marque com batom?

– Vai acabar por desaparecer.

Aquilo queria dizer que eu poderia tocar-lhe livremente. Um ligeiro sorriso de assombro desenhou-se nos meus lábios.

– E que tal algo mais permanente como um marcador?

– Podia fazer uma tatuagem. – O humor iluminou-lhe os olhos.

Uma tatuagem a desfigurar o belíssimo corpo de Christian Grey, estando este já tão marcado de diferentes formas? Nem pensar!

– Sou contra a tatuagem! – exclamei, rindo-me para disfarçar o meu horror.

– Então, batom – disse ele, sorrindo.

Eu fechei o Mac e empurrei-o para o lado. Aquilo era capaz de ser divertido.

– Anda – disse ele, estendendo-me as mãos. – Senta-te em cima de mim.

Descalcei as sabrinas e sentei-me apressadamente, arrastando-me para junto dele. Ele deitou-se na cama, mas ficou de joelhos fletidos.

– Encosta-te às minhas pernas.

Subi para cima dele e sentei-me como me disse para fazer. Ele estava de olhos muito abertos, com um olhar receoso, mas ao mesmo tempo divertido.

– Pareces… entusiasmada com isto – comentou, ironicamente.

– Eu estou sempre ansiosa por informação, Mr. Grey. Além disso, isto significa que se vai descontrair, porque eu vou ficar a conhecer as fronteiras.

Ele abanou a cabeça, como se lhe fosse difícil acreditar que estava prestes a deixar que eu lhe riscasse o corpo todo.

– Abre o batom – ordenou-me.

Estava bastante autoritário mas eu não queria saber.

– Dá-me a tua mão.

Eu dei-lhe a outra mão.

– A mão com que estás a segurar o batom – disse ele, revirando--me os olhos.

– Estás a revirar-me os olhos?

– Estou.

– Isso é muito grosseiro, Mr. Grey. Conheço pessoas que se tornam extremamente violentas quando alguém lhes revira os olhos.

– Ah, sim? – O seu tom de voz era irónico.

Eu estendi-lhe a mão com o batom. Ele sentou-se subitamente e ficámos cara a cara.

– Preparada? – perguntou num murmúrio grave e suave, que me contraiu e retesou as entranhas. Uau.

– Sim – sussurrei. A sua proximidade era tentadora. Os seus mús-culos tonificados perto de mim, o seu odor misturado com o meu gel de banho…

Christian guiou-me a mão até à curva do ombro.

– Carrega – sussurrou e eu senti a boca seca, enquanto ele me guiava a mão pelo ombro, em torno da articulação do braço, fazendo-a depois descer pela parte lateral do seu peito. O batom deixou um risco grosso e debotado, vermelho. A sua mão deteve-se ao fundo da sua caixa torá-cica e guiou-me ao longo do estômago. Ele ficou hirto e olhou-me nos olhos, aparentemente impassível, mas eu vi contenção atrás daquele olhar cautelosamente despojado de expressão.

Estava a conter ao máximo a sua própria aversão. A linha do seu maxilar estava tensa, tal como a zona em torno dos olhos. Quando íamos a meio do estômago murmurou:

– Agora sobe pelo outro lado – e largou-me a mão.

Eu reproduzi a linha que tinha traçado do lado esquerdo. A con-fiança que estava a depositar em mim era inebriante, embora amenizada pelo facto de eu poder contabilizar a sua dor. Sete pequenas cicatrizes, redondas e esbranquiçadas, salpicavam-lhe o peito. Ver o seu belo corpo profanado de forma tão hedionda era um profundo suplício. Quem faria aquilo a uma criança?

– Pronto, terminei – sussurei, contendo a minha emoção.

– Não, não terminaste – respondeu, traçando uma linha em torno da base do pescoço, com o seu longo indicador. Eu segui a linha do seu dedo, traçando um risco escarlate. Ao terminar, olhei para as profundezas cor de cinza dos seus olhos.

– Agora as costas – murmurou. Mudou de posição e eu tive de sair de cima dele. Depois virou-se na cama e sentou-se de pernas cruzadas, de costas viradas para mim.

– Segue a linha do meu peito e contorna-me as costas, até ao outro lado. – Estava com uma voz grave e rouca.

Eu obedeci e quando ia traçar uma linha vermelha no meio das suas costas vi mais cicatrizes a desfigurarem-lhe o corpo. Nove ao todo.

Merda. Tive de contrariar a necessidade avassaladora que senti de beijar cada uma delas e conter as lágrimas que me inundaram os olhos. Que animal faria uma coisa daquelas? Quando completei o circuito em torno das suas costas, ele estava de cabeça baixa e o seu corpo estava tenso.

– À volta do pescoço também? – sussurrei.

Ele acenou com a cabeça e eu desenhei outra linha, ligando-a à primeira.

– Terminado – murmurei. Era como se usasse um estranho colete cor de pele, debruado a vermelho-vivo.

Ele descaiu os ombros e descontraiu-se, voltando a virar-se lentamente para mim.

– São esses os limites – disse ele, calmamente, com os olhos sombrios e as pupilas dilatadas… de medo ou de luxúria? Apetecia-me atirar-me a ele, mas contive-me e olhei-o, pasmada.

– Lido bem com isso, mas neste momento apetece-me atirar-me para cima de ti – sussurrei.

Ele sorriu-me malevolamente e ergueu as mãos, num gesto silencioso de consentimento.

– Sou todo seu, Miss Steele.

Guinchei com um deleite infantil e lancei-me para os seus braços, fazendo-o cair de costas. Ele torceu-se e deu uma gargalhada infantil, carregada de alívio, pelo facto de o suplício ter terminado, e eu acabei debaixo dele, na cama.

– Quanto àquele adiamento... – sussurrou e a sua boca voltou a reclamar a minha.

CAPÍTULO SEIS

Enterrei os dedos no seu cabelo, com a boca febrilmente colada à sua, consumindo-o, desfrutando do toque da sua língua contra a minha e ele devorava-me da mesma forma. Era divinal.

Subitamente, ergueu-me, agarrou-me na bainha da *t-shirt* e arrancou-ma pela cabeça, atirando-a para o chão.

– Quero sentir-te – disse ele, avidamente, contra a minha boca. As suas mãos deslizaram-me até às minhas costas e desapertou-me o sutiã, tirando-mo com um gesto suave e atirando-o para o lado.

Voltou a empurrar-me para cima da cama, afundando-me contra o colchão, levando a boca e a mão aos meus seios. Os meus dedos arrepanharam-lhe o cabelo ao senti-lo agarrar-me num dos mamilos entre os lábios e puxá-lo com força.

Eu gritei e a sensação percorreu-me o corpo, estimulando-me, e contraindo-me todos os músculos em torno das virilhas.

– Sim, amor, quero ouvir-te – murmurou contra a minha pele sobreaquecida.

Caramba, queria-o dentro de mim. A sua boca brincava com o meu mamilo, puxando-o. Eu torcia-me e retorcia-me de desejo. Sentia a sua ânsia combinada ... combinada com o quê? Veneração. Era como se estivesse a adorar-me.

Ele friccionou-me o mamilo com os dedos e este endureceu e alongou-se sob o seu toque experiente. Levou a mão aos meus *jeans*, desapertando habilmente o botão, puxou o fecho, meteu-me a mão por dentro das cuecas e os seus dedos deslizaram contra o meu sexo.

Mergulhou um dedo dentro de mim, inspirando bruscamente. Eu empurrei a anca, contra a base da sua mão e ele correspondeu, roçando-se contra mim.

– Oh, querida – sussurrou, a pairar sobre mim, olhando-me atentamente nos olhos. – Estás tão molhada. – Havia assombro na sua voz.

– Desejo-te – murmurei.

A sua boca uniu-se à minha e eu senti o seu desespero voraz, a sua necessidade de mim.

Aquilo era uma novidade – nunca assim fora a não ser, talvez, quando eu regressara da Geórgia – e aquilo que me disse anteriormente veio-me de novo à memória... *Preciso de ter a certeza de que estamos bem e não sei fazê-lo de outra forma.*

O pensamento foi revelador. Saber que produzia tal efeito nele, que lhe podia oferecer consolo, fazendo aquilo... Ele sentou-se, agarrou-me na parte de baixo das calças de ganga e puxou-mas, despindo-me depois as cuecas.

Levantou-se, de olhos fixos nos meus, tirou uma embalagem de preservativos do bolso e atirou-ma, tirando os *jeans* e os *boxers*, com um movimento rápido.

Rasguei avidamente a embalagem e, quando ele se voltou a deitar a meu lado, desenrolei lentamente o preservativo no seu membro. Ele agarrou-me em ambas as mãos e virou-se de barriga para cima.

– Tu, por cima – ordenou-me, sentando-me em cima dele. – Quero ver-te.

Oh.

Ele guiou-me e eu sentei-me hesitantemente sobre o seu sexo. Ele fechou os olhos e fletiu as ancas contra mim, preenchendo-me, estirando-me, formando um O perfeito com a boca ao exalar.

Ah, que bem que sabia... possuí-lo e deixar que me possuísse.

Ele segurou-me nas mãos, não sei se para me amparar ou para me impedir de tocar nele, embora eu tivesse o meu mapa de estradas.

– Sabes tão bem – murmurou.

Eu voltei a erguer-me, inebriada pelo poder que tinha sobre ele, vendo Christian Grey desfazer-se lentamente debaixo de mim. Ele largou-me as mãos e agarrou-me nas ancas. Apoiei as mãos sobre os seus braços e ele arremeteu bruscamente contra mim, fazendo-me gritar.

– Isso, amor, sente-me – disse ele, num tom de voz tenso.

Inclinei a cabeça para trás e fiz exatamente isso. Aquilo era o que ele sabia fazer melhor.

Eu movia-me – acompanhando o seu ritmo, em perfeita sintonia – esquecendo por completo a razão e o pensamento. Limitava-me a sentir, perdida naquele vazio de prazer, movendo-me repetidamente... *Para cima e para baixo... Oh, sim.* Abri os olhos e olhei para Christian ofegante, e ele estava a olhar para mim, com um olhar ardente.

– A minha Ana – disse ele em voz baixa.

– Sim – reforcei, num tom de voz rouco. – Sempre.

Ele gemeu alto e voltou a fechar os olhos, inclinando a cabeça para trás. Ver Christian perder o controlo foi o suficiente para selar o meu destino e eu vim-me ruidosamente, extenuada, precipitando-me em espiral e caindo sobre ele.

– Oh, amor – gemeu ele enquanto se vinha, prendendo-me firmemente e deixando-se ir.

Eu estava ofegante e reluzente, com a cabeça poisada sobre o seu peito, na área interdita, com o queixo aninhado nos seus pelos macios. Resisti à tentação de franzir os lábios e beijá-lo. Deixei-me ficar deitada sobre ele, a recuperar o fôlego. Ele alisou-me o cabelo e acariciou-me as costas, enquanto a sua respiração abrandava.

– És tão bonita.

Ergui a cabeça para olhar para ele, com uma expressão cética. Ele franziu-me o sobrolho e sentou-se rapidamente, apanhando-me de surpresa, e o seu braço envolveu-me e imobilizou-me. Eu agarrei-me aos seus bíceps e ficámos de nariz colado um ao outro.

– Tu. És. Linda – repetiu, enfaticamente. – E às vezes és incrivelmente doce. – Beijei-o delicadamente. Ele ergueu-me e saiu lentamente de dentro de mim. Eu retraí-me. Ele inclinou-se e beijou-me suavemente.

– Não fazes ideia de como és atraente, pois não?

Eu corei. Porque estaria ele a insistir naquilo?

– Com todos esses homens atrás de ti? Não será isso uma pista suficientemente esclarecedora?

– Homens? Que homens?

– Queres a lista? – Christian franziu o sobrolho. – O fotógrafo que é louco por ti, o rapaz da loja de ferramentas, o irmão mais velho da amiga com quem partilhas a casa, o teu patrão – disse ele, amargamente.

— Christian, isso não é verdade.

— Acredita em mim. Eles desejam-te. Eles desejam o que é meu. — Puxou-me contra si e eu ergui os braços à altura dos seus ombros, mergulhando os dedos no seu cabelo e olhando-o divertida.

— Meu — repetiu ele, com um brilho possessivo nos olhos.

— Sim, sou tua — disse-lhe sorrindo, para o tranquilizar. Ele pareceu acalmar-se. Sentia-me perfeitamente confortável, nua, ao seu colo, deitada numa cama em pleno dia, num sábado à tarde. Quem iria imaginar? As marcas de batom permaneciam no seu corpo maravilhoso, mas reparei em algumas manchas no edredão e interroguei-me por instantes o que iria Mrs. Jones pensar acerca delas.

— A linha continua intacta — murmurei, percorrendo corajosamente a marca no seu ombro com o indicador. Ele ficou hirto, piscando subitamente os olhos. — Quero fazer uma exploração.

Olhou-me com um ar cético.

— No apartamento?

— Não, estava a pensar no mapa do tesouro que desenhámos em ti. — Os meus dedos ansiavam por lhe tocar.

Ele arqueou uma sobrancelha, surpreendido, piscando os olhos hesitantemente e eu rocei o meu nariz no seu.

— E isso implicaria o quê, exatamente, Miss Steele?

Levantei a mão do seu ombro, passando as pontas dos dedos pelo seu rosto.

— Quero apenas tocar-te em todos os sítios onde me for permitido.

Christian apanhou-me o indicador com os dentes, mordendo-o suavemente.

— Au — protestei e ele sorriu, com um gemido gutural.

— Ok — concordou, libertando-me o dedo, mas havia apreensão na sua voz. — Espera. — Inclinou-se atrás de mim, voltou a erguer-me e removeu o preservativo, atirando-o, sem cerimónias, para junto da cama.

— Detesto aquelas coisas. Pensei em chamar a Dr.ª Greene para te dar uma injeção.

— Achas que a melhor obstetra e ginecologista de Seattle vem cá a correr?

– Eu consigo ser bastante persuasivo – murmurou, prendendo-me o cabelo atrás da orelha. – Franco fez um belíssimo trabalho com o teu cabelo. Gosto deste escadeado.

O que foi?

– Para de mudar de assunto.

Ele virou-me e eu fiquei em cima dele, encostada aos seus joelhos levantados, com um pé de cada lado das suas ancas. Ele recostou-se, apoiando-se nos braços.

– Toca à vontade – disse, sem sombra de humor. Parecia nervoso, mas estava a tentar escondê-lo.

Baixei o braço, sem tirar os olhos dele, e passei o dedo por baixo da linha de batom, percorrendo os músculos finamente esculpidos do seu abdómen. Ele retraiu-se e eu detive-me.

– Não tenho de o fazer – sussurrei.

– Não, tudo bem. Preciso apenas de... me adaptar. Há muito tempo que ninguém me toca – murmurou.

– Mrs. Robinson? – As palavras saíram-me inadvertidamente e, por incrível que pareça, eu consegui dizê-lo sem amargura nem rancor na voz.

Ele anuiu. O seu desconforto era óbvio.

– Não quero falar sobre ela. Vai estragar a tua boa disposição.

– Eu aguento.

– Não, não aguentas, Ana. Ficas furiosa sempre que falo nela. O meu passado é o meu passado e eu não o posso mudar, é um facto. Tenho sorte por tu não teres um passado, pois isso iria dar comigo em doido.

Eu franzi-lhe o sobrolho mas não queria discutir.

– Dar contigo em doido? Mais do que já és? – sorri, esperando aligeirar o ambiente entre nós.

Os seus lábios estremeceram.

– Doido por ti – sussurrou.

O meu coração encheu-se de alegria.

– Telefono ao Dr. Flynn?

– Creio que não será necessário – respondeu, secamente.

Mudei de posição para que ele pudesse baixar as pernas e voltei a poisar os dedos sobre o seu estômago, fazendo-os deslizar-lhe pela pele. Ele voltou a ficar imóvel.

– Gosto de te tocar. – Os meus dedos deslizaram até ao seu umbigo e depois mais para baixo, seguindo o trilho de pelos do seu baixo-ventre. Ele entreabriu os lábios, a sua respiração modificou-se, os olhos escureceram e a sua ereção moveu-se e estremeceu por baixo de mim. Com os diabos. *Segundo round?*

– Outra vez? – perguntei num murmúrio.

Ele sorriu.

– Ah, sim, Miss Steele, outra vez.

Que forma deliciosa de se passar uma tarde de sábado. Estava debaixo do duche a lavar-me descontraidamente, mas com cuidado para não molhar o cabelo, enquanto meditava nas últimas horas. Christian parecia estar a adaptar-se bem à baunilha. Revelara-me tanto hoje que era desconcertante tentar assimilar toda a informação e refletir no que soubera: os detalhes sobre o seu salário – *era extraordinário que alguém tão jovem como ele fosse tão escandalosamente rico* –, o dossiê que tinha sobre mim e sobre todas as suas submissas. Interroguei-me se estariam todos naquele armário de arquivos.

O meu subconsciente crispou os lábios e abanou a cabeça: *nem sequer penses em lá ir.* Franzi o sobrolho. *Nem mesmo uma espreitadela?*

Depois havia Leila a vaguear por aí algures – possivelmente armada – e o seu péssimo gosto para a música, que ainda estava no seu iPod. Mas pior do que isso era Mrs. Robinson, a Pedófila, que eu não entendia nem queria entender. Não queria que ela fosse um espetro de cabelos reluzentes na nossa relação. Ele tinha razão. Eu perdia a cabeça sempre que pensava nela, por isso era melhor não pensar.

Saí do duche, enxuguei-me e fui inesperadamente acometida por um ataque de raiva.

Mas quem é que não perdia a cabeça? Será que alguém normal ou são de espírito faria isso a um rapaz de quinze anos? Até que ponto teria ela contribuído para ele estar passado como estava? Eu não a entendia, mas o pior de tudo era ele dizer que ela o tinha ajudado. Como?

Pensei nas suas cicatrizes, a materialização física e cruel de uma infância horrenda, uma lembrança hedionda de todas as cicatrizes mentais que tinha de suportar. O meu doce e triste Cinquenta Sombras.

Disse-me coisas tão carinhosas, hoje. *Doido por mim.*

Olhei para o meu reflexo no espelho e sorri, ao recordar as suas palavras, voltando a sentir o coração transbordante, e o meu rosto transformou-se, com um sorrido ridículo. Talvez pudéssemos fazer com que aquilo resultasse. Mas quanto tempo iria ele estar disposto àquilo sem desejar dar-me uma sova mestra, por eu ter quebrado uma regra arbitrária?

O meu sorriso dissolveu-se. Era isso que eu não sabia. Era essa a sombra que pairava sobre nós. Cenas depravadas, sim, eu alinhava nisso, mas mais do que isso?

O meu subconsciente olhou-me inexpressivamente e, por uma vez na vida, não fez qualquer comentário sabido ou cruel. Voltei para o meu quarto para me vestir.

Christian estava lá em baixo a arranjar-se ou a fazer o que quer que fosse, de modo que tinha o quarto só para mim. Para além dos vestidos no armário, tinha gavetas cheias de roupa interior nova. Escolhi um corpete negro, de marca, que marcava o preço de 540 dólares na etiqueta. Tinha um debrum prateado, semelhante a filigrana e umas cuecas muito reduzidas a condizer. Calcei também umas meias de vidro cor de pele, de pura seda. *Uau… pareciam-me provocantes…e sexy.*

Ia pegar no vestido quando Christian entrou, inesperadamente. *Eh lá, podias ao menos bater à porta!* Ele ficou imóvel, a olhar para mim, de olhos cintilantes e ávidos. Corei da cabeça aos pés, ou pelo menos foi o que me pareceu. Ele estava de camisa branca, com umas calças pretas, clássicas, e tinha o colarinho da camisa aberto. Conseguia ainda ver o risco de batom e ele continuava a olhar para mim.

— Posso ajudá-lo, Mr. Grey? Presumo que o propósito da sua visita não seja apenas olhar pasmado para mim com esse ar embasbacado.

— Estou a apreciar bastante o meu ar embasbacado, Miss Steele, obrigado — murmurou, sombriamente, avançando para dentro do quarto, e devorando-me com o olhar. — Lembra-me de mandar uma mensagem de agradecimento a Caroline Acton.

Eu franzi o sobrolho. *Quem era essa?*

— A *personal shopper* do Neiman's — disse ele, respondendo sinistramente à minha pergunta por formular.

– Ah, bom.

– Estou bastante perturbado.

– Vejo que sim. O que queres, Christian? – perguntei, dirigindo-lhe o meu olhar pragmático.

Ele retaliou com o seu sorriso enviesado e tirou a geringonça com as bolas prateadas do bolso. Eu fiquei pregada ao chão. Com os diabos! Queria espancar-me? Agora? Porquê?

– Não é o que tu pensas – disse ele, rapidamente.

– Esclarece-me – sussurrei.

– Achei que as podias usar hoje à noite.

As implicações daquela frase ficaram a pairar entre nós, enquanto eu tentava interiorizar a ideia.

– Neste evento? – Eu estava chocada.

Ele acenou lentamente com a cabeça e o seu olhar escureceu.

Oh, meu Deus.

– Vais espancar-me mais tarde?

– Não.

Senti por instantes uma pontada minúscula e transitória de deceção. Ele riu baixinho.

– Queres que eu te espanque?

Eu engoli em seco. Não sabia.

– Bom, podes ter a certeza de que não te tocarei dessa forma nem mesmo se mo implorares.

Ah! Aquilo era uma novidade.

– Queres entrar neste jogo? – prosseguiu ele, erguendo as bolas. – Poderás sempre tirá-las se achares que é demasiado para ti.

Olhei para ele. Estava perversamente tentador – desgrenhado, com aquele cabelo de quem acabou de ter sexo, olhos sombrios e saltitantes, cheios de pensamentos eróticos, de lábios arqueados num sorriso *sexy* e divertido.

– Ok – assenti, brandamente. Sim, raios! A minha deusa interior recuperara a voz e estava a gritar de cima dos telhados.

– Linda menina – disse Christian com um sorriso. – Anda cá que eu introduzo-tas, depois de calçares os sapatos.

Os meus sapatos? Virei-me e olhei de relance para os sapatos de salto agulha, cinzento-claros, a condizer com o vestido que escolhera.

Faz-lhe a vontade!

Ele estendeu-me a mão para me amparar, enquanto eu calçava os sapatos Christian Louboutin, um roubo de 3259 dólares. Devia estar agora pelo menos doze centímetros mais alta.

Ele conduziu-me à cabeceira da cama, mas não se sentou, aproximando-se da única cadeira do quarto. Pegou nela e trouxe-a, colocando-a à minha frente.

— Quando eu te acenar com a cabeça tu curvas-te e seguras-te à cadeira, entendido? — Estava com uma voz rouca.

— Sim.

— Ótimo. Agora abre a boca — ordenou, ainda num tom de voz grave.

Eu assim fiz, pensando que ele me ia colocar as bolas dentro da boca, para as lubrificar, mas não; meteu-me o indicador na boca.

Oh...

— Chupa — disse ele. Eu agarrei-lhe na mão, segurando-a firmemente e obedeci... Vês, eu consigo ser obediente, quando quero.

Ele sabia a sabonete... hum. Chupei com força e senti-me recompensada ao vê-lo arregalar os olhos, entreabrir os lábios e inspirar. Pelo andar da carruagem não iria precisar de nenhum lubrificante. Ele meteu as bolas na boca enquanto eu praticava felação com o seu dedo, girando a língua em torno dele. Quando o tentou tirar eu prendi-o com os dentes.

Ele sorriu e abanou a cabeça, admoestando-me, e eu soltei-o. Acenou com a cabeça e eu curvei-me, agarrando-me aos lados da cadeira. Ele afastou-me as cuecas para um lado e introduziu muito lentamente um dedo dentro de mim, massajando-me calmamente em círculos, para que eu o sentisse em pleno. Não consegui conter um gemido.

Ele retirou o dedo por instantes e inseriu carinhosamente as bolas, uma por uma, empurrando-as para dentro de mim. Assim que as colocou em posição, voltou a puxar-me as cuecas e beijou-me o rabo. Depois percorreu-me as pernas com as mãos, do tornozelo às coxas, beijando-me delicadamente o cimo das coxas, onde terminavam as minhas meias.

— Tem umas pernas magníficas, Miss Steele — murmurou. Endireitou-se e agarrou-me nas ancas, puxando-me o rabo contra si, para que eu sentisse a sua ereção. — Talvez te possua assim quando chegarmos a casa, Anastasia. Agora podes endireitar-te.

Eu senti-me tonta e terrivelmente excitada ao sentir o peso das bolas dentro de mim. Christian inclinou-se por trás de mim e beijou--me o ombro.

– Comprei-te isto para usares na gala de sábado passado. – Colocou um braço à minha volta e ergueu a mão. Na palma da sua mão estava uma pequena caixa vermelha com a palavra *Cartier* inscrita na tampa. – Mas tu deixaste-me, por isso nunca tive oportunidade de tos dar.

Oh!

– Esta é a minha segunda oportunidade – murmurou, num tom de voz tenso, carregado de uma emoção qualquer desconhecida. Estava nervoso.

Peguei hesitantemente na caixa e abri-a. No interior brilhava um par de brincos compridos. Cada um deles tinha quatro diamantes. Um na base, depois um intervalo e finalmente três diamantes perfeitamente espaçados entre si, suspensos uns atrás dos outros. Eram lindos, simples e clássicos. O que eu própria escolheria, se alguma vez tivesse hipótese de fazer compras na *Cartier*.

– São lindos – sussurrei. E adorei-os pelo facto de serem os brincos da segunda oportunidade. – Obrigada.

Ele descontraiu-se contra mim, à medida que a tensão lhe abandonava o corpo, voltando a beijar-me o ombro.

– Vais usar o vestido prateado de cetim? – perguntou-me.

– Sim. Parece-te bem?

– Claro. Vou deixar-te arranjar. – Saiu sem olhar para trás.

Eu entrara num universo alternativo. A jovem que me olhava merecia pisar um tapete vermelho. O seu vestido de noite sem alças de cetim prateado era simplesmente deslumbrante. Talvez eu própria escrevesse a Caroline Acton. Ficava-me à medida e realçava as poucas curvas que eu tinha.

O cabelo caía-me em ondas suaves em torno do rosto, derramando--se sobre os ombros e os seios. Prendi o cabelo atrás da orelha de um lado, expondo os brincos da segunda oportunidade. Reduzi a maquilhagem ao mínimo, para ficar com um ar natural. *Eyeliner*, rímel, um pouco de *blush* rosado e batom rosa-pálido. Não precisava realmente do *blush*, pois estava um pouco corada por causa do movimento constante das bolas prateadas. Sim, elas iam garantidamente manter-me as faces coradas hoje à noite. Abanando a cabeça ao pensar nas audaciosas ideias eróticas de Christian, curvei-me para pegar na minha *écharpe* prateada e na bolsa de mão, e ir à procura do meu Cinquenta Sombras.

Ele estava no corredor a falar com Taylor e três outros homens, de costas viradas para mim, mas a expressão surpreendida e apreciadora deles alertou Christian para a minha presença. Quando se virou, eu estava à espera com um ar embaraçado.

Senti a boca seca. Ele estava impressionante... de *smoking* preto e de laço. A sua expressão ao olhar para mim foi de assombro. Veio ao meu encontro e beijou-me o cabelo.

— Estás deslumbrante, Anastasia.

O seu elogio fez-me corar em frente de Taylor e dos outros dois homens.

— Um copo de champanhe antes de irmos?

— Por favor — murmurei, demasiado depressa.

Christian acenou com a cabeça a Taylor, que se encaminhou para o vestíbulo com os seus três parceiros.

Christian tirou uma garrafa de champanhe do frigorífico.

— É a equipa de segurança? — perguntei.

— Segurança pessoal. Estão sob as ordens de Taylor. Ele também tem treino nessa área. — Christian deu-me um copo de champanhe.

— Ele é muito versátil.

— Pois é — concordou Christian, sorrindo. — Estás linda, Anastasia. Saúde. — Ergueu o copo, batendo ao de leve no meu. O champanhe era rosa-pálido e tinha um sabor deliciosamente fresco e leve.

— Como te sentes? — perguntou-me, com um olhar escaldante.

— Bem, obrigada — respondi, sorrindo docemente, sem dar a entender nada, perfeitamente consciente de que ele se estava a referir às bolas prateadas.

Sorriu-me afetadamente.

— Toma, vais precisar disto. — Deu-me uma grande bolsa de veludo que estava poisada sobre a bancada central da cozinha. — Abre-a — disse ele, entre dois goles de champanhe. Intrigada, meti a mão na bolsa e tirei uma intrincada máscara de baile, com penas azul-cobalto e uma pluma ao cimo.

– É um baile de máscaras – explicou, num tom prosaico.

– Compreendo. – A máscara era linda. Tinha uma fita prateada alinhavada no rebordo e requintados ornamentos de filigrana de prata gravados em torno dos olhos.

– Isto realçará os teus belos olhos, Anastasia.

Eu sorri-lhe timidamente.

– Vais usar uma máscara?

– Claro. De certa forma são muito libertadoras – acrescentou, arqueando uma sobrancelha.

Ah, isto vai ser divertido.

– Anda, quero mostrar-te uma coisa. – Estendeu-me a mão e conduziu-me pelo corredor até uma porta, ao lado das escadas. Abriu-a, revelando uma enorme sala, mais ou menos do mesmo tamanho que o quarto vermelho e que devia ficar mesmo por cima. Aquela estava cheia de livros. Uau, uma biblioteca. Todas as paredes estavam a abarrotar de livros do chão ao teto. Ao centro estava uma mesa de bilhar iluminada por um longo candeeiro Tiffany, triangular, em forma de prisma.

– Tu tens uma biblioteca! – exclamei, impressionada, dominada pela excitação.

– Sim, a sala das bolas, como Elliot lhe chama. O apartamento é bastante espaçoso. Hoje, quando falaste em explorações, apercebi-me de que nunca te tinha mostrado o apartamento. Agora não temos tempo, mas pensei em mostrar-te esta sala e, talvez, desafiar-te para um jogo de bilhar, num futuro não muito distante.

Eu sorri.

– Vamos a isso – disse, regozijando-me intimamente. Eu e o José adorávamos *snooker* e há três anos que jogávamos. Eu era um ás com o taco. José fora um excelente professor.

– O que foi? – perguntou Christian, divertido.

Tenho mesmo de parar de mostrar tudo o que sinto, no momento em que o sinto, pensei, censurando-me a mim mesma.

– Nada – respondi muito depressa.

Christian semicerrou os olhos.

— Bom, talvez o Dr. Flynn consiga desvendar os teus segredos. Vais conhecê-lo esta noite.

— O charlatão caro? — *Com os diabos.*

— Esse mesmo. Ele está morto por te conhecer.

Christian deu-me a mão, roçando-me delicadamente o polegar pelos nós dos dedos, enquanto viajávamos para norte, sentados no banco traseiro do Audi. A carícia refletiu-se nas minhas virilhas e eu retorci-me, resistindo à tentação de gemer, pois Taylor ia sentado à frente, sem os auriculares do iPod, com um dos seguranças, cujo nome creio que era Sawyer.

As bolas estavam a começar a provocar-me uma ânsia agradável nas profundezas do ventre e eu interroguei-me, indolentemente, quanto tempo iria aguentar sem buscar alguma forma de... alívio. Cruzei as pernas. Ao fazê-lo, algo que me atormentava intimamente, emergiu.

— Onde arranjaste os batons? — perguntei a Christian, baixinho.

Ele sorriu-me afetadamente, apontando para a frente.

— Taylor — disse ele movendo apenas os lábios.

Desatei a rir às gargalhadas.

— Oh. — Parei logo a seguir... As bolas.

Mordi o lábio. Christian sorriu para mim, com um brilho malévolo nos olhos. Aquela besta *sexy* sabia exatamente o que estava a fazer.

— Descontrai-te — sussurrou. — Se for demasiado para ti... — Calou--se e beijou-me cada um dos nós dos dedos, sugando-me delicadamente a ponta do dedo mindinho.

Agora já sabia que ele estava a fazer aquilo de propósito. Fechei os olhos, sentindo um desejo sombrio expandir-se pelo meu corpo e abandonei-me brevemente a essa sensação, sentindo os músculos contraírem-se dentro de mim.

Quando voltei a abrir os olhos, Christian estava a olhar-me atentamente, como um príncipe das trevas. Devia ser do *smoking* e do laço, mas parecia mais velho e sofisticado. Um libertino devastadoramente atraente, com intenções licenciosas. Roubou-me simplesmente o fôlego. Eu era a sua escrava sexual e vice-versa, a acreditar no que ele dizia. A ideia fez-me sorrir, e ele retribuiu-me com um sorriso deslumbrante.

– Então, o que podemos esperar deste evento?

– Oh, o habitual – respondeu Christian, alegremente.

– Para mim não é habitual – recordei-lhe.

Christian sorriu-me ternamente, beijando-me de novo a mão.

– Um monte de gente a exibir o seu dinheiro. Leilões, sorteios, jantar, dança – a minha mãe sabe como organizar uma festa. – Ele sorriu e pela primeira vez, ao longo de todo o dia, dei-me ao direito de me sentir um pouco entusiasmada com aquela festa.

Uma fila de carros dispendiosos subia o caminho de acesso à mansão dos Grey. Havia longas lanternas de papel rosa-pálido, suspensas sobre o caminho de acesso, e quando nos aproximámos no *Audi*, vi que estavam por toda a parte. Pareciam mágicas, sob a luz do crepúsculo, como se estivéssemos a entrar num reino encantado. Olhei de relance para Christian – que adequado ao meu príncipe – e o meu entusiasmo infantil floresceu, fazendo-me esquecer de todos os outros sentimentos.

– Colocar as máscaras – disse Christian, sorrindo. Ao pôr a máscara negra e simples, o meu príncipe transformou-se num personagem mais obscuro e sensual.

Tudo o que conseguia distinguir do seu rosto era a sua linda boca e o maxilar forte. Senti um sobressalto no coração, só de o ver. Prendi a minha máscara e ignorei a fome nas profundezas do meu corpo.

Taylor estacionou no caminho de acesso e um criado abriu a porta a Christian. Sawyer saiu do carro para me abrir a porta.

– Preparada? – perguntou Christian.

– O mais possível.

– Estás linda, Anastasia – disse, beijando-me a mão e saindo do carro.

De um dos lados da casa havia um tapete verde-escuro ao longo do relvado, que conduzia às traseiras da impressionante propriedade. Christian envolveu-me protetoramente com um braço, poisando a mão sobre a minha cintura, ao percorrermos a carpete verde, iluminada pelas lanternas, juntamente com uma torrente ininterrupta de membros da elite de Seattle, elegantemente vestidos, com todo o tipo de máscaras. Dois fotógrafos orientavam os convidados, a fim de posarem para as fotografias, com o jardim como pano de fundo.

– Mr. Grey – chamou um dos fotógrafos. Christian respondeu-lhe com um aceno de cabeça, puxou-me para junto dele e ambos posámos rapidamente para uma foto. Como saberiam eles quem ele era? Sem dúvida pelo cabelo acobreado e rebelde – a sua imagem de marca.

– Dois fotógrafos? – perguntei a Christian.

– Um deles é do *Seattle Times* e o outro é para podermos ficar com uma recordação. Mais tarde poderemos comprar uma cópia da fotografia.

Oh, meu Deus, a minha foto de novo na imprensa. Recordei-me por instantes de Leila. Fora assim que ela me encontrara: a posar com Christian. A ideia era inquietante, embora fosse reconfortante estar irreconhecível por trás da máscara.

No fim da fila, criados vestidos de branco seguravam em bandejas com copos cheios de champanhe. Christian passou-me um copo, distraindo-me eficazmente dos meus pensamentos sombrios, e eu senti-me grata por isso.

Aproximámo-nos de uma enorme pérgula branca decorada com versões mais pequenas das lanternas de papel. Por baixo desta, brilhava uma pista de dança de mosaicos pretos e brancos, rodeada por uma cerca baixa, com entradas em três lados. Junto de cada entrada estavam duas intricadas esculturas de cisnes em gelo. O quarto lado da pérgula estava preenchido por um palco com um quarteto de cordas a interpretar uma peça suave, perturbante e etérea, que eu não reconheci. O palco parecia montado para uma grande banda, mas não havia sinais dos músicos e eu deduzi que a banda tocasse mais tarde. Christian deu-me a mão e conduziu-me por entre os cisnes, até à pista de dança, onde os outros convidados se estavam a reunir, conversando entre copos de champanhe.

Perto da margem havia uma enorme tenda, aberta do lado mais próximo de nós e eu tive um vislumbre de mesas e cadeiras formalmente dispostas. Tantas mesas!

– Quantas pessoas vêm? – perguntei a Christian, abismada com o tamanho da tenda.

– Umas trezentas, acho. Terás de perguntar à minha mãe – disse ele a sorrir.

– Christian!

Uma jovem apareceu por entre a multidão e abraçou-se ao seu pescoço. Eu sabia que era Mia. Envergava um elegante vestido de *chifon*, rosa-pálido, com uma deslumbrante máscara veneziana, com delicados detalhes, a condizer com o vestido. Estava assombrosa e, por instantes, senti-me imensamente grata pelo facto de Christian me ter oferecido aquele vestido.

– Ana, querida, estás linda! – disse ela abraçando-me rapidamente. – Tens de vir conhecer as minhas amigas. Nenhuma delas acredita que o Christian tem finalmente uma namorada.

Dirigi um breve olhar apavorado a Christian, que encolheu os ombros, resignado, como quem diz "eu sei que ela é impossível, pois tive de viver com ela durante anos" e deixei que Mia me conduzisse até junto de um grupo de quatro raparigas, todas elas vestidas com roupa cara e impecavelmente arranjadas.

Mia apresentou-nos apressadamente. Três delas eram amorosas e afáveis, mas Lily – creio que era esse o seu nome – olhou-me friamente, por baixo da sua máscara vermelha.

– É claro que todas pensávamos que o Christian era *gay* – disse ela, maliciosamente, escondendo o seu rancor, com um enorme sorriso fingido.

Mia admoestou-a.

– Comporta-te, Lily. É óbvio que ele tem um excelente gosto com as mulheres. Só estava à espera que lhe aparecesse a mulher certa e não foste tu!

Lily ficou da cor da máscara, tal como eu. Haveria situação mais desconfortável?

– Minhas senhoras, importam-se que reclame o meu par? – O braço de Christian deslizou em torno da minha cintura e puxou-me para junto de si. As quatro mulheres coraram e sorriram inquietas, sob o efeito habitual do seu sorriso deslumbrante. Mia olhou de relance para mim e revirou os olhos, e eu não pude deixar de rir.

– Foi um prazer conhecê-las – afirmei, enquanto ele me arrastava para longe.

– Obrigada – agradeci a Christian apenas com os lábios, quando já estávamos a uma certa distância.

– Vi que a Lily estava com a Mia. É uma boa peste.

– Ela gosta de ti – murmurei, secamente.

Ele estremeceu.

– Bom, o sentimento não é recíproco. Anda, deixa-me apresentar-te a umas pessoas.

Passei a meia hora seguinte num turbilhão de apresentações. Conheci dois atores de Hollywood, outros dois CEO e vários médicos eminentes. *Vai ser impossível lembrar-me do nome de toda a gente.*

Christian mantinha-me bem perto de si e eu senti-me grata por isso. Para ser franca, a riqueza, o *glamour* e o grau de extravagância do evento intimidavam-me. Nunca na minha vida estivera num evento semelhante.

Os criados de fato branco moviam-se sem dificuldade por entre a multidão crescente de convidados, com garrafas de champanhe, enchendo-me o copo com uma regularidade preocupante. *Não posso beber muito. Não posso beber muito,* repetia para comigo mesma, mas estava a começar a ficar atordoada, e não percebia se era do champanhe, do ambiente carregado de mistério e excitação devido às máscaras, ou das bolas prateadas secretas. A ânsia abaixo da cintura estava a tornar-se impossível de ignorar.

– Então, trabalha na SIP? – perguntou um cavalheiro, meio careca, com uma mascarilha de urso, ou seria de cão? – Ouvi falar de uma aquisição hostil.

Eu corei. Havia de facto uma aquisição hostil que estava a ser feita por um homem que tinha mais dinheiro do que juízo e que era um perseguidor por excelência.

– Eu não passo de uma humilde assistente, Mr. Eccles. Jamais poderia saber essas coisas.

Christian não disse nada, sorrindo maliciosamente para Eccles.

– Senhoras e senhores – disse o mestre de cerimónias, com uma impressionante máscara de arlequim, preta e branca, interrompendo a nossa conversa. – Por favor ocupem os vossos lugares. O jantar está servido.

Christian deu-me a mão e seguimos a multidão tagarela até à grande tenda.

O interior era impressionante. Três enormes lustres rasos projetavam reflexos da cor do arco-íris sobre a cobertura de seda, cor de marfim, do teto e das paredes. Devia haver pelo menos trinta mesas. Lembravam-me a sala de jantar privada do Hotel Heathman — copos de cristal, toalhas imaculadas de linho a cobrirem as mesas e as cadeiras, um requintado arranjo floral de peónias cor-de-rosa, em redor de um candelabro de prata, ao centro e, junto deste, um cesto de guloseimas envolto em seda diáfana.

Christian consultou o plano dos lugares e conduziu-me para uma mesa, ao centro. Mia e Grace Trevelyan-Grey já estavam nos seus lugares, embrenhadas numa conversa com um jovem que eu não conhecia. Grace usava um vestido cintilante, cor de menta, e uma máscara veneziana a condizer. Estava radiante e não parecia minimamente stressada. Cumprimentou-me afetuosamente.

— Ana, que prazer ver-te de novo, assim tão bonita!

— Mãe — disse Christian, cumprimentando-a rigidamente, com um beijo em ambas as faces.

— Ah, Christian, que formal! — disse ela, de modo provocador, em tom de censura.

Os pais de Grace, Mr. e Mrs. Trevelyan, reuniram-se a nós, na mesa. Pareciam exuberantes e joviais, embora isso não fosse fácil de perceber, por baixo das suas máscaras de bronze, a condizer. Estavam encantados por ver Christian.

— Avó, avô, importam-se que vos apresente Anastasia Steele?

Mrs. Travelyan aferrou-se a mim como uma impinge.

— Ah, finalmente ele encontrou alguém, que maravilha, e que bonita que é! Espero que consiga fazer dele um homem honesto — disse ela impetuosamente, apertando-me a mão.

Com os diabos. Dei graças a Deus por estar de máscara.

— Mãe, não embaraces a Ana — disse Grace, vindo em meu auxílio.

— Ignore essa velha tonta, minha querida — Mr. Travelyan apertou-me a mão. — Ela acha que lhe foi concedido o direito divino de dizer todos os disparates que a sua cabeça confusa fabrica, só por ser muito velha.

— Ana, este é o meu namorado, Sean — Mia apresentou timidamente o seu jovem namorado. Ele fez-me um sorriso maroto e os seus olhos castanhos saltitaram divertidos, ao apertarmos a mão.

– Prazer em conhecer-te, Sean.

Christian apertou a mão de Sean, olhando-o intensamente. Não me digam que a pobre Mia também sofria às mãos do irmão dominador. Sorri para a Mia em solidariedade.

Lance e Janine, amigos de Grace, foram o último casal a reunir-se à nossa mesa, mas ainda não havia sinais de Mr. Carrick Gray.

Subitamente ouviu-se o silvo do microfone e a voz de Mr. Grey explodiu pelos amplificadores, diluindo o burburinho. Carrick estava num pequeno palco num dos extremos da tenda, com uma impressionante máscara dourada de Polichinelo.

– Senhoras e senhores, sejam bem-vindos ao nosso baile de caridade anual. Esperamos que apreciem o que preparámos para vós esta noite e que abram os cordões à bolsa para apoiar o fantástico trabalho desenvolvido pela nossa equipa na obra Sobreviver Juntos. Como sabem, trata-se de uma causa que nos diz muito, a mim e à minha mulher.

Olhei nervosamente para Christian, que estava impassível a olhar para o palco, creio eu. Ele olhou-me de relance com um sorriso afetado.

– Deixo-vos entregues ao nosso mestre de cerimónias. Por favor sentem-se e divirtam-se – disse Carrick, para terminar.

Seguiu-se um aplauso civilizado e o burburinho no interior da tenda recomeçou. Eu estava sentada entre Christian e o avô. Contemplei o pequeno cartão que identificava o meu lugar, com o meu nome escrito numa bela caligrafia prateada, enquanto um empregado de mesa acendia o candelabro com uma vela comprida e fina. Carrick juntou-se a nós, beijando-me ambas as faces, o que me surpreendeu.

– É bom ver-te de novo, Ana – murmurou ele. Estava realmente atraente com aquela extraordinária máscara dourada.

– Senhoras e senhores, por favor designem um chefe de mesa – disse o mestre de cerimónias em voz alta.

– Oooh… eu, eu! – disse Mia, imediatamente, saltitando entusiasticamente no lugar.

– No centro da mesa encontrarão um envelope – prosseguiu o mestre de cerimónias. – Queiram por favor munir-se, mendigar, pedir emprestado ou roubar uma nota tão grande quanto possível, inscrever o vosso nome nela e colocá-la dentro do envelope. Peço aos chefes de mesa que guardem cuidadosamente estes envelopes, pois vamos precisar deles mais tarde.

Raios. Eu não trouxera dinheiro nenhum comigo. *Que estupidez... isto é um evento de caridade!*

Christian procurou na carteira e tirou duas notas de 100 dólares.

– Toma – disse ele.

O quê?

– Eu pago-te – sussurrei.

Ele fez um trejeito com a boca e eu percebi que não ficara satisfeito, mas não fez nenhum comentário. Assinei o meu nome com a sua caneta de tinta permanente preta, com um motivo floral na tampa – e Mia passou o envelope.

À minha frente vi outro cartão escrito em caligrafia prateada – o nosso menu.

BAILE DE MÁSCARAS A FAVOR DA OBRA SOBREVIVER JUNTOS
MENU

Salmão com molho tártaro, natas frescas
e pepino em brioche tostado
Alban Estate Roussanne 2006

Peito de pato assado à moscovita
Puré de girassol cremoso
Cerejas assadas com tomilho, *foies gras*
Châteauneuf-du-pape Vielles Vignes 2006
Domaines de la Janasse

Chiffon de nozes cristalizadas
Figos cristalizados, *sabayon*, gelado de ácer
Vin de Constance 2004 *Klein Constantia*

Seleção local de queijos e pão
Alban Estate Grenache 2006
Café e canapés

150

Daí o número de copos de cristal de todos os tamanhos, que preenchiam o meu lugar à mesa. O nosso empregado de mesa voltara e estava a oferecer vinho e água. Atrás de mim, os lados da tenda por onde tínhamos entrado estavam a ser fechados. Enquanto isso, na parte da frente da tenda, dois criados ergueram a lona, revelando o pôr do Sol sobre Seattle e a baía de Meydenbauer.

A vista era absolutamente deslumbrante, com as luzes cintilantes de Seattle à distância, e a calma crepuscular, alaranjada, da baía a refletir o céu cor de opala. Uau. Era um cenário tão calmo e sereno.

Dez criados, cada um com um prato, posicionaram-se entre nós, servindo-nos as entradas em absoluta sincronia, como se o tivessem combinado em silêncio, voltando depois a desaparecer. O salmão estava com um aspeto delicioso e eu cheguei à conclusão de que estava esfomeada.

– Tens fome? – murmurou Christian para que só eu pudesse ouvir. Eu sabia que ele não se estava a referir à comida e os músculos nas profundezas do meu ventre reagiram.

– Muita – sussurrei, audaciosamente, olhando-o nos olhos, e ele entreabriu os lábios, ao inspirar.

– Ah-a! Este jogo pode ser jogado a dois, vês?

O avô de Christian entabulou imediatamente conversa comigo. Era um velhote maravilhoso, imensamente orgulhoso da filha e dos três netos.

Era estranho pensar em Christian em criança. Lembrei-me inesperadamente das suas cicatrizes, mas fiz por me abstrair rapidamente. Não queria pensar nisso agora, embora esse fosse, ironicamente, o motivo por trás da festa.

Quem me dera que Kate ali estivesse, com o Elliot. Ela ter-se-ia encaixado muito bem ali – nem o número de garfos e facas dispostos diante dela a intimidariam. Seria a chefe de mesa. Imaginei-a a disputar a liderança com Mia e a ideia fez-me sorrir.

A conversa à mesa tinha altos e baixos. Mia estava divertida, como de costume, esquecendo por completo o pobre Sean, que ficou quase sempre em silêncio, tal como eu. A avó de Christian era a mais faladora. Também ela tinha um sentido de humor mordaz, quase sempre à custa do marido, e eu comecei a sentir alguma pena de Mr. Trevelyan.

Christian e Lance conversavam animadamente sobre um mecanismo que a empresa de Christian estava a desenvolver, inspirado num princípio do livro *Small is Beautiful*, de E.F. Schumacher, mas era difícil acompanhar a conversa. Christian parecia empenhado em fortalecer comunidades empobrecidas por todo o mundo, através do uso de energias sustentáveis e de aparelhos que dispensavam eletricidade e baterias e cuja manutenção era mínima.

Era assombroso vê-lo em plena dissertação. Era veemente e estava empenhado em melhorar as vidas dos mais desfavorecidos. Queria ser o primeiro a introduzir o telemóvel *windup* no mercado, através da sua empresa de telecomunicações.

Uau, eu não fazia ideia. Quer dizer, eu sabia do seu empenho apaixonado em alimentar o mundo, mas aquilo...

Lance parecia não perceber por que razão Christian estava a planear abrir mão da tecnologia sem a patentear. Interroguei-me vagamente como teria ele conseguido ganhar todo aquele dinheiro, estando tão empenhado em abdicar por completo dele.

Ao longo do jantar, homens elegantemente vestidos de *smoking* e máscaras escuras paravam constantemente junto da mesa, ansiosos por conhecer Christian, apertar-lhe a mão e trocar algumas palavras amáveis com ele. Ele apresentava-me a alguns, mas a outros não, e eu estava curiosa em perceber a razão de tal distinção.

Durante uma dessas conversas, Mia inclinou-se sobre a mesa e sorriu.

– Ajudas-me no leilão, Ana?

– Claro – respondi, ansiosa por isso.

Quando as sobremesas foram servidas, a noite caíra e eu estava a sentir-me bastante desconfortável. Tinha de me livrar das bolas. Mas antes que pudesse pedir licença para me levantar, o mestre de cerimónias apareceu junto da nossa mesa acompanhado da Miss Europa – se não estava em erro.

Como se chamava ela? Hansel, Gretel... Gretchen.

Usava uma máscara, é claro, mas eu percebi que era ela, quando a vi de olhos pregados em Christian. Ela corou e eu senti-me egoistamente satisfeita pelo facto de Christian não lhe ligar nenhuma.

O mestre de cerimónias reclamou o nosso envelope, pedindo a

Grace que tirasse a nota vencedora, com um eloquente floreado, muito bem ensaiado. Foi Sean que ganhou e o cesto embrulhado em seda foi-lhe oferecido.

Aplaudi civilizadamente, mas estava a parecer-me impossível concentrar-me no resto dos procedimentos.

– Com licença – murmurei para Christian.

Ele olhou-me atentamente.

– Precisas de ir à casa de banho?

Eu acenei com a cabeça.

– Eu levo-te lá – disse ele, num tom sombrio.

Quando me levantei, todos os homens em redor da mesa se levantaram comigo. Ah, mas que boas maneiras.

– Não, Christian, não és tu que vais levar a Ana, sou eu.

Antes que Christian pudesse protestar, Mia levantou-se. Ele crispou os maxilares e eu percebi que não estava satisfeito. Para ser sincera, eu também não. *Eu tinha... necessidades.* Encolhi-lhe os ombros apologeticamente e ele voltou a sentar-se, resignado.

Quando regressámos, sentia-me um pouco melhor, embora o alívio, depois de remover as bolas, agora guardadas em segurança dentro da minha bolsa de mão, não fosse tão imediato como eu esperava.

Porque teria eu pensado que ia aguentar a noite toda? Continuava a sentir-me ansiosa – talvez conseguisse persuadir Christian a levar-me mais tarde até à casa dos barcos. A ideia fez-me corar e olhei-o de relance, ao sentar-me. Ele olhou para mim com a sombra de um sorriso a perpassar-lhe os lábios.

Ufa... já não está zangado à conta da oportunidade perdida, mas eu talvez ainda esteja. Sentia-me frustrada... irritável. Christian apertou-me a mão e ambos prestámos atenção a Carrick, que estava de novo no palco a falar sobre a obra Sobreviver Juntos. Christian passou-me outro cartão – uma lista com os lotes do leilão. Eu examinei-os rapidamente:

OFERTAS PARA O LEILÃO A FAVOR DA OBRA
SOBREVIVER JUNTOS E SEUS BENEMÉRITOS

:: Bastão de basebol assinado pelos Mariners – Dr. Emily Mainwaring
:: Bolsa *Gucci* & porta-chaves – Andrea Washington
:: *Voucher* de um dia para dois, no Esclava, em Bravern Center – Elena
  Lincoln
:: Desenho de paisagem e jardim – Gia Matteo
:: Cofre Cocco de Mer & perfume Beauty Selection – Elizabeth Austin
:: Espelho veneziano – Mr. e Mrs. J. Bailey
:: Duas caixas de vinho de Alban Estates, à escolha – Alban Estates
:: Dois bilhetes VIP para o concerto dos Xty – Mrs. L. Yesyov
:: Um dia de corridas em Daytona – Emc Britt, Inc.
:: *Orgulho e Preconceito*, de Jane Austen, primeira edição – Dr. A. F. M.
  Lace-Field
:: Pintura a óleo, *Into The Blue*, de J. Trouton – Kelly Trouton
:: Lição de voo à vela – Sociedade de voo à vela da área de Seattle
:: Fim de semana para dois no Hotel Heathman, em Portland – Hotel
  Heathman
:: Estadia de fim de semana em Aspen, no Colorado (seis pessoas) –
  Mr. C. Grey
:: Estadia de uma semana a bordo do Iate Susiecue (seis cabinas), atra-
  cado em St.Lucia – Dr. & Mrs. Larin
:: Uma semana no lago Adriana, em Montana (oito pessoas) – Mr. &
  Mrs. Grey

Caramba. Pestanejei para Christian.

– Tens propriedades em Aspen? – perguntei, em surdina. O leilão estava prestes a começar e eu tinha de falar baixo.

Ele acenou com a cabeça, surpreendido com a minha explosão e
levou o dedo aos lábios para me calar. Acho que estava irritado.

– Tens propriedades em mais algum sítio? – sussurrei.

Ele voltou a acenar com a cabeça e inclinou-a para um lado, a título
de advertência.

Toda a sala explodiu em vivas e aplausos. Um dos prémios fora
reclamado por 12000 dólares.

154

– Mais tarde digo-te – disse Christian, baixinho. – Eu queria ir contigo – acrescentou ele, num tom bastante amuado.

Mas não foste. Fiz beicinho e apercebi-me de que ainda estava rabugenta. Era sem dúvida o efeito frustrante das bolas. O meu estado de espírito piorou depois de ver Mrs. Robinson na lista de beneméritos.

Olhei em redor para ver se a via na tenda, mas não consegui avistar o seu cabelo inconfundível. Certamente que Christian me teria avisado se ela tivesse sido convidada hoje à noite. Fiquei sentada, a ferver em lume brando, aplaudindo quando necessário, à medida que cada lote era vendido, por quantias assombrosas. As licitações avançaram para a casa de Christian em Aspen e atingiram os 20000 dólares.

– Vinte mil uma, vinte mil duas... – disse o mestre de cerimónias em voz alta.

Não sei o que me deu mas, subitamente, ouvi a minha própria voz destacar-se claramente da multidão.

– Vinte e quatro mil dólares!

Todas as máscaras à mesa se viraram para mim perplexas, embora a reação mais notória viesse do meu lado. Ouvi-o inspirar bruscamente e senti a sua fúria varrer-me como uma onda sísmica.

– Vinte e quatro mil dólares para a adorável senhora de prateado, vinte e quatro mil dólares uma, vinte e quatro mil dólares duas... Vendido!

CAPÍTULO SETE

Caramba, teria eu feito realmente aquilo? Devia ser do álcool. Tinha bebido champanhe, mais quatro copos de quatro vinhos diferentes. Olhei de relance para Christian que estava entretido a aplaudir.

Raios, ele ia ficar tão furioso; estávamos a dar-nos tão bem. O meu subconsciente decidira finalmente aparecer e estava com a cara do *Grito*, de Edvard Munch.

Christian inclinou-se para mim, com um grande sorriso falso estampado no rosto. Beijou-me a face e depois aproximou-se mais, sussurrando-me ao ouvido num tom de voz muito frio e controlado:

– Não sei se me deva prostrar aos teus pés e adorar-te, ou dar-te uma sova mestra.

Ah, mas eu sabia o que queria naquele momento. Olhei para ele e pisquei os olhos através da máscara. Quem me dera poder ler os seus olhos.

– Prefiro a segunda opção, se não te importas – sussurrei, nervosamente, quando os aplausos morreram. Ele inspirou bruscamente, entreabrindo os lábios. *Ah, aquela boca cinzelada. Quero-a para mim, já!* Desejava-o ardentemente. Ele dirigiu-me um sorriso radioso e sincero que me deixou sem fôlego.

– Estás a sofrer, não estás? Veremos o que se pode fazer para remediar isso – murmurou, passando-me os dedos pelo maxilar.

O seu toque ressoou nas minhas entranhas no mesmo sítio onde a ânsia nascera e crescera. A minha vontade era saltar-lhe para cima ali mesmo, naquele instante, mas recostei-me para assistir ao leilão do lote seguinte.

Mal conseguia estar quieta. Christian poisou um braço sobre os meus ombros, acariciando-me ritmicamente as costas com o polegar, o que me provocou um delicioso formigueiro pela espinha abaixo. Levou a minha mão aos lábios, com a mão livre, poisando-a depois sobre o seu colo.

Lentamente e de forma sub-reptícia, para que eu não percebesse o seu jogo senão quando já fosse tarde demais, passou a minha mão ao longo da sua perna até à sua ereção. Eu arquejei e olhei apressadamente em redor da mesa, em pânico, mas todos os olhos estavam fixos no palco. Graças a Deus que tinha a máscara.

Tirando total proveito disso, acariciei-o lentamente, explorando-o com os dedos. Christian continuou a cobrir a sua mão sobre a minha, para esconder os meus dedos atrevidos, afagando-me suavemente a nuca com o polegar. A sua boca abriu-se e ele arquejou suavemente. Essa foi a sua única reação ao meu toque inexperiente, mas era o bastante. Ele desejava-me. Tudo se contraiu dentro de mim, abaixo do umbigo. Aquilo estava a tornar-se insuportável.

O último lote do leilão era uma semana no lago Adriana, em Montana. É claro que Mr. e Mrs. Grey tinham uma casa em Montana e as licitações subiram rapidamente, mas eu mal dei por isso. Sentia o seu membro a crescer por baixo dos meus dedos e isso fazia-me sentir extremamente poderosa.

– Vendido por cem mil dólares! – declarou o mestre de cerimónias vitoriosamente. Toda a sala explodiu em aplausos, que eu acompanhei relutantemente, tal como Christian, arruinando a nossa diversão.

Ele virou-se para mim e os seus lábios estremeceram.

– Preparada? – perguntou-me ele apenas com os lábios, sobre os entusiásticos aplausos.

– Sim – respondi-lhe, também em silêncio.

– Ana! – chamou Mia, em voz alta. – Está na hora!

O quê? Não, outra vez, não! Está na hora de quê?

– O Leilão da Primeira Dança. Anda! – Levantou-se e estendeu-me a mão.

Olhei de relance para Christian que me pareceu estar a franzir o sobrolho para Mia, e fiquei sem saber se havia de rir ou chorar. Mas o riso levou a melhor e eu sucumbi a um ataque de gargalhadas como se fosse uma miúda de escola, por sermos mais uma vez contrariados por aquela central termoelétrica, cor-de-rosa e esguia, chamada Mia Grey. Christian olhou para mim e, pouco depois, vi a sombra de um sorriso nos seus lábios.

– A primeira dança será comigo e não será na pista de dança, ok? – segredou-me ele ao ouvido, num tom lascivo. A expectativa alimentou-me as chamas do desejo e as minhas gargalhadas abrandaram. Oh, sim! A minha deusa interior fez um salto triplo nos seus patins de gelo.

– Estou ansiosa por isso. – Inclinei-me para ele e dei-lhe um beijo casto na boca. Olhando em redor, reparei que os nossos companheiros de mesa estavam atónitos. Pudera, nunca antes tinham visto Christian com uma namorada.

Ele fez um grande sorriso. Parecia… feliz.

– Anda, Ana – insistiu Mia. Dei-lhe a mão e segui-a até ao palco, onde se tinham reunido outras dez jovens, e fiquei ligeiramente constrangida ao reparar que Lily era uma delas.

– Cavalheiros, o ponto alto da noite! – disse o mestre-de-cerimónias alto e bom som, sobre o burburinho de vozes. – O momento por que todos ansiavam! Estas doze lindas jovens aceitaram leiloar a sua primeira dança ao melhor licitador!

Oh, não. Eu corei da cabeça aos pés. Não me apercebera do que aquilo implicava. Que humilhante!

– É por uma boa causa – disse-me Mia, em surdina, sentindo o meu desconforto. – Além disso, o Christian vai ganhar. – Revirou os olhos. – Não o estou a ver deixar que alguém licite mais do que ele. Ele não tirou os olhos de ti durante toda a noite.

Sim, o melhor era concentrar-me na boa causa e no facto de Christian estar destinado a ganhar. Sejamos realistas, dinheiro era coisa que não lhe faltava.

Mas isso significa gastar mais dinheiro contigo!, rosnou-me o meu subconsciente. Mas eu não queria dançar com mais ninguém e não era comigo que ele estava a gastar dinheiro pois estava a doá-lo para uma obra de caridade. *Como os 24000 dólares que já gastou?*, perguntou o meu subconsciente, semicerrando os olhos.

Merda, se me tinha safado bem com a minha licitação impulsiva, porque estava a discutir comigo mesma?

– Cavalheiros, peço-vos que se aproximem e olhem bem para o que poderá vir a ser vosso na primeira dança. Doze jovens graciosas e obedientes.

Raios! Sentia-me num mercado de carne. Fiquei horrorizada, ao ver pelo menos vinte homens dirigirem-se para a área do palco, incluindo Christian, que se movia por entre as mesas, com uma elegância natural, parando a meio do caminho, para cumprimentar algumas pessoas. Uma vez reunidos os licitadores, o mestre de cerimónias deu início ao leilão:

– Senhoras e senhores, seguindo a tradição do baile de máscaras, ficaremos apenas pelos nomes próprios, mantendo-se assim o mistério por trás das máscaras. Primeiro, temos a adorável Jada.

Jada também estava a rir como uma miúda de escola. Talvez eu não estivesse assim tão deslocada. Estava vestida de tafetá azul-escuro da cabeça aos pés, com uma máscara a condizer. Dois jovens avançaram, com um ar expectante. Sortuda!

– Jada fala fluentemente japonês, é piloto de caças qualificado e ginasta olímpica… hum. – O mestre de cerimónias piscou o olho. Quanto me oferecem por ela, cavalheiros?

Jada ficou pasmada a olhar para o mestre de cerimónias – era óbvio que estava a dizer um chorrilho de asneiras – e sorriu timidamente para os dois candidatos.

– Mil dólares! – disse um deles, em voz alta.

As licitações depressa chegaram aos cinco mil dólares.

– Cinco mil dólares uma… cinco mil dólares duas… vendido ao cavalheiro de máscara! – declarou o mestre de cerimónias alto e bom som . É claro que todos os homens estavam de máscara, o que originou vagas de gargalhadas, aplausos e vivas. Jada dirigiu um sorriso radioso ao seu comprador e saiu rapidamente do palco.

– Vês? Isto é divertido – sussurrou Mia. – Espero que Christian ganhe… Não queremos brigas – acrescentou ela.

– Brigas? – perguntei, horrorizada.

– Ah, pois. Ele era bastante exaltado quando era mais novo – disse ela, estremecendo.

Christian metido em brigas? O refinado e sofisticado Christian que apreciava música coral dos Tudor? Não o conseguia imaginar. O mestre de cerimónias distraiu-me com a apresentação seguinte: uma jovem de vermelho, com longos cabelos preto-azeviche.

– Cavalheiros, permitam-me que vos apresente a magnífica Mariah.

O que vamos nós fazer com a Mariah? É uma matadora experiente, toca violoncelo como uma profissional e é campeã de salto à vara... E esta, cavalheiros? Quanto me oferecem por uma dança com a deliciosa Mariah?

Mariah olhou furiosa para o mestre de cerimónias e alguém gritou muito alto:

– Três mil dólares! – Era um homem de máscara, com cabelo loiro e barba.

Houve uma segunda licitação, mas Mariah foi vendida por 4000 dólares.

Christian observava-me como um falcão. O Trevelyan-Grey Briguento – quem diria?

– Quando? – perguntei eu a Mia.

Ela olhou-me desconcertada.

– Quando é que o Christian se metia em brigas?

– No início da adolescência. Dava com os meus pais em loucos, sempre que chegava a casa com um lábio cortado ou os olhos negros. Foi expulso de duas escolas. E os seus adversários ficavam bastante maltratados.

Eu olhei-a pasmada.

– Ele não te contou? – Suspirou. – Ficou com muito má fama entre as minhas amigas e foi *persona non grata* durante alguns anos. Mas a coisa parou quando tinha quinze ou dezasseis anos – disse ela, encolhendo os ombros.

Merda. Mais uma peça do *puzzle* que se encaixava.

– Então, quanto me oferecem pela lindíssima Jill?

– Quatro mil dólares – disse uma voz grave, do lado esquerdo e Jill guinchou deliciada.

Deixei de prestar atenção ao leilão. Então Christian metia-se em brigas na escola. Brigas. Perguntei a mim mesma porquê e olhei para ele. Lily observava-nos atentamente.

– E agora permitam-me que vos apresente a bela Ana.

Oh, merda, sou eu. Olhei nervosamente para Mia e ela enxotou-me para o centro do palco. Felizmente não caí, mas sentia-me embaraçada como o raio, ali em exposição diante de todos. Quando olhei para Christian, o estupor estava com um sorriso afetado.

– A bela Ana toca instrumentos musicais, fala fluentemente mandarim e interessa-se muito por ioga... bom, cavalheiros. – Mas antes que conseguisse sequer terminar a frase, Christian interrompeu-o, olhando fixamente para Mia, através da máscara.

– Dez mil dólares. – Lily arquejou atrás de mim, incrédula.

Ah, merda.

– Quinze mil.

O quê? Todos nos virámos ao mesmo tempo para um homem alto, impecavelmente vestido, que estava do lado esquerdo do palco. Eu pisquei os olhos ao Cinquenta. Merda, como é que ele iria reagir? Porém, ele estava a coçar o queixo e a sorrir ironicamente para o estranho. Era óbvio que o conhecia. O estranho acenou cortesmente a Christian.

– Bom, cavalheiros, esta noite temos grandes apostadores na casa. – Podia sentir-se o entusiasmo do mestre de cerimónias através da máscara de arlequim, ao virar-se e dirigir um grande sorriso a Christian. Aquilo era um belo espetáculo, só que à minha custa. Tinha vontade de chorar.

– Vinte mil – contrapôs Christian, calmamente.

O burburinho da multidão cessara. Todos estavam de olhos postos em mim, em Christian e no Homem Misterioso, junto ao palco.

– Vinte e cinco mil – disse o estranho.

Haveria situação mais embaraçosa?

Christian olhou para ele impassível, mas parecia estar divertido. Todos os olhos estavam postos em Christian. O que iria ele fazer? Eu estava com o coração na boca. Sentia-me nauseada.

– Cem mil dólares – disse ele, fazendo-se ouvir alto e bom som por toda a tenda.

– O que raio? – disse Lilly, em surdina, atrás de mim e uma exclamação geral, de consternação e boa disposição, percorreu a multidão. O estranho levantou as mãos, assumindo a sua derrota a rir, e Christian dirigiu-lhe um sorriso afetado. Pelo canto do olho, vi Mia saltitar de contentamento.

– Cem mil dólares pela bela Ana! Cem mil dólares uma... cem mil dólares duas... – O mestre de cerimónias olhou para o estranho, que abanou a cabeça, fingindo-se pesaroso, curvando-se cavalheirescamente.

– Vendido! – gritou o mestre-de-cerimónias, triunfante.

Christian avançou no meio de uma ensurdecedora vaga de aplausos e vivas, estendeu-me a mão e ajudou-me a descer do palco. Enquanto eu descia, olhou-me com um sorriso divertido, e beijou-me as costas da mão, prendendo-a no lado de dentro do seu braço e conduzindo-me até à saída da tenda.

– Quem era aquele? – perguntei.

Ele olhou para mim.

– Alguém que poderás conhecer mais tarde. Agora, quero mostrar-te uma coisa. Temos cerca de meia hora até o Leilão da Primeira Dança terminar. Depois teremos de voltar para a pista de dança, para eu desfrutar da dança que paguei.

– Uma dança muito dispendiosa – murmurei, desaprovadoramente.

– Tenho a certeza de que valerá cada cêntimo – disse ele, sorrindo-me maliciosamente. Ah, o seu sorriso era maravilhoso e a ânsia voltou, percorrendo-me o corpo.

Saímos para o relvado. Julguei que fôssemos para a casa dos barcos mas, para meu desapontamento, ele parecia estar a dirigir-se para a pista de dança, onde a grande banda estava agora a instalar-se. Havia pelo menos vinte músicos. Alguns convidados passeavam por perto, fumando furtivamente, mas como grande parte da ação se estava a desenrolar na tenda, não atraímos demasiado as atenções.

Christian conduziu-me até às traseiras da casa e abriu uma janela de portadas que dava para uma ampla e confortável sala de estar, que eu não tinha visto antes. Percorreu o *hall* deserto até à enorme escadaria, com o elegante corrimão de madeira polida. Tirou-me a mão do braço e conduziu-me ao segundo andar, onde subimos mais um lance de escadas até ao terceiro andar. Abriu uma porta branca e convidou-me a entrar num dos quartos.

– Este era o meu quarto – disse ele, calmamente, parando junto da porta e fechando-a atrás de si.

Era grande, austero, e tinha pouca mobília. As paredes eram brancas, tal como os móveis: uma cama de casal, uma secretária, uma cadeira e prateleiras atulhadas de livros e troféus de *kickboxing*, a avaliar pela aparência. As paredes estavam cobertas de cartazes de filmes. *Matrix*, *Clube de Combate*, *A Vida em Direto* e dois pósteres emoldurados de *kickboxers*. Um deles chamava-se Guiseppe DeNatale, mas eu nunca ouvira falar dele.

Mas o que me chamou a atenção foi um mural com uma miríade de fotografias, galhardetes dos Mariners e canhotos de bilhetes. Um fragmento da vida do jovem Christian. Voltei a olhar para o homem magnífico, agora parado no centro do quarto e ele olhou-me com uma expressão sombria, pensativa e *sexy*.

— Nunca cá trouxe nenhuma rapariga — murmurou.

— Nunca? — sussurrei.

Ele abanou a cabeça.

Eu engoli em seco. A ânsia que me incomodara nas últimas horas parecia agora percorrer-me mais intensamente, pelo corpo carente. Vê-lo ali de pé, na carpete azul-escura, com aquela máscara... era mais do que erótico. Queria possuí-lo, agora. Fosse como fosse. Tive de me dominar para não me atirar a ele e arrancar-lhe a roupa. Ele aproximou-se descontraidamente de mim, devagar.

— Não temos muito tempo, mas também não precisamos de muito tempo, Anastasia. Vira-te. Deixa-me tirar-te esse vestido.

Eu virei-me e olhei para a porta, grata pelo facto de ele a ter fechado. Ele curvou-se e segredou-me suavemente ao ouvido:

— Não tires a máscara.

Eu gemi, sentindo o corpo contrair-se em resposta, e ele ainda nem sequer me tocara.

Agarrou-me na parte de cima do vestido. Os seus dedos roçaram contra a minha pele e o seu toque reverberou-me pelo corpo. Abriu-me o fecho com um movimento rápido. Agarrou-me no vestido e ajudou-me a sair de dentro dele, virando-se e pendurando-o habilmente em cima das costas de uma cadeira. Depois despiu o casaco e colocou-o sobre o vestido. Fez uma pausa e olhou-me por instantes, de corpete e cuecas a condizer, bebendo-me com os olhos, e eu deleitei-me com o seu olhar sensual.

— Sabes uma coisa, Anastasia? — perguntou brandamente ao aproximar-se furtivamente de mim, desfazendo o laço e desapertando o botão de cima da camisa. — Fiquei terrivelmente furioso quando compraste o meu lote do leilão. Veio-me à cabeça todo o tipo de ideias. Tive de relembrar a mim mesmo que o castigo está fora questão. Mas depois tu ofereceste-te. – Olhou-me através da máscara. – Porque fizeste isso? – sussurrou.

– Porque me ofereci? Não sei. Por frustração… por ter bebido demasiado … por valer a pena – murmurei docilmente, encolhendo os ombros. Estaria a tentar chamar-lhe a atenção?

Nessa altura precisava dele, mas agora precisava ainda mais. A ânsia aumentara, mas agora ele podia acalmá-la, calar aquela besta que rugia e salivava dentro de mim, com a besta dentro dele. Ele cerrou os lábios numa linha, lambendo lentamente o lábio superior. Eu queria aquela língua no meu corpo.

– Prometi a mim mesmo nunca mais te espancar, mesmo que me implorasses para o fazer.

– Por favor – supliquei.

– Mas depois cheguei à conclusão de que deves estar bastante desconfortável, de momento, pois não é coisa a que estejas habituada. – Sorriu-me afetadamente, com um ar sabido, o estupor arrogante, mas eu não me importei porque ele tinha toda a razão.

– Sim – sussurrei.

– Portanto, é possível que nos possamos dar… a certas liberdades. Se eu o fizer, tens de me prometer uma coisa.

– Tudo o que quiseres.

– Dirás a palavra de segurança, se sentires necessidade disso, e eu farei apenas amor contigo, ok?

– Sim. – Eu estava ofegante e queria que ele me tocasse.

Ele engoliu em seco e pegou-me na mão, aproximando-se da cama. Atirou o edredão para o lado, sentou-se, agarrou numa almofada e colocou-a a seu lado. Olhou para mim, de pé, a seu lado, e puxou-me subitamente pela mão, fazendo-me cair sobre o seu colo. Mudou ligeiramente de posição para que eu ficasse com o corpo sobre a cama, com o peito assente na almofada e a cara virada para um lado. Curvando-se sobre mim, afastou-me o cabelo para o ombro, passando os dedos pelas plumas da minha máscara.

– Põe as mãos atrás das costas – murmurou.

Oh! Tirou o laço e usou-o para me amarrar rapidamente os pulsos, prendendo-me as mãos ao fundo das costas.

– Queres mesmo isto, Anastasia?

Eu fechei os olhos. Era a primeira vez que desejava realmente aquilo desde que o conhecia. Precisava daquilo.

– Sim – sussurrei.

– Porquê? – perguntou, brandamente, acariciando-me o traseiro com a palma da mão. Assim que a sua mão entrou em contacto com a minha pele, gemi. *Não sei porquê… Tu dizes-me para eu não pensar demasiado, mas depois de um dia como o de hoje – as discussões sobre o dinheiro, Leila, Mrs. Robinson, o dossiê sobre mim, o mapa de estradas, esta festa extravagante, as máscaras, o álcool, as bolas de prata e o leilão… eu quero isto.*

– Preciso de algum motivo?

– Não, amor, não precisas – respondeu. – Estou apenas a tentar entender-te. – Envolveu-me a cintura com a mão direita e prendeu-me, erguendo a mão para o meu rabo e batendo-lhe com força, mesmo por cima da junção das minhas coxas. A dor uniu-se à ânsia no meu ventre.

Ah, caramba…

Gemi alto. Ele voltou a bater-me exatamente no mesmo sítio e eu voltei a gemer.

– Duas – murmurou. – Ficaremos pelas doze.

Oh, meu Deus! Aquilo estava a ser diferente da última vez – parecia tão carnal, tão… necessário. Ele acariciou-me o rabo, com os seus dedos longos e eu senti-me impotente, amarrada e presa contra o colchão, à sua mercê, por minha livre vontade. Ele bateu-me outra vez, ligeiramente de lado, e outra ainda, do outro lado. Depois fez uma pausa para me puxar as cuecas para baixo e tirou-mas. Voltou a passar-me delicadamente a palma da mão pelo rabo, antes de continuar a espancar-me. Cada palmada ardente aligeirava-me a carência – ou alimentava-a, não sei – e eu rendi-me ao ritmo dos golpes, absorvendo e saboreando cada um deles.

– Doze – murmurou, num tom de voz grave e áspero. Voltou a acariciar-me o rabo, e arrastou os dedos na direção do meu sexo, mergulhando lentamente dois deles dentro de mim e movendo-os repetidamente em círculos, torturando-me.

Eu gemi alto, ao sentir o meu próprio corpo dominar-me e vim-me longamente, contraindo-me convulsivamente em torno dos seus dedos.

Fora intenso, inesperado e rápido.

– Isso, amor – murmurou, num tom apreciador. Desamarrou-me os pulsos, ainda com os dedos dentro de mim. Eu estava ofegante e exausta, prostrada sobre ele.

– Ainda não acabei, Anastasia – avisou-me e mudou de posição, sem retirar os dedos, poisando-me lentamente de joelhos no chão. Eu estava agora apoiada sobre a cama. Ele ajoelhou-se no chão, atrás de mim, e abriu a braguilha. Tirou os dedos de dentro de mim e eu ouvi o ruído familiar do pacote de perservativos a rasgar-se.

– Abre as pernas – rosnou e eu obedeci. Ele afagou-me o rabo e penetrou-me lentamente.

– Isto vai ser rápido, querida – murmurou, agarrando-me nas ancas, deslizando para fora e arremetendo depois contra mim.

– Ah! – gritei, mas a sensação de preenchimento era divinal. Estava a atingir-me a ânsia no ventre, em cheio, erradicando-a a cada investida brusca e doce. Era uma sensação incrível, justamente o que eu precisava. Eu empurrava o corpo contra o dele a cada investida.

– Não, Ana – gemeu, tentando imobilizar-me, mas eu desejava-o demasiado e roçava-me em sintonia contra ele, a cada investida.

– Merda, Ana – sussurrou, quando se veio, e a sua exclamação atormentada voltou a estimular-me, lançando-me em espiral num orgasmo curativo que se prolongou interminavelmente e me drenou, deixando-me exausta e ofegante.

Christian curvou-se, beijou-me o ombro e saiu de dentro de mim. Depois envolveu-me nos seus braços, apoiou a cabeça no meio das minhas costas, e assim ficámos os dois, ajoelhados à cabeceira da cama… durante o quê? Segundos, ou talvez minutos, até que a nossa respiração abrandasse. Tudo o que sentia era uma serenidade tranquilizadora e gratificante.

Christian mexeu-se e beijou-me as costas.

– Acho que me deve uma dança, Miss Steele – murmurou.

– Hum – respondi, desfrutando da ausência de ânsia e daquela sensação de satisfação.

Ele sentou-se sobre os calcanhares e afastou-me da cama, puxando-me para o seu colo.

– Não temos muito tempo. Anda. – Beijou-me o cabelo e forçou-me a levantar.

Eu resmunguei mas voltei a sentar-me na cama, apanhei as cuecas do chão e vesti-as, aproximando-me indolentemente da cadeira, para ir buscar o vestido. Reparei com um interesse desapaixonado que não descalçara os sapatos durante o nosso encontro ilícito. Christian estava a pôr o laço, depois de se compor e endireitar as cobertas.

Enquanto me metia de novo dentro do vestido, examinei as fotografias no mural. Christian carrancudo, ainda adolescente. Já nessa altura era lindo. Fotos dele com Elliot e Mia nas rampas de *ski*; sozinho em Paris, com o Arco do Triunfo a denunciar onde estava; em Londres; Nova Iorque; no Grande Canyon; junto da Ópera de Sidney; e até na Grande Muralha da China. O Menino Grey viajara bastante, ainda muito jovem.

Havia canhotos de bilhetes de vários concertos: U2, Metallica, Verve, Sheryl Crow, de um concerto de "Romeu e Julieta" de Prokofiev, tocado pela Orquestra Filarmónica de Nova Iorque – que mistura tão eclética! Ao canto estava uma fotografia tipo passe, a preto e branco, de uma jovem. Parecia-me familiar, mas sinceramente não conseguia situá-la. Não era Mrs. Robinson, graças a Deus.

– Quem é esta? – perguntei.

– Ninguém importante – murmurou, ao vestir o casaco e endireitar o laço. – Queres que te puxe o fecho do vestido?

– Por favor. Então porque está no teu mural?

– Foi um descuido meu. Que tal está o meu laço? – Levantou o queixo como um miúdo pequeno. Eu sorri e endireitei-lho.

– Agora está perfeito.

– Tal como tu – murmurou, agarrando-me e beijando-me apaixonadamente. – Sentes-te melhor?

– Muito melhor, Mr. Grey, obrigada.

– O prazer foi todo meu, Miss Steele.

Os convidados estavam a reunir-se na pista de dança. Christian sorriu para mim conduzindo-me para a pista xadrez – tínhamos chegado mesmo a tempo.

– E agora, senhoras e senhores, chegou o momento da primeira dança. Mr. e Mrs. Grey, estão prontos? – Carrick anuiu, com os braços em torno de Grace.

– Senhoras e senhores do Leilão da Primeira Dança, estão prontos? – Todos nós acenámos com a cabeça. Mia estava com alguém que eu não reconheci. O que teria acontecido a Sean?

– Então vamos começar. Dá-lhe, Sam!

Um jovem entrou descontraidamente em palco, no meio de calorosos aplausos, virou-se para a banda, atrás de si, estalou os dedos e os acordes familiares de "I've Got You Under My Skin" impregnaram o ar.

Christian sorriu-me, envolveu-me nos seus braços e começou a dançar. Dançava tão bem que era fácil acompanhá-lo. Rodopiávamos na pista de dança a sorrir um para o outro como dois idiotas.

– Adoro este tema – murmurou Christian, baixando os olhos para mim. – Parece-me bastante adequado. – Agora estava sério e já não sorria.

– Eu também te sinto sob a minha pele – respondi. – Ou pelo menos senti, quando estavas no quarto.

Ele crispou os lábios, mas não conseguiu esconder que aquilo o divertira.

– Miss Steele – repreendeu-me ele, num tom provocador. – Nunca imaginei que pudesse ser tão grosseira.

– Nem eu, Mr. Grey. Creio que as minhas experiências mais recentes me têm valido de formação.

– A ambos. – Christian estava outra vez sério. Era quase como se estivéssemos os dois ali sozinhos com a banda. Estávamos na nossa bolha pessoal.

Quando a canção terminou, ambos aplaudimos. Sam, o cantor, fez uma elegante vénia e apresentou a banda.

– Posso interromper?

Reconheci o homem que me licitara no leilão. Christian largou-me relutantemente, mas parecia divertido.

– À vontade. Anastasia, este é John Flynn. John, esta é a Anastasia.

Merda!

Christian sorriu e afastou-se para um dos lados da pista de dança.

— Como está, Anastasia? – perguntou o Dr. Flynn, brandamente, e eu percebi que ele era inglês.

— Olá – gaguejei.

A banda começou a tocar outro tema e o Dr. Flynn puxou-me para os seus braços. Era muito mais novo do que eu imaginara, embora não lhe pudesse ver o rosto. Usava uma máscara semelhante à de Christian, mas não era tão alto como ele nem se movia com a elegância natural de Christian.

O que havia eu de lhe dizer? Porque estava Christian tão passado? Porque me licitara ele no leilão? Era apenas isso que lhe queria perguntar, mas parecia-me de alguma forma indelicado.

— Estou muito contente por poder finalmente conhecê-la, Anastasia. Está a divertir-se? – perguntou.

— Estava – sussurrei.

— Oh, espero não ser o responsável por essa mudança. – Dirigiu-me um breve sorriso caloroso, que me deixou um pouco mais à vontade.

— O senhor é que é o psiquiatra, Dr. Flynn. O que acha?

Ele sorriu:

— O problema é esse, não é? A parte do psiquiatra.

Eu ri baixinho.

— Estou com receio do que possa revelar, por isso sinto-me um nadinha insegura e intimidada. Na verdade, quero apenas questioná-lo acerca do Christian.

Ele sorriu.

— Primeiro, isto é uma festa, portanto não estou de serviço – sussurrou, num tom conspiratório – e segundo, eu não posso falar consigo acerca do Christian. Além disso – acrescentou, provocadoramente – só terminaríamos no Natal.

Eu arquejei, chocada.

— É uma piada de médico, Anastasia.

Corei, embaraçada e depois senti-me ligeiramente ressentida. Ele estava a gracejar à custa de Christian.

— O doutor acaba de me confirmar o que eu tenho dito ao Christian… que é um charlatão caro – disse-lhe, num tom repreensivo.

Dr. Flynn conteve uma gargalhada.

– É capaz de ter razão.

– É inglês?

– Sim. Sou natural de Londres.

– Como veio aqui parar?

– Circunstâncias felizes.

– Não gosta de revelar muito a seu respeito, pois não?

– Não há muito para revelar. Na verdade, sou uma pessoa muito enfadonha.

– Isso é bastante autodepreciativo.

– É uma característica britânica. Faz parte do nosso caráter nacional.

– Ah, bom.

– E eu poderia acusá-la do mesmo, Anastasia.

– Acusar-me de ser também uma pessoa enfadonha, Dr. Flynn?

Ele conteve uma gargalhada.

– Não, Anastasia, de não revelar muito a seu respeito.

– Não há muito para revelar – retorqui, sorrindo.

– Tenho sérias dúvidas. – Franziu inesperadamente o sobrolho.

Eu corei, mas a música terminou e Christian estava de novo a meu lado. O Dr. Flynn largou-me.

– Foi um prazer conhecê-la, Anastasia. – Voltou a sorrir-me calorosamente e eu senti que passara num teste qualquer secreto.

– John – disse Christian, com um aceno de cabeça.

– Christian. – O Dr. Flynn retribuiu-lhe o aceno de cabeça, deu meia volta e desapareceu no meio da multidão.

Christian puxou-me para os seus braços, para a dança seguinte.

– Ele é muito mais novo do que eu esperava – murmurei. – E é terrivelmente indiscreto.

Christian inclinou a cabeça para um lado:

– Indiscreto?

– Ah, sim, ele contou-me tudo – disse eu, para o provocar.

Christian ficou tenso.

– Bom, nesse caso, vou buscar a tua mala, pois tenho a certeza de que não queres mais nada comigo – disse ele, brandamente.

Eu parei.

– Ele não me contou nada! – exclamei, com a voz carregada de pânico.

Christian pestanejou. Depois o alívio inundou-lhe o rosto e ele voltou a puxar-me para os seus braços.

– Então vamos desfrutar desta dança. – Dirigiu-me um sorriso radioso, para me tranquilizar e fez-me rodopiar pela pista.

Porque é que ele achava que eu me iria embora? Não fazia sentido.

Dançámos mais duas músicas e eu apercebi-me de que precisava de ir à casa de banho.

– Não me demoro.

Ao dirigir-me à casa de banho, lembrei-me que deixara a bolsa na mesa do jantar, por isso encaminhei-me para a tenda. Quando entrei esta ainda estava iluminada mas praticamente deserta. Vi apenas um casal, do lado oposto, que devia sinceramente arranjar um quarto! Peguei na bolsa.

– Anastasia?

Fui surpreendida por uma voz suave. Virei-me e vi uma mulher com um vestido de veludo negro. A sua máscara era única. Cobria-lhe o rosto até ao nariz, mas ocultava-lhe também o cabelo. Era deslumbrante, com elaborados ornamentos de ouro.

– Ainda bem que está sozinha – disse ela, brandamente. – Tenho andado a noite inteira para falar consigo.

– Lamento, mas não sei quem é.

Ela tirou a máscara do rosto e soltou o cabelo.

Merda! Era Mrs. Robinson.

– Lamento tê-la assustado.

Eu olhei para ela, pasmada. *Caramba – o que raio quer esta mulher de mim?*

Eu não sabia quais eram as regras de etiqueta para falar com uma conhecida abusadora de crianças. Ela sorriu-me docemente, fazendo-me sinal para eu me sentar à mesa, e como eu não sabia o que fazer, fiz-lhe a vontade por uma questão de educação e surpresa, interiormente grata por ainda estar de máscara.

– Vou ser breve, Anastasia. Eu sei o que pensa de mim... Christian contou-me.

Eu olhei-a impassível, sem deixar transparecer nada, mas estava satisfeita pelo facto de ela o saber, pois poupava-me trabalho e assim ela teria de ir direta ao assunto, mas parte de mim estava terrivelmente intrigada sobre o que teria para me dizer.

Ela fez uma pausa, olhando por cima do meu ombro.

– Taylor está a vigiar-nos.

Eu olhei para trás e vi-o examinar a tenda da entrada. Sawyer estava com ele. Estavam a evitar olhar para nós.

– Oiça, não temos muito tempo – disse ela, apressadamente. – Já deve ter percebido que o Christian está apaixonado por si. Eu nunca o vi assim, *nunca*. – Enfatizou a última palavra.

O quê? Ele ama-me? Não. Porque me estaria ela a dizer aquilo? Para me tranquilizar? Não entendia.

– Ele não lhe vai dizer porque provavelmente ainda não se aperce-beu disso, apesar de eu lhe ter dito, mas o Christian é assim mesmo. Não lida bem com os sentimentos ou emoções positivas que possa estar a sentir e pensa demasiado nas negativas. Mas é provável que já tenha percebido isso por si própria. Ele acha que não merece.

Eu estava vacilante. *O Christian ama-me?* Ele não o dissera e fora aquela mulher que lhe explicara que era isso que ele sentia? Que estranho.

Passaram-me pela cabeça uma centena de imagens: o iPad, o voo de planador, o facto de ter viajado de avião para me ver, as suas ações, a sua possessividade, 100 000 dólares por uma dança. Seria aquilo amor?

Ouvi-lo da boca daquela mulher, ouvi-la confirmá-lo era franca-mente indesejável. Preferia ouvi-lo da boca dele.

Senti o coração apertado. Achava que não merecia? Porquê?

– Eu nunca o vi tão feliz e é óbvio que você também gosta dele. – Um breve sorriso perpassou-lhe por instantes os lábios. – Isso é ótimo e desejo-vos o melhor desta vida. Mas o que lhe queria dizer é que se o voltar a magoar, eu vou à sua procura, minha senhora, e quando isso acontecer não vai ser nada agradável.

Olhou-me com uns olhos azuis gelados que pareciam perfurar-me o crânio, tentando penetrar através da máscara. A ameaça dela era de tal forma surpreendente e invulgar que eu deixei escapar uma pequena gargalhada incrédula, sem querer. De tudo o que pudesse ter para me dizer, aquilo era o que eu menos esperava.

— Acha isto divertido, Anastasia? – balbuciou ela, consternada. – Você não o viu no sábado passado.

Eu fiquei com uma expressão pesarosa e sombria. Imaginar Christian infeliz não era uma ideia agradável e eu abandonara-o justamente no sábado passado. Ele devia ter ido ter com ela. Só de pensar fiquei agoniada. Porque estava eu ali sentada a aturar desaforos? Especialmente dela? Levantei-me devagar e olhei-a atentamente.

— Estou-me a rir da sua audácia, Mrs. Lincoln. Christian e eu não temos nada a ver consigo e se eu de facto o deixar e você vier à minha procura, eu estarei à sua espera, não duvide. Talvez lhe dê a provar um pouco do seu próprio remédio, pela criança de quinze anos de quem abusou e que muito provavelmente destruiu ainda mais do que já estava.

Ela ficou de queixo caído.

— Agora, se me dá licença, tenho coisas mais interessantes para fazer do que perder o meu tempo consigo. – Dei meia volta, e dirigi--me para a entrada da tenda, com raiva e adrenalina a percorrerem-me o corpo. Taylor estava a levantar-se no momento em que Christian chegou, com um ar aturdido e preocupado.

— Estás aqui – murmurou, franzindo o sobrolho ao ver Elena.

Eu passei por ele sem dizer nada, dando-lhe a oportunidade de escolher – ou ela, ou eu – mas ele fez a escolha certa.

— Ana – gritou. Eu parei e encarei-o, quando ele veio ao meu encontro. – O que se passa? – Olhou para mim, com a preocupação estampada no rosto.

— Porque não perguntas à tua ex? – perguntei em surdina, num tom amargo.

Ele fez um trejeito com a boca e ficou com um olhar gelado.

— Estou a perguntar-te a ti – disse, num tom de voz suave mas que escondia algo de muito mais ameaçador.

Olhámos fixamente um para o outro.

Ok. Percebi que aquilo ia acabar em discussão se eu não lhe dissesse.

— Está a ameaçar vir atrás de mim, provavelmente com um chicote, se eu voltar a magoar-te – disse-lhe eu bruscamente.

O alívio surgiu-lhe por instantes no rosto, e o humor suavizou-lhe a expressão da boca.

– Certamente que a ironia da questão não te passou despercebida – disse ele e eu percebi que ele estava a fazer os possíveis para conter o riso.

– Isto não tem piada, Christian!

– Pois não, tens razão. Vou falar com ela. – Assumiu uma expressão séria, embora continuasse a conter o riso.

– Não vais coisa nenhuma. – Cruzei os braços, sentindo a raiva de novo a crescer.

Ele pestanejou surpreendido com a minha explosão.

– Escuta, eu sei que estás amarrado a ela financeiramente, perdoa-me o trocadilho, mas... – Calei-me. O que lhe estava eu a pedir para fazer? Desistir dela? Deixar de a ver? Poderia eu fazer isso? – Tenho de ir à casa de banho – disse, olhando-o fixamente, com os lábios cerrados numa linha sombria.

Ele suspirou e inclinou a cabeça para um lado. Não podia estar mais *sexy*. Seria da máscara ou apenas dele?

– Por favor não fiques zangada, eu não sabia que ela cá estava. Ela disse que não vinha. – O seu tom de voz era conciliador, como se estivesse a falar com uma criança. Ergueu uma mão e passou-me o polegar ao longo do lábio inferior. Eu estava a fazer beicinho. – Por favor, Anastasia, não deixes que a Elena estrague a nossa noite. É uma velha história.

"Velha" era a palavra-chave, pensei eu impiedosamente. Ele inclinou-me o queixo para cima, roçando delicadamente as suas ancas nas minhas, e eu suspirei em assentimento, piscando-lhe os olhos. Ele endireitou-se e deu-me o braço.

– Acompanho-te à casa de banho, para que ninguém te volte a interromper.

Conduziu-me ao longo do relvado, em direção à luxuosa casa de banho temporária. Mia dissera-me que fora entregue para a ocasião, mas eu não fazia ideia de que as fabricavam em versão de luxo.

– Espero aqui por ti, querida – murmurou.

Quando saí estava num estado de espírito moderado. Decidira não permitir que Mrs. Robinson envenenasse a minha noite, porque devia ser o que ela queria. Christian estava ao telefone a alguma distância, longe dos ouvidos de algumas pessoas que riam e conversavam ali por perto. Quando me aproximei ouvi-o. Estava muito tenso.

174

– Porque mudaste de ideias? Julgava que tínhamos chegado a um acordo. Bom, deixa-a em paz... esta é a primeira relação normal que tenho desde sempre e não quero que tu a ponhas em perigo, à conta de te preocupares despropositadamente comigo. Deixa-a. Em. Paz. Estou a falar a sério, Elena. – Fez uma pausa para ouvir. – Não, claro que não. – Franziu acentuadamente o sobrolho, ao dizer aquilo. Depois, levantou os olhos e viu-me a olhar para ele. – Tenho de ir. Boa noite. – Carregou no botão de desligar.

Eu inclinei a cabeça para um lado e arqueei uma sobrancelha. Porque estaria ele a telefonar-lhe?

– Como está a velha história?

– Mal-humorada – respondeu, num tom sardónico. – Queres dançar um pouco mais ou apetece-te ir embora? – Olhou para o relógio. – O fogo de artifício começa dentro de cinco minutos.

– Adoro fogo de artifício.

– Nesse caso ficamos para ver. – Colocou um braço à minha volta, puxando-me para si. – Por favor não deixes que ela se meta entre nós.

– Ela gosta de ti – murmurei.

– Sim, e eu também gosto dela... como amiga.

– Acho que és mais do que uma amizade para ela.

Ele franziu a testa.

– Anastasia, eu e a Elena... é complicado. Temos uma história em comum. Mas é apenas isso, uma história, como já te disse vezes sem conta. Ela é uma boa amiga e nada mais. Por favor, esquece-a. – Beijou-me o cabelo e eu tentei abstrair-me do assunto, para não estragar a nossa noite. Estava apenas a tentar entender.

Voltámos para a pista de dança de mão dada. A banda ainda estava a tocar a todo o gás.

– Anastasia. – Virei-me e vi Carrick atrás de nós.

– Estava aqui a pensar se me darias a honra da próxima dança. – Carrick estendeu-me a mão. Christian encolheu os ombros e sorriu, largando-me a mão e eu deixei que Carrick me conduzisse até à pista de dança. Sam, o líder da banda, começou a interpretar "Come Fly With Me" e Carrick enlaçou-me a cintura com um braço, fazendo-me rodopiar delicadamente para o meio da multidão.

— Gostaria de agradecer a tua generosa contribuição para a nossa obra de caridade, Anastasia.

Pelo tom da sua voz fiquei com a impressão de que aquela talvez fosse uma forma indireta de me perguntar se eu tinha dinheiro para isso.

— Mr. Grey...

— Por favor, trata-me por Carrick, Ana.

— Estou encantada por poder contribuir. Apareceu-me inesperadamente algum dinheiro de que não preciso. É uma causa tão meritória.

Ele sorriu-me e eu aproveitei a oportunidade para fazer algumas perguntas inocentes. *Carpe diem*, disse o meu subconsciente em surdina, tapando a boca com a mão.

— O Christian falou-me um pouco acerca do seu passado, por isso acho tão importante apoiar o vosso trabalho — acrescentei, esperando que isso encorajasse Carrick a dar-me alguma informação sobre o seu misterioso filho.

Carrick ficou surpreendido.

— Ah, sim? Isso é invulgar. Sem dúvida que tiveste um efeito muito positivo nele, Anastasia. Acho que nunca o tinha visto tão, tão... alegre.

Eu corei.

— Desculpa, não era minha intenção embaraçar-te.

— Bom, a minha pouca experiência diz-me que ele é um homem muito invulgar — murmurei.

— Pois é — anuiu Carrick, calmamente.

— Os primeiros anos da infância de Christian parecem ter sido horrivelmente traumáticos, segundo ele me contou.

Carrick franziu o sobrolho e eu receei ter passado das marcas.

— A minha mulher era a médica de serviço quando a polícia o levou. Estava pele e osso e gravemente desidratado. Recusava-se a falar. — Carrick voltou a franzir o sobrolho, atormentado por essa horrível recordação, apesar do ritmo alegre da música que nos rodeava. — Na verdade, não falou durante quase dois anos. Foi o piano que acabou por fazer com que saísse da concha. Ah, sim e a chegada da Mia, claro. — Sorriu-me ternamente.

— Ele toca maravilhosamente e conseguiu alcançar tanta coisa. Deve estar orgulhoso dele. — Eu sentia-me dispersa. *Caramba. Não falou durante dois anos?*

— Imensamente. Ele é um jovem muito determinado, capaz e inteligente. Mas aqui entre nós, Anastasia, o que é verdadeiramente emocionante para mim e para a mãe dele é vê-lo como ele está esta noite; descontraído e a agir de forma normal para a sua idade. Estávamos ambos a comentar isso hoje. Creio que é a ti que o devemos.

Acho que corei da cabeça aos pés. O que poderia eu dizer perante aquilo?

— Ele foi sempre tão solitário. Nunca pensámos vê-lo com alguém. Seja o que for que estejas a fazer, por favor não pares. Gostaríamos de o ver feliz. — Calou-se subitamente, como se tivesse passado das marcas. — Desculpa, não é minha intenção fazer-te sentir desconfortável.

Eu abanei a cabeça. — Eu também gostaria de o ver feliz — murmurei, sem saber ao certo o que mais dizer.

— Bom, estou muito satisfeito por teres vindo esta noite. Tem sido um verdadeiro prazer ver-vos aos dois juntos.

Quando os acordes finais de "Come Fly With Me" se diluíram, Carrick largou-me e fez-me uma vénia e eu retribuí com uma mesura igualmente civilizada.

— Chega de dançar com velhos — Christian estava de novo a meu lado. Carrick deu uma gargalhada.

— Não me chames velho. Também tive os meus momentos dourados. — Carrick piscou-me o olho com um ar brincalhão e mergulhou por entre a multidão.

— Acho que o meu pai gosta de ti — murmurou Christian, enquanto via o pai misturar-se na multidão.

— Haverá alguma coisa que não seja de gostar em mim? — perguntei com um ar coquete, olhando para ele, por entre as pestanas.

— Bem visto, Miss Steele — envolveu-me nos seus braços quando a banda começou a tocar "It Had To Be You".

— Dance comigo — sussurrou, sedutoramente.

— Com todo o prazer, Mr. Grey — respondi, sorrindo, e voltei a deslizar com ele pela pista de dança.

À meia-noite dirigimo-nos calmamente para a margem, entre a tenda e a casa dos barcos, onde todos os outros convidados se tinham reunido para ver o fogo de artifício. O mestre de cerimónias estava de novo no comando das operações e permitira que se tirassem as máscaras, para se ver melhor o espetáculo. Christian estava com um braço à minha volta, mas eu apercebi-me de que Taylor e Sawyer estavam perto, provavelmente por estarmos agora no meio da multidão. Olhavam para todo o lado exceto para a doca, onde estavam dois técnicos vestidos de negro a fazer os últimos preparativos. Ao ver Taylor, lembrei-me de Leila. Talvez ela lá estivesse. *Merda.* A ideia gelou-me o sangue e eu aconcheguei-me mais a Christian. Ele olhou-me, puxando-me mais para si.

— Estás bem, amor? Estás com frio?

— Estou bem. — Olhei de relance para trás e vi que os outros dois seguranças, de cujos nomes me esquecera, estavam muito perto de nós. Christian deslocou-me para a sua frente, colocando ambos os braços à volta dos meus ombros.

Subitamente, uma banda sonora clássica ecoou pela doca e dois foguetes elevaram-se rapidamente no ar, explodindo sobre a baía, com um estoiro ensurdecedor, iluminando tudo numa mistura deslumbrante de laranjas e brancos cintilantes, que se refletiram sobre as águas paradas e calmas da baía, como chuva brilhante. Fiquei de queixo caído ao ver mais uma série de foguetes irromperem pelo ar e explodirem num caleidoscópio de cores.

Creio que nunca antes vira um espetáculo tão impressionante como aquele, a não ser talvez na televisão, ainda que no ecrã nunca parecesse tão bom. Tudo estava a ser feito ao ritmo da música — cada salva, cada estoiro, cada explosão de luz — e a multidão reagia, arfando, com exclamações de espanto. Era soberbo.

No pontão da baía, várias fontes de luz prateada projetaram-se a seis metros no ar, mudando de azul para vermelho e laranja e de novo para prateado, e mais alguns foguetes explodiram quando a música entrou em crescendo.

Eu estava com um sorriso de assombro estampado no rosto de tal forma ridículo, que a cara estava a começar a doer-me. Olhei de relance para o Cinquenta e ele estava como eu, infantilmente deslumbrado com aquele espetáculo sensacional. O fecho consistiu numa salva de seis foguetes, que explodiram em simultâneo na escuridão, banhando-nos numa maravilhosa luz dourada, perante os aplausos frenéticos e entusiasmados da multidão.

– Senhoras e senhores – disse o mestre de cerimónias quando os aplausos cessaram. – Apenas mais uma nota no fim desta magnífica noite: a vossa generosidade rendeu-nos um total de um milhão, oitocentos e cinquenta e três mil dólares!

Ouviu-se nova explosão de aplausos espontâneos e uma mensagem escrita em torrentes de faíscas prateadas surgiu sobre o pontão, cintilando sobre as águas, formando as palavras " A Sobreviver Juntos Agradece-vos".

– Oh, Christian... isto foi maravilhoso – disse a sorrir, e ele curvou-se para me beijar.

– É altura de nos irmos embora – murmurou, com um grande sorriso estampado no seu belo rosto. As suas palavras continham tantas promessas. Subitamente senti-me muito cansada.

Ele voltou a levantar os olhos, enquanto a multidão se dispersava à nossa volta. Taylor estava perto de nós. Nenhum deles falou, mas transmitiram algo um ao outro.

– Fica aqui comigo, um momento. O Taylor quer que esperemos enquanto a multidão se dispersa.

Oh.

– O fogo de artifício é bem capaz de o ter envelhecido uns cem anos – acrescentou.

– Ele não gosta de fogo de artifício? – perguntei.

Christian olhou-me ternamente e abanou ligeiramente a cabeça, mas não explicou.

– Com que então, Aspen – disse ele, e eu percebi que ele estava a tentar distrair-me de qualquer coisa, e resultou.

– Oh... eu não paguei a minha licitação – arquejei.

– Podes mandar um cheque, eu tenho a morada.

– Estavas mesmo furioso.

– Pois estava.

Sorri.

– A culpa é tua e dos teus brinquedos.

– Estava bastante assoberbada, Miss Steele, e o resultado foi bastante satisfatório, se a memória não me falha. – Sorriu ironicamente. – A propósito, onde é que elas estão?

– As bolas prateadas? Na minha bolsa.

– Gostaria que mas devolvesses. São um instrumento demasiado poderoso para ficarem nas tuas mãos inocentes.

– Receias que eu volte a ficar bastante assoberbada, mas com outra pessoa?

Os seus olhos cintilaram perigosamente.

– Espero que isso não aconteça – disse com uma entoação gelada na voz. – Não, Ana, quero desfrutar de todo o teu prazer.

Eh lá.

– Não confias em mim?

– Cegamente. Agora, importas-te de mas devolver?

– Vou pensar no assunto.

Ele semicerrou os olhos.

Ouvia-se de novo música na pista de dança, mas era um DJ a pôr um tema com uma batida forte e um ritmo implacável marcado pelo baixo.

– Queres dançar?

– Estou bastante cansada, Christian. Gostava de me ir embora, se estiveres de acordo.

Christian olhou de relance para Taylor, que acenou com a cabeça e começámos a andar em direção à casa, atrás de alguns convidados ébrios. Christian deu-me a mão e eu senti-me agradecida por isso – doíam-me os pés, pois os sapatos eram terrivelmente altos e apertados.

Mia aproximou-se de nós a saltitar.

– Não se vão embora, pois não? Agora é que vai começar a verdadeira música. Vá lá, Ana – disse ela, agarrando-me na mão.

– Mia – disse Christian, num tom repreensivo –, a Anastasia está cansada. Nós vamos para casa. Além disso, amanhã temos um longo dia pela frente.

Ah temos?

Mia fez beicinho mas surpreendentemente não pressionou Christian.

– Têm de cá vir para a semana. Talvez possamos dar uma saltada ao centro comercial.

– Claro, Mia – disse eu, sorrindo, embora no meu íntimo não soubesse como, visto que tinha de trabalhar para o meu sustento.

Ela deu-me um beijo e abraçou Christian impetuosamente, apanhando-nos a ambos de surpresa. O mais impressionante foi ela colocar-lhe ambas as mãos na lapela do casaco e ele limitar-se a olhá-la indulgentemente.

– Gosto de te ver assim feliz – disse-lhe ela, docemente, e beijou-o na cara. – Adeus. Divirtam-se. – Depois afastou-se em direção às amigas que a esperavam, entre elas Lily, que parecia estar com uma expressão ainda mais amarga sem máscara.

Eu interroguei-me indolentemente onde estaria Sean.

– Vamos dar as boas-noites aos meus pais antes de partirmos. Anda. – Christian guiou-me por entre um aglomerado de convidados, até junto de Grace e Carrick e estes despediram-se terna e calorosamente de nós.

– Por favor, visita-nos de novo, Anastasia. Foi agradável ter-te aqui – disse Grace amavelmente.

Eu fiquei um pouco impressionada com a reação dela e de Carrick. Felizmente os pais de Grace tinham-se retirado, o que pelo menos me poupou ao seu entusiasmo.

Eu e Christian encaminhámo-nos para a parte da frente da casa, de mãos dadas, ambos silenciosamente exaustos e descontraídos, deparando-nos com inúmeros automóveis alinhados, prontos a recolher convidados. Olhei de relance para o Cinquenta. Ele parecia feliz. Era um verdadeiro prazer vê-lo assim, ainda que isso me parecesse invulgar, depois de um dia tão extraordinário como aquele.

– Estás suficientemente agasalhada? – perguntou-me.

– Sim, obrigada – respondi, aconchegando a *écharpe* de cetim.

– Gostei muito desta noite, Anastasia. Obrigada.

– Eu também. De umas partes mais do que doutras – disse, sorrindo.

Ele sorriu e acenou com a cabeça, mas depois franziu a testa.

– Não mordas o lábio – advertiu-me num tom que me fez vibrar o sangue.

– Porque disseste que íamos ter um longo dia pela frente amanhã? – perguntei, tentando-me distrair-me a mim própria.

– A Dr.ª Greene vai lá a casa para te examinar. Além disso, tenho uma surpresa para ti.

– A Dr.ª Greene? – perguntei, parando.

– Sim.

– Porquê?

– Porque eu odeio preservativos – respondeu calmamente, avaliando a minha reação, de olhos cintilantes, sob a luz suave das lanternas de papel.

– O corpo é meu – murmurei, aborrecida, pelo facto de ele não me ter consultado.

– Também é meu – sussurrou.

Olhei para ele. Vários convidados passaram por nós, ignorando-nos. Parecia estar a ser sincero. Sim, o meu corpo pertencia-lhe... e ele estava mais consciente disso do que eu.

Ergui a mão. Ele retraiu-se ligeiramente mas ficou imóvel. Eu puxei-lhe pela extremidade do laço de forma a desfazê-lo, descobrindo-lhe o botão de cima da camisa, e desabotoei-o delicadamente.

– Ficas *sexy*, assim – sussurrei. Na verdade, parecia-me sempre *sexy*, mas assim ficava especialmente *sexy*.

Ele sorriu.

– Preciso de te levar para casa. Anda.

No carro, Sawyer entregou um envelope a Christian. Ele franziu o sobrolho e olhou de relance para mim, enquanto Taylor me abria a porta para eu entrar. Taylor parecia aliviado por qualquer motivo. Christian entrou no carro e entregou-me o envelope, por abrir, enquanto Taylor e Sawyer ocupavam os seus lugares à frente.

– Está endereçado a ti. Um dos membros do pessoal entregou-o ao Sawyer. Certamente provém de outro coração ensarilhado. – Christian fez um trejeito com a boca. Obviamente que a ideia lhe desagradava.

Eu olhei para o bilhete. De quem seria aquilo? Abri o envelope e li-o rapidamente sob a luz fraca. Raios. *Era dela!* Porque não me deixava em paz?

É possível que a tenha julgado mal. Você julgou-me mal, com toda a certeza. Telefone-me se precisar de preencher alguma lacuna – podíamos almoçar. Christian não quer que eu fale consigo, mas eu teria todo o gosto em ajudar. Não me interprete mal. Eu aprovo – acredite – mas

182

juro por Deus que se o magoar... Ele já foi demasiadamente magoado.
Telefone-me (206) 279-6261.

Mrs. Robinson

Merda, ela assinou Mrs. Robinson! O estupor contou-lhe!
– Tu contaste-lhe.
– Contei o quê a quem?
– Que eu lhe chamo Mrs. Robinson – respondi bruscamente.
– É da Elena? – Christian estava chocado. – Isto é ridículo – resmungou, passando uma mão pelo cabelo, e eu percebi que ele estava irritado. – Eu lido com ela amanhã ou segunda-feira – murmurou, num tom amargo.

Embora me embaraçasse admiti-lo, uma ínfima parte de mim estava satisfeita. O meu subconsciente acenou energicamente com a cabeça. Elena estava a enfurecê-lo e isso era seguramente vantajoso. Decidi não dizer nada naquele momento, mas guardei o bilhete na minha mala e devolvi-lhe as bolas, um gesto que iria seguramente animá-lo.

– Até à próxima – murmurei.

Ele olhou-me de relance e pareceu-me estar a sorrir afetadamente, embora fosse difícil ver-lhe o rosto no escuro. Pegou-me na mão e apertou-a.

Olhei para a escuridão através da janela, refletindo sobre aquele longo dia. Soubera muita coisa acerca dele, reunira muitos detalhes em falta – os salões, o mapa de estradas, a sua infância – mas havia ainda muito por descobrir. E Mrs. R.? Sim, ela gostava dele, e bastante, pelos vistos. Dava para perceber isso. Ele também gostava dela, mas não da mesma forma. Eu já não sabia o que pensar. Toda aquela informação estava a dar-me dores de cabeça.

Christian acordou-me exatamente quando estávamos a parar em frente ao Escala.

– Tenho de te levar ao colo? – perguntou, delicadamente.

Eu abanei a cabeça, sonolenta. Nem pensar.

No elevador encostei-me a ele, apoiando a cabeça contra o seu ombro. Sawyer estava à nossa frente, a remexer-se constrangido.

– Foi um longo dia, não foi, Anastasia?

Acenei com a cabeça.

– Estás cansada?

Voltei a acenar com a cabeça.

– Não estás muito comunicativa.

Abanei a cabeça e ele sorriu.

– Anda. Vou pôr-te na cama. – Deu-me a mão, ao sairmos do elevador, mas parámos no vestíbulo, ao ver Sawyer levantar uma mão. Eu despertei por completo, nessa fração de segundo. Sawyer falou para a manga. Eu não fazia ideia de que ele tinha um rádio.

– Com certeza, T – disse ele, virando-se para nós.

– Mr. Grey, os pneus do *Audi* de Miss Steele foram cortados e o carro está coberto de tinta.

Raios. O meu carro! Quem faria uma coisa dessas? Adivinhei a resposta assim que a pergunta se materializou na minha mente. Leila. Olhei de relance para Christian e ele empalideceu.

– Taylor receia que o responsável tenha entrado no apartamento e ainda possa lá estar. Quer certificar-se disso.

– Compreendo – sussurrou Christian. – Qual é o plano de Taylor?

– Está a subir no elevador de serviço com Ryan e Reynolds. Vão passar revista ao apartamento e avisam-nos quando for seguro entrar. Terei de esperar consigo, senhor.

– Obrigado, Sawyer. – Christian apertou-me mais contra si. – Este dia está a correr cada vez melhor – disse, amargamente, roçando o nariz pelo meu cabelo. – Escuta, eu não consigo ficar aqui à espera de braços cruzados. Sawyer, toma conta de Miss Steele e não a deixes entrar até te avisarem de que não há perigo. Tenho a certeza de que Taylor está a exagerar. Ela não consegue entrar no apartamento.

O quê?

– Não, Christian, tens de ficar comigo – implorei.

Christian largou-me.

– Faz o que te dizem, Anastasia. Espera aqui.

Não!

– Sawyer? – disse Christian.

Sawyer abriu a porta do vestíbulo para que Christian entrasse no apartamento. Depois fechou a porta atrás dele e colocou-se à frente desta, olhando-me com uma expressão impassível.

Raios. Christian! Ocorreram-me todo o tipo de desfechos horrendos, mas tudo o que podia fazer era ficar ali e esperar.

CAPÍTULO OITO

Sawyer voltou a falar para a manga.

– Taylor, Mr. Grey entrou no apartamento. – Retraiu-se e agarrou no auricular, arrancando-o do ouvido, provavelmente por ter ouvido uma valente descompostura de Taylor.

Oh, não – se Taylor estava preocupado...

– Por favor, deixe-me entrar – implorei.

– Lamento, Miss Steele. Isto não vai demorar muito. – Sawyer ergueu ambas as mãos, num gesto defensivo. – Taylor e os meus colegas estão agora a entrar no apartamento.

Sentia-me tão impotente. Fiquei perfeitamente imóvel, de ouvidos ansiosamente atentos, tentando detetar o mínimo ruído, mas tudo o que ouvia era a minha própria respiração agitada, rápida e ruidosa. Sentia um formigueiro no couro cabeludo, estava com a boca seca e sentia-me fraca. *Por favor, não permitas que aconteça nada a Christian,* rezava eu, em silêncio.

Não fazia ideia de quanto tempo tinha passado, mas continuávamos a não ouvir nada. Não se ouvir nada era seguramente bom sinal – pelo menos não se ouviram tiros. Comecei a andar à volta da mesa do vestíbulo e a examinar os quadros nas paredes, para me distrair.

Nunca antes olhara a sério para eles: todos eles eram figurativos, todos eles religiosos – todos com a Virgem e o menino. Dezasseis, ao todo. Que estranho.

Christian não era religioso. Todos os quadros da sala grande eram abstratos – aqueles eram muito diferentes. É claro que não me distraíram durante muito tempo. *Onde estava Christian?*

Olhei para Sawyer e ele observava-me com uma expressão impassível.

– O que está a acontecer?

– Não há novidades, Miss Steele.

Subitamente, a maçaneta da porta moveu-se e Sawyer girou sobre si mesmo, como um pião, tirando uma arma do coldre de ombro.

Eu fiquei paralisada. Christian apareceu à porta.

– Não há perigo – disse, franzindo o sobrolho a Sawyer, que guardou imediatamente a arma e recuou para me deixar entrar.

– O Taylor está a exagerar – resmungou Christian, ao estender-me a mão. Fiquei pasmada a olhar para ele, incapaz de me mexer, absorvendo todos os detalhes: o seu cabelo despenteado, a tensão em torno dos olhos, o maxilar crispado, os dois botões de cima da camisa desabotoados. Eu devia ter envelhecido uns dez anos. Christian franziu-me o sobrolho preocupado, com um olhar sombrio.

– Está tudo bem, amor. – Veio ao meu encontro e envolveu-me nos braços, beijando-me o cabelo. – Anda. Estás cansada. Cama.

– Estava tão preocupada – murmurei, aninhando-me nos seus braços e inalando o seu odor doce, com a cabeça encostada ao seu peito.

– Eu sei. Todos estamos inquietos.

Sawyer desaparecera, presumivelmente no interior do apartamento.

– Sinceramente, as suas ex-namoradas estão a revelar-se bastante desafiadoras, Mr. Grey – murmurei, num tom irónico, e Christian descontraiu-se.

– Pois estão.

Ele largou-me e deu-me a mão, conduzindo-me pelo corredor até à sala grande.

– O Taylor e a sua equipa estão a verificar todos os armários. Não me parece que ela aqui esteja.

– Porque haveria de estar? Não faz sentido.

– Exatamente.

– Ela conseguiria entrar?

– Não vejo como, mas o Taylor às vezes é excessivamente cauteloso.

– Passaste revista ao quarto do prazer? – sussurrei.

Christian olhou rapidamente para mim, franzindo a testa.

– Sim, está fechado à chave, mas o Taylor e eu verificámos.

Eu respirei fundo, como que a purificar-me.

– Queres uma bebida ou qualquer outra coisa? – perguntou Christian.

– Não. – A fadiga percorreu-me. – Quero apenas ir para a cama.

– Anda. Vou pôr-te na cama. Estás com um ar exausto. – A expressão de Christian suavizou-se.

Eu franzi o sobrolho. Ele não vinha também? Quereria dormir sozinho?

Fiquei aliviada quando ele me conduziu para o quarto dele. Poisei a minha bolsa sobre a cómoda e abri-a para a esvaziar, olhando para o bilhete de Mrs. Robinson.

– Toma – disse eu, passando-o a Christian. – Não sei se queres ler isto. Eu quero ignorá-lo.

Christian examinou-o brevemente, crispando o maxilar.

– Não sei bem que lacunas poderá ela preencher – disse ele, displicentemente. – Preciso de falar com o Taylor. – Olhou para mim. – Deixa-me abrir-te o fecho do vestido.

– Vais chamar a polícia por causa do carro? – perguntei, ao virar-me.

Ele afastou-me o cabelo, roçando-me suavemente com os dedos nas costas nuas e puxou-me o fecho do vestido.

– Não, não quero a polícia envolvida nisto. A Leila precisa de ajuda e não da intervenção da polícia e eu não os quero aqui. Teremos apenas de redobrar os nossos esforços para a encontrar. – Inclinou-se e beijou-me delicadamente o ombro.

– Vai para a cama – ordenou-me e depois desapareceu.

Estava deitada a olhar para o teto, à espera que ele voltasse. Acontecera tanta coisa naquele dia, havia tanta informação para processar. Por onde começar?

Acordei com um sobressalto, desorientada. Teria adormecido? Pestanejei sob a luz ténue que se projetava do corredor, através da porta entreaberta do quarto e reparei que Christian não estava comigo. Onde estaria ele? Olhei para cima e vi uma sombra aos pés da cama. Seria uma mulher vestida de negro? Era difícil de perceber.

Estiquei o braço e acendi a luz à cabeceira da cama, confusa, virando-me de novo para olhar, mas não estava lá ninguém. Abanei a cabeça. Teria imaginado? Teria sonhado?

Sentei-me e olhei em redor do quarto, sentindo uma ligeira e insidiosa inquietude, mas estava sozinha.

Esfreguei a cara. Que horas seriam? Onde estaria Christian? Eram duas e um quarto da manhã no despertador.

Saí da cama estonteada e fui à procura dele, desconcertada com a minha imaginação hiperativa. Agora estava a ver coisas. Devia ser uma reação aos acontecimentos dramáticos da noite.

A sala principal estava deserta, iluminada apenas pelas três lâmpadas suspensas sobre o balcão da cozinha. Mas a porta do escritório estava entreaberta e eu ouvi-o falar ao telefone.

– Não sei porque estás a telefonar a esta hora. Não tenho nada para te dizer... bom, podes dizer-me agora. Não tens de deixar mensagem.

Eu fiquei imóvel, junto da porta, à escuta, de consciência pesada. Com quem estaria ele a falar?

– Não, tu é que vais ouvir. Eu pedi-te e agora estou a dizer-te. Deixa-a em paz. Ela não tem nada a ver contigo, entendeste?

Parecia beligerante e irritado. Eu hesitei em bater à porta.

– Eu sei que sim, mas estou a falar a sério, Elena. Deixa-a em paz, raios, ou precisas que eu te faça um requerimento em triplicado? Estás a ouvir o que eu estou a dizer? Ótimo. Boa noite. – Bateu com o telefone na secretária.

Oh, merda. Bati hesitantemente à porta.

– O que foi? – rosnou e eu quase tive vontade de fugir e de me esconder.

Sentou-se na secretária com a cabeça aninhada nas mãos e olhou para cima. A sua expressão era feroz, mas suavizou-se imediatamente quando me viu. Estava de olhos muito abertos com um ar cauteloso. Subitamente pareceu-me tão cansado que eu senti o coração apertado.

Ele pestanejou, passando os olhos pelo meu corpo, até às pernas, e de novo para cima. Eu vestira uma das suas *t-shirts*.

– Devias estar vestida de cetim ou de seda, Anastasia – sussurrou. – Mas mesmo com a minha *t-shirt* estás linda.

Oh, um elogio inesperado.

– Senti a tua falta. Vem para a cama.

Ele levantou-se lentamente da cadeira, ainda com a camisa branca e as calças pretas do fato. Agora os seus olhos brilhavam, carregados de promessas... mas havia também vestígios de tristeza neles. Ele parou diante de mim, olhando-me atentamente, mas não me tocou.

– Não sabes como és importante para mim? – murmurou. – Se algo te acontecesse por minha causa… – Calou-se e franziu a testa. A dor que lhe perpassou o rosto era quase palpável. Parecia tão vulnerável – o seu medo era bastante evidente.

– Não me vai acontecer nada – disse eu, para o tranquilizar, num tom de voz apaziguador. Ergui a mão e acariciei-lhe o rosto, passando os dedos pela sua barba de dois dias. Estava inesperadamente macia. – A tua barba cresce depressa – sussurrei, incapaz de esconder o assombro na voz, ao contemplar o homem belo e perturbado que tinha diante de mim.

Percorri a linha do seu lábio inferior e rocei-lhe os dedos pela garganta, até à mancha indistinta de batom que tinha na base do pescoço. Ele olhou para mim, ainda sem me tocar, de lábios entreabertos. Eu percorri a linha de batom com o indicador e ele fechou os olhos. A sua respiração suave tornou-se mais acelerada. Os meus dedos alcançaram a extremidade da sua camisa e eu desloquei-os até ao botão seguinte, ainda abotoado.

– Eu não te vou tocar. Quero apenas desabotoar-te a camisa – sussurrei.

Arregalou os olhos, olhando-me alarmado, mas não se mexeu e não me impediu de o fazer. Eu desabotoei-lhe o botão muito devagar, afastando o tecido da sua pele. Avancei hesitantemente para o botão seguinte, repetindo o gesto – muito devagar, concentrando-me no que estava a fazer.

Eu não lhe queria tocar. *Bom, por acaso até queria… mas não o faria.* Ao desapertar-lhe o quarto botão, a linha vermelha reapareceu e eu sorri timidamente.

– De regresso ao meu território. – Percorri a linha de batom com os dedos antes de desabotoar o último botão. Abri-lhe a camisa e passei aos punhos, removendo-lhe os botões de punho negros, de pedra polida, um de cada vez.

– Posso tirar-te a camisa? – perguntei, num tom de voz grave.

Ele acenou com a cabeça, ainda de olhos muito abertos, ao ver-me erguer os braços e puxar-lhe a camisa pelos ombros. Libertou as mãos e ficou diante de mim, nu da cintura para cima. Sem camisa, pareceu recuperar o seu equilíbrio e sorriu-me afetadamente.

– E as minhas calças, Miss Steele? – perguntou, arqueando uma sobrancelha.

– No quarto. Quero-te na tua cama.

– Ah, sim? Você é insaciável, Miss Steele.

– Não imagino porquê. – Agarrei-lhe na mão e arrastei-o do escritório, conduzindo-o para o seu quarto. O quarto estava frio.

– Abriste a porta da varanda? – perguntou-me, franzindo o sobrolho para mim, ao chegarmos ao quarto.

– Não. Não me lembro de o fazer, mas lembro-me de examinar o quarto, quando acordei. Tenho a certeza de que estava fechada.

Oh merda… Todo o sangue me fugiu do rosto e eu olhei para Christian de boca aberta.

– O que foi? – perguntou num tom brusco, olhando-me fixamente.

– Quando acordei… estava alguém aqui dentro – sussurrei. – Julguei que fosse imaginação minha.

– O quê? – Ele parecia horrorizado. Correu para a porta da varanda, espreitou lá para fora e voltou a entrar no quarto, fechando a porta atrás de si. – Tens a certeza? Quem? – perguntou, num tom de voz tenso.

– Uma mulher, acho eu. Estava escuro. Eu tinha acabado de acordar.

– Veste-te – rosnou-me, ao voltar a entrar. – Imediatamente.

– As minhas roupas estão lá em cima – choraminguei.

Ele abriu uma das gavetas da cómoda e tirou umas calças de fato de treino.

– Veste isto. – Eram demasiado grandes, mas não era altura de o contrariar.

Tirou também uma *t-shirt* e enfiou-a rapidamente pela cabeça. Agarrou no telefone à cabeceira da cama e carregou em dois botões.

– Ela ainda aqui está – disse ele, ao telefone, num tom de voz sibilante.

Cerca de três segundos depois, Taylor e um dos outros seguranças irromperam pelo quarto de Christian e este fez-lhe um resumo do que acontecera.

– Há quanto tempo? – perguntou Taylor, num tom pragmático,

olhando para mim com um ar perfeitamente profissional. Ainda estava de casaco. Será que aquele homem dormia?

– Há cerca de dez minutos – murmurei, sentindo-me culpada por qualquer razão.

– Ela conhece o apartamento como a palma da sua mão – disse Christian. – Eu vou levar a Anastasia daqui para fora, imediatamente. Ela está aqui escondida, algures. Descubram-na. Quando volta a Gail?

– Amanhã à noite.

– Não quero que ela volte enquanto a casa não estiver segura, entendido? – disse Christian, bruscamente.

– Sim, senhor. Vai para Bellevue?

– Não vou levar este problema até aos meus pais. Reserva-me um quarto algures.

– Sim, eu ligo-lhe.

– Não estaremos todos a exagerar um pouco? – perguntei. Christian olhou-me furioso.

– Ela pode ter uma arma – rosnou.

– Christian, ela estava aos pés da cama. Poderia ter-me dado um tiro nessa altura, se a sua intenção fosse essa.

Christian calou-se por instantes, para tentar dominar os nervos, suponho eu, dizendo depois, num tom de voz ameaçadoramente suave:

– Não estou disposto a correr esse risco. Taylor, a Anastasia precisa de sapatos.

Christian desapareceu no interior do seu quarto de vestir enquanto o segurança me vigiava. Não conseguia lembrar-me do nome dele. Ryan, talvez. Ele olhava alternadamente para o corredor e para as janelas da varanda. Christian reapareceu alguns minutos depois, com um saco de cabedal, *jeans* e um casaco listrado, colocando-me um blusão de ganga sobre os ombros.

– Anda. – Agarrou-me firmemente na mão e eu tive praticamente de correr para acompanhar a sua passada larga até à sala grande.

– Não posso acreditar que ela se conseguiu esconder aqui – murmurei, olhando através da porta da varanda.

– É uma casa grande, tu ainda não a viste toda.

– Porque não lhe telefonas… e lhe dizes que queres falar com ela?

– Anastasia, ela está instável e pode estar armada – respondeu, irritado.

– Então, limitamo-nos a fugir?

– Por agora… sim.

– Supõe que ela tenta matar o Taylor?

– O Taylor conhece as armas e é entendido na matéria – disse ele, aborrecido. – Ele seria mais rápido do que ela com uma arma.

– O Ray esteve no exército e ensinou-me a disparar.

Christian arqueou as sobrancelhas, parecendo por instantes totalmente perplexo.

– Tu com uma arma? – disse ele, incrédulo.

– Sim. – Senti-me afrontada. – Eu sei disparar, Mr. Grey, portanto é melhor ter cuidado. Não é apenas com as ex namoradas loucas que tem de se preocupar.

– Tomarei nota disso, Miss Steele – respondeu, secamente, com um ar divertido. Era bom sentir que conseguia fazê-lo sorrir, mesmo naquela situação ridiculamente tensa.

Taylor veio ter connosco ao vestíbulo e deu-me a minha mala pequena e os meus ténis *Converse*, pretos. Fiquei surpreendida pelo facto de me ter colocado algumas roupas na mala. Sorri-lhe timidamente, em sinal de gratidão. Ele retribuiu prontamente com um sorriso tranquilizador e, antes que me pudesse conter, dei comigo a abraçá-lo com força. Ele foi apanhado de surpresa e quando o larguei estava corado.

– Tem cuidado – murmurei.

– Sim, Miss Steele – respondeu, embaraçado.

Christian franziu-me o sobrolho, olhando interrogativamente para Taylor, que sorriu muito ligeiramente e ajeitou a gravata.

– Informa-me para onde vou – disse Christian.

Taylor meteu a mão no casaco e tirou a carteira, entregando um cartão de crédito a Christian.

– Deve querer utilizar isto quando lá chegar.

Christian acenou com a cabeça.

– Bem pensado.

Ryan reuniu-se a nós:

– O Sawyer e o Reynolds não encontraram nada – disse ele a Taylor.

– Acompanha Mr. Grey e Miss Steele à garagem – ordenou Taylor.

A garagem estava deserta. Bom, eram quase três da manhã.

Christian conduziu-me ao lugar do passageiro do R8, guardando a minha mala e a sua no porta-bagagens, na parte da frente do carro. O *Audi* estacionado ao nosso lado estava numa perfeita desgraça – tinha todos os pneus cortados e estava todo salpicado de tinta branca. Era arrepiante e eu senti-me grata pelo facto de Christian me estar a levar para outro sítio.

– O novo veículo chega na segunda-feira – disse Christian, num tom sombrio depois de se ter sentado ao meu lado.

– Como sabia ela que era o meu carro?

Ele olhou-me ansiosamente e suspirou.

– Ela tinha um *Audi* A3. Eu compro *Audis* a todas as minhas submissas, é um dos carros mais seguros da sua classe.

Oh.

– Então, não foi propriamente um presente de licenciatura.

– Anastasia, apesar do que eu esperava, tu nunca foste minha submissa, por isso, tecnicamente, foi um presente de licenciatura. – Tirou o carro do lugar de estacionamento e acelerou para a saída.

Apesar do que ele esperava. Oh, não… O meu subconsciente abanou tristemente a cabeça. Estávamos sempre a voltar àquele assunto.

– Ainda tens esperança? – sussurrei.

O telefone do carro zuniu.

– Grey – disse Christian, bruscamente, ao telefone.

– Fairmont Olympic, em meu nome.

– Obrigado, Taylor. Tem cuidado.

Taylor fez uma pausa: – Sim, senhor – disse calmamente e Christian desligou.

As ruas de Seattle estavam desertas e Christian percorreu velozmente a Quinta Avenida, em direção à I-5. Assim que alcançámos a interestadual, carregou a fundo no acelerador, em direção a norte. Acelerou tão de repente que eu fui, por instantes, projetada contra o meu assento.

Olhei para ele. Estava profundamente embrenhado nos seus pensamentos e irradiava um silêncio terrivelmente introspetivo. Ele não respondera à minha pergunta. Olhava frequentemente para o retrovisor e eu percebi que ele estava a ver se não estávamos a ser seguidos. Talvez por isso estivéssemos na I-5. Eu tinha a impressão de que o Fairmont era em Seattle.

Olhei através da janela, tentando pôr as ideias em ordem na minha mente exausta e hiperativa. Se ela me quisesse matar, tivera uma excelente oportunidade para o fazer no quarto.

– Não, já não é isso que espero. Julgava que fosse óbvio – disse Christian, interrompendo a minha introspeção, num tom de voz brando.

Eu pestanejei aconchegando-me mais no blusão de ganga. Não percebia se o frio emanava de dentro de mim ou do exterior.

– Tenho medo... de não ser suficiente para ti, percebes?

– És mais do que suficiente. Por amor de Deus, Anastasia, o que tenho eu de fazer?

Falares-me de ti. Dizeres-me que me amas.

– Porque pensaste que eu me ia embora quando te disse que o Dr. Flynn me contou tudo o que havia para saber acerca de ti?

Ele suspirou pesadamente e fechou por instantes os olhos, demorando mais do que nunca a responder.

– Não podes compreender até que ponto sou depravado, Anastasia, e também não é assunto que esteja disposto a partilhar contigo.

– E achas realmente que eu me iria embora se soubesse? – Falava num tom de voz agudo e incrédulo. Será que ele não entendia que eu o amava? – Tens-me assim em tão baixa conta?

– Eu sei que tu te irás embora – respondeu, tristemente.

– Christian... acho isso muito pouco provável. Não consigo imaginar-me sem ti. – *Jamais conseguiria...*

– Já me deixaste uma vez, não quero voltar a passar por isso.

– A Elena disse que te viu no sábado passado – sussurrei, calmamente.

– Mas não viu – disse ele, franzindo o sobrolho.

– Não foste ter com ela quando eu me fui embora?

– Não – respondeu irritado, num tom brusco. – Acabei de te dizer que não e não gosto que duvidem de mim – disse ele, num tom repreensivo. – Eu não fui a lado nenhum no fim de semana passado. Sentei-me e montei o planador que me ofereceste. Demorei uma eternidade a montá-lo – acrescentou, calmamente.

Voltei a sentir o coração apertado. Mrs. Robinson tinha dito que o vira.

Vira ou não vira? Porque estaria ele a mentir?

– Contrariamente ao que Elena pensa, eu não vou a correr ter com ela para lhe confessar todos os meus problemas, Anastasia. Não vou a correr ter com ninguém. Já deves ter reparado que não sou muito falador. – Apertou mais o volante com as mãos.

– Carrick contou-me que tu não falaste durante dois anos.

– Ah contou? – Christian cerrou os lábios numa linha rígida.

– Eu pressionei-o um pouco para que me desse informações. – Olhei para os dedos, embaraçada.

– Então, que mais te contou o papá?

– Disse que a tua mãe foi a médica que te examinou quando foste levado para o hospital, depois de te encontrarem dentro do apartamento. – Christian manteve-se inexpressivo... cauteloso.

– Disse que aprenderes a tocar piano te ajudou e a Mia também.

Um sorriso terno desenhou-se nos seus lábios ao ouvir mencionar o nome dela. Momentos depois disse:

– Ela tinha uns seis meses quando chegou. Eu fiquei emocionado. Elliot não tanto, pois já tivera de lidar com a minha chegada. Ela era perfeita. – A reverência doce e melancólica na sua voz era perturbante. – Agora não tanto, claro – murmurou. Eu lembrei-me de como ela conseguira frustrar as nossas intenções lascivas e isso fez-me rir.

Christian atirou-me um olhar enviesado.

– Acha isso divertido, Miss Steele?

– Ela parecia empenhada em manter-nos afastados.

Ele deu uma gargalhada desconsolada.

– Sim, ela é bastante talentosa. – Esticou o braço e apertou-me o joelho. – Mas acabámos por conseguir o que queríamos – disse ele, sorrindo, e olhou mais uma vez para o retrovisor. – Não me parece que tenhamos sido seguidos. – Saiu da I-5, dirigindo-se de novo para o centro de Seattle.

– Posso perguntar uma coisa acerca de Elena? – Estávamos parados nuns semáforos.

Ele olhou-me, cauteloso.

– Se precisas mesmo de o fazer – murmurou, mal-humorado, mas eu não me deixei desencorajar pela sua irritabilidade.

– Há muito tempo disseste-me que ela te amava de uma forma que consideravas aceitável. O que queria isso dizer?

– Não é óbvio? – perguntou.

– Para mim, não.

– Eu estava descontrolado. Não suportava que me tocassem. Ainda não suporto. Para um rapaz de catorze ou quinze anos, com as hormonas em fúria, foi uma época difícil. Ela mostrou-me uma forma de aliviar a pressão.

Ah.

– A Mia disse que tu eras um brigão.

– Meu Deus, o que se passa com a minha família tagarela? Na verdade, a culpa é tua. – Parámos noutros semáforos e ele olhou-me de olhos semicerrados. – Tu alicias as pessoas a darem-te informação. – Abanou a cabeça, fingindo-se indignado.

– A Mia deu-me essa informação de sua livre vontade. Na verdade, foi bastante sincera. Receava que tu armasses uma briga na tenda, se não me ganhasses no leilão – murmurei, indignada.

– Oh, amor, não havia qualquer perigo disso acontecer. Eu jamais deixaria outra pessoa dançar contigo.

– Deixaste o Dr. Flynn.

– Ele é sempre a exceção à regra.

Christian virou para o impressionante e frondoso caminho de acesso do Hotel Faimont Olympic e estacionou perto da entrada principal, junto de uma exótica fonte de pedra.

– Anda. – Saiu do carro e recolheu a nossa bagagem. Um arrumador veio apressadamente ao nosso encontro, com um ar surpreendido, certamente por estarmos a chegar tão tarde. Christian atirou-lhe as chaves do carro.

– O nome é Taylor – disse ele. O arrumador acenou afirmativamente, incapaz de conter o seu júbilo ao entrar no R8 e afastar-se com ele. Christian deu-me a mão e encaminhou-se para o vestíbulo.

Senti-me totalmente ridícula a seu lado, no balcão da receção. Ali estava eu, no hotel mais prestigiado de Seattle, junto daquele elegante deus grego, com um blusão de ganga grande demais, calças de fato de treino grandes demais e uma velha *t-shirt*. Não era de espantar que a rececionista olhasse sucessivamente para um e para outro, como se algo não batesse certo. É claro que estava absolutamente deslumbrada com Christian. Eu revirei os olhos, ao vê-la corar e gaguejar. Até as mãos lhe tremeram.

– Precisa de ajuda… com a bagagem, Mr. Taylor? – perguntou, voltando a corar.

– Não, Mrs. Taylor e eu tratamos disso.

Mrs. Taylor! Mas eu não usava aliança, por isso coloquei as mãos atrás das costas.

– Reservámos-lhe a suíte Cascade, no décimo primeiro andar, Mr. Taylor. O nosso paquete ajudar-vos-á com a bagagem.

– Não é necessário – disse Christian secamente. – Onde são os elevadores?

Miss Afogueada explicou-lhe e Christian voltou a agarrar-me na mão. Eu olhei brevemente para o sumptuoso vestíbulo, cheio de cadeiras estofadas. Tirando uma mulher de cabelo escuro, sentada num confortável sofá, a dar pedacinhos de comida ao seu Westie[2], o vestíbulo estava deserto. Ela levantou os olhos e sorriu para nós, quando nos dirigimos para os elevadores. Seriam permitidos animais de estimação no hotel? Era um pouco estranho, num local tão distinto!

A suíte tinha dois quartos, uma sala de jantar formal e um piano de cauda. O fogo crepitava na lareira da enorme sala de estar. Aquela suíte era maior do que o meu apartamento.

– Bom, Mrs. Taylor, não sei se quer, mas eu estou realmente com vontade de tomar uma bebida – murmurou Christian, trancando a porta da frente.

Poisou a minha mala e a sua mochila na otomana, aos pés da enorme cama de dossel, e conduziu-me à sala principal onde o fogo crepitava alegremente na lareira. Era uma visão acolhedora. Fiquei de pé a aquecer as mãos enquanto Christian preparava bebidas para ambos.

– Armagnac?

– Por favor.

2. Cão Terrier Branco West Highlander. (N. da T.)

Momentos depois, reuniu-se a mim junto da lareira e passou-me um copo de *brandy* de cristal.

– Foi um dia e peras, não foi?

Eu anuí. Ele estava com um olhar penetrante e preocupado.

– Eu estou bem – sussurrei-lhe para o tranquilizar. – E tu?

– Bom, neste momento, gostaria de beber isto e depois levar-te para a cama e perder-me em ti, se não estiveres muito cansada.

– Acho que se pode dar um jeito, Mr. Taylor. – Sorri-lhe timidamente enquanto ele descalçava os sapatos e as meias.

– Pare de morder o lábio, Mrs. Taylor – sussurrou.

Eu corei para dentro do copo. O Armagnac era delicioso e deixava um rasto ardente, ao deslizar-me suavemente pela garganta. Quando olhei para Christian, ele estava a beber o seu *brandy*, a observar-me com uns olhos sombrios... e esfomeados.

– Não paras de me surpreender, Anastasia. Depois de um dia como o de hoje – ou melhor, ontem – não te lamentas nem foges para as colinas aos gritos. Estou impressionado contigo. És muito forte.

– Tu és motivo suficiente para eu ficar – murmurei. – Já te disse Christian, eu não vou a lado nenhum, independentemente do que possas ter feito. Tu sabes o que eu sinto por ti.

Ele fez um trejeito com a boca, como se duvidasse das minhas palavras, e franziu a testa, como se lhe fosse doloroso ouvir aquilo. Oh, Christian, o que terei eu de fazer para que percebas o que eu sinto?

Deixa que ele te bata, disse o meu subconsciente, desdenhosamente, e eu franzi-lhe o sobrolho interiormente.

– Onde vais pendurar os retratos que o José me tirou? – perguntei, tentando aligeirar o ambiente.

– Depende. – Os seus lábios estremeceram. Aquele era obviamente um tema de conversa bem mais agradável para ele.

– Depende de quê?

– Das circunstâncias – disse ele, num tom misterioso. – O espetáculo ainda não terminou, por isso não tenho de decidir já.

Eu inclinei a cabeça para um lado, semicerrando os olhos.

– Pode fazer cara de má à vontade Mrs. Taylor. Não vou dizer nada – disse ele, em tom provocador.

– Eu posso arrancar-te a verdade à força.

Ele arqueou uma sobrancelha.

– Francamente, Anastasia, não devias fazer promessas que não podes cumprir.

Oh, meu Deus, era isso que ele pensava? Poisei o meu copo em cima da lareira, e para sua surpresa, tirei-lhe o copo e poisei-o junto do meu.

– Teremos de tirar isso a limpo – murmurei e depois, certamente encorajada pelo *brandy*, dei a mão a Christian e conduzi-o audaciosamente para o quarto, parando aos pés da cama. Christian tentava esconder que aquilo o estava a divertir.

– O que vais fazer comigo, agora que me tens aqui, Anastasia? – perguntou provocadoramente, num tom de voz grave.

– Vou começar por te despir, pois quero terminar o que iniciámos antes. – Agarrei-lhe nas lapelas do casaco, com cuidado, para não lhe tocar e ele nem estremeceu, embora estivesse a conter a respiração.

Puxei-lhe delicadamente o casaco pelos ombros e ele continuou a olhar para mim. Todos os vestígios de humor desapareceram e os seus olhos pareciam maiores, mais intensos, mais cautelosos... ou seria carência o que via neles? O seu olhar podia ser interpretado de tantas formas. *O que estaria ele a pensar?* Poisei o seu casaco sobre a otomana.

– Agora a tua *t-shirt* – sussurrei, levantando-a pelas bainhas. Ele colaborou, erguendo os braços e recuando, o que me facilitou a tarefa de lha puxar pela cabeça. Depois de lhe tirar a *t-shirt*, ele olhou-me atentamente, apenas de *jeans*, suspensos nas ancas de forma provocadora. O elástico dos seus *boxers* justos era visível.

Os meus olhos percorreram avidamente o seu estômago firme, até aos restos debotados e manchados da linha de batom, e depois até ao seu peito. Só queria poder passar-lhe a língua nos pelos do peito e sentir o seu sabor.

– E agora? – sussurrou, de olhos ardentes.

– Quero beijar-te aqui. – Passei-lhe o dedo pela barriga. Ele entreabriu os lábios e inspirou bruscamente.

– Não te estou a impedir – sussurrou.

Eu peguei-lhe na mão.

– Então é melhor deitares-te – murmurei, guiando-o para um dos lados da cama de dossel. Ele parecia perplexo. Ocorreu-me que talvez ninguém assumisse o controlo perante ele, desde... desde o tempo dela. *Não, não vás por aí.*

Ele ergueu as cobertas e sentou-se à beira da cama, olhando para mim, expectante, com uma expressão cautelosa e séria. Eu coloquei-me diante dele, tirei o blusão de ganga e deixei-o cair para o chão, despindo depois as calças de fato de treino.

Ele esfregou o polegar na ponta dos dedos. Percebi que estava desejoso de me tocar, mas conseguira pôr a ideia de parte. Respirei fundo, agarrei corajosamente na bainha da minha *t-shirt* e despia-a pela cabeça, ficando nua diante dele. Ele não desviou os olhos de mim, mas engoliu em seco e entreabriu os lábios.

– És Afrodite, Anastasia – murmurou.

Eu agarrei-lhe no rosto entre as mãos, inclinando-lhe a cabeça para cima, e curvei-me para o beijar. Ele deixou escapar um gemido gutural.

Colei a minha boca à dele. Ele agarrou-me nas ancas e, quando dei por mim, estava presa debaixo dele. Forçou-me a abrir as pernas com as suas e aninhou-se entre as minhas, deitado sobre o meu corpo. Beijou-me vorazmente e as nossas línguas entrelaçaram-se uma na outra. A sua mão deslizou pela minha coxa, até à anca, e depois ao longo da barriga, até ao seio, apertando-o, massajando-o e puxando-me tentadoramente pelo mamilo.

Eu gemi e inclinei involuntariamente a anca contra ele, sentindo uma deliciosa fricção entre a costura da sua braguilha e a sua ereção crescente. Ele parou de me beijar e olhou para mim desorientado e ofegante, fletindo as ancas e pressionando a sua ereção contra mim. *Sim, no sítio certo.*

Fechei os olhos e gemi e ele voltou a fazê-lo, mas desta vez eu ergui também o corpo, deliciando-me com o seu gemido, quando me voltou a beijar. Ele continuou a sua tortura lenta e deliciosa – massajando-me e massajando-se a si mesmo. Ele tinha razão – perder-me nele era intoxicante a ponto de suprimir tudo o resto. Todas as minhas preocupações se eclipsaram. Naquele momento, estava ali com ele e o sangue zunia-me nas veias, pulsando ruidosamente nos meus ouvidos, misturado com o ruído da nossa respiração ofegante. Mergulhei as mãos nos seus cabelos e prendi a boca dele contra a minha, consumindo-o, com uma língua tão cobiçosa como a sua. Os meus dedos deslizaram pelos seus braços, até ao fundo das suas costas, alcançando o cós dos seus *jeans* e as minhas mãos arrojadas deslizaram avidamente para dentro das suas calças, estimulando-o incessantemente – esquecendo tudo para além de nós.

– Vais acabar por me desencorajar, Ana – sussurrou, subitamente, afastando-se de mim e ajoelhando-se. Puxou os *jeans* para baixo num gesto brusco e passou-me uma embalagem de preservativos.

– Tu desejas-me, amor, e está mais do que provado que eu também te desejo. Tu sabes o que fazer.

Os meus dedos ansiosos e destros rasgaram a embalagem e eu desenrolei o preservativo sobre o seu membro. Ele sorriu, de boca aberta, com uns olhos cor de nevoeiro, carregados de promessas carnais. Depois inclinou-se sobre mim e esfregou o seu nariz no meu, de olhos fechados, penetrando-me deliciosamente devagar.

Eu agarrei-me aos seus braços e inclinei o queixo para cima, desfrutando daquela maravilhosa sensação de preenchimento. Ele roçou-me os dentes pelo queixo, recuou e voltou a deslizar para dentro de mim, devagar, doce e ternamente, pressionando o seu corpo contra o meu, com os cotovelos e as mãos de ambos os lados do meu rosto.

– Tu fazes-me esquecer tudo. Tu és a melhor terapia que há – sussurrou, movendo-se a um ritmo dolorosamente lento, saboreando cada centímetro do meu corpo.

– Mais depressa, Christian, por favor – murmurei, agora ansiosa por mais.

– Ah não, querida. Eu preciso que isto seja lento. – Beijou-me docemente, mordendo-me delicadamente o lábio inferior, e absorvendo os meus gemidos suaves.

Eu levei as mãos ao seu cabelo e abandonei-me ao seu ritmo, sentindo o meu corpo elevar-se lenta e inexoravelmente, estabilizar-se, e precipitar-se depois abruptamente, quando me vim em torno do seu membro.

– Oh, Ana – sussurrou, deixando-se ir. O meu nome era como uma bênção nos seus lábios ao atingir o orgasmo.

Ele estava abraçado ao meu corpo com a cabeça poisada sobre o meu ventre e os meus dedos exploravam o seu cabelo rebelde. Não sei quanto tempo ficámos assim. Era muito tarde e eu sentia-me bastante cansada, mas queria desfrutar daquela sensação calma e serena de satisfação carnal, depois de fazer amor com Christian Grey, pois fora disso mesmo que se tratara: sexo delicado e doce.

Ele evoluíra bastante em muito pouco tempo, tal como eu. Era quase demasiado para assimilar. À conta de todos aqueles incidentes terríveis, eu estava a perder de vista a sua viagem simples e honesta comigo.

– Eu nunca me saciarei de ti. Não me abandones – murmurou, beijando-me a barriga.

– Eu não vou a lado nenhum, Christian, e estava agora a lembrar-me que queria beijar-te a barriga – resmunguei, num tom de voz sonolento.

Ele sorriu contra a minha pele.

– Nada te impede de o fazeres agora, amor.

– Acho que não me consigo mexer... Estou tão cansada.

Christian suspirou e mudou de posição relutantemente, deitando-se a meu lado, com a cabeça assente sobre o cotovelo, puxando as cobertas para cima de ambos e fitando-me com um olhar cintilante, terno e afetuoso.

– Agora dorme, querida – disse ele, beijando-me o cabelo e poisando um braço sobre mim, e eu acabei por adormecer.

Quando abri os olhos, o quarto estava inundado de luz e eu pestanejei. Sentia-me confusa devido à falta de sono. *Onde estou eu? Ah... no hotel.*

– Olá – murmurou Christian, com um sorriso terno. Estava deitado a meu lado, totalmente vestido, em cima da cama. Há quanto tempo estaria ali? Teria estado a observar-me? Subitamente senti-me incrivelmente acanhada, sentindo o rosto aquecer sob o seu olhar fixo.

– Olá – murmurei, agradecida pelo facto de estar deitada de barriga para baixo. – Há quanto tempo me estás a observar?

– Poderia ver-te dormir durante horas, Anastasia, mas só aqui estou há cerca de cinco minutos. – Debruçou-se sobre mim e beijou-me delicadamente.

– A Dr.ª Greene deve estar a chegar.

Esquecera-me da interferência inadequada de Christian.

– Dormiste bem? – perguntou, brandamente. – Pela forma como ressonavas, pareceu-me que sim.

Cinquenta, o brincalhão provocador.

– Eu não ressono – disse eu petulantemente, fazendo beicinho.

– Pois não – disse-me ele, sorrindo. A linha indistinta de batom vermelho ainda era visível no seu pescoço.

– Tomaste duche?

– Não. Estava à tua espera.

– Ah… ok.

– Que horas são?

– Dez e um quarto. Não tive alma para te acordar mais cedo.

– Tu disseste-me que não tinhas alma.

Ele sorriu-me tristemente, mas não respondeu.

– O pequeno-almoço já aqui está. Panquecas e *bacon* para ti. Anda, levanta-te. Estou a sentir-me sozinho. – Deu-me uma valente palmada no rabo, que me fez dar um salto, e levantou-se da cama.

Hum… terna afeição na versão de Christian.

Ao espreguiçar-me, apercebi-me de que estava toda dorida… sem dúvida por causa de todo aquele sexo, da dança, e do meu andar titubeante sobre os dispendiosos sapatos de salto alto. Levantei-me cambaleante e encaminhei-me para a sumptuosa casa de banho que nos fora destinada, enquanto revia mentalmente os incidentes do dia anterior. Quando saí, vesti um dos roupões de banho extraordinariamente fofos, pendurados numa cavilha de latão, na casa de banho.

A imagem mais assustadora que o meu cérebro projetou foi Leila – a rapariga parecida comigo – e a sua presença sinistra no quarto de Christian. Quem seria o seu alvo? Eu ou Christian? Para fazer o quê? E por que raio me teria destruído o carro?

Christian dissera que eu teria outro *Audi*, tal como todas as suas submissas. A ideia não me agradava, mas como eu tinha sido bastante generosa com o dinheiro que ele me dera, não podia fazer grande coisa.

Encaminhei-me para a sala principal da suíte – não havia sinais de Christian, mas encontrei-o finalmente na sala de jantar. Sentei-me e congratulei-me com o impressionante pequeno-almoço que tinha diante de mim. Christian sorriu-me. Estava a ler os jornais de domingo e a beber café, pois já tinha terminado o pequeno-almoço.

– Come. Hoje vais precisar da tua energia – disse ele, em tom provocador.

– Porquê? Vais trancar-me no quarto? – A minha deusa interior acordou sobressaltada, completamente desgrenhada, com um olhar de quem acabara de ter sexo.

– Por muito apelativa que seja a ideia, achei que devíamos sair hoje. Apanhar um pouco de ar.

– É seguro? – perguntei, inocentemente, tentando em vão não o dizer num tom irónico.

Christian ficou com um ar desanimado, cerrando os lábios numa linha fina.

– O sítio para onde vamos é. Isso não é assunto com que se brinque – acrescentou, num tom severo, semicerrando os olhos.

Eu corei e olhei para o meu pequeno-almoço. Não me apetecia ser repreendida depois de toda aquela tragédia e de uma noitada de caixão à cova, por isso comi o meu pequeno-almoço em silêncio, sentindo-me petulante.

O meu subconsciente abanava-me a cabeça. O Cinquenta não brincava com a minha segurança – eu já devia saber isso. Apetecia-me revirar-lhe os olhos mas contive-me.

Ok, estava cansada e irritável. O dia anterior fora longo e eu não dormira o suficiente. Mas porque é que ele parecia sempre fresco que nem uma alface? A vida não era justa.

Ouviu-se bater à porta.

– Deve ser a nossa doutora – resmungou Christian, ainda visivelmente magoado com a minha ironia, afastando-se da mesa.

Será que não podíamos ter uma manhã calma e normal? Suspirei pesadamente, deixando o pequeno-almoço a meio e levantei-me para cumprimentar a Dr.ª Durex.

Estávamos no quarto e a Dr.ª Greene estava a olhar para mim de boca aberta. Estava vestida de forma mais informal do que da última vez, com uma blusa e um casaco de caxemira rosa-claro, calças pretas e tinha o belo cabelo louro solto.

– E parou de a tomar? Assim, sem mais nem menos?

Eu corei, sentindo-me totalmente idiota.

– Sim. – A minha voz não podia ser mais débil.

– Podia ter engravidado – disse ela, sem rodeios.

O quê? O mundo caiu-me aos pés. O meu subconsciente desatou a vomitar para o chão e eu senti-me também agoniada. Não!

– Tome. Vá fazer chichi aí dentro. – Estava muito profissional, impiedosa.

Eu aceitei docilmente o pequeno recipiente de plástico que ela me entregou e dirigi-me para a casa de banho, aturdida. Não, não, não. Não pode ser... não pode ser... Por favor, não, não.

O que faria o Cinquenta? Empalideci. Ele iria perder a cabeça.

Por favor, não, sussurrei numa prece silenciosa.

Entreguei a minha amostra à Dr.ª Greene e ela colocou cuidadosamente um pauzinho branco dentro desta.

– Quando é que teve o período pela última vez?

Como poderia eu pensar em tais pormenores, de olhos ansiosamente pregados no pauzinho branco?

– ...quarta-feira. Não na quarta-feira passada, mas na outra antes, dia 1 de junho.

– E quando é que deixou de tomar a pílula?

– Domingo. No domingo passado.

Ela crispou os lábios.

– Não deve haver problema – disse ela, bruscamente. – Pela sua expressão, presumo que uma gravidez não planeada não fosse uma notícia bem-vinda. Creio que é boa ideia recorrer à medroxiprogesterona, já que não se consegue lembrar de tomar a pílula todos os dias. – Fitou-me com um ar severo e eu encolhi-me, perante o seu olhar autoritário. Depois, pegou no pauzinho branco e olhou para ele.

– Está safa. Ainda não ovulou, por isso não deve estar grávida, desde que tenha tomado as devidas precauções. Agora, permita-me que a aconselhe acerca desta injeção. Não a considerámos da última vez, devido aos efeitos secundários mas, francamente, os efeitos secundários de uma criança são bastante mais abrangentes e prolongam-se durante muitos anos. — Sorriu, satisfeita consigo mesma e com a sua graçola, mas eu não consegui reagir: estava demasiado aturdida.

A Dr.ª Greene iniciou uma descrição detalhada dos efeitos secundários da injeção e eu fiquei sentada, paralisada de alívio, sem ouvir uma palavra. Antes tolerar um número indefinido de mulheres estranhas aos pés da minha cama do que confessar a Christian que poderia estar grávida.

— Ana! — exclamou a Dr.ª Greene, bruscamente. — Vamos a isto — disse ela, arrancando-me dos meus devaneios, e eu enrolei prontamente a manga da camisa.

Christian fechou a porta depois de ela sair e olhou-me, receoso.

— Está tudo bem? — perguntou.

Eu acenei em silêncio e ele inclinou a cabeça para um lado, com o rosto tenso de preocupação.

— O que foi, Anastasia? O que disse a Dr.ª Greene?

Eu abanei a cabeça.

— Dentro de sete dias estás à vontade — murmurei.

— Sete dias?

— Sim.

— O que se passa, Ana?

Eu engoli em seco.

— Nada de preocupante. Por favor, Christian, esquece.

Christian cresceu para mim, agarrou-me no queixo, inclinou-me a cabeça para trás e olhou-me nos olhos, tentando decifrar o meu pânico.

— Diz-me — ordenou ele, num tom brusco.

— Não há nada para dizer. Gostaria de me vestir — disse afastando o queixo dele.

Suspirou e passou uma mão pelo cabelo, franzindo-me o sobrolho.

— Vamos tomar um duche — disse ele, por fim.

— Claro — murmurei, com um ar absorto e ele fez um trejeito com a boca.

— Anda — disse-me, mal-humorado, agarrando-me firmemente na mão, e arrastando-me atrás de si, em direção à casa de banho. Parecia que eu não era a única pessoa mal disposta. Christian abriu o chuveiro e despiu-se depressa, antes de se virar para mim.

— Não sei se estás perturbada com alguma coisa, ou se estás apenas mal-humorada por teres dormido pouco — disse ele, enquanto me desapertava o roupão —, mas quero que me digas a razão. A minha imaginação está a dar cabo de mim e eu não gosto que isso me aconteça.

Eu revirei-lhe os olhos e ele olhou-me furioso, semicerrando os olhos. *Merda! Ok… aqui vai.*

— A Dr.ª Greene repreendeu-me por eu ter parado de tomar a pílula. Disse-me que eu podia estar grávida.

— O quê? — Ele empalideceu e as suas mãos imobilizaram-se, ao olhar para mim com o rosto subitamente macilento.

— Mas não estou. Ela fez-me um teste. Apanhei um choque, só isso. Mal posso acreditar que tenha sido tão estúpida.

Ele descontraiu-se visivelmente.

— Tens a certeza de que não estás?

— Sim.

Ele deu um grande suspiro.

— Ótimo. Sim, creio que uma notícia dessas seria bastante inquietante.
Eu franzi o sobrolho… *inquietante?*

— Eu estava mais preocupada com a tua reação.

Ele franziu-me a testa, intrigado.

— A minha reação? Bom, evidentemente que estou aliviado… Seria muita irresponsabilidade da minha parte engravidar-te.

— Então talvez fosse melhor abstermo-nos — retorqui, num tom de voz sibilante.

Ele olhou-me por instantes, perplexo, como se eu fosse uma experiência científica qualquer. — Estás mal-humorada esta manhã.

— Foi apenas um choque, nada mais — repeti, petulantemente.

Ele agarrou-me nas lapelas do robe e abraçou-me afetuosamente, beijando-me o cabelo e encostando a minha cabeça ao seu peito. Os pelos do peito incomodavam-me, pois faziam-me cócegas na cara. Se ao menos eu pudesse roçar o nariz no peito dele!

— Ana, não estou habituado a isto. — murmurou. — A minha tendência natural seria dar-te uma sova, mas tenho sérias dúvidas de que queiras.

Caramba.

– Não, não quero. Isto ajuda. – Abracei-me a ele com mais força e ficámos assim durante uma eternidade, enlaçados num estranho abraço. Christian nu e eu enrolada no meu roupão. A sua honestidade arrasou-me mais uma vez. Ele não sabia nada acerca de relacionamentos e eu também não, a não ser o que aprendera com ele. Bom, ele pedira-me fé e paciência; o melhor seria eu fazer o mesmo.

– Anda, vamos tomar duche – disse ele, largando-me finalmente.

Depois recuou, despiu-me o roupão e eu segui-o para debaixo da cascata de água, erguendo o rosto para cima. Havia espaço para ambos debaixo do gigantesco chuveiro. Christian pegou no champô e começou a lavar o cabelo, passando-mo a seguir, e eu fiz o mesmo.

Oh, isto sabe bem. Fechei os olhos e rendi-me ao efeito purificador da água quente. Ao enxaguar o champô, senti as suas mãos a ensaboarem-me o corpo: os ombros, os braços, as axilas, os seios e as costas. Ele virou-me delicadamente e puxou-me contra si, continuando a descer pelo meu corpo: estômago, ventre. Senti os seus dedos experientes entre as minhas pernas – *hum...* – no meu traseiro. Sabia tão bem e era tão íntimo. Virou-me de novo de frente para ele.

– Toma – disse ele, calmamente, dando-me o gel de banho. – Quero que laves os restos de batom.

Os meus olhos abriram-se inquietos e eu olhei-o nos olhos. Ele estava a observar-me atentamente, encharcado, lindo, mas os seus belos olhos cinzentos, claros, não deixavam transparecer nada.

– Não te desvies muito da linha, por favor – murmurou, num tom de voz tenso.

– Ok – sussurrei, tentando assimilar a enormidade do que ele acabara de me pedir para fazer: tocar-lhe no limiar da zona proibida.

Deitei um pouco de gel de banho na mão e esfreguei as mãos para criar espuma, poisando-as depois sobre os seus ombros e lavando-lhe delicadamente a risca de batom, de ambos os lados. Ele ficou imóvel e fechou os olhos, com uma expressão impassível, mas estava com a respiração acelerada, e eu percebi que era por medo e não por luxúria, o que me afetou profundamente.

Segui cuidadosamente a linha, na parte lateral do seu peito, de dedos trémulos, ensaboando-o e massajando-o suavemente. Ele engoliu em seco, de maxilares crispados, como se estivesse de dentes cerrados. Senti um aperto no coração e na garganta. *Oh, não, vou chorar.*

Parei para pôr mais gel de banho na mão e senti-o descontrair-se diante de mim. Não conseguia olhar para ele, não suportava ver a sua dor – era demasiado para mim. Foi a minha vez de engolir em seco.

– Preparado? – murmurei, num tom de voz claramente tenso.

– Sim – sussurrou, num tom de voz áspero e receoso.

Eu coloquei delicadamente as mãos de ambos os lados do seu peito e ele voltou a ficar estático.

Era demais. Eu estava impressionada com a confiança que ele estava a depositar em mim, impressionada com o medo e os danos infligidos a um homem tão belo, arrasado e imperfeito.

As lágrimas afloraram-me os olhos e escorreram-me pela cara, perdendo-se na água do duche. *Oh, Christian! Quem te fez isto?*

O seu peito movia-se depressa a cada inspiração rápida e o seu corpo estava rígido. A tensão irradiava dele em vagas, enquanto a minha mão percorria a linha e a apagava. Ah, apagar-lhe-ia a dor, se pudesse – faria tudo para isso. Apetecia-me beijar-lhe cada cicatriz e apagar todos aqueles anos horrendos de abandono, mas sabia que não o podia fazer, e as lágrimas caíram-me livremente pelas faces.

– Não, por favor, não chores – pediu-me, num tom de voz angustiado, apertando-me nos seus braços. – Por favor, não chores por minha causa. – E eu rebentei em soluços, enterrando o rosto no seu pescoço, ao imaginar um rapazinho perdido num mar de medo e de dor, assustado, negligenciado, violentado, magoado para além de tudo o que era suportável.

Ele afastou-se, agarrou-me na cara com ambas as mãos, inclinou-a para trás e curvou-se para me beijar.

– Não chores, Ana, por favor – murmurou contra a minha boca. – Foi há muito tempo. Estou desejoso que me toques, mas não o consigo suportar. É demasiado. Por favor, por favor, não chores.

– Eu também te quero tocar. Mais do que possas imaginar, mas ver-te assim... tão ferido, tão receoso... magoa-me profundamente, Christian. Eu amo-te tanto.

Ele passou-me o polegar pelo lábio inferior.

– Eu sei, eu sei – sussurrou.

– Tu és muito fácil de amar, não percebes isso?

– Não, amor, não percebo.

– Mas és e eu amo-te, tal como a tua família, tal como a Elena e a Leila; embora o demonstrem de uma forma estranha. Tu mereces.

– Para. – Colocou-me um dedo sobre os lábios e abanou a cabeça, com uma expressão angustiada. – Não suporto ouvir isso. Não sou nada, Anastasia. Sou uma concha vazia, um homem sem coração.

– Tens coração, sim e eu quero-o, inteiro. Tu és um bom homem, Christian, és muito bom homem. Nunca duvides disso. Pensa no que fizeste... em tudo o que conseguiste – solucei. – Pensa no que fizeste por mim... em tudo aquilo de que abdicaste por mim – sussurrei. – Eu sei, eu sei o que tu sentes por mim.

Ele olhou para mim, em pânico, de olhos muito abertos. Tudo o que se ouvia era a torrente contínua de água a escorrer sobre nós no duche.

– Tu amas-me – sussurrei.

Ele arregalou ainda mais os olhos, a sua boca abriu-se e ele respirou fundo como se estivesse a ser insuflado. Parecia atormentado – vulnerável.

– Sim – sussurrou –, eu amo-te.

CAPÍTULO NOVE

Eu mal conseguia conter o meu júbilo. O meu subconsciente olhou-me estarrecido, em silêncio, e eu fitei longamente os olhos atormentados de Christian, com um sorriso de orelha a orelha.

A sua doce e suave confissão apelou-me a um nível profundo e elementar, como se ele procurasse absolvição e aquelas duas pequenas palavras fossem um presente dos céus para mim. As lágrimas voltaram a arder-me nos olhos. *Sim, amas, eu sei que amas.*

Era uma constatação muito libertadora, como se me tivessem tirado uma pedra pesadíssima de cima. Aquele homem lindo e ferido, que eu encarara em tempos como um herói romântico – forte, solitário e misterioso – possuía todos esses traços, mas também estava frágil, alienado e cheio de ódio de si mesmo. O meu coração encheu-se de alegria, mas também de dor, pelo seu sofrimento, e eu percebi nesse instante que este tinha espaço suficiente para ambos. Esperava ter espaço para ambos.

Ergui uma mão e agarrei naquele rosto querido e atraente, beijando-o delicadamente, vertendo todo o amor que sentia naquele doce contacto. Apetecia-me devorá-lo debaixo daquela cascata de água quente. Christian gemeu e envolveu-me nos seus braços, abraçando-me como se eu fosse o ar de que precisava para respirar.

– Oh, Ana – sussurrou, num tom de voz rouco. – Desejo-te, mas não aqui.

– Sim – murmurei, fervorosamente, contra a sua boca.

Ele desligou o chuveiro, pegou-me na mão e levou-me para fora do duche embrulhando-me no roupão de banho. Agarrou numa toalha e enrolou-a à volta da cintura, pegando depois noutra mais pequena e começou a enxugar-me o cabelo. Quando se deu por satisfeito, enrolou-me a toalha à volta da cabeça. Olhei para o grande espelho, por cima do lavatório e era como se usasse um véu. Ele estava atrás de mim e os seus olhos cinzentos cruzaram-se com os meus olhos azul-claros, o que me deu uma ideia.

– Posso retribuir-te?

Ele acenou afirmativamente, embora franzisse a testa. Eu tirei uma das muitas toalhas fofas, empilhadas ao lado do espelho e comecei a enxugar-lhe o cabelo, em bicos de pés, à sua frente. Ele curvou-se para a frente para me facilitar a tarefa. De vez em quando tinha vislumbres do seu rosto e reparei que ele estava a sorrir como um miúdo pequeno.

– Há muito tempo que ninguém me fazia isto. Há muito tempo, mesmo – murmurou, franzindo o sobrolho. – Na verdade, acho que nunca ninguém me enxugou o cabelo.

– Certamente que a Grace o fez. Ela não te enxugava o cabelo quando eras pequeno?

Ele abanou a cabeça impedindo-me de prosseguir.

– Não. Ela respeitou os meus limites desde o primeiro dia, embora isso lhe fosse doloroso. Eu era autossuficiente em criança – respondeu calmamente.

Senti uma pontada no peito ao imaginar uma criança pequena, de cabelo acobreado, a cuidar de si mesma, porque mais ninguém o fazia. A ideia era terrivelmente triste, mas eu não queria que a minha melancolia comprometesse aquela intimidade florescente.

– Nesse caso, sinto-me honrada– disse-lhe, provocando-o gentilmente.

– E deve sentir-se, Miss Steele. Ou talvez seja eu que me deva sentir honrado.

– Isso nem é preciso dizer, Mr. Grey – respondi, num tom mordaz.

Acabei de lhe enxugar o cabelo, peguei noutra toalha mais pequena e fui para trás dele. Os nossos olhos voltaram a cruzar-se no espelho e o seu olhar, atento e inquiridor, incitou-me a falar.

– Posso experimentar uma coisa?

Instantes depois, acenou com a cabeça. Cautelosamente, muito delicadamente, passei-lhe o tecido macio pelo braço esquerdo, enxugando a água que se acumulara em gotas sobre a sua pele, olhando depois para cima para ver a sua expressão no espelho. Ele pestanejou, olhando-me intensamente.

Eu inclinei-me para a frente e beijei-lhe os bíceps e os seus lábios entreabriram-se quase impercetivelmente. Enxuguei-lhe o outro braço de forma semelhante, deixando-lhe um rasto de beijos sobre os bíceps, e vi um ligeiro sorriso desenhar-se nos seus lábios. Limpei-lhe cuidadosamente as costas por baixo da linha indistinta de batom que era ainda visível. Não chegara a lavar-lhe as costas.

– As costas todas – disse ele, serenamente. Respirou fundo bruscamente e fechou os olhos com força, enquanto eu o enxugava rapidamente, com cuidado, de forma a tocar-lhe apenas com a toalha.

Tinha umas costas tão atraentes – ombros largos, esculturais com todos os pequenos músculos bem definidos. Cuidava realmente bem de si. Apenas as cicatrizes profanavam aquela bela visão.

Eu ignorei-as com alguma dificuldade, contendo o impulso avassalador de beijar cada uma delas. Quando terminei, ele suspirou e eu inclinei-me para a frente, recompensando-o com um beijo no ombro. Depois contornei-lhe o corpo com os braços e enxuguei-lhe o estômago. Os nossos olhos cruzaram-se mais uma vez no espelho. Ele estava com uma expressão divertida, mas igualmente cautelosa.

– Segura nisto. – Dei-lhe uma toalha de rosto mais pequena e ele franziu-me o sobrolho, confuso. – Lembras-te da Geórgia? Tu fizeste-me tocar em mim mesma, com as tuas mãos – acrescentei.

Ele ficou com uma expressão mais sombria, mas eu ignorei a sua reação e enlacei-o nos meus braços, olhando para ambos através do espelho – para a sua beleza, a sua nudez e para mim própria de cabelo coberto – parecíamos quase figuras bíblicas, saídas de uma pintura barroca do Velho Testamento.

Ele deixou-me agarrar-lhe na mão e eu guiei-a até ao seu peito, para o enxugar, passando-lhe a toalha lenta e desajeitadamente pelo corpo, uma, duas vezes – e outra ainda. Ele estava totalmente imóvel e hirto de tensão. Apenas os seus olhos se moviam, seguindo a minha mão, agarrada à sua.

O meu subconsciente olhou aprovadoramente, com um sorriso nos lábios, habitualmente crispados. Eu era o grande mestre de marionetas. A ansiedade ondulava-lhe pelas costas em vagas, mas ele manteve o contacto visual, embora os seus olhos parecessem mais sombrios e mais mortíferos... talvez para me revelarem os seus segredos.

Desejaria eu ir por aí? Defrontar os seus demónios?

– Acho que já estás enxuto – sussurrei, deixando cair a mão, e sondando as profundezas dos seus olhos no espelho. Ele estava com a respiração acelerada e os lábios entreabertos.

– Preciso de ti, Anastasia – sussurrou.

– Eu também preciso de ti. – E ao proferir aquelas palavras apercebi-me de como eram verdadeiras. Eu não me imaginava sem Christian. Nunca.

– Deixa-me amar-te – disse ele, num tom de voz rouco.

– Sim – respondi, virando-me e ele pegou-me ao colo, procurando os meus lábios com os seus, reclamando-me, suplicante, venerando-me, apreciando-me… amando-me.

Os seus dedos percorreram-me a coluna em ambas as direções, enquanto desfrutávamos da nossa felicidade pós-coital, perfeitamente saciados, de olhos postos um no outro. Estávamos deitados, juntos, eu de barriga para baixo, a apreciar o seu toque delicado, e ele de lado. Eu sabia que ele precisava de me tocar naquele momento. Eu era como um bálsamo para ele, uma fonte de consolação. Como poderia eu recusar-lhe isso, se sentia exatamente o mesmo em relação a ele?

– Afinal, consegues ser delicado – murmurei.

– Hum… é o que parece, Miss Steele.

Eu sorri.

– Não foste propriamente delicado da primeira vez que… da primeira vez que fizemos isto.

– Não? – perguntou, com um sorriso afetado. – Quanto te roubei a castidade.

– Não acho que me tenhas roubado – murmurei, arrogantemente. *Eu não sou uma donzela indefesa.* – Acho que a minha castidade te foi oferecida de livre e boa vontade. Eu também te desejava e tive bastante prazer, se a memória não me falha. – Sorri-lhe timidamente, mordendo o lábio.

– Se bem me lembro, eu também tive, Miss Steele. O nosso lema é agradar – disse ele, arrastando as palavras. A sua expressão suavizou-se e ele ficou com um ar sério. – E isso quer dizer que és totalmente minha. – Todos os vestígios de humor tinham desaparecido, ao olhar para mim.

– Pois sou – murmurei. – Queria perguntar-te uma coisa.

– Força.

– Sabes quem era... o teu pai biológico? – Era aquilo que me andava a atormentar.

Ele franziu a testa e abanou a cabeça.

– Não faço ideia. Não era o selvagem do chulo dela, o que é bom.

– Como sabes?

– Foi algo que o meu pai... algo que Carrick me disse.

Olhei expectante para o meu Cinquenta, à espera.

– Que ávida por informação, Anastasia – suspirou, abanando a cabeça. – O chulo descobriu o corpo da prostituta viciada em *crack* e comunicou-o às autoridades. Contudo, demorou quatro dias a descobri--lo e fechou a porta quando se foi embora deixando-me lá dentro com ela... com o corpo dela. – Os seus olhos ensombraram-se, ao recordá-lo.

Inspirei bruscamente. Pobre criança – era demasiado horrendo para se pensar sequer no assunto.

– A polícia interrogou-o mais tarde. Ele negou redondamente que eu tivesse alguma coisa a ver com ele e Carrick disse que ele não era nada parecido comigo.

– Lembras-te como ele era?

– Anastasia, essa não é uma parte da minha vida que eu revisite frequentemente. Sim, lembro-me de como ele era. Jamais o esquecerei. – Christian ficou com uma expressão mais sombria e mais dura. O seu rosto parecia mais angular e os seus olhos estavam a gelar de raiva. – Podemos falar de outra coisa?

– Desculpa. Não era minha intenção perturbar-te.

Ele abanou a cabeça.

– Já aconteceu há muito tempo, Ana, e não é algo em que eu queira pensar.

– Então, qual é a surpresa? – Tinha de mudar de assunto antes que ele ficasse todo Cinquenta. A sua expressão suavizou-se de imediato.

– O que achas de irmos apanhar um pouco de ar? Quero mostrar--te uma coisa.

– Claro que sim.

Impressionou-me a rapidez com que mudou de assunto – volátil como sempre. Ele dirigiu-me aquele sorriso infantil que parecia dizer "só tenho vinte e sete anos " e senti o coração na boca, pois percebi que era algo que lhe era precioso. Ele deu-me uma palmada brincalhona no rabo.

— Veste-te. Uns *jeans* servem. Espero que o Taylor te tenha colocado alguns na mala.

Ele levantou-se e vestiu os *boxers* justos. Ah... podia ficar ali sentada o dia inteiro, a vê-lo vaguear pelo quarto.

— Toca a levantar — disse ele, num tom repreensivo, autoritário como sempre. Olhei para ele a sorrir.

— Estou só a admirar a vista.

Ele revirou-me os olhos.

Enquanto nos vestíamos, reparei que nos movíamos com a sincronia de duas pessoas que se conhecem bem, ambos atentos e intensamente conscientes da presença um do outro, trocando ocasionalmente um sorriso tímido ou um toque carinhoso, e apercebi-me de que aquilo era tão novo para ele como para mim.

— Seca o cabelo — ordenou-me Christian, depois de estarmos vestidos.

— Dominador como sempre — retorqui, com um sorriso afetado, e ele curvou-se para me beijar o cabelo.

— Isso jamais vai mudar, meu amor. Não quero que tu adoeças.

Revirei-lhe os olhos e ele fez um trejeito divertido com a boca.

— Continuo a sentir um formigueiro na palma da mão, sabia, Miss Steele?

— Fico feliz por saber isso, Mr. Grey. Estava a começar a achar que o senhor estava a perder qualidades.

— Posso facilmente demonstrar-lhe o contrário, se quiser. — Christian tirou uma grande camisola bege, tricotada, do seu saco, pendurando-a habilmente aos ombros. Parecia diretamente saído das páginas de uma daquelas revistas sofisticadas, com a *t-shirt* branca, os *jeans*, o cabelo artisticamente desgrenhado, e agora aquilo.

Ninguém devia ter tão boa aparência. Não sei se foi pelo facto de me distrair momentaneamente com o seu visual perfeito, se por saber que ele me amava, mas a sua ameaça já não me apavorava. Aquele era o meu Cinquenta Sombras e ele era assim mesmo.

Ao pegar no secador, um raio tangível de esperança floresceu dentro de mim. De certeza que iríamos descobrir um meio-termo. Teríamos apenas de reconhecer as nossas necessidades e de nos adaptarmos a elas. Certamente que conseguiria fazê-lo.

Olhei para mim no espelho da cómoda. Vestira a camisa azul-clara que Taylor me comprara e me guardara na mala. O meu cabelo estava uma desgraça e tinha o rosto afogueado e os lábios inchados. Toquei neles, lembrando-me dos beijos ardentes de Christian, e não consegui conter um ligeiro sorriso, ao olhar para mim. *Sim, eu amo-te*, dissera ele.

– Onde vamos, exatamente? – perguntei, enquanto esperávamos pelo arrumador, no vestíbulo.

Christian bateu ao de leve na ponta do nariz e piscou-me o olho com um ar conspirador, como se estivesse a tentar desesperadamente conter o seu regozijo, o que era, francamente, muito pouco próprio dele.

Também estava assim quando fomos voar no planador – talvez fôssemos fazer isso mesmo. Eu retribuí-lhe com um sorriso radioso e ele olhou-me de cima, com aquele ar superior que às vezes fazia, e um sorriso enviesado, curvando-se e beijando-me delicadamente.

– Fazes alguma ideia de como me fazes sentir feliz? – perguntou num murmúrio.

– Sim… sei exatamente como, pois tu produzes o mesmo efeito em mim.

O arrumador apareceu a conduzir velozmente o carro de Christian, com um sorriso de orelha a orelha. Caramba, que felizes que estavam todos, hoje.

– Belo carro – murmurou ele, ao entregar as chaves. Christian piscou-lhe o olho e deu-lhe uma gorjeta escandalosamente generosa.

Eu franzi-lhe o sobrolho. Francamente.

Christian estava embrenhado nos seus pensamentos, enquanto seguíamos pelo meio do trânsito. Uma jovem cantava através das colunas; tinha um timbre bonito, intenso e doce, e eu rendi-me à sua voz triste e sentimental.

– Tenho de fazer um desvio. Não deve demorar muito – disse ele, descontraidamente, distraindo-me da canção.

Oh, porquê? Estava intrigada e ansiosa por saber qual era a surpresa. A minha deusa interior saltitava em redor, como uma criança de cinco anos.

– Claro – murmurei. Algo de errado se passava. Subitamente, parecia seriamente determinado.

Entrou para o parque de estacionamento de um enorme concessionário de automóveis, parou o carro e virou-se para mim com uma expressão cautelosa.

– Temos de te arranjar um carro novo – disse ele e eu olhei-o estarrecida.

Agora? A um domingo? O que raio? Aquilo era um concessionário da Saab.

– Um *Audi* não? – Por estúpido que pareça, foi a única coisa que me ocorreu dizer, mas ele corou, graças a Deus.

Christian embaraçado. Aquilo era uma estreia!

– Achei que podias preferir outro carro – murmurou, quase a torcer-se no banco.

Ah, por favor... Aquela era uma oportunidade demasiado preciosa para que eu não o provocasse. Sorri afetadamente.

– Um *Saab?*

– Sim, um A 9-3. Anda.

– Que pancada tens tu com os carros estrangeiros?

– Os alemães e os suecos fabricam os carros mais seguros do mundo, Anastasia.

Ah, sim?

– Julgava que já me tinhas encomendado outro *Audi* A3.

Ele dirigiu-me um olhar sombriamente divertido.

– Posso cancelar a encomenda. Anda. – Saiu do carro e encaminhou-se para o meu lado, abrindo-me a porta.

– Devo-te um presente de licenciatura – disse ele, estendendo-me a mão.

– Christian, não precisas de fazer isto.

– Preciso, sim. Por favor, anda. – O seu tom de voz dizia-me que não estava para brincadeiras.

Eu resignei-me ao meu destino. Um *Saab?* Eu queria um *Saab?*

A Oferta Especial de Submissa agradara-me bastante. O *Audi* era muito elegante. É claro que agora tinha uma tonelada de tinta branca em cima... Estremeci. E ela continuava à solta.

Dei a mão a Christian e ele entrou calmamente no *stand*.

Troy Turniansky, o vendedor, aferrou-se a Christian como um fato barato. Cheirava-lhe a negócio. Tinha um sotaque estranho. Britânico, talvez. Era difícil de perceber.

– Um *Saab* em segunda mão? – Esfregou as mãos de contente.

– Novo. – Christian cerrou os lábios numa linha rígida.

Novo?

– Tem algum modelo em mente? – Também era untuoso.

– Um Sedan Desportivo 9-3 2.0T.

– Excelente escolha.

– De que cor, Anastasia? – perguntou Christian, inclinando a cabeça.

– Hum... preto? – disse eu, encolhendo os ombros. – Não precisas de fazer isto.

Ele franziu o sobrolho.

– Preto é difícil de ver à noite.

Ah, por amor de Deus. Resisti à tentação de revirar os olhos.

– Tu tens um carro preto. – Ele franziu-me o sobrolho. – Amarelo-canário, então – disse eu, encolhendo os ombros.

Christian fez uma careta – amarelo-canário não era obviamente a sua cor preferida.

– Que cor queres que eu escolha? – perguntei-lhe, como se ele fosse uma criança pequena, que de facto era, em muitos aspetos. A ideia era desagradável – triste e preocupante, ao mesmo tempo.

– Prateado ou branco.

– Prateado, então. Tu sabes que eu vou aceitar o *Audi* – acrescentei, condicionada pelos meus próprios pensamentos.

Troy empalideceu, sentindo que estava a perder uma venda.

– Talvez prefira o descapotável, minha senhora – disse ele, batendo palmas, entusiasmado.

O meu subconsciente estava encolhido, indignado, mortificado com aquela história de comprar um carro, mas a minha deusa interior atirou-o ao chão. *Um descapotável? Fantástico!*

Evelyn Gregory 416-394-1006

Toronto Public Library

User ID: 2 ********** 0839

Date Format: DD/MM/YYYY

Number of Items: 1

Item ID:37131149288755
 Title:As cinquenta sombras de mais
negras
 Date due:18/05/2019

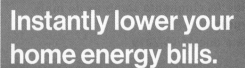

Christian franziu o sobrolho e olhou para mim.

– Um descapotável? – perguntou, arqueando uma sobrancelha.

Eu corei. Era como se ele estivesse em ligação direta com a minha deusa interior, e é claro que estava mesmo, o que era bastante inconveniente, às vezes. Olhei para as minhas mãos.

Christian virou-se para Troy.

– Quais são as estatísticas de segurança do descapotável?

Troy apercebeu-se da vulnerabilidade de Christian e entrou a matar, desbobinando todo o tipo de estatísticas.

Evidentemente que Christian queria a minha segurança. Era uma religião para ele e, como bom fanático que era, escutou atentamente o paleio bem ensaiado de Troy. O Cinquenta preocupava-se realmente comigo.

Sim, eu amo-te. Lembrei-me das palavras sufocadas que me sussurrara nessa manhã e um fulgor liquefeito espalhou-se-me pelas veias como mel quente. Aquele homem – aquela dádiva de Deus para as mulheres – amava-me.

Dei comigo a dirigir-lhe um sorriso apatetado. Ele parecia divertido, ainda que intrigado com a minha expressão, ao olhar para mim. Eu sentia-me tão feliz que me apetecia abraçar o meu próprio corpo.

– Seja lá qual for a droga que tomou, eu também quero, Miss Steele – murmurou, enquanto Troy se dirigia ao seu computador.

– Estou drogada consigo, Mr. Grey.

– A sério? Bom, pareces estar de facto intoxicada – disse ele, beijando-me rapidamente. – Obrigado por aceitares o carro. Foi mais fácil do que da última vez.

– Bom, não é um *Audi* A3.

Ele sorriu-me afetadamente.

– Isso não é carro para ti.

– Eu gostava dele.

– É o 9-3? Localizei um no nosso concessionário de Beverly Hills. Poderemos tê-lo aqui dentro de dias. – Troy estava triunfante.

– Topo de gama?

– Sim, senhor.

– Excelente. – Christian tirou o seu cartão de crédito, ou seria o de Taylor? A ideia era inquietante. Perguntei a mim mesma como estaria Taylor e se teria encontrado Leila no apartamento. Esfreguei a testa. Teria também de lidar com toda a bagagem de Christian.

– Importa-se de me acompanhar, Mr... – Troy olhou para o nome no cartão – Grey.

Christian abriu-me a porta e voltei a entrar para o lugar do passageiro.

– Obrigada – disse eu, depois de ele se instalar a meu lado.

Ele sorriu.

– Não tens de quê, Anastasia.

Christian ligou o motor e a música recomeçou.

– Quem é esta? – perguntei.

– Eva Cassidy.

– Tem uma bela voz.

– Pois tem. Ou melhor, tinha.

– Oh.

– Morreu jovem.

– Oh.

– Tens fome? Não terminaste o teu pequeno-almoço. – Olhou-me brevemente, com uma expressão ligeiramente desaprovadora.

Ui, ui. – Pois.

– Primeiro vamos almoçar, então.

Christian conduziu até à zona ribeirinha, dirigindo-se depois para norte, ao longo do viaduto Alaskan Way. Mais um dia lindo em Seattle. O tempo estivera invulgarmente bom nas últimas semanas.

Christian parecia feliz e descontraído, ao recostarmo-nos a ouvir a voz doce e sentimental de Eva Cassidy, viajando calmamente estrada fora. Será que alguma vez me sentira tão confortável na sua companhia? Não fazia ideia.

Sentia-me menos receosa em relação aos seus estados de espírito, por saber que ele não me castigaria e ele parecia também sentir-se mais confortável comigo. Virou à esquerda, seguindo a estrada da costa, acabando por entrar para um parque de estacionamento do lado oposto de uma grande marina.

— Vamos comer aqui. Eu abro-te a porta – disse-me ele. Eu percebi pelo tom da sua voz que não era sensato mexer-me e fiquei a vê-lo contornar o carro. Alguma vez me iria fartar daquilo?

Caminhámos até à beira-mar de braço dado. A marina estendia-se diante de nós.

— Tantos barcos – murmurei, pasmada. Havia centenas de barcos, de todos os tamanhos e feitios, a baloiçarem nas águas calmas e paradas da marina. Ao largo de Puget Sound havia dezenas de velas desfraldadas ao vento, a deslizarem para trás e para a frente. Era um cenário saudável de vida ao ar livre. O vento estava um pouco forte, por isso embrulhei-me no casaco.

— Tens frio? – perguntou-me, apertando-me contra si.

— Não, estou apenas a admirar a vista.

— Poderia admirá-la o dia inteiro. Vem por aqui. – Christian conduziu-me para um grande bar à beira-mar e dirigiu-se ao balcão. A decoração era mais estilo Nova Inglaterra do que Costa Oeste: paredes brancas, móveis azul-claros e uma parafernália náutica pendurada por toda a parte. Era um local claro e alegre.

— Mr. Grey! – O empregado saudou calorosamente Christian. – O que lhe posso servir hoje?

— Boa tarde, Dante – disse Christian, com um sorriso, ao subirmos ambos para dois bancos ao balcão. – Esta linda senhora é Anastasia Steele.

— Bem-vinda ao SP – disse Dante, com um sorriso amigável. Era negro e bonito. Avaliou-me com os seus olhos escuros e não pareceu ver-me defeitos. Um grande brinco de diamante piscou-me o olho da sua orelha. Simpatizei de imediato com ele.

— O que deseja tomar, Anastasia?

Eu olhei de relance para Christian que me olhava, expectante. Ah, ele ia deixar-me escolher.

— Por favor, trate-me por Ana. Tomarei o mesmo que o Christian. – Sorri timidamente a Dante. O Cinquenta era muito melhor do que eu a escolher vinhos.

— Eu vou tomar uma cerveja. Este é o único bar em Seattle onde se pode beber *Adnams Explorer*.

– Uma cerveja?

– Sim – respondeu, sorrindo. – Duas *Explorers*, Dante, por favor. Dante acenou com a cabeça e poisou duas cervejas em cima do balcão.

– Eles aqui fazem uma sopa de marisco deliciosa – disse Christian. Estava a fazer-me uma pergunta.

– Sopa e cerveja parece-me ótimo – disse eu, sorrindo-lhe.

– Duas sopas? – perguntou Dante.

– Por favor – disse Christian a sorrir para ele.

Falámos como nunca antes, durante a refeição. Christian estava descontraído e calmo – parecia jovem, feliz e animado, apesar de tudo o que se passara no dia anterior. Contou-me a história da Grey Enterprises Holdings, Inc. e quanto mais me revelava, mais eu me apercebia do seu empenho em recuperar empresas problemáticas, das suas esperanças em relação à tecnologia que estava a desenvolver e do seu sonho de tornar países do terceiro mundo mais produtivos. Eu ouvia-o extasiada. Era divertido, inteligente, filantrópico, lindo e amava-me.

Ele, por sua vez, massacrou-me com perguntas acerca de Ray e da minha mãe, sobre a minha infância nas florestas luxuriantes de Montesano e sobre as minhas breves estadias no Texas e em Las Vegas. Quis saber quais eram os meus livros e filmes preferidos e fiquei surpreendida por ver que tínhamos muito em comum.

Enquanto falávamos apercebi-me de que Alec de Hardy[3] dera lugar ao Anjo, e de que o rebaixamento se convertera numa nobre aspiração, num curto espaço de tempo.

Já passava das duas quando terminámos a nossa refeição. Christian fez contas com Dante, que se despediu de nós amigavelmente.

– Este sítio é ótimo. Obrigada pelo almoço – disse eu, quando Christian me deu a mão e saímos do bar.

– Voltaremos cá mais vezes – disse ele e caminhámos ao longo da costa. – Queria mostrar-te uma coisa.

– Eu sei… e mal posso esperar para ver, seja lá o que for que me queiras mostrar.

3. Alusão ao personagem libertino do livro *Tess of the Ubberville's* de Thomas Hardy, mencionado no livro anterior, *As Cinquenta Sombras de Grey*. (N. da T.)

Caminhámos calmamente de mãos dadas, ao longo da marina. Estava uma tarde muito agradável. As pessoas desfrutavam do seu domingo ao ar livre – passeando cães, admirando os barcos, observando os filhos a correr pelo passeio marítimo.

Ao percorrermos a marina, os barcos foram-se tornando gradualmente maiores. Christian conduziu-me à doca e parou diante de um enorme *catamaran*.

– Pensei em levar-te a velejar esta tarde. Este é o meu barco.

Com os diabos. Devia ter pelo menos doze metros, talvez até quinze. Tinha dois elegantes cascos, um convés e uma espaçosa cabina. Um mastro impressionante erguia-se por cima das nossas cabeças. Eu não entendia nada de barcos, mas percebi que aquele era especial.

– Uau... – murmurei, deslumbrada.

– Foi construído pela minha empresa – disse ele orgulhosamente e eu senti o coração cheio. – Desenhado de cima abaixo pelos melhores arquitetos navais do mundo e construído aqui, em Seattle. Tem transmissão elétrica híbrida, patilhões assimétricos, vela grande quadrada...

– Ok... agora perdi-me, Christian.

Ele sorriu.

– É um excelente barco.

– Parece fantástico, Mr. Grey.

– Lá isso é verdade, Miss Steele.

– Como se chama?

Ele puxou-me para o lado para que eu pudesse ver o nome: *The Grace*. Eu fiquei surpreendida.

– Deste-lhe o nome da tua mãe?

– Sim – anuiu, inclinando a cabeça para um lado, intrigado. – Porque achas isso estranho?

Encolhi os ombros. Estava surpreendida, talvez pelo facto de ele parecer sempre ambivalente na presença dela.

– Eu adoro a minha mãe, Anastasia. Porque não haveria de dar o nome dela a um barco? – Eu corei.

– Não é isso... é só que... – Merda, como poderia eu pôr aquilo em palavras?

– Anastasia, a Grace Trevelyan-Grey salvou-me a vida. Devo-lhe tudo.

Eu olhei para ele, deixando-me inundar pela reverência contida na sua branda confissão. Pela primeira vez, tornou-se evidente para mim que ele amava a mãe. Porquê aquela ambivalência e tensão em relação a ela, então?

– Queres subir a bordo? – perguntou, com os olhos brilhantes de entusiasmo.

– Se não te importas – respondi, com um sorriso.

Ele parecia encantado. Agarrou-me na mão e subiu pela pequena prancha de embarque, conduzindo-me a bordo. Estávamos no convés, por baixo de uma cobertura rígida.

De um lado havia uma mesa e uma banqueta em U, forrada de cabedal azul-claro, onde se podiam sentar pelo menos oito pessoas. Olhei para o interior da cabina, através das portas deslizantes, e tive um sobressalto, ao ver que estava lá alguém. Um homem alto e loiro abriu as portas e saiu. Estava muito bronzeado, tinha cabelo encaracolado e olhos castanhos, e usava um polo de manga curta, debotado, cor-de-rosa, calções e sapatos de vela. Devia ter trinta e poucos anos.

– Mac – disse Christian com um grande sorriso.

– Bem-vindo de volta, Mr. Grey – disse ele, e apertaram a mão.

– Anastasia, este é Liam McConnell. Liam, a minha namorada, Anastasia Steele.

Namorada?! A minha deusa interior fez uma pose de *ballet*. Ainda estava a sorrir à conta do descapotável. Eu tinha de me habituar àquilo – não era a primeira vez que ele o dizia, mas ouvi-lo da sua boca ainda era emocionante.

– Como está? – Liam e eu apertámos a mão.

– Trate-me por Mac – disse ele, amigavelmente. Não consegui situar o sotaque dele. – Bem-vinda a bordo, Miss Steele.

– Ana, por favor – murmurei, corando. Ele tinha uns olhos castanhos profundos.

– O que me dizes da nossa menina, Mac? – atalhou Christian rapidamente e, por instantes, pensei que ele estivesse a falar de mim.

– Pronta para entrar em ação – respondeu Mac com um grande sorriso. *Ah, o barco, The Grace.* Que parvoíce a minha.

– Então toca a mexer.

– Vais sair com ele?

– Sim. – Christian sorriu maliciosamente a Mac. – Um passeio rápido, Anastasia?

– Se não te importas.

Segui-o para dentro da cabina. Mesmo à nossa frente estava um sofá creme, de cabedal em L e, por cima deste, uma enorme janela curva, com vista panorâmica sobre a marina. À esquerda ficava a área da cozinha – muito bem equipada, toda ela em madeira clara.

– Esta é a sala principal e a cozinha fica ao lado – disse Christian acenando com a mão na direção da cozinha.

Deu-me a mão e percorremos a cabina principal. Era surpreendentemente espaçosa. O chão também era em madeira clara. Parecia moderna e elegante e tinha um aspeto leve e arejado, mas bastante funcional, como se ele não passasse muito tempo ali.

– Há casas de banho de ambos os lados – disse Christian, apontando para duas portas. Depois abriu uma pequena porta, com um formato estranho, mesmo à nossa frente e entrou. Estávamos num confortável quarto. *Oh...*

O quarto tinha uma enorme cama de cabina de madeira clara como a do seu quarto no Escala, com roupa de cama azul-clara. Era óbvio que quando Christian escolhia um tema mantinha-se fiel a ele.

– Esta é a cabina de casal. – Olhou para mim, de olhos brilhantes. – Tu és a primeira rapariga que aqui entra, tirando as da minha família – disse ele –, mas essas não contam.

Eu corei sob o seu olhar escaldante e o meu pulso acelerou. *A sério?* Mais uma estreia. Ele puxou-me para os seus braços, e enredou os dedos nos meus cabelos, beijando-me longamente, com força. Quando se afastou, estávamos ambos sem fôlego.

– Talvez tenha de batizar esta cama – sussurrou contra a minha boca. *Ah, em pleno mar!*

– Mas não agora. Anda, o Mac deve estar quase a sair com o barco. – Ignorei a pontada de desapontamento que senti, quando ele me deu a mão e voltámos a atravessar a sala. Apontou para outra porta.

– Aqui é o escritório e ali à frente há mais duas cabinas.

– Quantas pessoas podem dormir a bordo?

– É um *catamaran* com seis cabinas. Só tive a família a bordo. Gosto de velejar sozinho, mas contigo aqui não, pois tenho de ficar de olho em ti.

Vasculhou dentro de um baú e tirou um colete de salvação vermelho-vivo.

– Aqui tens. – Enfiou-mo pela cabeça e apertou todas as correias, com um ligeiro sorriso nos lábios.

– Adoras amarrar-me, não é?

– Seja de que maneira for – respondeu com um sorriso libertino nos lábios.

– És um pervertido.

– Eu sei – disse ele, arqueando as sobrancelhas e o seu sorriso alargou-se.

– Meu pervertido – sussurrei.

– Sim, teu. – Depois de me prender, agarrou o colete de ambos os lados e beijou-me. – Sempre – sussurrou, largando-me antes que eu tivesse hipótese de reagir.

Sempre? Caramba!

– Anda. – Deu-me a mão e conduziu-me para o exterior, subindo uns degraus até ao convés superior e depois até ao pequeno *cockpit* que alojava um grande leme e um assento elevado. Mac estava à proa do barco a fazer algo com umas cordas.

– Foi aqui que aprendeste todos os teus truques de cordas? – perguntei-lhe, inocentemente.

– O nó volta de fiel deu jeito – disse ele, olhando-me com um ar avaliador. – Parece curiosa, Miss Steele. Gosto que fique curiosa. Terei o maior prazer em demonstrar o que sei fazer com uma corda. – Sorriu-me afetadamente e eu olhei-o com um ar impassível como se ele me tivesse incomodado. Ficou com uma expressão consternada.

– Apanhei-te – disse eu, sorrindo.

Ele fez um trejeito com a boca e semicerrou os olhos.

– Talvez tenha de tratar de ti mais tarde mas, neste momento, tenho de conduzir o meu barco. – Sentou-se aos comandos, carregou num botão e o motor rugiu.

Mac percorreu apressadamente um dos lados do barco, sorriu-me e saltou para o convés de baixo, onde começou a desamarrar uma corda. Talvez ele também soubesse uns truques de corda. A ideia ocorreu-me sem querer e eu corei.

O meu subconsciente olhou-me furioso. Eu encolhi-lhe os ombros mentalmente e olhei de relance para Christian – a culpa era do Cinquenta. Ele pegou no recetor e contactou a guarda costeira pelo rádio, quando Mac nos gritou a avisar que estávamos prontos para sair.

Fiquei mais uma vez deslumbrada com a perícia de Christian. Havia alguma coisa que aquele homem não soubesse fazer? Depois lembrei-me de o ver tentar cortar e picar um pimento no meu apartamento, na sexta-feira anterior, e a ideia fez-me sorrir.

Christian afastou lentamente o *The Grace* do ancoradouro, em direção à entrada da marina. Para trás ficava uma pequena multidão que se reunira na doca, para nos ver partir. Algumas crianças estavam a acenar e eu acenei-lhes também.

Christian olhou por cima do ombro e puxou-me para o colo dele, apontando para vários mostradores e dispositivos no *cockpit*.

– Agarra na roda do leme – ordenou, autoritário como sempre, e eu obedeci.

– Sim, meu comandante! – exclamei a rir.

Ele colocou as mãos sobre as minhas e continuou a conduzir-nos para fora da marina. Minutos depois estávamos em mar aberto, nas águas azuis e frias de Puget Sound. Longe da parede protetora da marina, o vento era mais forte e o mar encrespava-se e ondulava por baixo de nós.

Não pude deixar de sorrir, ao sentir a excitação de Christian – aquilo era tão divertido. Descrevemos uma grande curva até ficarmos virados para oeste, na direção da Olympic Península, com vento de feição.

– É altura de velejar – disse Christian, entusiasmado. – Toma, leva-o tu. Mantêm-no nesta rota.

O quê? Ele sorriu, reagindo ao horror estampado no meu rosto.

– É muito fácil, amor. Segura a roda do leme e mantém os olhos no horizonte, por cima da proa. Vais conseguir. Consegues sempre. Quando içarmos as velas, vais sentir o puxão, mas bastará que o mantenhas firme. Eu farei um sinal assim. – Fez um gesto transversal, ao longo da garganta. – e tu poderás desligar os motores. Este botão, aqui. – Apontou para um grande botão negro. – Entendido?

– Sim – respondi, acenando nervosamente com a cabeça. *Com os diabos – eu não esperava ter de fazer nada!*

Ele beijou-me rapidamente, saiu da cadeira de comandante e saltou para a parte da frente do barco, para se reunir a Mac. Depois começou a içar as velas, a desamarrar cordas e a operar manivelas e polias. Trabalhavam bem em equipa, gritando vários termos náuticos um ao outro. Era reconfortante ver o Cinquenta a interagir com outra pessoa de forma tão descontraída.

Talvez Mac fosse amigo do Cinquenta. Ele não parecia ter muitos amigos, tanto quanto eu sabia, mas eu também não tinha muitos. Pelo menos ali em Seattle. A minha única amiga estava de férias a apanhar banhos de sol em Saint-James, na costa oeste de Barbados.

Subitamente, senti-me angustiada ao pensar em Kate. Tinha mais saudades da minha companheira de apartamento do que julgava que iria ter quando ela partira. Esperava que ela mudasse de ideias e decidisse regressar com o irmão, Ethan, em vez de prolongar a sua estadia com Elliot, o irmão de Christian.

Christian e Mac içaram a vela grande. Esta encheu-se e ondulou para fora, prisioneira do vento, e o barco deu um solavanco súbito, avançando velozmente. Eu sentia-o através da roda do leme. *Eh lá!*

Eles começaram a soltar a bujarrona e eu observava fascinada, ao vê-la voar pelo mastro acima. O vento apanhou-a, esticando-a, completamente.

– Mantém-no na rota e desliga os motores, querida! – gritou-me Christian sobre o vento, fazendo-me sinal para desligar os motores. Eu mal ouvi a sua voz, mas acenei entusiasticamente com a cabeça, olhando para o homem que amava, fustigado pelo vento, entusiasmado, a amparar-se para não cair com as inclinações e as guinadas do barco.

Carreguei no botão, o rugido dos motores cessou e o *The Grace* deslizou velozmente em direção à Olympic Península, roçando ao de leve pela água, como se voasse. Apetecia-me gritar, guinchar e aplaudir. Aquela devia ser uma das experiências mais excitantes da minha vida, tirando talvez a do planador e a do Quarto Vermelho da Dor.

Eh lá. Aquele barco movia-se bem! Mantive-me firme, agarrada à roda do leme, lutando com o leme. Instantes depois, Christian estava de novo atrás de mim, com as suas mãos sobre as minhas.

– O que achas? – gritou por cima do ruído do vento e do mar.

– Isto é fantástico, Christian!

Ele fez-me um sorriso de orelha a orelha. – Espera até içarmos a bujarrona. – Apontou com o queixo para Mac que estava a içar a bujarrona, uma vela num tom intenso de vermelho-escuro. Lembrava-me as paredes do quarto do prazer.

– Que cor interessante – gritei. Ele dirigiu-me um sorriso de lobo e piscou-me o olho. Ah, era deliberado.

A bujarrona enfunou-se numa estranha e gigantesca forma elíptica. O *The Grace* ganhou velocidade e cortou livremente as águas.

– É uma vela assimétrica para se ganhar velocidade – disse Christian, respondendo à pergunta por formular.

– É espantoso. – Não me ocorreu melhor resposta. Eu estava com o sorriso mais ridículo que se possa imaginar, ao cortarmos velozmente as águas, em direção às majestosas montanhas Olympic e à ilha Bainbridge. Olhei para trás e vi Seattle e Monte Rainier a desaparecerem à distância.

Nunca me tinha apercebido de quão bela e acidentada era realmente a paisagem em redor de Seattle – verdejante, luxuriante e temperada, com grandes árvores de folhagem perene e falésias salientes aqui e ali. A sua beleza selvagem e serena, naquela maravilhosa tarde soalheira, deixou-me sem fôlego. A sua quietude era assombrosa comparada com a velocidade a que cortávamos as águas.

– A que velocidade vamos?

– O barco vai a quinze nós.

– Não faço ideia do que isso quer dizer.

– São cerca de trinta quilómetros por hora.

– Só? Parece ir muito mais depressa.

Ele apertou-me as mãos e sorriu.

– Estás linda, Anastasia. É bom ver alguma cor nas tuas faces… sem ser por corares. Estás com o ar que tinhas nas fotos do José.

Eu virei-me e beijei-o.

– Você sabe proporcionar bons momentos a uma rapariga, Mr. Grey.

– O nosso lema é agradar, Miss Steele. – Afastou-me o cabelo e beijou-me a nuca, e eu senti um delicioso formigueiro pela coluna abaixo. – Gosto de te ver feliz – murmurou, apertando os braços em torno de mim.

Eu olhei para a vastidão de água azul, pensando o que teria feito no passado para que a sorte me sorrisse e me concedesse aquele homem.

Sim, és uma cabra com sorte, disse o meu subconsciente, bruscamente. *Mas ele vai dar-te que fazer, porque não vai aceitar essa treta da baunilha para sempre... vais ter de chegar a um compromisso.* Dirigi mentalmente um olhar furioso àquele rosto irritante e insolente, encostando a cabeça ao peito de Christian. No meu íntimo sabia que o meu subconsciente tinha razão, mas pus a ideia de lado, pois não queria estragar o meu dia.

Uma hora depois estávamos ancorados numa pequena enseada à saída da ilha Bainbridge. Mac fora a terra na balsa insuflável – para quê não sei, mas tinha as minhas suspeitas, pois assim que Mac ligou o motor fora de borda, Christian pegou na minha mão e arrastou-me praticamente para dentro da sua cabina, como se tivesse uma missão a cumprir.

Agora estava diante de mim a irradiar uma sensualidade intoxicante e os seus dedos destros desembaraçaram-me rapidamente das correias do colete salva-vidas. Depois, atirou-o para o lado, fitando-me intensamente com uns olhos sombrios de pupilas dilatadas.

Ainda mal me tocara, mas eu já me sentia perdida. Levou a mão ao meu rosto e os seus dedos deslizaram-me pelo queixo, ao longo da garganta e senti o peito a arder sob o seu toque, ao alcançar o primeiro botão da minha blusa azul.

– Quero ver-te – sussurrou. Desapertou-me habilmente o botão e curvou-se, depositando-me um beijo suave nos lábios entreabertos. Eu estava ofegante e ávida, excitada, com aquele poderoso *cocktail* – a sua beleza cativante e a sua sexualidade crua, no interior daquela cabina, combinada com os delicados balanços do barco. Ele recuou.

– Despe-te para mim – sussurrou, de olhos ardentes.

Oh, meu Deus. Seria um prazer obedecer-lhe. Desabotoei lentamente todos os botões, sem tirar os olhos dele, saboreando o seu olhar escaldante. Oh, aquilo era inebriante. Conseguia ver o seu desejo, este era mais do que evidente no seu rosto… e no resto do corpo.

Deixei a camisa cair para o chão e levei a mão ao botão dos meus *jeans*.

– Para – ordenou. – Senta-te.

Eu sentei-me à beira da cama e ele ajoelhou-se diante de mim, num único movimento fluido, desapertando-me os atacadores de um dos ténis e a seguir do outro, descalçando-me, e tirando-me depois as meias. Pegou-me no pé esquerdo, ergueu-o, e depositou-me um beijo suave na ponta do meu dedo grande, roçando os dentes nele.

– Ah! – Eu senti o efeito nas virilhas e gemi. Ele levantou-se num único movimento suave, estendeu-me a mão e puxou-me para fora da cama.

– Continua – disse ele e recuou, para me observar.

Eu abri lentamente o fecho dos *jeans*, encaixei os dedos no cós e bamboleei-me fazendo deslizar a ganga ao longo das pernas. Um sorriso suave desenhou-se-lhe nos lábios, mas os seus olhos continuavam sombrios.

Não sei se foi pelo facto de ter feito amor comigo nessa manhã – e fizera-o de facto com ternura e doçura – ou devido à sua apaixonada confissão, ao dizer *sim… eu amo-te* – mas não me sentia nada embaraçada. Queria ser *sexy* para aquele homem. Ele merecia-o – ele fazia-me sentir *sexy*. Ok, isso para mim era novo, mas estava a aprender sob a sua tutela experiente e havia muita coisa que também era nova para ele. Creio que isso equilibrava um pouco as coisas entre nós.

Eu vestira algumas das minhas peças de roupa interior novas – uma tanga rendada branca e um sutiã a condizer – uma marca de *design* com uma etiqueta de preço a condizer. Saí de dentro das calças de ganga e fiquei diante dele com a *lingerie* que ele pagara, mas já não me sentia reles. Sentia-me sua.

Levei a mão atrás das costas e desapertei o sutiã, fazendo deslizar as alças ao longo dos braços, e deixando-o cair em cima da blusa. Tirei lentamente as cuecas, deixando-as cair junto dos tornozelos e saí de dentro delas, surpreendida com a minha elegância.

Estava parada diante dele, nua, sem sentir vergonha, e percebi que era por ele me amar. Já não tinha de me esconder. Ele não disse nada, limitando-se a olhar para mim. Eu via apenas desejo nele, talvez até adoração, e algo mais: a profundidade da sua carência, a profundidade do seu amor por mim.

Ele baixou os braços, ergueu a bainha da camisola creme e despiu-a pela cabeça, seguida da *t-shirt*, descobrindo o peito, sem nunca tirar os seus ousados olhos cinzentos dos meus. Depois tirou os sapatos e as meias antes de agarrar no botão dos *jeans*.

Eu estiquei o braço e sussurrei:

– Deixa-me fazê-lo.

Ele crispou brevemente os lábios em O e sorriu.

– À vontade.

Eu avancei na direção dele, meti os dedos destemidos por dentro do cós dos seus *jeans* e puxei-o, forçando-o a aproximar-se de mim. Ele arquejou involuntariamente perante a minha inesperada audácia e depois sorriu. Desapertei-lhe o botão, mas antes de lhe abrir o fecho, os meus dedos afagaram a sua ereção, através da ganga. Ele fletiu as ancas contra a palma da minha mão e fechou os olhos.

– Estás a ficar tão ousada, Ana, tão corajosa – murmurou ele, agarrando-me no rosto com ambas as mãos e curvando-se para me beijar em profundidade.

Levei as mãos às suas ancas, encostando parte das mãos à sua pele fresca e outra parte ao cós descaído dos seus *jeans*.

– Tu também – disse eu, contra os seus lábios, massajando-lhe a pele em círculos lentos, com os polegares. Ele sorriu.

– Estou a chegar lá.

As minhas mãos moveram-se até à parte da frente dos seus *jeans* e puxei o fecho. Os meus dedos intrépidos mergulharam nos seus pelos púbicos até à sua ereção e eu agarrei-a firmemente.

Ele deixou escapar um gemido grave e gutural, varrendo-me com a sua respiração doce e voltou a beijar-me afetuosamente. Enquanto a minha mão se movia sobre o seu membro e em redor dele, afagando-o e apertando-o firmemente, ele envolveu-me nos seus braços, encostou a palma da mão direita às minhas costas e abriu os dedos.

A sua mão esquerda estava no meu cabelo a prender-me contra a sua boca.

– Oh, desejo-te tanto, amor – sussurrou, recuando subitamente e despindo os *jeans* e os *boxers* num único movimento rápido e ágil. Era uma visão magnífica, vestido ou despido. Todo ele.

Era perfeito. *Só as cicatrizes profanavam a sua beleza*, pensei eu tristemente e iam muito além da superfície da pele.

– O que se passa, Ana? – murmurou, afagando-me delicadamente a cara com os nós dos dedos.

– Nada. Ama-me, agora.

Ele puxou-me para os seus braços e beijou-me, mergulhando as mãos no meu cabelo. As nossas línguas entrelaçaram-se e ele guiou-me de novo até à cama, deitando-me delicadamente sobre ela e estendendo--se depois a meu lado.

Roçou-me o nariz pela linha do maxilar e as minhas mãos mergulharam nos seus cabelos.

– Fazes alguma ideia de como é maravilhoso o teu cheiro, Ana? É irresistível. – As suas palavras provocaram o efeito de sempre, incendiando-me o sangue e acelerando-me o pulso, e ele roçou-me o nariz pela garganta, ao longo dos seios, beijando-me com reverência.

– És tão bonita – murmurou, agarrando-me num dos mamilos com a boca e chupando-o suavemente. Eu gemi, arqueando o corpo sobre a cama.

– Quero ouvir-te, amor.

A sua mão desceu até à minha cintura, e eu deliciei-me com o seu toque – a sua pele contra a minha. Os seus dedos longos e experientes afagaram-me, acarinhando-me, deslizando-me sobre as ancas e o rabo, descendo-me pela perna até ao joelho. A sua boca ávida estava colada aos meus seios, beijando-os e sugando-os incessantemente durante todo esse tempo.

Agarrou-me no joelho e ergueu-me subitamente a perna, curvando-a sobre os seus lábios. Eu arquejei e senti o seu sorriso contra a minha pele, ainda que não o visse. Ele virou-se, de forma a eu ficar sentada sobre ele, e deu-me uma embalagem de preservativos.

Eu recuei, agarrei-lhe no membro, incapaz de resistir ao seu esplendor, e curvei-me, beijando-o e metendo-o na boca, girando a língua em torno dele e chupando-o com força. Ele gemeu e fletiu as ancas, empurrando-o mais para dentro da minha boca.

Hum... sabia bem. Queria-o dentro de mim. Endireitei-me e olhei para ele. Estava ofegante, de boca aberta, a observar-me atentamente.

Rasguei apressadamente a embalagem do preservativo, desenrolando-o sobre o seu membro. Ele estendeu-me as mãos. Eu dei-lhe uma mão, posicionando-me sobre ele com a outra e reclamei lentamente a sua posse. Ele deixou escapar um gemido grave e gutural e fechou os olhos.

A sensação de o ter dentro de mim... a estirar-me... e a preencher-me era divinal. Gemi baixinho. Ele colocou as mãos sobre as minhas ancas, movendo-me para cima e para baixo e arremeteu contra mim... *Tão bom.*

– Oh, amor – sussurrou. Subitamente, sentou-se, e ficámos cara a cara. A sensação era extraordinária, de tão plena. Eu arquejei e agarrei-me aos seus braços. Ele agarrou-me a cabeça entre as mãos e olhou-me nos olhos. Os seus olhos cinzentos ardiam de desejo.

– Oh, Ana, o que tu me fazes sentir – murmurou, beijando-me apaixonadamente, com um ardor fervente. Eu retribuí-lhe o beijo, estonteada com a deliciosa sensação de o ter profundamente enterrado dentro de mim.

– Amo-te – murmurei. Ele gemeu, como se as minhas palavras sussurradas o magoassem e virou-se, arrastando-me consigo, sem quebrar o nosso precioso contacto. Eu fiquei deitada por baixo dele e enrolei as pernas à volta da sua cintura.

Ele baixou os olhos para mim com um assombro reverente e eu tenho a certeza de que estava com uma expressão semelhante, ao erguer a mão para acariciar o seu belo rosto. Ele começou a mover-se muito lentamente, fechando os olhos como costumava fazer, gemendo suavemente.

Nada perturbava a paz e a tranquilidade silenciosa da cabina e os balanços delicados do barco, a não ser o ruído da respiração combinada de ambos. Ele movia-se lentamente, para dentro e para fora de mim, a um ritmo absolutamente controlado, absolutamente delicioso – era divinal. Colocou-me o braço por cima da cabeça e mergulhou a mão no meu cabelo, acariciando-me o rosto com a outra mão, e curvando-se para me beijar.

236

Eu estava encasulada nele. Ele amava-me, entrando e saindo lentamente de dentro de mim, saboreando-me. Eu respeitei os limites, tocando-lhe nos braços, no cabelo, ao fundo das costas e no seu lindo rabo. O seu ritmo constante estava a elevar-me cada vez mais e a minha respiração começou a ficar mais acelerada. Ele beijava-me a boca, o queixo e o maxilar a cada suave arremetida do seu corpo.

O meu corpo começou a estremecer. *Oh... já conheço tão bem esta sensação... estou quase... Oh...*

– Isso, amor... vem-te para mim... Por favor... Ana – murmurou ele e as suas palavras foram a minha desgraça.

– Christian – gritei. Ele gemeu e ambos nos viemos ao mesmo tempo.

CAPÍTULO DEZ

— O Mac deve estar de volta daqui a pouco — murmurou ele.

— Hum. — Os meus olhos estremeceram e abriram-se, deparando-se com o cinzento-suave dos seus olhos. Meu Deus, os seus olhos tinham uma cor espantosa, especialmente no mar, refletindo a luz que se projetava da água, para o interior da cabina, através das pequenas vigias.

— Por muito que gostasse de ficar aqui deitado contigo toda a tarde, ele vai precisar de ajuda com a balsa. — Christian inclinou-se para a frente e beijou-me ternamente. — Ana, estás tão linda neste momento, tão desalinhada e *sexy* que me fazes desejar-te ainda mais. — Sorriu e levantou-se da cama.

— O senhor também não está nada mal, Comandante — disse eu, estalando os lábios com um ar apreciador e ele sorriu.

Vi-o mover-se pela cabina enquanto se vestia. Aquele homem voltara a fazer amor comigo. Mal podia acreditar na minha sorte. Mal podia acreditar que ele era meu. Ele sentou-se a meu lado para calçar os sapatos.

— Comandante, não é? — perguntou, secamente. — Bom, eu sou o comandante desta embarcação.

Inclinei a cabeça para um lado.

— É comandante do meu coração, Mr. Grey. *E do meu corpo... e da minha alma.*

Ele abanou a cabeça, incrédulo, e curvou-se para me beijar.

— Estou no convés. Há um chuveiro na casa de banho, se quiseres tomar um duche. Precisas de alguma coisa? Uma bebida? — perguntou solicitamente e eu consegui apenas sorrir-lhe. Seria aquele o mesmo homem? Seria aquele o mesmo Cinquenta?

— O que foi? — perguntou, reagindo ao meu sorriso idiota.

— Tu.

238

– Eu o quê?

– Quem és tu? O que fizeste tu do Christian?

Um sorriso triste estremeceu-lhe nos lábios.

– Ele não está muito longe, amor – disse, brandamente. Havia uma nota de melancolia na sua voz que me fez arrepender imediatamente de ter feito a pergunta. Mas ele sacudiu-a. – Vê-lo-ás dentro em breve – acrescentou com um sorriso afetado –, especialmente se não te levantares. Esticou o braço e bateu-me com força no rabo, fazendo-me gritar e rir ao mesmo tempo.

– Estava a ficar preocupada contigo.

– Ah, sim? – perguntou, franzindo a testa. – Transmites de facto sinais confusos, Anastasia. Como é que um homem te pode acompanhar? – Inclinou-se e voltou a beijar-me. – Até logo, amor – acrescentou, com um sorriso deslumbrante, levantando-se e deixando-me a sós com os meus pensamentos dispersos.

Quando subi para o convés, Mac estava de novo a bordo, mas desapareceu no convés superior quando abri a porta da sala. Christian estava a falar no seu BlackBerry. *A falar com quem?*, perguntei para comigo mesma. Ele aproximou-se calmamente e puxou-me contra si, beijando-me o cabelo.

– Ótimas notícias… ótimo. Sim… A sério? Na escada de emergência?... Compreendo… Sim, hoje à noite. – Carregou no botão de desligar e o ruído dos motores a arrancarem sobressaltou-me. Mac devia estar no *cockpit*, lá em cima.

– É altura de regressar – disse Christian, beijando-me mais uma vez e colocando-me o colete salva-vidas.

O sol estava baixo atrás de nós, ao regressarmos à marina e eu refleti naquela tarde maravilhosa. Conseguira arrear uma vela grande, uma bujarrona e aprendera a fazer um nó direito, uma volta de fiel e um nó de encurtar, sob as instruções cautelosas e pacientes de Christian. Os seus lábios estremeceram ao longo de toda a lição.

– Um dia ainda te amarro – murmurei mal-humorada.

Ele fez um trejeito divertido com a boca.

– Primeiro terá de me apanhar, Miss Steele.

As suas palavras fizeram-me recordar o dia em que ele me perseguiu pelo apartamento, a emoção e o horrendo rescaldo. Franzi o sobrolho e estremeci. Depois disso deixara-o.

Abandoná-lo-ia de novo, agora que ele admitira que me amava? Olhei para os seus olhos cinzento-claros. Seria eu capaz de o abandonar de novo, independentemente do que fizesse por mim? Conseguiria traí-lo dessa forma? Não, não me parecia.

Ele mostrou-me aquele lindo barco em maior detalhe, esclarecendo-me acerca de todas as técnicas, *designs* inovadores e materiais de alta qualidade utilizados para o construir, o que me fez recordar a entrevista no dia em que o conhecera. Na altura apercebera-me da sua paixão por barcos, mas pensava que esta envolvesse apenas os cargueiros que a sua empresa construía e não *catamarans* super *sexy* e elegantes.

Além disso, voltara a fazer amor comigo sem pressas, é claro. Abanei a cabeça ao lembrar-me do meu corpo arqueado e carente, debaixo das suas mãos experientes. Tinha a certeza de que ele era um amante excecional – embora não tivesse ninguém com quem comparar. Mas Kate tê-lo-ia elogiado muito mais se tivesse sido sempre assim, pois não era pessoa para se poupar a detalhes.

Mas por quanto tempo iria aquilo ser suficiente para ele? Eu não sabia e a ideia era inquietante.

Agora ele estava sentado e eu estava de pé aconchegada no círculo seguro dos seus braços, aparentemente há horas, num silêncio confortável e amistoso, à medida que o *The Grace* se aproximava de Seattle. Eu estava atrás do leme e Christian aconselhava-me de vez em quando sobre os ajustamentos a fazer.

– Há na vela um poema mais antigo do que o mundo – murmurou ao meu ouvido.

– Isso parece uma citação.

Senti o seu sorriso.

– E é mesmo, de Antoine Saint-Exupéry.

– Oh... eu adoro *O Principezinho*.

– Eu também.

Era fim de tarde quando Christian nos conduziu para o interior da marina ainda com as suas mãos sobre as minhas. As luzes cintilantes dos barcos refletiam-se na água escura, mas ainda havia luz – um fim de tarde ameno e claro, um prelúdio para um pôr do Sol que se anunciava espetacular.

Uma multidão reuniu-se na doca enquanto Christian virava lentamente o barco, num espaço relativamente pequeno, mas ele fê-lo com facilidade recuando suavemente para o mesmo ancoradouro de onde partíramos antes. Mac saltou para a doca, amarrando firmemente o *The Grace* a um pegão.

– Estamos de volta – murmurou Christian.

– Obrigada – murmurei timidamente. – Foi uma tarde perfeita.

Christian sorriu. – Eu também achei. Talvez possamos inscrever-te numa escola de vela, para podermos sair só nós os dois, durante alguns dias.

– Eu adoraria. E assim podemos rebatizar o quarto vezes sem conta.

Ele inclinou-se para a frente e beijou-me por baixo da orelha.

– Hum, estou ansioso por isso, Anastasia – sussurrou, eriçando-me todos os pelos.

Como conseguia ele fazer aquilo?

– Anda, o apartamento está limpo. Podemos voltar.

– E as coisas que temos no hotel?

– O Taylor já as recolheu.

Oh! Quando?

– Esta manhã, depois de passar revista ao *The Grace* com a sua equipa – disse Christian, respondendo à minha pergunta por formular.

– Aquele pobre homem alguma vez dorme?

– Dorme, sim – disse Christian arqueando-me uma sobrancelha, intrigado. – Está apenas a fazer o seu trabalho, Anastasia, e é bastante bom no que faz. Jason é um verdadeiro achado.

– Jason?

– Jason Taylor.

Eu julgava que Taylor era o seu primeiro nome. Jason parecia adequar-se a ele – um nome sólido, digno de confiança. Isso fez-me sorrir por qualquer razão.

– Tu gostas do Taylor – disse Christian, olhando-me especulativamente.

– Suponho que sim. – A pergunta dele desorientou-me. Ele franziu o sobrolho. – Não me sinto atraída por ele, se é esse o motivo por que estás a franzir o sobrolho. Para com isso.

Christian estava quase a fazer beicinho – parecia amuado. *Caramba, ele às vezes é tão infantil.*

– Acho que o Taylor cuida muito bem de ti. É por isso que gosto dele. Parece gentil, digno de confiança e leal. Sinto um apelo avuncular nele.

– Avuncular?

– Sim.

– Ok, avuncular. – Christian estava a testar a palavra e o significado dela. Eu dei uma gargalhada.

– Oh, Christian, cresce, por amor de Deus.

Ele ficou pasmado com a minha explosão, mas depois franziu o sobrolho como se estivesse a ponderar no meu comentário.

– Estou a tentar – acabou por dizer.

– Lá isso é verdade. Estás a esforçar-te bastante – respondi, brandamente, mas depois revirei-lhe os olhos.

– Que memórias evocas ao revirar-me os olhos, Anastasia? – perguntou, sorrindo.

Eu fiz-lhe um sorriso afetado:

– Bom, se te portares bem, talvez possamos reviver algumas dessas memórias.

Ele fez um trejeito bem-disposto com a boca.

– Portar-me bem? – disse ele, arqueando as sobrancelhas. – Francamente, Miss Steele, o que a faz pensar que eu quero revivê-las?

– Provavelmente a forma como os teus olhos se iluminaram como se fosse Natal, na altura em que o disse.

– Já me conheces tão bem – disse ele, secamente.

– Gostaria de te conhecer melhor.

Ele sorriu brandamente.

– E eu a ti, Anastasia.

– Obrigado, Mac – Christian apertou mão de McConnell e saiu para a doca.

– É sempre um prazer, Mr. Grey, até à próxima. Prazer em conhecê-la, Ana.

Eu apertei-lhe a mão timidamente. Ele devia saber o que Christian e eu tínhamos estado a fazer no barco, enquanto ele fora a terra.

– Bom dia, Mac, e obrigada.

Ele sorriu-me e piscou-me o olho, fazendo-me corar. Christian deu-me a mão e percorremos a doca até ao passeio marítimo da marina.

– De onde é o Mac? – perguntei, curiosa com o seu sotaque.

– Irlanda... Irlanda do Norte – disse Christian, corrigindo-se.

– É teu amigo?

– Mac? Não, trabalha para mim. Ajudou a construir o *The Grace*.

– Tens muitos amigos?

Ele franziu o sobrolho.

– Não propriamente. Não cultivo amizades... fazendo o que faço. Tenho apenas... – Calou-se e franziu ainda mais o sobrolho, e eu percebi que ele ia falar de Mrs. Robinson.

– Tens fome? – perguntou, tentando mudar de assunto.

Eu acenei com a cabeça. Por acaso, estava esfomeada.

– Vamos comer perto de onde eu deixei o carro, anda.

Ao lado do SP havia um pequeno restaurante italiano chamado Bee. Lembrava-me o restaurante de Portland – algumas mesas e compartimentos, com uma decoração muito fria e moderna, e uma grande fotografia a preto e branco, de uma celebração de fim de século, a servir de mural.

Christian e eu estávamos sentados num compartimento, a examinar atentamente o menu e a beber um *Frascati* delicioso e leve. Quando levantei os olhos do menu depois de fazer a minha escolha, Christian estava a olhar para mim com um ar especulativo.

– O que foi? – perguntei.

– Estás linda, Anastasia. A vida ao ar livre tem a ver contigo.

Corei.

– Para dizer a verdade, sinto a pele bastante irritada do vento, mas passei uma tarde maravilhosa, uma tarde perfeita. Obrigada.

Ele sorriu com um olhar terno.

– O prazer foi todo meu – murmurou.

– Posso perguntar-te uma coisa? – disse eu, determinada a obter algumas informações dele.

– O que quiseres, Anastasia. Tu sabes isso. – Inclinou a cabeça para um lado, com um ar delicioso.

– Tu não pareces ter muitos amigos. Porquê?

Ele encolheu os ombros e franziu o sobrolho.

– Já te disse. Não tenho muito tempo. Tenho parceiros de negócios, embora isso seja muito diferente de amizades, suponho eu. Tirando Elena, tenho a minha família e nada mais.

Eu ignorei a alusão à cabra desmancha-prazeres.

– Não tens amigos homens da tua idade com quem possas sair e aliviar a pressão?

– Tu sabes como eu gosto de aliviar a pressão, Anastasia. – Fez um trejeito com boca. – Além disso, tenho estado a trabalhar, a construir o meu negócio. – Parecia intrigado. – É tudo o que faço, para além de velejar e voar de vez em quando.

– Nem sequer na universidade?

– Não propriamente.

– Só tens a Elena, então?

Ele anuiu com uma expressão cautelosa.

– Deve ser uma vida solitária.

Um pequeno sorriso melancólico desenhou-se-lhe nos lábios.

– O que gostarias de comer? – perguntou, voltando a mudar de assunto.

– Vou apostar no *risotto*.

– Boa escolha. – Christian chamou o empregado, pondo fim à conversa.

Depois de fazermos o nosso pedido, remexi-me desconfortavelmente no assento, olhando para os meus dedos entrelaçados. Se ele estivesse com disposição para falar, eu teria de tirar proveito disso. Precisava de falar com ele acerca das suas expectativas, acerca das suas... necessidades.

– O que se passa, Anastasia? Diz-me.

Olhei de relance para o seu rosto preocupado.

– Diz-me – repetiu ele, num tom mais enfático e a sua preocupação transformou-se em quê? Medo? Raiva?

Respirei fundo.

– Tenho apenas medo de que isto não seja o suficiente para ti. Para aliviares a pressão, percebes?

Ele crispou o maxilar e ficou com um olhar mais duro.

– Dei-te algum indício de que isto não era o suficiente?

– Não.

– Então porque achas isso?

– Eu sei como tu és, sei do que tu... precisas – gaguejei. Ele fechou os olhos e esfregou a testa com os seus longos dedos.

– O que tenho eu de fazer? – Falava num tom de voz ameaçadoramente suave, como se estivesse zangado e o meu coração afundou-se.

– Não, estás a interpretar-me mal. Tu tens sido fantástico e eu sei que passaram apenas alguns dias, mas espero não estar a forçar-te a ser alguém que não és.

– Eu continuo a ser eu próprio, Anastasia, passado em cinquenta sombras. Sim, tenho de lutar contra a tentação de ser controlador... mas essa é a minha natureza e a forma como sempre lidei com a minha vida. Sim, eu espero que tu te comportes de determinada forma e, quando não o fazes, isso é em simultâneo desafiador e reparador. Nós ainda fazemos o que eu gosto de fazer. Ontem, deixaste-me espancar-te depois da tua escandalosa licitação. – Sorriu ternamente, ao recordá-lo. – Eu gosto de te castigar e não me parece que vá deixar de sentir esse desejo... mas estou a tentar, e não está a ser tão difícil como eu pensava que iria ser.

Eu retorci-me e corei, recordando o nosso encontro ilícito no quarto da sua infância.

– Eu não me importei que o fizesses – sussurrei, sorrindo timidamente.

– Eu sei. – Um sorriso relutante desenhou-se nos seus lábios. – Eu também não, mas deixa-me que te diga, Anastasia, tudo isto é novo para mim e estes últimos dias foram os melhores da minha vida. Não quero mudar nada.

Oh!

– Também têm sido os melhores dias da minha vida. Todos eles, sem exceção – murmurei e o sorriso dele alargou-se. A minha deusa interior acenou freneticamente com a cabeça e deu-me uma grande cotovelada. *Ok, ok.*

– Então não me queres levar para ao teu quarto do prazer?

Ele engoliu em seco, empalideceu, e todo o humor lhe desapareceu do rosto.

– Não, não quero.

– Porque não? – sussurrei. Não era aquela a resposta que eu esperava.

E lá estava aquela pequena pontada de deceção. A minha deusa interior bateu o pé e fez beicinho, de braços cruzados, zangada como uma miúda pequena.

– A última vez que lá estivemos tu deixaste-me – disse ele, calmamente. – Eu evitarei tudo o que possa levar-te a abandonares-me de novo. Fiquei devastado quando te foste embora. Já te expliquei isso. Eu gosto de ti. – Os seus olhos cinzentos estavam arregalados, com uma expressão intensa e sincera.

– Mas parece-me injusto. Não deve ser muito relaxante para ti estares constantemente preocupado com o que eu estou a sentir. Tu fizeste todas essas mudanças por mim e eu… eu acho que devia retribuir-te de alguma forma. Não sei, talvez… experimentando… desempenhar alguns papéis – gaguejei, com o rosto tão vermelho como as paredes do quarto do prazer.

Porque seria tão difícil falar sobre aquilo? Eu fizera todo o tipo de cenas depravadas com aquele homem, coisas de que nunca ouvira sequer falar, algumas semanas antes, coisas que jamais acharia possível e, no entanto, o mais difícil era falar com ele.

– Ana, tu retribuis mais do que imaginas. Por favor, por favor não te sintas assim.

O Christian despreocupado desaparecera. Estava com um olhar mais esgazeado e alarmado, e isso era angustiante.

– Amor, só passou um fim de semana – prosseguiu. – Precisamos de mais algum tempo. Eu pensei bastante sobre nós, na semana passada, quando te foste embora. Precisamos de tempo. Tu tens de confiar em mim e eu em ti. Talvez daqui a algum tempo possamos ser mais condescendentes, mas eu gosto de te ver como estás agora, gosto de te ver assim feliz, despreocupada e descontraída, sabendo que contribuí de alguma forma para isso. Eu nunca… – Calou-se e passou a mão pelo cabelo. – Para corrermos temos primeiro de aprender a andar. – De repente, sorriu afetadamente.

– Qual é a graça?

– Flynn. Ele passa a vida a dizer isso. Nunca pensei que o iria citar.

– Um Flynnismo.

Christian deu uma gargalhada.

– Exatamente.

O empregado chegou com as nossas entradas e uma *bruchetta*, e a nossa conversa mudou de rumo à medida que Christian se ia descontraindo.

Mas quando nos serviram os pratos desmesuradamente cheios, não pude deixar de pensar em como ele tinha estado descontraído, feliz e despreocupado nesse dia. Pelo menos agora estava de novo sorridente e à vontade.

Suspirei de alívio, quando me começou a perguntar os locais que visitara, embora a conversa fosse curta uma vez que eu nunca saíra dos Estados Unidos. Christian, por outro lado, viajara por todo o mundo e a conversa tornou-se bem mais fluida e alegre, ao falarmos acerca de todos os locais que ele visitara.

Depois da nossa saborosa e pesada refeição, Christian regressou ao Escala, com a voz delicada e doce de Eva Cassidy a cantar nas colunas, o que me concedeu um tranquilo interlúdio para pensar. Fora um dia fantástico: a Dr.ª Greene; o nosso duche; a confissão de Christian; fazer amor no hotel e no barco; comprar o carro. Até Christian se comportara de uma maneira muito diferente. Era como se se tivesse libertado de algo ou redescoberto alguma coisa. Não sabia ao certo qual das duas hipóteses contemplar.

Quem diria que ele podia ser tão terno? Será que ele próprio estava consciente disso?

Quando o olhei, também ele me pareceu perdido nas suas cogitações. Ocorreu-me então que ele nunca tivera uma adolescência – pelo menos, uma adolescência normal – e abanei a cabeça.

Recuei no tempo até à dança com o Dr. Flynn, no baile, e ao receio que Christian tivera de que o Dr. Flynn me tivesse contado tudo acerca dele. Continuava a esconder-me alguma coisa. Como poderíamos avançar, se ele se sentia assim?

Ele achava que eu me iria embora se o conhecesse, se fosse ele próprio. *Ah, mas que complicado era aquele homem.*

Quando nos aproximámos da sua casa, começou a irradiar tensão até esta se tornar palpável. Perscrutava os passeios e as vielas laterais, olhando em todas as direções. Eu percebi que ele estava à procura de Leila e comecei também à procura dela. Todas as jovens morenas eram suspeitas, mas não a vimos.

Quando entrou na garagem, estava com os lábios cerrados numa linha tensa e sombria. Perguntei a mim mesma porque teríamos voltado para ali se o local o fazia sentir tão receoso e tenso. Sawyer estava a patrulhar a garagem e o *Audi* sujo de tinta desaparecera. Christian estacionou ao lado do SUV e Sawyer aproximou-se para me abrir a porta.

– Olá Sawyer – murmurei, cumprimentando-o.

– Miss Steele – disse ele, com um aceno de cabeça. – Mr. Grey.

– Não há sinais dela? – perguntou Christian.

– Não, senhor.

Christian acenou com a cabeça, agarrou-me na mão e encaminhou-se para o elevador. Eu sabia que o seu cérebro estava a trabalhar para além do tempo regulamentar – estava disperso. Logo que entrámos virou-se para mim.

– Não estás autorizada a sair daqui sozinha, entendeste? – disse ele, num tom brusco.

– Ok. – *Não te enerves, bolas.* Mas a sua atitude fez-me sorrir. Apetecia-me abraçar-me a mim mesma – aquele, sim, era o homem dominador e brusco que eu conhecia. Fiquei maravilhada ao pensar que ainda há uma semana o teria achado ameaçador se me falasse assim, mas agora entendia-o muito melhor. Aquela era a sua forma de enfrentar as coisas. Estava stressado por causa de Leila, amava-me e queria proteger-me.

– Qual é a graça? – murmurou, com uma expressão ligeiramente divertida.

— Tu.

— Eu, Miss Steele? Porque é que sou engraçado? — perguntou, fazendo beicinho.

Christian ficava podre de bom a fazer beicinho.

— Não faças beicinho.

— Porquê? — Parecia ainda mais divertido.

— Porque isso provoca o mesmo efeito em mim que eu em ti quando faço isto. — Mordi propositadamente o lábio.

Ele arqueou as sobrancelhas surpreendido, mas ao mesmo tempo satisfeito.

— A sério? — Voltou a fazer beicinho e curvou-se, dando-me um beijo breve e casto.

Os meus lábios ergueram-se ao encontro dos dele e no milésimo de segundo em que os nossos lábios se tocaram, a natureza do beijo mudou, e eu senti uma tempestade de fogo incendiar-me as veias e atrair-me para ele, a partir daquele ponto de contacto íntimo.

Ele agarrou-me subitamente, empurrando-me contra a parede do elevador, e emoldurou-me o rosto com as mãos, imobilizando-me, de lábios colados aos meus. Os meus dedos arrepanharam-lhe os cabelos, enquanto as nossas línguas se enfrentavam. Não sei se era pelo facto de o espaço confinado do elevador tornar tudo muito mais real, mas eu sentia a sua carência, a sua ansiedade e a sua paixão.

Raios, queria possuí-lo aqui e agora.

O elevador retiniu ao parar, as portas abriram-se e Christian afastou o seu rosto do meu, ainda a prender-me contra a parede com as ancas. Sentia a sua ereção enterrada no meu corpo.

— Uau — murmurou, ofegante.

— Uau — repeti, acolhendo de bom grado o ar que me encheu os pulmões.

Ele fitou-me com um olhar ardente.

— O que tu me fazes, Ana — disse ele percorrendo-me o lábio inferior com o polegar.

Pelo canto do olho, vi Taylor recuar e desaparecer da minha linha de visão. Depois estiquei-me e beijei o canto daquela boca perfeita.

— O que tu me fazes, Christian.

Ele recuou e deu-me a mão, agora com um olhar mais sombrio, de pálpebras semicerradas.

– Anda – ordenou-me.

Taylor continuava discretamente à nossa espera, no vestíbulo.

– Boa noite, Taylor – disse Christian, cordialmente.

– Mr. Grey, Miss Steele.

– Ontem eu era Mrs. Taylor – disse-lhe eu, com um sorriso. Taylor corou.

– Não soa nada mal, Miss Steele – disse Taylor, prosaicamente.

– Eu também achei.

Christian apertou-me a mão e franziu o sobrolho.

– Se já disseram tudo o que tinham a dizer um ao outro, gostaria que me fizesses um relatório – disse ele, olhando fixamente para Taylor que estava agora com ar constrangido. Eu retraí-me interiormente. Tinha pisado o risco.

– Desculpa – disse eu a Taylor, só com os lábios. Tayor encolheu os ombros e sorriu amavelmente e eu virei-me e segui Christian.

– Já aqui venho ter contigo, quero apenas dar uma palavra a Miss Steele – disse Christian a Taylor, e eu percebi que estava em maus lençóis.

Christian conduziu-me para o seu quarto e fechou a porta.

– Não flirtes com o pessoal, Anastasia – disse ele, num tom repreensivo.

Eu abri a boca para me defender, mas voltei a fechá-la e a abri-la de novo.

– Eu não estava a flirtar, estava a ser amigável. Há uma diferença.

– Não sejas amigável nem flirtes com o pessoal. Não gosto disso. *Adeus, Christian despreocupado.*

– Desculpa – murmurei, olhando para os dedos. Ele não me fizera sentir como uma criança durante todo o dia. Aninhou-me o queixo na mão e puxou-me a cabeça para cima, para que o olhasse nos olhos.

– Sabes como sou ciumento – sussurrou.

– Não tens razão para ser ciumento, Christian. Sou tua de corpo e alma.

Ele piscou os olhos, como se lhe fosse difícil assimilar tal facto, e baixou-se, beijando-me rapidamente, mas sem a paixão que tínhamos sentido momentos antes, no elevador.

– Não vai demorar. Fica à vontade – disse ele, mal-humorado, virando-se e deixando-me especada no quarto, aturdida e confusa.

Por que carga de água haveria ele de ter ciúmes de Taylor? Abanei a cabeça, incrédula.

Olhei de relance para o despertador e reparei que passava pouco das oito, decidindo ir preparar as minhas roupas para ir trabalhar no dia seguinte. Subi as escadas até ao meu quarto e abri o quarto de vestir. Estava vazio. Todas as roupas tinham desaparecido. Oh, não! Christian levara-me à letra e desfizera-se das roupas. *Merda.*

O meu subconsciente olhou-me furioso. *A culpa é tua e da tua língua afiada.*

Porque me levara ele à letra? O conselho da minha mãe voltou a assombrar-me: "Os homens são muito literais, querida." Fiz beicinho e olhei para o espaço vazio. Algumas das peças de roupa eram lindas, como por exemplo o vestido prateado que usara no baile.

Dirigi-me para a casa de banho, desconsolada. *Espera aí, o que se passa aqui?* O iPad desaparecera. Onde estaria o meu Mac? *Oh, não.* O meu primeiro pensamento cruel foi que Leila os tivesse roubado.

Desci apressadamente as escadas e voltei ao quarto de Christian. O meu Mac, o meu iPad e a minha mochila estavam em cima da mesa de cabeceira. Estava lá tudo.

Abri a porta do quarto de vestir. Todas as minhas roupas estavam lá, no mesmo espaço onde Christian guardava as suas. Quando teriam feito aquilo? Porque é que ele nunca me avisava antes de fazer coisas daquelas?

Virei-me e ele estava à entrada.

– Ah, conseguiram fazer a mudança – murmurou, distraidamente.

– O que se passa? – perguntei. Ele estava com uma expressão sombria.

– Taylor acha que Leila entrou pela escada de incêndio. Ela devia ter uma chave. As fechaduras já foram todas substituídas. Taylor e a sua equipa passaram revista a todas as divisões do apartamento. Ela não está aqui. – Calou-se e passou uma mão pelo cabelo. – Quem me dera saber onde está. Está a evadir-se a todos os nossos esforços para a encontrar, num momento em que precisa de ajuda. – Franziu o sobrolho e o ressentimento que sentira antes desapareceu. Eu abracei-o e ele aconchegou-me nos seus braços, beijando-me o cabelo.

– O que vais fazer quando a encontrares? – perguntei.

– O Dr. Flynn tem um local onde a pode receber.

– E o marido dela?

– Descartou-se dela. – O tom de Christian era amargo. – A família dela está no Connecticut. Acho que ela está muito sozinha.

– Isso é triste.

– Não te importas de ter todas as tuas coisas aqui? Quero que partilhes o meu quarto – murmurou.

Uau, que mudança de direção tão rápida.

– Não.

– Quero que durmas comigo. Quando estás comigo não tenho pesadelos.

– Tens pesadelos?

– Sim.

Eu apertei-o mais contra mim. Mais bagagem. Aquele homem apertava-me o coração.

– Ia preparar as minhas roupas para ir trabalhar, amanhã – murmurei.

– Trabalhar?! – exclamou Christian como se isso fosse um palavrão e largou-me, olhando-me fixamente.

– Sim, trabalhar – repliquei, confusa com a sua reação.

Ele olhou-me sem ponta de compreensão.

– Mas Leila... anda por aí à solta. – Fez uma pausa. – Não quero que vás trabalhar.

O quê?

– Isso é ridículo, Christian. Tenho de ir trabalhar.

– Não, não tens.

– Eu tenho um emprego novo que aprecio. É claro que tenho de ir trabalhar. – *O que quer ele dizer com isto?*

– Não, não tens – repetiu ele, enfaticamente.

– Achas que vou ficar aqui de braços cruzados, enquanto tu andas lá por fora armado em Senhor do Universo?

252

– Para ser franco... acho.

Ah, Cinquenta, Cinquenta... Deus me dê forças para aguentar isto.

– Christian, eu preciso de ir trabalhar.

– Não, não precisas.

– Preciso. Sim. – Disse-o lentamente, como se ele fosse uma criança. Ele franziu-me o sobrolho.

– Não é seguro.

– Christian... Eu preciso de trabalhar para viver e vai correr tudo bem.

– Não, não precisas de trabalhar para viver, e como é que sabes que vai correr tudo bem? – Estava quase aos gritos.

O que quereria ele dizer com aquilo? Ia sustentar-me? Era absolutamente ridículo. Há quanto tempo o conhecia? Cinco semanas?

Christian estava furioso, com um olhar tempestuoso e cintilante, mas eu não queria saber disso para nada.

– Por amor de Deus, Christian, a Leila estava aos pés da tua cama e não me fez mal. E eu preciso mesmo de trabalhar. Não quero ficar em dívida para contigo e tenho os meus empréstimos de estudante para pagar.

Ele cerrou os lábios numa linha sombria e eu apoiei as mãos nas ancas. Não iria ceder um milímetro que fosse. Quem julgava ele que era?

– Eu não quero que vás trabalhar.

– Isso não depende de ti, Christian. Não és tu que tens de tomar essa decisão.

Ele passou a mão pelo cabelo e olhou para mim. Passaram segundos, talvez até minutos, e nós continuávamos a olhar um para o outro, furiosos.

– O Sawyer vai contigo.

– Não é preciso, Christian. Estás a ser irracional.

– Irracional? – rugiu. – Ou ele vai contigo, ou eu serei mesmo irracional e não te deixarei sair daqui.

Ele não seria capaz de fazer isso, pois não?

– Como, exatamente?

– Descobrirei uma forma, Anastasia. Não puxes por mim.

– Ok – assenti, erguendo ambas as mãos, para o apaziguar. *Merda. O Cinquenta estava de volta para se vingar.*

Ficámos a olhar um para o outro, de sobrolho franzido.

– Ok, o Sawyer poderá vir comigo, se isso te faz sentir melhor – assenti, revirando os olhos. Christian semicerrou os olhos e deu um passo ameaçador na minha direção. Recuei imediatamente. Ele deteve--se, respirou fundo e fechou os olhos, passando ambas as mãos pelo cabelo. Oh não. O Cinquenta estava mesmo irritado.

– Queres que eu te mostre o apartamento?

Mostrares-me o apartamento? Estás a brincar?

– Ok – respondi, cautelosamente. Mais uma mudança de rumo. O senhor Volátil regressara à cidade. Ele estendeu-me a mão. Eu aceitei-a e ele apertou-ma suavemente.

– Não era minha intenção assustar-te.

– E não assustaste. Estava só a preparar-me para fugir – gracejei.

– Fugir? – Christian arregalou os olhos.

– Estou a brincar! – *Caramba.*

Ele conduziu-me para fora do quarto de vestir e eu tentei acalmar--me por instantes. Ainda sentia a adrenalina a percorrer-me o corpo. Uma discussão com o Cinquenta não devia ser encarada com ligeireza.

Ele guiou-me pelo apartamento, mostrando-me as diferentes salas. Para além do quarto do prazer e de outros três quartos, no andar de cima, fiquei intrigada ao descobrir que Taylor e Mrs. Jones tinham uma ala só para si, com uma cozinha, uma espaçosa sala de estar e um quarto para cada um. Mrs. Jones fora visitar a irmã que vivia em Por-tland e ainda não regressara.

A sala que mais me chamou a atenção, no andar de baixo, ficava do lado oposto ao escritório dele – era uma sala de televisão com um plasma gigantesco e várias consolas de jogos. Era confortável.

– Tens uma Xbox? – perguntei com um sorriso afetado.

– Sim, mas jogo pessimamente. O Elliot ganha-me sempre. Foi divertido quando pensaste que eu estava a dizer que esta era a minha sala de jogos. – Sorriu para mim. O ataque de nervos estava esquecido. Graças a Deus que recuperara a sua boa disposição.

– Ainda bem que me acha divertida, Mr. Grey – respondi, arro-gantemente.

– Isso é inegável, Miss Steele, quando não é exasperante, claro.

– Normalmente sou exasperante quando você é despropositado.

– Eu, despropositado?

– Sim, Mr. Grey, o seu nome do meio poderia muito bem ser Despropositado.

– Eu não tenho nome do meio.

– Nesse caso, serviria muito bem como nome próprio.

– Acho que isso é uma questão de opinião, Miss Steele.

– Gostaria de ouvir a opinião profissional do Dr. Flynn. – Christian sorriu afetadamente. – Julgava que o teu nome do meio era Trevelyan.

– Não, o meu apelido é Trevelyan-Grey.

– Mas tu não o usas.

– É demasiado longo. Anda – ordenou-me. Eu segui-o e saímos da sala de TV, pela sala grande, percorremos o corredor principal, passando pela casa das máquinas e uma impressionante adega, e fomos até ao escritório amplo e bem equipado de Taylor, que se levantou quando entrámos. Tinha espaço para uma mesa de reuniões para seis pessoas. Por cima da secretária estava uma série de monitores. Eu não fazia ideia que o apartamento tinha circuito interno de televisão. Aparentemente servia para monitorizar a varanda, a escada, o elevador de serviço e o vestíbulo.

– Olá Taylor, estou só a mostrar o apartamento à Anastasia.

Taylor acenou com a cabeça mas não sorriu. Interroguei-me se ele também teria sido repreendido. Porque estaria ainda a trabalhar? Quando lhe sorri, ele acenou cortesmente com a cabeça. Christian voltou a agarrar-me na mão e levou-me à biblioteca.

– Aqui já tu estiveste, é claro. – Christian abriu a porta e eu olhei para a baeta verde da mesa de bilhar.

– Vamos jogar? – perguntei.

Christian sorriu, surpreendido.

– Ok. Já alguma vez jogaste?

– Algumas vezes – menti e ele semicerrou os olhos, inclinando a cabeça para um lado.

– Mentes pessimamente, Anastasia. Ou nunca jogaste antes, ou...

Eu lambi os lábios.

– Receoso de uma pequena competição?

– Receoso de uma menina como tu? – desdenhou ele, amigavelmente.

– Vai uma aposta, Mr. Grey?

– Está assim tão confiante, Miss Steele? – perguntou, com um sorriso afetado, ao mesmo tempo divertido e incrédulo. – O que é que gostaria de apostar?

– Se eu ganhar, voltas a levar-me para o quarto do prazer.

Ele olhou para mim como se não tivesse entendido bem o que eu dissera.

– E se eu ganhar? – perguntou, ao cabo de alguns segundos traumáticos.

– Nesse caso, a decisão é tua.

Ele fez um trejeito com a boca enquanto ponderava na resposta.

– Ok, combinado. – Sorriu-me afetadamente. – Queres jogar *snooker* ou bilhar?

– *Snooker*, por favor. Não sei jogar bilhar.

Christian tirou um grande estojo de cabedal de um armário, por baixo de uma das estantes de livros. As bolas de *snooker* estavam aninhadas em veludo, no interior. Acho que nunca tinha jogado *snooker* numa mesa tão grande. Christian deu-me um taco e um pouco de giz.

– Queres abrir o jogo? – perguntou, fingindo-se cortês. Estava divertido – pensava que ia ganhar.

– Ok. – Coloquei giz na ponta do meu taco, soprando o giz em excesso e olhei para Christian por entre as pestanas e os seus olhos escureceram.

Alinhei a bola branca, atingindo a bola central do triângulo em cheio, com uma tacada limpa e rápida, e com tanta força que uma das bolas às riscas girou, mergulhando no buraco do canto superior direito, e as outras espalharam-se pela mesa.

– Fico com as das riscas – disse eu, inocentemente, sorrindo timidamente a Christian. Ele fez um trejeito com a boca, com um ar divertido.

– À vontade – disse ele, cortesmente.

Continuei a jogar, metendo mais três bolas em rápida sucessão. No meu íntimo, saltitava de contentamento. Naquele momento, sentia-me muito agradecida a José, pelo facto de ele me ter ensinado a jogar *snooker* tão bem. Christian observava-me impassível, sem deixar transparecer nada, mas o seu bom humor parecia estar a esmorecer. Falhei a bola verde, às riscas, por uma unha negra.

– Sabes, Anastasia, poderia ficar um dia inteiro a ver-te inclinar e esticar o corpo sobre esta mesa de bilhar – disse ele, num tom apreciador.

Eu corei. Graças a Deus que estava de *jeans*. Ele sorriu afetadamente. Estava a tentar distrair-me do jogo, o estupor. Despiu a camisola creme pela cabeça e atirou-a para cima das costas de uma cadeira, sorrindo para mim, ao aproximar-se para dar a sua primeira tacada. Curvou-se sobre a mesa. Eu senti a boca seca. *Ah, já percebi onde ele quer chegar.* Christian de *jeans* justos e *t-shirt* branca, a curvar-se daquela maneira… era algo digno de se ver, e eu senti-me bastante despistada. Meteu rapidamente quatro bolas lisas, mas depois deitou tudo a perder, metendo a branca.

– Um erro absolutamente elementar, Mr. Grey – disse eu, em tom provocador.

Ele sorriu afetadamente.

– Ora, Miss Steele, não passo de um comum mortal. É a sua vez, creio – disse ele, acenando para a mesa.

– Não estás a tentar perder, pois não?

– Ah, não. Considerando o prémio que tenho em mente, o que quero mesmo é ganhar, Anastasia. – Encolheu os ombros, descontraidamente. – Mas, também, o que eu quero sempre é ganhar.

Semicerrei os olhos. *Muito bem…* Estava bastante satisfeita por ter vestido a minha blusa azul, agradavelmente decotada. Contornei a mesa, curvando-me sempre que podia, a fim de dar a Christian uma ampla perspetiva do meu traseiro e do meu decote. Aquele jogo podia ser jogado a dois. Olhei-o de relance.

– Sei o que estás a fazer – sussurrou, com um olhar sombrio.

Inclinei a cabeça para um lado, com um ar coquete e acariciei delicadamente o meu taco, percorrendo-o lentamente com a mão, para cima e para baixo.

– Estou só a decidir a minha próxima tacada – murmurei, distraidamente.

Inclinei-me sobre a mesa e atingi a bola às riscas laranja, deslocando-a para uma posição melhor, e parei diante de Christian, tirando as restantes debaixo da mesa. Alinhei a tacada seguinte, inclinando-me sobre a mesa. Ouvi a inspiração brusca de Christian e é claro que falhei. *Merda.*

Ele veio-se curvar atrás de mim, quando eu ainda estava curvada sobre a mesa, colocando-me a mão no rabo. *Hum...*

– Anda por aí a bambolear o rabo para me atormentar, Miss Steele? – perguntou, batendo-me com força.

Arquejei.

– Sim – murmurei, porque era verdade.

– Tem cuidado com o que desejas, querida.

Esfreguei o rabo e ele foi para a outra ponta da mesa, inclinou-se e deu a tacada. Atingiu a bola vermelha, que entrou disparada no buraco, do lado esquerdo. Apontou para a amarela, para a meter no buraco do canto superior direito, e falhou por pouco. Eu sorri.

– Lá vamos nós para o Quarto Vermelho – disse eu para o provocar.

Ele limitou-se a arquear uma sobrancelha, ordenando-me que prosseguisse. Despachei rapidamente bola verde, às riscas e, por sorte, consegui meter a última bola, a laranja, listrada.

– Escolhe o buraco – murmurou Christian. Era como se estivesse a falar sobre outra coisa qualquer, algo de obscuro e perverso.

– Canto superior esquerdo. – Apontei à bola negra, atingi-a mas falhei. Desviou-se bastante. *Raios.*

Christian sorriu-me maliciosamente, debruçando-se sobre a mesa, despachando num instante as duas últimas bolas lisas. Eu estava a vê-lo esticar o corpo ágil na mesa. Endireitou-se e pôs giz no taco, queimando-me com os olhos.

– Se eu ganhar...

Ah, sim?

– Vou espancar-te e depois foder-te em cima desta mesa de bilhar.

Caramba. Todos os músculos abaixo do meu umbigo se contraíram bruscamente.

– Canto superior direito – murmurou, apontando para a bola negra e curvando-se para dar a tacada.

CAPÍTULO ONZE

Christian bateu ao de leve na bola branca, com uma elegância natural, e esta deslizou pela mesa, tocando suavemente na bola negra, que rolou lentamente e ficou a oscilar à beira do buraco do canto superior direito da mesa de bilhar, acabando por cair lá dentro.

Raios.

Ele endireitou-se e torceu a boca num sorriso que parecia dizer "és toda minha, Steele", poisando o taco, e aproximando-se descontraidamente de mim, de cabelo desgrenhado, *jeans* e *t-shirt* branca. Não parecia um CEO mas sim um rufia da pior zona da cidade. *Com os diabos.* Estava *sexy* como o raio.

– Não vais ser má perdedora, pois não? – murmurou, praticamente incapaz de conter o sorriso.

– Depende da força com que me bateres – sussurrei, agarrando-me ao taco para me amparar. Ele tirou-me o taco e poisou-o de lado, enfiou um dedo na parte de cima da minha camisa e puxou-me na direção dele.

– Bom, enumeremos as suas transgressões, Miss Steele – disse ele, contando-as com os seus longos dedos. – Uma, fazer-me ciúmes com o meu pessoal. Duas, discutir comigo por querer trabalhar e três, estar a bambolear-me o seu delicioso rabo há vinte minutos. – Os seus olhos brilharam de excitação, em tons suaves de cinzento, e ele curvou-se, roçando o nariz no meu.

– Quero que dispas os *jeans* e essa encantadora camisa, de imediato. – Depositou-me um beijo suave como uma pena nos lábios e encaminhou-se descontraidamente para a porta, trancando-a.

Quando voltou e olhou para mim, estava com um olhar ardente. Eu estava paralisada como um *zombi*, com o coração a martelar-me o peito e o sangue a latejar-me pelo corpo, incapaz de mover um músculo que fosse. Tudo o que me ocorria era: isto é para ele e a frase repetia-se sucessivamente na minha cabeça, como um mantra.

– As roupas, Anastasia. Pareces estar ainda vestida. Tira-as, senão tiro-tas eu.

– Tira-as tu – disse eu, recuperando finalmente a voz, e disse-o num tom grave e sensual. Christian sorriu.

– Oh, Miss Steele. É um trabalho sujo, mas creio que estou à altura do desafio.

– O senhor esta à altura de quase todos os desafios, Mr. Grey. – Arqueei-lhe uma sobrancelha e ele sorriu-me afetadamente.

– Porquê, Miss Steele? O que quer dizer com isso? – Ao aproximar-se de mim, deteve-se junto de uma secretária embutida numa das estantes de livros e tirou uma régua de Perspex de trinta centímetros, segurando-a em ambas as pontas e fletindo-a, sem tirar os olhos de mim.

Caramba – a sua arma de escolha. Fiquei com a boca seca.

Subitamente, senti-me alvoroçada e húmida nos sítios certos. Só mesmo Christian me conseguiria excitar com um simples olhar e uma régua fletida nas mãos. Ele meteu-a no bolso de trás dos *jeans* e aproximou-se lentamente de mim, com uns olhos sombrios, carregados de promessas. Sem dizer uma palavra, ajoelhou-se à minha frente e desapertou-me rapidamente os atacadores descalçando-me em simultâneo os *Converses* e as meias. Eu apoiei-me de um dos lados da mesa de bilhar para não cair. Enquanto ele me desapertava os atacadores, olhei-o, maravilhada com a profundidade do sentimento que me unia a ele. Eu amava-o.

Agarrou-me nas ancas e enfiou os dedos no cós dos meus *jeans*, desapertando o botão e puxando o fecho. Depois, olhou para cima e dirigiu um sorriso terrivelmente lascivo, por entre as suas longas pestanas, despindo-me lentamente os *jeans*. Saí de dentro deles, feliz por estar com umas bonitas cuecas brancas, de renda, e ele agarrou-me na parte de trás das pernas, roçando-me o nariz pelo cimo das coxas. Quase derreti.

– Vou ser bastante bruto contigo, Ana. Terás de me pedir para parar, se for demasiado para ti – sussurrou.

Oh, meu Deus. Beijou-me… lá no sítio e eu gemi baixinho.

– Queres que eu diga a palavra de segurança?

– Não, não há palavra de segurança, pedes-me para parar e eu paro, entendeste? – Beijou-me de novo, roçando-me com o nariz. *Ah, que bem que isto sabe.*

Ele levantou-se, com um olhar intenso.

– Responde-me – ordenou, num tom de voz suave como veludo.

– Sim, sim, entendi. – Estava intrigada com a sua insistência.

– Tens estado a fazer-me insinuações e a dar-me sinais dúbios ao longo de todo o dia, Anastasia – disse ele. – Disseste que receavas que eu estivesse a perder qualidades. Não sei ao certo o que querias dizer com isso, nem sei até que ponto estarias a falar a sério, mas vamos descobrir. Por enquanto, não quero voltar para o quarto do prazer, por isso vamos experimentar isto agora, mas tens de me prometer que me dizes se não gostares. – A sua anterior petulância deu lugar a uma intensidade ardente, devido à sua ansiedade.

Calma, Christian, por favor não fiques nervoso.

– Eu digo-te. Sem palavra de segurança – repeti, para o tranquilizar.

– Somos amantes, Anastasia, e os amantes não precisam de palavras de segurança. – Franziu o sobrolho. – Ou será que precisam?

– Suponho que não – murmurei. *Como posso eu saber?* – Prometo dizer-te.

Ele perscrutou-me o rosto em busca de qualquer sinal que indiciasse que me poderia faltar a coragem para me manter fiel às minhas convicções. Eu estava nervosa, mas excitada. Tinha muito mais gosto em fazer aquilo, sabendo que ele me amava – tão simples quanto isso – mas naquele momento não me apetecia pensar demasiado no assunto.

Um sorriso espalhou-se-lhe lentamente pelo rosto e começou a abrir-me a camisa, desabotoando-me rapidamente os botões com os seus dedos hábeis, embora não ma tirasse. Depois, inclinou-se e apanhou o taco.

Ah, merda, o que vai ele fazer com aquilo? Fui percorrida por um estremecimento de medo.

– A menina joga bem, Miss Steele. Devo dizer que estou surpreendido. Porque não mete a bola negra?

Uma vez ultrapassado o meu receio, fiz beicinho, interrogando-me por que raio estaria aquele estupor *sexy* e arrogante surpreendido.

A minha deusa interior estava com um sorriso de orelhas a orelha, a fazer exercícios de solo à distância, para aquecer.

Posicionei a bola branca. Christian voltou a contornar a mesa, parando mesmo atrás de mim, enquanto eu me inclinava para dar a tacada. Ele colocou-me a mão sobre a coxa direita, roçando-me os dedos pela perna até ao meu rabo e de novo para baixo, acariciando-me ao de leve.

– Se continuares a fazer isso, vou falhar – sussurrei, fechando os olhos e desfrutando da sensação das suas mãos sobre a minha pele.

– É-me indiferente que acertes ou não, amor, queria apenas ver-te assim – seminua, esticada sobre a minha mesa de bilhar. Fazes alguma ideia de como estás atraente neste momento?

Eu corei e a minha deusa interior agarrou numa rosa entre os dentes e começou a dançar o tango. Eu respirei fundo e tentei ignorá-lo, preparando a minha tacada. Era impossível. Ele não parava de me acariciar o rabo.

– Canto superior esquerdo – murmurei, batendo na bola branca, e ele bateu-me no rabo, com força.

Foi tão inesperado que dei um grito agudo. A bola branca bateu na negra que saltou do pano bem longe do buraco. Christian voltou a acariciar-me o rabo.

– Acho que vais ter de fazer isso outra vez – sussurrou. – Deves concentrar-te, Anastasia.

Eu já estava ofegante e excitada com aquele jogo. Ele foi ao extremo oposto da mesa e voltou a posicionar a bola negra, devolvendo-me a bola branca. Estava extraordinariamente sensual, com um olhar sombrio e um sorriso lascivo. Como poderia eu resistir-lhe? Apanhei a bola e alinhei-a, preparando-me de novo para jogar.

– Ah-ah – advertiu-me, ele. – Espera. – Adorava prolongar a agonia.

Ele veio de novo para atrás de mim. Voltei a fechar os olhos e ele afagou-me a coxa direita, desta vez, e acariciou-me de novo o rabo.

– Aponta – sussurrou.

Eu senti o desejo torcer-se e revolver-se dentro de mim, e não consegui conter um gemido. Tentei, tentei realmente pensar onde deveria a bola branca bater na negra. Movi-me ligeiramente para a minha direita. Ele seguiu-me e eu voltei a curvar-me sobre a mesa. Tentando reunir os últimos resíduos de força interior – agora seriamente diminuída por saber o que ia acontecer logo que eu batesse na bola branca – apontei e voltei a atingir a bola branca, e Christian bateu-me mais uma vez, com força.

Au! Falhara de novo.

– Oh, não – gemi.

– Mais uma vez, amor. Se falhares desta vez, vou dar-te a sério.

O quê? Dar-me o quê?

Ele voltou a colocar a bola negra em posição e voltou para junto de mim, caminhando penosamente devagar, até voltar a ficar atrás de mim, e acariciou-me mais uma vez o rabo.

– Tu consegues – disse-me ele, para me incitar.

Contigo a distrair-me desta maneira, não. Impeli o rabo contra a sua mão e ele bateu-me ao de leve.

– Ansiosa, Miss Steele? – murmurou.

Sim, desejo-te.

– Bom, vamos desembaraçar-nos disto. – Puxou-me delicadamente as cuecas pelas coxas e tirou-mas. Eu não vi o que ele fez com elas, mas depositou-me um beijo suave em cada nádega e eu senti-me exposta.

– Dá a tacada, amor.

Apetecia-me choramingar; aquilo era tão improvável. Eu sabia que ia falhar. Alinhei a bola branca e bati-lhe, mas estava de tal forma impaciente que não consegui sequer acertar na negra. Esperei pela palmada, mas ela não veio. Em vez disso, ele inclinou-se sobre mim, espremendo-me contra a mesa, tirou-me o taco da mão, empurrando-o para a almofada lateral. Eu senti o seu membro duro contra o meu rabo.

– Falhaste – disse-me, docemente, ao ouvido. Eu estava com a face espremida contra a baeta. – Poisa as mãos esticadas em cima da mesa.

Eu assim fiz.

– Ótimo, agora vou espancar-te, e talvez da próxima vez tu não o faças. – Mudou de posição, de forma a ficar do meu lado esquerdo, com a ereção contra a minha anca.

Eu gemi e senti o coração na boca. Estava com a respiração entrecortada e sentia uma excitação escaldante e intensa percorrer-me as veias. Ele acariciou-me delicadamente o traseiro, envolvendo-me a nuca com a outra mão e os seus dedos fecharam-se em torno do meu cabelo. O seu cotovelo estava sobre as minhas costas, imobilizando-me. Eu estava completamente indefesa.

– Abre as pernas – murmurou. Hesitei por instantes e ele bateu-me com força, com a régua! O ruído foi mais áspero do que a dor e apanhou-me de surpresa. Eu arquejei e ele voltou a bater-me.

– As pernas – ordenou e eu abri as pernas, ofegante. A régua atingiu-me de novo. Au… ardia, mas o ruído que produzia na minha pele parecia pior do que era.

Fechei os olhos e absorvi a dor. Não era muito intensa e a respiração de Christian estava a tornar-se mais áspera. Ele bateu-me repetidas vezes e eu gemi. Não sabia ao certo quantos golpes iria aguentar mais, mas o facto de o ouvir e saber como estava excitado, alimentava a minha própria excitação, instigando-me a prosseguir. Estava a mergulhar no meu lado negro, uma zona da minha psique que eu não conhecia bem, mas que já visitara antes, no quarto do prazer – com o Tallis. A régua atingiu-me mais uma vez e eu gemi alto. Christian gemeu também. Bateu-me outra vez, e outra… e outra ainda… desta vez com mais força – e eu retraí-me.

– Para. – A palavra saiu-me da boca, antes mesmo de eu me aperceber de que a dissera e Christian largou imediatamente a régua e soltou-me.

– Chega? – sussurrou.

– Sim.

– Agora quero foder-te – disse ele, num tom de voz tenso.

– Sim – murmurei, ansiosa e ele abriu a braguilha. Eu estava ofegante, deitada sobre a mesa e sabia que ele ia ser bruto.

Voltei a ficar maravilhada por ter conseguido suportar – e apreciar – o que ele me fizera até então. Era tão obscuro, mas tão próprio dele.

Ele introduziu lentamente dois dedos dentro de mim, movendo-os em círculos. Era maravilhoso. Eu fechei os olhos e desfrutei da sensação. Ouvi o ruído característico da embalagem do preservativo a rasgar-se e dei com ele de pé, atrás de mim, entre as minhas pernas, tentando forçar-me a abri-las mais.

Afundou-se lentamente dentro de mim, preenchendo-me, e o seu gemido de puro prazer agitou-me a alma. Agarrou-me firmemente nas ancas e voltou a sair de dentro de mim, arremetendo de novo contra mim, e fazendo-me gritar. Ficou imóvel por instantes.

– Outra vez?

– Sim... eu estou bem. Solta-te... e leva-me contigo – murmurei, sem fôlego.

Ele deixou escapar um gemido gutural, voltou a sair lentamente de dentro de mim e a arremeter contra mim, repetindo-o vezes sem conta, lenta e deliberadamente, a um ritmo castigador, brutal, divinal.

Oh, meu Deus... as minhas entranhas começaram a excitar-se. Ele também o sentiu e aumentou o ritmo, elevando-me cada vez mais, cada vez com mais força, cada vez mais depressa, e eu rendi-me, explodindo em torno do seu membro, num orgasmo esgotante e avassalador, que me deixou exausta.

Tive uma vaga sensação de que Christian também se estava a vir, gritando o meu nome, de dedos enterrados nas minhas ancas, sentindo-o depois imobilizar-se e cair sobre mim. Deixámo-nos escorregar para o chão e ele aninhou-me nos seus braços.

– Obrigado, amor – sussurrou ele, cobrindo-me o rosto de beijos leves como uma pena. Eu abri os olhos e olhei-o e ele apertou-me mais nos seus braços.

– A tua face está rosada da baeta – murmurou, esfregando-me ternamente o rosto. – Que tal foi? – Estava com os olhos muito abertos, com uma expressão cautelosa.

– Ainda estou a bater os dentes de bom – murmurei. – Eu gosto à bruta e com delicadeza, Christian e gosto que seja contigo.

Ele fechou os olhos e abraçou-me com mais força ainda.

Livra, estou cansada.

– Tu nunca falhas, Ana. És linda, inteligente, desafiadora, divertida e *sexy*, e todos os dias agradeço à Divina Providência o facto de teres sido tu a entrevistar-me e não a Katherine Kavanagh. – Beijou-me o cabelo. Eu sorri e bocejei contra o seu peito. – Estou a esgotar-te – prosseguiu. – Anda. Um banho e depois cama.

Estávamos ambos na banheira de Christian, de frente um para o outro, com espuma até ao queixo, envoltos num aroma adocicado a jasmim. Christian estava a massajar-me os pés, um de cada vez. Sabia tão bem que devia ser ilegal.

– Posso perguntar-te uma coisa? – murmurei.

– Claro. O que quiseres, Ana, tu sabes isso. – Respirei fundo e sentei-me direita, vacilando apenas ligeiramente.

– Amanhã, quando eu for trabalhar, será possível o Sawyer levar-me apenas até à porta principal do escritório, e ir-me buscar ao fim do dia? Por favor, Christian – implorei.

As suas mãos imobilizaram-se e ele franziu a testa.

– Julgava que tínhamos chegado a um acordo – resmungou.

– Por favor – implorei.

– E a hora do almoço?

– Farei qualquer coisa para levar daqui, para não ter de sair. Por favor. – Ele beijou-me o peito do pé.

– É muito difícil dizer-te que não – murmurou, como se isso fosse uma fraqueza sua. – Não sais?

– Não.

– Ok.

Eu fiz-lhe um sorriso radioso.

– Obrigada. – Apoiei-me sobre os joelhos, salpicando água por toda a parte, e beijei-o.

– Não tem nada que agradecer, Miss Steele. Como está o seu rabo?

– Dorido, mas não muito mal. A água é calmante.

– Estou satisfeito por me teres pedido para parar – disse ele, olhando para mim.

– O meu rabo também.

– Ele sorriu.

Estendi-me na cama, exausta. Eram apenas dez e meia, mas pareciam ser três da manhã. Aquele fora certamente um dos fins de semanas mais cansativos da minha vida.

– Miss Acton não forneceu nenhuma roupa de dormir? – perguntou Christian, num tom ligeiramente desaprovador, ao olhar para mim.

— Não faço ideia. Eu gosto de usar as tuas *t-shirts* – murmurei, sonolenta.

A sua expressão suavizou-se e ele debruçou-se sobre mim, beijando-me a testa.

— Preciso de trabalhar, mas não te quero deixar sozinha. Posso usar o teu portátil para me ligar ao escritório? Vou perturbar-te se trabalhar aqui?

— O portátil não é meu – disse eu, adormecendo lentamente.

O despertador tocou e acordei num sobressalto, com as notícias sobre o trânsito. Christian ainda dormia a meu lado. Esfreguei os olhos e olhei de relance para o relógio. Seis e meia – era demasiado cedo.

Lá fora estava a chover pela primeira vez desde há muito tempo e a luz era fraca e moderada. Eu sentia-me confortável e aconchegada com Christian a meu lado, naquele moderno e vasto monólito. Espreguicei-me e virei-me para o homem delicioso, deitado a meu lado. Ele abriu os olhos de repente e pestanejou, sonolento.

— Bom dia – disse eu. Sorri e acariciei-lhe o rosto, baixando-me para o beijar.

— Bom dia, amor. Normalmente acordo antes do despertador tocar – murmurou, assombrado.

— Está programado para tão cedo.

— Lá isso é verdade, Miss Steele – disse Christian, sorrindo. – Tenho de me levantar – disse ele, beijando-me. Depois levantou-se e saiu da cama. Voltei a deixar-me cair sobre as almofadas. Uau, acordar num dia de semana, junto de Christian Grey. Como teria aquilo sucedido? Fechei os olhos e dormitei.

— Vá lá, dorminhoca, levanta-te. – Christian estava debruçado sobre mim. Estava barbeado, limpo e fresco, com uma camisa branca, imaculada, e um fato preto, sem gravata – o CEO estava de volta.

Hum, que bem que ele cheira.

— O que foi? – perguntou.

— Quem me dera que voltasses para a cama.

Ele entreabriu os lábios, surpreendido com o meu comentário, sorrindo quase timidamente.

— É insaciável, Miss Steele. Por muito que essa ideia me seduza, tenho uma reunião às oito e meia, e tenho de sair daqui a pouco.

Eu tinha dormido mais uma hora, ou coisa do género. *Merda*. Saltei da cama, para grande divertimento de Christian.

Tomei um duche e vesti-me depressa, com as roupas que preparara no dia anterior: uma saia cinzenta travada e justa, uma camisa de seda cinzento-clara e sapatos de salto alto pretos, tudo do meu novo guarda-roupa. Escovei o cabelo, prendendo-o cuidadosamente em cima e encaminhei-me calmamente para a sala grande, sem saber bem o que esperar. Como iria eu para o trabalho?

Christian estava a beber café ao balcão da cozinha e Mrs. Jones estava a fazer panquecas e a fritar *bacon*.

— Estás linda — murmurou Christian, enlaçando-me com um braço e beijando-me por baixo da orelha. Pelo canto do olho, vi Mrs. Jones sorrir, e corei.

— Bom dia, Miss Steele — disse ela, colocando as panquecas e o *bacon* diante de mim.

— Ah, obrigada. Bom dia — murmurei. Caramba, quase que me podia habituar àquilo.

— Mr. Grey disse que a senhora queria levar o almoço para o trabalho. O que gostaria de comer?

Olhei de relance para Christian, que estava a conter um sorriso afetado, e semicerrei os olhos.

— Uma sanduíche... uma salada, tanto faz — respondi, dirigindo um sorriso luminoso a Mrs. Jones.

— Vou preparar-lhe rapidamente um almoço ligeiro para levar, minha senhora.

— Por favor trate-me por Ana, Mrs. Jones.

— Ana — disse ela, sorrindo, e virou-se para me fazer um chá.

Uau... isto é tão fixe.

Virei-me e inclinei a cabeça a Christian, desafiando-o — vá, acusa-me de flirtar com Mrs. Jones.

— Tenho de ir, amor. O Taylor leva-te ao trabalho com o Sawyer.

— Só até à porta.

– Sim, só até à porta – disse Christian, revirando os olhos. – Mas tem cuidado. – Olhei em redor e vi Taylor à entrada. Christian levantou-se e beijou-me, agarrando-me no queixo.

– Adeusinho, querida.

– Desejo-te um bom dia no escritório, querido – disse-lhe eu, em voz alta. Ele virou-se, dirigindo-me por instantes o seu belo sorriso, e depois desapareceu. Mrs. Jones serviu-me uma chávena de chá e, subitamente, senti-me constrangida por estarmos apenas ali as duas.

– Há quanto tempo trabalha para Christian? – perguntei, achando que deveria iniciar uma conversa qualquer.

– Mais ou menos há quatro anos – disse ela, agradavelmente, enquanto preparava o almoço para eu levar.

– Eu posso fazer isso, sabe? – murmurei, embaraçada pelo facto de ela o estar a fazer por mim.

– Tome o seu pequeno-almoço, Ana. Este é o meu trabalho e gosto de o fazer. É bom cuidar de mais alguém, para além do Taylor e de Mr. Grey. – Sorriu-me amavelmente.

Eu corei de prazer e apeteceu-me bombardear a mulher com perguntas. Ela devia saber imenso acerca do Cinquenta. Porém, embora fosse calorosa e amigável, era também bastante profissional, e eu sabia que apenas iria embaraçar-nos a ambas se começasse a questioná-la, por isso terminei o meu pequeno-almoço num silêncio relativamente confortável, apenas interrompido pelas perguntas dela acerca da comida que eu preferia, em geral.

Vinte e cinco minutos depois, Sawyer apareceu à entrada da sala grande. Eu tinha lavado os dentes e estava à espera dele para sair. Agarrei no saco de papel pardo com o almoço – creio que nem a minha mãe me preparava o almoço para levar – e desci de elevador com Sawyer, até ao rés-do-chão. Sawyer era bastante taciturno, e não deixava transparecer nada. Taylor estava à espera no *Audi* e eu entrei para o banco de trás, quando Sawyer me abriu a porta.

– Bom dia, Taylor – disse eu, alegremente.

– Miss Steele – disse ele, sorrindo.

– Desculpa o que aconteceu ontem e os meus comentários inconvenientes. Espero não te ter metido em sarilhos.

Taylor franziu-me o sobrolho, divertido, através do retrovisor ao mergulhar no trânsito de Seattle.

– Eu raramente me meto em sarilhos, Miss Steeele – disse-me ele, tranquilizadoramente.

Ah, ótimo, talvez Christian não o tivesse repreendido. Afinal só ralhou comigo, pensei amargamente.

– É bom sabê-lo, Taylor – disse eu, com um sorriso afetado.

Ao encaminhar-me para a minha secretária, Jack olhou-me, avaliando a minha aparência.

– Bom dia, Ana. Teve um bom fim de semana?

– Sim, obrigada. E o senhor?

– Foi bom. Instale-se, tenho trabalho para si. – Eu anuí e sentei-me ao meu computador. Pareciam ter passado anos desde que fora trabalhar pela última vez. Liguei o meu computador e acedi ao e-mail – é claro que tinha um e-mail de Christian.

De: Christian Grey
Assunto: Patrão
Data: 13 de junho de 2011 08:24
Para: Anastasia Steele

Bom dia, Miss Steele
Queria apenas agradecer-lhe o magnífico fim de semana, apesar de toda a tragédia.
Espero que nunca se vá embora, nunca.
Só para lhe lembrar que as notícias sobre a SIP permanecerão interditas durante quatro semanas.

Apaga este e-mail assim que o tiveres lido.

Atentamente,

Christian Grey

CEO, Grey Enterprises Holdings, Inc. e patrão dos patrões do teu patrão.

_____

Espera que eu nunca me vá embora? Será que quer que eu me mude lá para casa? Meu Deus... Mal conheço o homem. Carreguei no *delete*.

_____

De: Anastasia Steele
Assunto: Autoritário
Data: 13 de junho de 2011 09:03
Para: Christian Grey

Caro Mr. Grey,

Está a pedir-me para ir viver consigo? É claro que estou lembrada de que as provas das suas capacidades épicas de perseguidor estarão interditas durante mais quatro semanas. Passo um cheque à ordem do Sobreviver Juntos e mando-o ao teu pai? Por favor não apagues este e-mail e responde.

Amo-te
Bjs,

Anastasia Steele
Assistente de Jack Hyde, Editor, SIP

_____

— Ana! — Jack sobressaltou-me.
— Sim? — Corei e Jack franziu-me o sobrolho.
— Está tudo bem?
— Claro. — Levantei-me apressadamente e levei o meu bloco de notas para o seu gabinete.
— Ótimo. Como deve estar lembrada, na quinta-feira vou ao

Simpósio de Ficção em Nova Iorque. Tenho bilhetes e reservas, mas gostaria que viesse comigo.

– A Nova Iorque?

– Sim. Temos de ir na quarta-feira e passar lá a noite. Creio que achará a experiência bastante educativa. – Os seus olhos escureceram ao dizê-lo mas estava com um sorriso cortês. – Importa-se de fazer os preparativos para a viagem e alugar mais um quarto no hotel onde vou ficar? Acho que é o Sabrisa; a minha assistente anterior deixou os detalhes à mão, por aí algures.

– Ok. – Sorri tristemente a Jack.

Raios. Voltei lentamente para a minha secretária. O Cinquenta não ia engolir aquilo, mas o facto é que eu queria ir. Parecia-me uma boa oportunidade e eu tinha a certeza de que conseguiria manter Jack à distância, se fosse esse o seu motivo ulterior. Quando regressei à minha secretária, tinha uma resposta de Christian.

De: Christian Grey
Assunto: Eu, Autoritário?
Data: 13 de junho de 2011 09:07
Para: Anastasia Steele

Sim, se não te importas.

Christian Grey
CEO, Grey Enterprises Holdings, Inc.

Ele queria mesmo que eu me mudasse lá para casa. Oh, Christian... é demasiado cedo. Aninhei a cabeça nas mãos, tentando recuperar a compostura. Era só o que me faltava depois do meu extraordinário fim de semana. Não tivera um único momento a sós para ponderar e entender tudo o que tinha vivido e descoberto nos últimos dois dias.

De: Anastasia Steele.
Assunto: Flynnismos
Data: 13 de junho de 2011 09:20
Para: Christian Grey

Christian,

O que aconteceu a aprender a andar antes de correr?

Podemos falar acerca disso hoje à noite, por favor?

Pediram-me para ir a uma conferência em Nova Iorque, na quinta-feira,

o que significa que terei de lá passar a noite de quarta-feira.

Achei apenas que devias saber.

Bjs.

A

Anastasia Steele
Assistente de Jack Hyde, Editor, SIP

_____

De: Christian Grey
Assunto: O QUÊ?
Data: 13 de junho de 2011 09:21
Para: Anastasia Steele

Sim. Vamos falar esta noite.

Vais sozinha?

Christian Grey
CEO, Grey Enterprises Holdings, Inc.

_____

De: Anastasia Steele
Assunto: Nada de Gritos Audaciosos em Maiúsculas, numa Segunda-
-feira de Manhã!
Data: 13 de junho de 2011 09.30
Para: Christian Grey

Podemos falar nisso hoje à noite?

Bjs,
A

———

De: Christian Grey
Assunto: Ainda Tu Não Viste o Que é Gritar
Data: 13 de junho de 2011 09:35
Para: Anastasia Steele

Diz-me.

Se vais com esse monte de esterco com quem trabalhas, a resposta é
não. Só por cima do meu cadáver.

Christian Grey
CEO, Grey Enterprises Holdings, Inc.

———

O meu coração afundou-se. Merda – era como se fosse meu pai.

———

De: Anastasia Steele
Assunto: Não. TU é que ainda não viste o que é gritar.
Data: 13 de junho de 2011 09:46

Para: Christian Grey

Sim, é com o Jack.

Eu quero ir. É uma oportunidade empolgante para mim e eu nunca fui a Nova Iorque.

Não te passes.

Anastasia Steele

Assistente de Jack Hyde, Editor, SIP

De: Christian Grey

Assunto: Não. TU é que ainda não viste o que é gritar

Data: 13 de junho de 2011 09:50

Para: Anastasia Steele

Anastasia,

Não é comigo que estou preocupado.

A resposta é NÃO.

Christian Grey

CEO Grey Enterprises Holdings, Inc.

— Não! — gritei para o computador e toda a gente no escritório ficou imóvel e olhou para mim. Jack espreitou do seu gabinete.

— Está tudo bem, Ana?

— Sim, desculpe — murmurei — ...esqueci-me de gravar um documento. — Estava vermelha de embaraço. Ele sorriu-me, mas estava com uma expressão intrigada. Respirei fundo várias vezes a escrevi rapidamente uma resposta. Estava furiosa.

De: Anastasia Steele
Assunto: Cinquenta Sombras
Data: 13 de junho de 2011 09:55
Para: Christian Grey

Christian,

Tens de te controlar.

Eu NÃO vou dormir com Jack – nem por todo o chá da China.

Eu AMO-TE. É assim que as coisas funcionam quando as pessoas se amam.

CONFIAM uma na outra.

Não me pareces que vás DORMIR, ESPANCAR, FODER ou CHICO-TEAR mais ninguém. Eu tenho FÉ e CONFIANÇA em ti.

Por favor retribui-me com a mesma CORTESIA.

Ana

Anastasia Steele
Assistente de Jack Hyde, Editor, SIP

Fiquei sentada à espera da resposta dele, mas não recebi nada. Telefonei para a companhia aérea e reservei um bilhete para mim, assegurando-me de que seguiria no mesmo voo de Jack, e ouvi o tinido de outro e-mail a entrar.

De: Lincoln, Elena
Assunto: Data de Almoço
Data: 13 de junho de 2011 10:15
Para: Anastasia Steele

Querida Anastasia,

Gostaria realmente de almoçar consigo. Acho que começámos com o pé errado e eu gostaria de remediar isso. Está livre algum dia desta semana?

Elena Lincoln

———

Com os diabos... Mrs. Robinson é que não! Como raio teria ela descoberto o meu endereço de e-mail? Aninhei a cabeça nas mãos. Poderia aquele dia estar a correr pior?

O meu telefone tocou. Levantei cautelosamente a cabeça e atendi-o, olhando de relance para o relógio. Eram apenas dez e vinte e eu já desejava não ter saído da cama de Christian.

— Escritório de Jack Hyde, fala Ana Steele.

Uma voz dolorosamente familiar rosnou-me:

— Importas-te de apagar o último e-mail que me mandaste e tentar ser um pouco mais prudente na linguagem que utilizas no teu e-mail de trabalho? Já te disse que o sistema é monitorizado. Farei os possíveis para minorar os danos daqui. — Desligou.

Merda... Fiquei sentada a olhar para o telefone. Christian desligara-me o telefone na cara. Aquele homem estava a destruir por completo a minha recém-iniciada carreira e a desligar-me o telefone? Olhei para o bocal e percebi que este se encolheria horrorizado perante o meu olhar fulminante, se não fosse totalmente inanimado.

Abri os meus e-mails e apaguei o que lhe tinha enviado. Não era assim tão grave. Apenas falava em espancar e... e chicotear. Se tinha tanta vergonha disso, bem podia não o fazer. Peguei no meu BlackBerry e liguei para o telemóvel dele.

— O que foi? — perguntou, bruscamente.

— Eu vou a Nova Iorque, quer tu queiras quer não — disse eu, num tom de voz sibilante.

— Não contes...

Eu desliguei, deixando-o a meio da frase. A adrenalina percorreu-me o corpo. Pronto — Explicara-me bem. Estava tão furiosa.

Respirei fundo, tentando recuperar a compostura.

Fechei os olhos e imaginei-me num cenário de felicidade. Hum... na cabina de um barco com Christian. Tentei esquecer a imagem, pois estava demasiado furiosa com o Cinquenta, naquele momento, para o ter por perto, no meu cenário de felicidade.

Abri os olhos, peguei calmamente no meu bloco de notas, examinei cuidadosamente a minha lista de tarefas e respirei fundo, recuperando o meu equilíbrio.

– Ana! – gritou Jack, assustando-me. – Não reserve esse voo!

– Ah, tarde demais. Já o fiz – respondi, ao vê-lo sair do gabinete e aproximar-se de mim. Parecia furioso.

– Oiça, passa-se qualquer coisa. Por qualquer razão, todas as despesas de viagem e de alojamento passaram de repente a ter de ser aprovadas pelos quadros superiores da administração. A ordem veio diretamente da administração e eu vou lá a cima para falar com o velho Roach. Parece que acabaram de implementar uma moratória sobre todos os gastos. Não entendo isto. – Jack apertou a cana do nariz e fechou os olhos.

Grande parte do sangue fugiu-me do rosto e eu senti um nó no estômago. *Cinquenta!*

– Atenda as minhas chamadas. Vou ver o que Roach tem para me dizer. – Piscou-me o olho e afastou-se para ir falar com o patrão – e não o patrão do patrão.

Raios. Christian Grey... O meu sangue começou de novo a ferver.

———

De: Anastasia Steele
Assunto: O que fizeste?
Data: 13 de junho de 2011 10:43
Para: Christian Grey

Por favor diz-me que não vais interferir com o meu trabalho.

Eu quero mesmo ir a esta conferência.

Não deveria ter de te pedir.

Apaguei o e-mail ofensivo.

Anastasia Steele

Assistente de Jack Hyde, Editor, SIP

_____

De: Christian Grey
Assunto: O que fizeste?
Data: 13 de junho de 2011 10:46
Para: Anastasia Steele

Estou apenas a proteger o que é meu.
O e-mail que mandaste, tão precipitadamente, foi agora apagado do servidor da SIP tal como os meus e-mails para ti.

A propósito, eu confio tacitamente em ti. É nele que não confio.

Christian Grey
CEO, Grey Enterprises Holdings, Inc.

_____

Verifiquei se ainda tinha os e-mails dele, mas tinham desaparecido. A influência daquele homem não tinha limites. Como fazia ele
aquilo? Quem conheceria ele que pudesse sondar as profundezas dos
servidores da SIP e apagar e-mails? Era algo que me ultrapassava por
completo.

_____

De: Anastasia Steele
Assunto: Cresce
Data: 13 de junho de 2011 10:48
Para: Christian Grey

Christian,

Eu não preciso que me protejas do meu próprio patrão.

Ele até se pode atirar a mim, que eu direi não.

Não podes interferir. Está errado e é terrivelmente controlador a vários níveis.

Anastasia Steele
Assistente de Jack Hyde, Editor, SIP

_____

De: Christian Grey
Assunto: A resposta é NÃO
Data: 13 de junho de 2011 10:50
Para: Anastasia Steele

Ana,

Eu já reparei como és "eficaz" a combater atenções indesejáveis. Lembro--me que foi assim que tive o prazer de passar a minha primeira noite contigo. Pelo menos o fotógrafo gosta de ti. Esse monte de esterco, por outro lado, não gosta. É um mulherengo e vai tentar seduzir-te. Pergunta--lhe o que aconteceu à sua última assistente particular e à outra antes dessa.

Não quero discutir por causa disto.

Se queres ir a Nova Iorque, eu levo-te. Podemos ir neste fim de semana. Tenho lá um apartamento.

Christian Grey
CEO, Grey Enterprises Holdings, Inc.

_____

Oh, Christian! A questão não é essa. Ele era tão frustrante. É claro que tinha lá um apartamento. Onde mais teria ele propriedades? Já sabia que ele ia falar de José. Será que alguma vez iria ultrapassar isso? Por amor de Deus, eu estava embriagada. Jamais me embebedaria com Jack.

Abanei a cabeça para o ecrã, mas percebi que não podia continuar a discutir com ele por e-mail. Teria de esperar até à noite. Olhei para o relógio. Jack ainda não voltara da reunião com Jerry e eu tinha de lidar com Elena. Voltei a ler o e-mail dela e concluí que a melhor forma de lidar com o assunto era mandá-lo a Christian e deixar que fosse ele a concentrar-se nela e não eu.

De: Anastasia Steele
Assunto: FW: Encontro para Almoço ou Bagagem Irritante
Data: 13 de junho de 2011 11:15
Para: Christian Grey

Christian,
Enquanto estavas entretido a interferir com a minha carreira e a salvares o coiro das minhas missivas imprudentes, recebi o seguinte e-mail de Mrs. Lincoln. Não me apetece realmente encontrar-me com ela – e mesmo que quisesse, não estou autorizada a abandonar este edifício. Como ela conseguiu o meu endereço de e-mail, não sei. O que sugeres que faça? O e-mail dela está em baixo:

Querida Anastasia,
Gostaria realmente de almoçar consigo. Acho que começámos com o pé errado e eu gostaria de remediar isso. Está livre algum dia desta semana?
Elena Lincoln

Anastasia Steele
Assistente de Jack Hyde, Editor, SIP

De: Christian Grey
Assunto: Bagagem Irritante
Data: 13 de junho de 2011 11:23
Para: Anastasia Steele

Não fiques zangada comigo. Estou a zelar pelos teus interesses.
Jamais me perdoaria a mim próprio se alguma coisa te acontecesse.
Eu trato de Mrs. Lincoln.

Christian Grey
CEO, Grey Enterprises Holdings, Inc.

De: Anastasia Steele
Assunto: Mais Tarde
Data: 13 de junho de 2011 11:32
Para: Christian Grey

Por favor, podemos discutir isso hoje à noite?
Estou a tentar trabalhar e a tua interferência contínua é bastante perturbadora.

Anastasia Steele
Assistente de Jack Hyde, Editor, SIP

Jack voltou depois do meio-dia e disse-me que eu já não ia a Nova
Iorque, embora ele ainda fosse, e que não podia fazer nada para alte-
rar a política dos quadros superiores da administração. Voltou para o
seu gabinete e bateu com a porta, visivelmente furioso. Porque estaria
tão zangado?

No meu íntimo, sabia que as intenções dele não eram honestas, mas tinha a certeza de que conseguiria lidar com ele. Perguntei a mim própria o que saberia Christian acerca da anterior assistente pessoal de Jack, mas pus essa ideia de parte e continuei a trabalhar, decidindo que iria tentar persuadir Christian a mudar de ideias, ainda que as perspetivas fossem sombrias.

À uma da tarde, Jack pôs a cabeça de fora da porta do gabinete.

– Ana, importa-se de me ir buscar o almoço, por favor?

– Claro, o que quer?

– Uma sanduíche de *pastrami*, em pão de centeio. Peça para não porem muita mostarda. Dou-lhe o dinheiro quando voltar.

– Quer alguma coisa para beber?

– Uma Coca-Cola, por favor. Obrigado, Ana. – Voltou e entrar no gabinete e eu peguei na minha bolsa.

Raios. Eu prometera a Christian que não sairia. Suspirei. Ele nunca iria saber e eu ia ser rápida.

Claire, a rececionista, emprestou-me o seu chapéu de chuva, pois chovia a cântaros. Ao sair pela porta da frente, aconcheguei-me no casaco, olhando furtivamente em ambas as direções debaixo da enorme sombrinha. Tudo parecia estar bem. Não havia sinais da Rapariga Fantasma.

Dirigi-me apressadamente – e discretamente, esperava eu – à pastelaria, mas quanto mais perto dela estava, maior era a sensação arrepiante de estar a ser observada, e eu não percebia se era por estar demasiado paranoica, ou se era real. Merda. Esperava que não fosse a Leila com uma arma.

Isso é apenas a tua imaginação, disse o meu subconsciente, bruscamente. *Quem iria querer matar-te?*

Quinze minutos depois estava de volta – sã e salva e aliviada. Creio que a paranoia excessiva de Christian e a sua vigilância super-protetora estavam a começar a bulir-me com os nervos.

Quando levei o almoço a Jack, ele levantou os olhos do telefone.

– Obrigado, Ana. Como não vai comigo, vou precisar que fique a trabalhar até mais tarde. Temos de terminar estas sinopses. Espero que não tenha nada combinado. – Sorriu-me calorosamente e eu corei.

– Não, tudo bem – respondi com um sorriso radioso e o coração a afundar-se. Aquilo não ia acabar bem. Christian ia perder a cabeça, com toda a certeza.

Ao voltar para a minha secretária, decidi não lho dizer imediatamente, de contrário ele poderia ter tempo para interferir de alguma maneira. Sentei-me e comi a sanduíche de frango que Mrs. Jones me preparara. Estava deliciosa. Ela fazia umas sanduíches bestiais.

É claro que se eu me mudasse para casa de Christian, ela preparar-me-ia o almoço todos os dias da semana. A ideia era inquietante, pois nunca sonhara em ser escandalosamente rica, nem em tudo o que isso implicava – queria apenas amor. Encontrar alguém que me amasse e não tentasse controlar todos os meus movimentos. O telefone tocou.

– Escritório de Jack Hyde…

– Tu prometeste-me que não saías – interrompeu-me Christian, num tom de voz frio e duro.

Senti o coração afundar-se pela milionésima vez, nesse dia. Merda. Como raio sabia ele?

– Jack mandou-me ir buscar-lhe o almoço. Não podia recusar. Tens alguém a vigiar-me? – Senti um formigueiro no couro cabeludo só de pensar. Não admirava que me sentisse tão paranoica; *alguém* estava de facto a vigiar-me. A ideia enfureceu-me.

– Era por isso que eu não queria que voltasses para o trabalho – disse Christian, bruscamente.

– Por favor, Christian, estás a ser… – tão *Cinquenta* – tão sufocante.

– Sufocante? – sussurrou, surpreendido.

– Sim, tens de parar com isso. Falo contigo hoje à noite. Infelizmente vou ter de trabalhar até mais tarde por não poder ir a Nova Iorque.

– Não te quero sufocar, Anastasia – disse ele, horrorizado, num tom de voz baixo.

– Mas estás a sufocar-me. Tenho trabalho para fazer. Falo contigo mais tarde. – Desliguei e senti-me exausta, ligeiramente deprimida.

Depois de um fim de semana maravilhoso, estava a cair na realidade. Nunca sentira tanta vontade de fugir. Refugiar-me num local sossegado, onde pudesse pensar sobre aquele homem, no seu feitio, e na forma de lidar com ele. Por um lado sabia que estava destruído – agora, conseguia percebê-lo claramente – e isso era ao mesmo tempo doloroso e cansativo. Os preciosos fragmentos de informação que me dera acerca da sua vida tinham-me ajudado a entender o porquê. Uma criança desprezada, um ambiente horrivelmente abusivo, uma mãe que não o conseguira proteger, que ele também não conseguira proteger e que acabara por morrer diante dele.

Estremeci. Meu pobre Cinquenta. Eu era dele, mas não para ficar presa numa gaiola dourada. Como poderia eu fazer-lhe ver isso?

Arrastei para o colo um dos manuscritos que Jack queria que eu resumisse, com o coração pesado e continuei a ler. Não me ocorria nenhuma solução fácil para os terríveis problemas de controlo de Christian. Teria mesmo de falar mais tarde com ele, cara a cara.

Meia hora mais tarde, Jack mandou-me um documento por e-mail que eu teria ainda que rever e aperfeiçoar, para imprimir, a tempo da sua conferência. Iria ocupar-me não só o resto da tarde, mas também uma boa parte do serão, por isso deitei mãos à obra.

Quando levantei os olhos, já passava das sete e o escritório estava deserto, embora a luz no gabinete de Jack ainda estivesse acesa. Eu não dera pela hora em que todos tinham saído, mas estava quase despachada. Voltei a enviar o documento por e-mail a Jack para que ele o aprovasse e verifiquei a minha caixa de entradas. Não havia nada de novo de Christian, por isso olhei rapidamente para o BlackBerry, e tive um sobressalto, ao ouvi-lo zunir – era Christian.

– Olá – murmurei.

– Olá. Quando vais estar despachada?

– Por volta das sete e meia, acho eu.

– Encontro-me contigo lá fora.

– Ok.

Parecia calado, dir-se-ia até nervoso. Porquê? Estaria receoso da minha reação?

– Ainda estou furiosa contigo, mas é só isso – sussurrei. – Temos muito que falar.

– Eu sei. Vemo-nos às sete e meia.

Jack saiu do gabinete.

– Adeusinho, querido. – Desliguei.

Olhei para Jack, ao vê-lo aproximar-se descontraidamente de mim.

– Preciso apenas que lhe dê uns toques. Voltei a enviar-lhe a sinopse por e-mail. – Debruçou-se sobre mim enquanto eu recolhia o documento. Estava bastante próximo, desconfortavelmente próximo. O seu braço roçou no meu. Teria sido acidental? Eu encolhi-me, mas ele fingiu não dar por isso. Tinha o outro braço poisado sobre as costas da minha cadeira, a tocar-me nas costas. Eu endireitei-me para não ter de me encostar às costas da cadeira.

– Páginas dezasseis e vinte e três. Deve ser tudo – murmurou ele, com a boca a escassos centímetros do meu ouvido.

A minha pele arrepiou-se com a sua proximidade, mas decidi ignorá-lo. Abri o documento e comecei a modificá-lo tremulamente. Ele continuava debruçado sobre mim e todos os meus sentidos estavam alerta. Era perturbante e constrangedor. No meu íntimo gritei-lhe: *Para trás!*

– Logo que isso esteja feito poderá ir para impressão. Pode tratar disso amanhã. Obrigado por ter ficado até mais tarde a fazer isto, Ana. – Falava num tom de voz suave e delicado, como se estivesse a falar com um animal ferido. O meu estômago estremeceu.

– Acho que o mínimo que posso fazer é recompensá-la com uma bebida rápida. Merece uma bebida. – Prendeu-me uma madeixa de cabelo solta, atrás da orelha, acariciando-me delicadamente o lóbulo.

Eu retraí-me e cerrei os dentes, afastando bruscamente a cabeça. *Merda!* Christian tinha razão. *Não me toque.*

– Por acaso, hoje à noite não posso – *Nem hoje nem em nenhuma outra noite, Jack.*

– Nem uma bebida rápida? – insistiu, tentando persuadir-me.

– Não, não posso. Mas obrigada.

Jack sentou-se à beira da minha secretária e franziu o sobrolho. Campainhas de alarme ressoaram-me ruidosamente pelo cérebro. Estava sozinha no escritório e não podia sair. Olhei nervosamente para o relógio. Faltavam cinco minutos para Christian chegar.

– Ana, acho que fazemos uma grande equipa. Lamento não ter conseguido resolver a questão da visita a Nova Iorque. Não será o mesmo sem si.

Tenho a certeza de que não. Sorri-lhe debilmente, pois não sabia o que dizer e, pela primeira vez nesse dia, senti um ligeiro alívio pelo facto de não ir.

286

– Então, o fim de semana foi mesmo bom? – perguntou, brandamente.

– Foi bom, obrigada. – Onde estaria ele a querer chegar com aquilo?

– Vai ter com o seu namorado?

– Sim.

– O que faz ele?

É teu dono...

– Está na área dos negócios.

– Isso é interessante. Que tipo de negócios?

– Ah, ele deita a mão a todo o tipo de negócios.

Jack pôs a cabeça de lado e inclinou-se na minha direção, voltando
a invadir o meu espaço vital.

– Está a ser muito evasiva, Ana.

– Bom, está na área das telecomunicações, indústria e agricultura.

Jack arqueou as sobrancelhas: – Tanta coisa. Para quem trabalha ele?

– Trabalha para si mesmo. Se está satisfeito com o documento,
gostaria de me ir embora, se não se importa.

Ele voltou a inclinar-se para trás. O meu espaço vital estava de
novo seguro.

– Claro, desculpe. Não era minha intenção prendê-la aqui – disse
ele num tom muito pouco sincero.

– A que horas fecha o edifício?

– A segurança fica cá até às onze.

– Ótimo – disse eu, sorrindo, e o meu subconsciente deixou-se cair
na sua cadeira de braços, aliviado por saber que não estávamos sozinhos no edifício. Eu desliguei o computador, agarrei na minha bolsa e
levantei-me, preparando-me para sair.

– Então gosta do seu namorado?

– Amo-o – respondi, olhando Jack nos olhos.

– Compreendo – Jack franziu o sobrolho e levantou-se da minha
secretária. – Qual é o apelido dele?

Corei.

– Grey. Christian Grey – murmurei.

Jack ficou de boca aberta: – O solteirão mais rico de Seattle? Esse
Christian Grey?

– Sim, esse mesmo. – *Sim, esse Christian Grey, o teu futuro patrão, que te vai comer ao pequeno-almoço se voltares a invadir o meu espaço vital.*

– Bem me pareceu que o rosto dele não me era estranho – disse Jack, sombriamente, voltando a franzir a testa. – Bom, é um homem com sorte.

Eu pestanejei. O que podia eu responder àquilo?

– Desejo-lhe uma boa noite – Jack esboçou um sorriso, embora este não lhe chegasse aos olhos, e encaminhou-se rigidamente para o gabinete, sem olhar para trás uma vez que fosse.

Suspirei de alívio. Bom, talvez aquele problema estivesse resolvido. A magia do Cinquenta voltara a produzir efeito. O seu nome, por si só, era o meu talismã e forçara aquele homem a recuar, com o rabo entre as pernas. Dei-me ao direito de sorrir vitoriosamente. *Estás a ver, Christian, até o teu nome me protege. Não precisavas de te ter dado a todo esse trabalho de controlar as despesas.* Arrumei a minha secretária e olhei para o relógio de pulso. Christian já devia estar lá fora.

O *Audi* estava estacionado junto do passeio e Taylor saiu para abrir a porta de trás. Nunca me sentira tão satisfeita por o ver e entrei apressadamente no carro, abrigando-me da chuva.

Christian estava no banco traseiro, a olhar para mim, de olhos muito abertos, com um ar receoso. Estava com os maxilares crispados, preparado para o meu ataque de fúria.

– Olá – murmurei.

– Olá – replicou, cautelosamente. Esticou o braço e agarrou-me na mão, apertando-a firmemente e o gelo no meu coração derreteu um pouco. Estava tão confusa. Ainda nem sequer pensara no que precisava de lhe dizer.

– Ainda estás zangada? – perguntou-me.

– Não sei – murmurei. Ele levou a minha mão aos lábios, roçando--os pelos nós dos dedos e deixando neles um rasto de beijos suaves como borboletas.

– Foi um dia horrível – disse ele.

– Pois foi. – Mas pela primeira vez, desde que ele saíra para trabalhar nessa manhã, comecei a descontrair-me. Só o facto de estar na sua companhia era um bálsamo calmante: toda a merda que aturara de

Jack, os e-mails rabugentos para a frente e para trás e o incómodo de Elena foram desaparecendo aos poucos. Agora era só eu e o meu controlador, no banco traseiro do carro.

– Tudo ficou melhor agora que aqui estás – murmurou ele. Ficámos sentados em silêncio, enquanto Taylor ziguezagueava pelo trânsito de fim de tarde, ambos pensativos e contemplativos, mas eu senti Christian relaxar-se lentamente, a meu lado. Também ele se estava a descontrair, passando-me delicadamente o polegar pelos nós dos dedos, a um ritmo suave e tranquilizante.

Taylor deixou-nos em frente ao edifício e ambos entrámos, para nos abrigarmos da chuva. Christian agarrou-me na mão, enquanto esperávamos pelo elevador, sondando a parte da frente do edifício.

– Presumo que ainda não tenhas encontrado a Leila.

– Não, o Welch continua à procura dela – confirmou, desanimado.

O elevador chegou e nós entrámos. Christian fitou-me de relance com um olhar inescrutável. Estava simplesmente maravilhoso – de cabelo despenteado, camisa branca e fato escuro. Subitamente, senti-a, como que vinda do nada. *Oh, meu Deus* – a ânsia, a luxúria, a eletricidade. Se fosse visível seria uma intensa aura azul em torno de ambos e entre ambos. Era tão forte. Ele entreabriu os lábios, ao olhar-me.

– Sentes? – sussurrou.

– Sim.

– Oh, Ana – gemeu, agarrando-me e envolvendo-me nos seus braços. Levou uma mão à minha nuca e inclinou-me a cabeça para trás, unindo os seus lábios aos meus. Eu mergulhei os dedos no seu cabelo, acariciando-lhe o rosto e ele empurrou-me contra a parede do elevador.

– Detesto discutir contigo – sussurrou contra a minha boca. Havia um quê de desespero e paixão no seu beijo, em tudo semelhante ao meu. O desejo explodiu-me pelo corpo, como se toda a tensão do dia procurasse uma válvula de escape, e eu encostei-me contra ele, ávida por mais. Tudo em nós era língua, respiração, mãos, tato e doces sensações. Ele levou a mão à minha anca e puxou-me abruptamente a saia, acariciando-me as coxas com os dedos.

– Deus do céu, estás de meias – gemeu, assombrado, num tom apreciador, acariciando-me a carne acima da linha das meias. – Quero ver isso – sussurrou, puxando-me a saia totalmente para cima, expondo--me o cimo das coxas.

Recuou, carregou no botão de "stop" e o elevador parou lentamente entre o décimo segundo e o décimo terceiro andar. Estava de lábios entreabertos, com os olhos sombrios e a respiração tão áspera como a minha. Olhámos um para o outro sem nos tocarmos. Eu senti-me grata pelo facto de estar encostada a uma parede que me mantinha de pé, deleitando-me com o olhar avaliador e sensual daquele homem lindo.

– Solta o cabelo – ordenou, num tom de voz rouco, e eu ergui as mãos e tirei o elástico, soltando o cabelo, que me tombou como uma espessa nuvem sobre os ombros e os seios. – Desaperta os dois botões de cima da camisa – sussurrou, agora com um olhar mais selvagem.

Fazia-me sentir tão lasciva. Ergui as mãos e desabotoei um botão de cada vez, com uma lentidão dolorosa, revelando tentadoramente o topo dos meus seios. Ele engoliu em seco.

– Fazes alguma ideia de como estás fascinante neste momento?

Eu mordi deliberadamente o lábio e sacudi a cabeça. Ele fechou os olhos por breves instantes e quando os voltou a abrir, estavam ardentes. Depois, avançou e colocou as mãos nas paredes do elevador de ambos os lados do meu rosto. Era o mais perto que poderia estar de mim, sem me tocar.

Eu ergui a cara ao encontro dos seus olhos e ele curvou-se, roçando o nariz no meu. Foi o nosso único contacto. Sentia-me a escaldar, fechada com ele no espaço confinado daquele elevador. Queria possuí--lo – naquele instante.

– Acho que sim, Miss Steele, acho que gosta de me deixar louco.

– Eu deixo-te louco? – sussurrei.

– Em tudo, Anastasia. És uma sereia, uma deusa. – Agarrou-me na perna por cima do joelho e puxou-a, enrolando-a à volta da cintura, e eu fiquei encostada a ele, de pé numa só perna. Ele roçou-me os lábios pela garganta e eu gemi, abraçando-me ao seu pescoço. Sentia a ereção dele contra mim, o seu membro duro e desejoso ao cimo das minhas coxas.

– Agora vou possuir-te – sussurrou e eu arqueei as costas colando--me a ele, ansiosa pela fricção. Ele gemeu num tom profundo, cavo e gutural, erguendo-me enquanto desapertava a braguilha.

– Segura-te bem, amor – murmurou, desencantando um preservativo, como que por magia, e colocando-o diante da minha boca. Eu segurei a embalagem entre os dentes e ele puxou, rasgando-a com a minha ajuda.

– Linda menina. – Recuou um pouco e pôs o preservativo. – Meu Deus, mal posso esperar pelos próximos seis dias – resmungou, olhando-me de olhos semicerrados. – Espero que não tenhas demasiada estima por estas cuecas. – Enfiou as suas mãos experientes nelas e estas desfizeram-se nas suas mãos. O sangue latejava-me pelas veias. Estava ofegante de desejo.

As suas palavras eram intoxicantes, fazendo-me esquecer toda a angústia do dia. Era apenas eu e ele a fazermos o que melhor sabíamos fazer. Ele mergulhou lentamente dentro de mim, sem desviar os olhos dos meus. Eu arqueei o corpo e inclinei a cabeça para trás, fechando os olhos e desfrutando da sensação de o ter dentro de mim. Ele recuou e voltou a penetrar-me tão lenta e docemente que eu gemi.

– És minha, Anastasia – murmurou, contra a minha garganta.

– Sim, sou tua. Quando irás aceitar isso? – disse eu, ofegante. Ele gemeu e começou a mexer-se, a mexer-se a sério, e eu rendi-me ao seu ritmo implacável, saboreando cada investida e cada recuo, a sua respiração ofegante, o seu desejo por mim, em tudo semelhante ao meu.

Fazia-me sentir poderosa, desejada e amada – amada por aquele homem cativante e complicado, que eu amava também com todo o meu coração. Ele começou a penetrar-me cada vez com mais força, perdendo--se em mim, ofegante, ao mesmo tempo que eu me perdia nele.

– Oh, amor – gemeu Christian, roçando-me os dentes no maxilar, e eu vim-me intensamente em torno do seu membro. Ele imobilizou-se, agarrou-me e veio-se também, sussurrando o meu nome.

Christian beijou-me delicadamente, agora esgotado e calmo, e a sua respiração abrandou. Estava a segurar-me de pé, contra a parede do elevador, e estávamos ambos com a testa encostada um ao outro. Eu sentia o corpo mole e débil como gelatina, mas gratificantemente saciado depois do orgasmo.

– Oh, Ana – murmurou. – Preciso tanto de ti. – Beijou-me a testa.

– E eu de ti, Christian.

Ele largou-me e endireitou-me a saia, apertando-me os dois botões da camisa, digitando depois a combinação no teclado numérico e ativando de novo o elevador. Este arrancou com um solavanco, e eu agarrei-me aos seus braços.

– Taylor deve estar a interrogar-se onde estamos – disse ele, sorrindo-me lascivamente.

Oh, raios. Passei os dedos pelo cabelo tentando em vão combater a evidência de que acabara de foder, mas depois desisti e prendi-o num rabo-de-cavalo.

– Estás bem – disse Christian, com um sorriso afetado, fechando a braguilha e guardando o preservativo no bolso de trás.

Mais uma vez parecia ser a personificação do empresário americano e como o seu cabelo estava quase sempre desgrenhado, como se tivesse acabado de ter sexo, a diferença era muito pequena. Só que agora estava a sorrir descontraidamente e os seus olhos cintilavam com um encanto juvenil. Seriam todos os homens assim tão fáceis de apaziguar?

Taylor estava à nossa espera quando as portas se abriram.

– Houve um problema com o elevador – murmurou Christian, ao sairmos os dois, e eu não consegui olhar de frente para nenhum deles, entrando apressadamente pelas portas duplas e encaminhando-me para o quarto de Christian, à procura de roupa interior lavada.

Quando voltei, Christian tirara o casaco e estava sentado ao balcão da cozinha a conversar com Mrs. Jones. Ela sorriu-me amavelmente, servindo-nos dois pratos de comida quente. Hum, a comida cheirava deliciosamente – era *coq au vin*, achava eu. Estava esfomeada.

– Bom apetite, Mr. Grey, Ana – disse ela, deixando-nos a comer.

Christian foi buscar uma garrafa de vinho branco ao frigorífico e contou-me que estava prestes a aperfeiçoar um telemóvel alimentado a energia solar, enquanto comíamos. Estava animado e entusiasmado com todo o projeto e eu percebi então que o seu dia não fora totalmente desagradável.

Questionei-o acerca das suas propriedades. Ele sorriu-me afetadamente e eu acabei por concluir que ele só tinha apartamentos em Nova

Iorque, Aspen, no Escala e nada mais. Quando terminámos, eu levantei o seu prato e o meu e levei-os para o lava-loiça.

– Deixa, a Gail faz isso – disse ele. Eu virei-me e olhei para Christian. Ele estava a olhar atentamente para mim. Será que alguma vez me iria habituar a ter alguém que me lavasse a loiça?

– Agora que está mais dócil, podemos falar do dia de hoje, Miss Steele?

– Acho que tu é que estás mais dócil. Creio que estou a domesticar-te bem.

– Domesticar-me? – perguntou, divertido, contendo uma gargalhada. Ao ver-me acenar com a cabeça, franziu o sobrolho, como se estivesse a reflectir sobre as minhas palavras. – Sim, talvez estejas, Anastasia.

– Tinhas razão acerca do Jack – murmurei, agora com um ar sério, encostando-me à bancada da cozinha, a avaliar a sua reação. Christian ficou com um ar sério e o seu olhar endureceu.

– Ele tentou alguma coisa? – sussurrou, num tom gélido. Abanei a cabeça para o tranquilizar. – Não tentou, nem vai tentar, Christian. Hoje disse-lhe que era tua namorada e ele recuou imediatamente.

– Tens a certeza? Posso despedir o sacana – disse Christian, de sobrolho franzido.

Eu suspirei, encorajada pelo meu copo de vinho.

– Tens mesmo de me deixar travar as minhas próprias batalhas. Não podes estar constantemente a prever o que me vai acontecer e a tentar proteger-me. É sufocante, Christian. Eu jamais conseguirei progredir com a tua interferência incessante. Preciso de alguma liberdade. Jamais me passaria pela cabeça intrometer-me nos teus negócios.

Ele pestanejou.

– Quero apenas a tua segurança, Anastasia. Se alguma coisa te acontecesse, eu… – Calou-se.

– Eu sei e compreendo porque te sentes tão compelido a proteger-me. Em parte adoro isso. Sei que se precisar de ti, tu estarás lá para mim, tal como eu estarei lá para ti. Mas se queremos ter esperança num futuro juntos, terás de confiar em mim e no meu discernimento. Sim, é possível que interprete as coisas mal, às vezes cometerei erros, mas tenho de aprender.

Ele olhou-me com uma expressão ansiosa, sentado no banco do balcão, o que me deu vontade de contorná-lo até ficar entre as suas pernas. Agarrei-lhe nas mãos e coloquei-as à volta do meu corpo, poisando as minhas mãos nos seus braços.

– Não podes interferir com o meu emprego. Está errado. Eu não preciso que venhas por aí fora, desenfreado, como um cavaleiro branco, para impedires uma fatalidade. Sei que tu queres controlar tudo e percebo porquê, mas não consegues. É uma meta impossível... Tens de aprender a deixar correr. – Ergui a mão e afaguei-lhe o rosto. Ele olhava-me de olhos muito abertos. – Se conseguires fazer isso, dar-me isso, eu virei morar contigo – acrescentei, brandamente.

Ele inspirou bruscamente, surpreendido.

– A sério? – sussurrou.

– Sim.

– Mas tu não me conheces. – Franziu o sobrolho, parecendo subitamente sufocado e apavorado, algo muito pouco próprio dele.

– Já te conheço o suficiente, Christian. Nada que me possas contar a teu respeito me irá afugentar. – Passei delicadamente os nós dos dedos pela cara dele e a ânsia no seu rosto deu lugar à hesitação. – Mas se pudesses ser um pouco mais brando comigo – implorei eu.

– Estou a tentar, Anastasia. Eu poderia ficar de braços cruzados e deixar-te ir a Nova Iorque com aquele... monte de esterco, mas ele tem uma reputação alarmante. Nenhuma das suas assistentes durou mais de três meses, e a empresa nunca as mantém. Não quero que isso te aconteça. – Suspirou. – Não quero que te aconteça nada. Não quero que te magoem... só de pensar nisso fico apavorado. Não posso prometer que não vou interferir, pelo menos se achar que te podes vir a prejudicar. – Fez uma pausa e respirou fundo. – Eu amo-te, Anastasia e farei tudo o que estiver ao meu alcance para te proteger. Não consigo imaginar a minha vida sem ti.

Com os diabos. A minha deusa interior, o meu subconsciente e eu olhámos os três estarrecidos para o Cinquenta.

Três pequenas palavras e o meu mundo parou, inclinou-se e girou, em torno de um novo eixo; e eu saboreei o momento, fitando os seus olhos cinzentos belos e sinceros.

– Eu também te amo, Christian. – Inclinei-me e beijei-o, e o beijo tornou-se mais profundo.

Taylor entrou sem que ninguém desse por ele e pigarreou. Christian recuou, olhando-me atentamente, e levantou-se, com um braço à volta da minha cintura.

– Sim? – perguntou ele a Taylor, num tom brusco.

– Mrs. Lincoln está a subir.

– O quê?

Taylor encolheu os ombros, como se estivesse a pedir desculpa e Christian suspirou pesadamente, abanando a cabeça.

– Isto vai ser interessante – murmurou ele, dirigindo-me um sorriso enviesado e resignado.

Merda! Porque seria que o raio da mulher não nos deixava em paz?

CAPÍTULO DOZE

– Falaste com ela hoje? – perguntei a Christian, enquanto esperávamos que Mrs. Robinson chegasse.

– Falei.

– O que lhe disseste?

– Disse-lhe que tu não querias vê-la e que eu percebia porquê, disse-lhe também que não gostava que ela agisse nas minhas costas. – O seu olhar era impassível, sem dar a entender o que estava a pensar.

Ah, ótimo.

– E o que disse ela?

– Minimizou o assunto de uma forma que só a Elena sabe fazer. – Fez um trejeito enviesado com a boca.

– Porque achas que ela cá veio?

– Não faço ideia – disse Christian, encolhendo os ombros.

Taylor voltou a entrar na sala grande.

– Mrs. Lincoln – anunciou.

E ali estava ela... Porque raio era tão atraente? Estava totalmente vestida de preto: uns *jeans* justos, uma camisa que lhe realçava a silhueta perfeita, e uma auréola de cabelos luminosos e lustrosos.

Christian puxou-me para junto de si.

– Elena – disse ele, num tom intrigado.

Ela olhou para mim surpreendida e ficou pregada ao chão, piscando os olhos antes de recuperar o seu tom de voz suave:

– Desculpa, não fazia ideia de que estavas acompanhado, Christian. É segunda-feira. – Disse-o como se isso explicasse o motivo por que ali estava.

– Namorada – disse ele, a título de explicação, inclinando a cabeça para um lado, e sorrindo-lhe friamente.

Um sorriso radioso, inteiramente dirigido a ele, alastrou lentamente pelo seu rosto. Era inquietante.

– Claro. Olá, Anastasia. Não sabia que iria estar aqui. Eu sei que não quer falar comigo e aceito isso.

– Ah, sim? – disse eu, calmamente, olhando para ela, para surpresa de todos. Ela franziu ligeiramente o sobrolho e avançou para dentro da sala.

– Sim, eu entendi a mensagem e não estou aqui para a ver a si. Como disse antes, Christian raramente está acompanhado durante a semana. – Fez uma pausa. – Tenho um problema e preciso de falar sobre o assunto com o Christian.

– Ah, sim? – Christian endireitou-se. – Queres tomar uma bebida?

– Sim, por favor – murmurou ela, agradecida.

Christian foi buscar um copo e eu e Elena ficámos de pé, constrangidas, a olhar uma para a outra. Ela remexia impacientemente num enorme anel de prata, que tinha no dedo do meio e eu não sabia para onde olhar. Por fim dirigiu-me um breve sorriso tenso e aproximou-se da bancada central da cozinha, sentando-se num banco à ponta do balcão. Era evidente que conhecia bem a casa e que se mexia à vontade lá dentro.

Deveria ficar ou deveria ir-me embora? *Ah, isto é tão difícil.* O meu subconsciente franziu o sobrolho à mulher, com a sua expressão mais hostil de harpia.

Apetecia-me dizer tanta coisa àquela mulher e nada era elogioso, mas ela era amiga de Christian – a sua única amiga – e por mais que a odiasse, fui naturalmente civilizada e decidi ficar, sentando-me, tão elegantemente quanto possível, no banco que Christian deixara livre. Christian encheu os nossos copos de vinho e sentou-se entre ambas, ao balcão da cozinha. Será que não sentia até que ponto aquilo era estranho?

– O que se passa? – perguntou ele.

Elena olhou nervosamente para mim e Christian estendeu o braço e agarrou-me na mão.

– A Anastasia agora está comigo – disse ele, respondendo à sua pergunta silenciosa, apertando-me a mão. Eu corei e o meu subconsciente dirigiu-lhe um sorriso radioso, desistindo da sua expressão de harpia.

A expressão de Elena suavizou-se como se estivesse feliz por ele. *Realmente feliz* por ele. Eu não entendia de todo aquela mulher e sentia-me desconfortável e irritável na sua presença.

Ela respirou fundo e mudou de posição, empoleirando-se à beira do banco, com um ar agitado. Baixou nervosamente os olhos para as mãos, girando freneticamente o grande anel de prata, no dedo do meio.

O que se passaria com ela? Seria da minha presença? Teria eu esse efeito nela? É que eu sentia o mesmo – não a queria ali. Ela levantou a cabeça e olhou Christian nos olhos.

– Estou a ser chantageada.

Com os diabos. Não era o que esperava ouvir da sua boca. Christian ficou hirto. Teria alguém descoberto a sua inclinação para espancar e foder rapazes menores de idade? Eu tentei conter a minha repugnância e pensei por instantes nas consequências das suas ações. O meu subconsciente esfregou as mãos, mal conseguindo disfarçar o seu júbilo. *Ótimo.*

– Como assim? – perguntou Christian, com o terror claramente estampado na voz.

Ela meteu a mão na sua bolsa de *design*, de couro patenteado, tirou um bilhete e deu-lho.

– Poisa-o e abre-o – disse Christian, apontando para o balcão da cozinha com o queixo.

– Não lhe queres tocar?

– Não. Impressões digitais.

– Christian, tu sabes que eu não posso ir à polícia com isto.

Porque estava eu a ouvir aquilo? Andaria a foder outro pobre rapaz? Ela abriu o bilhete e ele curvou-se para o ler.

– Só estão a pedir cinco mil dólares – disse ele, quase descontraidamente. – Fazes alguma ideia de quem possa ser? Alguém da comunidade?

– Não – disse ela no seu tom de voz doce e suave.

– O Linc?

Linc? Quem era esse?

– O quê? Depois deste tempo todo? Não me parece – resmungou ela.

– O Isaac sabe disto?

– Eu não lhe contei.

Quem é o Isaac?

– Eu acho que ele precisa de saber – disse Christian. Ela abanou a cabeça e eu comecei a sentir que estava a intrometer-me. Não queria nada disso. Tentei libertar-me de Christian, mas ele apertou mais a mão e virou-se para olhar para mim.

– O que foi? – perguntou-me.

– Estou cansada. Acho que vou para a cama.

Os seus olhos sondaram os meus em busca de... em busca de quê? Censura? Aceitação? Hostilidade? Eu mantive uma expressão tão branda quanto possível.

– Ok – disse ele. – Eu não me demoro.

Largou-me e eu levantei-me. Elena olhou-me cautelosamente. Eu não disse uma palavra e retribuí-lhe o olhar, sem dar a entender nada.

– Boa noite, Anastasia – disse ela, com um ligeiro sorriso.

– Boa noite – murmurei, num tom de voz frio, e virei-me para sair. A tensão era demasiado insuportável e, assim que eu saí, eles retomaram a conversa.

– Não me parece que te possa ajudar muito, Elena – disse-lhe Christian. – Se é uma questão de dinheiro... – Calou-se. – Poderia pedir a Welch que investigasse.

– Não, Christian, queria apenas partilhar isto – disse ela.

Quando já estava fora da sala, ouvi-a dizer:

– Pareces muito feliz.

– E estou – respondeu Christian.

– Mereces estar.

– Quem me dera que isso fosse verdade.

– Christian – disse ela, repreensivamente.

Eu fiquei paralisada, a ouvir atentamente. Era mais forte do que eu.

– Ela sabe até que ponto és negativo em relação a ti próprio? Ela está a par de todos os teus problemas?

– Ela conhece-me melhor do que ninguém.

– Ui! Essa doeu.

– É a verdade, Elena. Não tenho de entrar em jogos com ela. Deixa-a em paz. Estou a falar a sério.

– Qual é o problema dela?

– Tu... e aquilo que fomos. O que fizemos. Ela não entende isso.

– Fá-la entender.

– Faz parte do passado, Elena. Porque haveria eu de querer corrompê-la com a nossa relação doentia? Ela é boa, doce e inocente e, por milagre, ama-me.

– Não é milagre, Christian – troçou Elena, bem-humorada. – Tem um pouco de fé em ti próprio. Tu és um ótimo partido. Já te disse isso várias vezes e ela também parece ser adorável. Forte. Alguém capaz de te enfrentar.

Não consegui ouvir a resposta de Christian. Eu era forte? Não era certamente isso que sentia.

– Não tens saudades?

– De quê?

– Do teu quarto do prazer.

Eu contive a respiração.

– Isso não é assunto que te diga respeito – disse Christian, num tom brusco.

Oh.

– Desculpa – disse Elena, num tom pouco sincero, contendo uma gargalhada.

– Acho que é melhor ires-te embora e agradeço que telefones antes de cá vires outra vez.

– Desculpa, Christian – disse ela e, desta vez, estava a ser sincera, a avaliar pelo seu tom de voz. – Desde quando te tornaste tão sensível?

– Estava a repreendê-lo outra vez.

– Elena, temos uma relação de negócios com a qual ambos lucrámos imensamente. Vamos manter as coisas nesse pé. O que aconteceu entre nós faz parte do passado. Anastasia é o meu futuro e eu não tenciono pô-lo em risco de forma nenhuma, por isso deixa-te de tretas.

O futuro dele!

– Compreendo.

– Olha, lamento o teu problema, talvez fosse boa ideia resolveres a questão e desmascará-los. – O seu tom de voz era mais brando.

– Eu não te quero perder, Christian.

– Eu não sou teu para que me possas perder, Elena – disse ele, de novo num tom brusco.

– Não era isso que eu queria dizer.

– O que querias dizer, então? – O seu tom de voz era ríspido, irritado.

– Ouve, eu não quero discutir contigo. A tua amizade significa muito para mim. Eu vou afastar-me da Anastasia. Mas estarei aqui se precisares de mim. Estarei sempre aqui.

– A Anastasia acha que estivemos juntos no sábado passado. Tu apenas telefonaste. Porque é que lhe mentiste?

– Queria que ela soubesse como ficaste perturbado quando se foi embora. Não quero que ela te magoe.

– Ela sabe. Eu contei-lhe. Para de te intrometer. Sinceramente, pareces uma mãe-galinha. – Christian parecia mais resignado e Elena deu uma gargalhada, mas havia uma nota de tristeza no seu riso.

– Eu sei, desculpa. Tu sabes que eu gosto de ti. Nunca imaginei que acabasses por te apaixonar, Christian. É muito gratificante ver isso, mas se ela te magoasse eu não conseguiria suportá-lo.

– Eu não me importo de correr esse risco – disse ele, secamente.

– Tens a certeza de que não queres que o Welch investigue um pouco?

Ela suspirou pesadamente.

– Acho que não se perderia nada com isso.

– Ok, eu telefono-lhe de manhã.

Ouvi-os discutir, a tentar arranjar uma solução para o problema. Pareciam de facto velhos amigos, como Christian costumava dizer. Apenas amigos. Mas ela gostava dele – talvez até demais. Poderia alguém que o conhecesse não gostar?

– Obrigada, Christian. Desculpa, não era minha intenção intrometer-me. Vou-me embora e da próxima vez, telefono.

– Ótimo.

Ela vai-se embora! Merda! Percorri apressadamente o corredor até ao quarto de Christian e sentei-me na cama. Christian entrou instantes depois.

– Ela já saiu – disse ele, receosamente, avaliando a minha reação.

Eu olhei-o, tentando formular a minha pergunta:

– Contas-me tudo acerca dela? Estou a tentar perceber porque é que tu achas que ela te ajudou. – Fiz uma pausa, ponderando cautelosamente na frase seguinte. – Eu odeio-a, Christian. Acho que ela te provocou danos inestimáveis. Tu não tens amigos. Ela manteve-os longe de ti?

Ele suspirou e passou a mão pelo cabelo.

– Por que raio queres saber mais sobre ela? Nós tivemos uma relação bastante longa, ela espancava-me frequentemente e eu fodia-a de todas as formas que possas imaginar. Ponto final.

Eu empalideci. Merda. Ele estava zangado – comigo. Pestanejei.

– Porque estás tão irritado?

– Porque toda essa merda *acabou*! – gritou, olhando-me furioso. Suspirou, exasperado e abanou a cabeça.

Fiquei pálida. *Merda.* Olhei para as mãos entrelaçadas no meu colo. Eu queria apenas entender. Ele sentou-se ao meu lado.

– O que queres saber? – perguntou, cautelosamente.

– Não tens de me contar. Não é minha intenção intrometer-me.

– Não é isso, Anastasia. Eu não gosto de falar nesta merda. Vivi numa redoma durante anos, sem que nada me afetasse e sem ter de me justificar a ninguém. Ela sempre foi uma espécie de confidente e agora o meu passado e o meu futuro estão a entrar em colisão de uma forma que nunca julguei possível.

Eu olhei-o de relance e ele estava a olhar para mim, com um ar esgazeado.

– Nunca pensei ter um futuro com ninguém, Anastasia. Tu dás-me esperança e fazes-me considerar todo o tipo de hipóteses. – Calou-se.

– Eu estava a ouvir – sussurrei, voltando a olhar para as mãos.

– O quê? A nossa conversa?

– Sim.

– E então? – Parecia resignado.

– Ela gosta de ti.

– Pois gosta e eu gosto dela à minha maneira, mas não tem comparação possível com o que sinto por ti. Se é esse o motivo disto tudo.

– Eu não estou com ciúmes. – Fiquei ferida pelo facto de ele pensar isso. Ou será que estava com ciúmes? Merda. Provavelmente era disso que se tratava. – Tu não a amas – murmurei.

Ele voltou a suspirar. Estava realmente furioso.

– Há muito tempo pensava que a amava – disse ele, de dentes cerrados.

Oh.

– Quando estávamos na Geórgia... tu disseste que não a amavas.

– Exatamente.

Eu franzi o sobrolho.

– Eu já te amava nessa altura, Anastasia – sussurrou. – Tu és a única pessoa que me faria viajar quatro mil e oitocentos quilómetros de avião.

Oh, meu Deus. Eu não entendia. Nessa altura ele ainda queria que eu fosse sua submissa. Franzi mais o sobrolho.

– Os meus sentimentos por ti são muito diferentes daquilo que alguma vez senti por Elena – disse ele, a título de explicação.

– Quando soubeste?

Encolheu os ombros.

– Ironicamente, foi a Elena que mo fez ver. Foi ela que me encorajou a ir à Geórgia.

Eu sabia! Eu percebera isso em Savannah. Olhei para ele inexpressivamente. O que concluir daquilo? Talvez ela estivesse do meu lado e receasse apenas que eu o magoasse. A ideia era dolorosa. Eu jamais desejaria magoá-lo. Ela tinha razão – ele já fora demasiado magoado.

Talvez ela não fosse tão má assim. Abanei a cabeça. Eu não queria aceitar o relacionamento dele com ela. Não o aprovava. Sim, era disso que se tratava. Ela era uma personagem repulsiva que se aproveitara de um adolescente vulnerável e lhe roubara a adolescência, por muito que ele dissesse o contrário.

– Então desejaste-a, quando eras mais jovem?

– Sim.

Oh.

– Ela ensinou-me muito. Ensinou-me a acreditar em mim mesmo.

Oh.

– Mas também te dava sovas valentes.

Ele sorriu ternamente.

– Pois dava.

– E tu gostavas disso?

– Na altura gostava.

– A ponto de quereres fazer o mesmo a outras pessoas?

Ele arregalou os olhos, com um ar sério.

– Sim.

– Ela ajudou-te nisso?

– Sim.

– Fez papel de submissa?

– Sim.

Com os diabos.

– E ainda esperas que eu goste dela? – A minha voz era irritadiça e amarga.

– Não, embora me facilitasse bastante a vida – disse ele, cautelosamente. – Entendo as tuas reticências.

– Reticências? Caramba, Christian, como te sentirias se fosse com um filho teu?

Ele piscou-me os olhos como se não entendesse a pergunta e franziu o sobrolho.

– Eu não tinha de ficar com ela. A decisão também foi minha, Anastasia – murmurou.

Aquela conversa não nos ia levar a lado nenhum.

– Quem é Linc?

– É o ex-marido dela.

– O Lincoln das Madeiras?

– Esse mesmo – disse ele, com um sorriso afetado.

– E Isaac?

– É o seu atual submisso.

Oh não.

– Ele tem vinte e tal anos, Anastasia. É um adulto consensual, percebes? – acrescentou, rapidamente, decifrando corretamente o meu olhar enojado.

– É da tua idade – murmurei.

– Olha, Anastasia, tal como eu lhe disse, ela faz parte do meu passado e tu és o meu futuro. Não deixes que ela se meta entre nós, por favor. Para ser franco, estou realmente farto deste assunto. Vou trabalhar um pouco. – Levantou-se e olhou para mim. – Esquece isso, por favor.

Eu olhei-o, com um ar teimoso.

– Ah, quase me esquecia – acrescentou ele. – O teu carro chegou um dia mais cedo. Está na garagem. O Taylor tem a chave.

Eh lá... o Saab?

– Posso conduzir, amanhã?

– Não.

– Porque não?

– Tu sabes porquê. Por falar nisso, se saíres do escritório avisa-me. O Sawyer estava lá a vigiar-te. Parece que não posso mesmo esperar que tomes conta de ti – disse ele, num tom repreensivo, que me fez sentir, mais uma vez, como uma criança mal comportada. Teria argumentado com ele, mas ele estava demasiado irritado por causa de Elena e eu não queria puxar mais por ele. Mas não pude deixar de lhe fazer um comentário.

– Parece que eu também não posso confiar em ti – murmurei. – Podias ter-me dito que o Sawyer me estava a vigiar.

– Também queres discutir por causa disso? – perguntou, bruscamente.

– Não me tinha apercebido de que estávamos a discutir. Julguei que estivéssemos a comunicar – murmurei, petulante.

Ele fechou os olhos por instantes, fazendo um esforço para se dominar. Eu engoli em seco e observei-o, ansiosa. Aquilo tanto podia acabar bem como mal.

– Tenho de trabalhar – disse ele, calmamente. Dito isto, saiu do quarto.

Eu expirei. Não tinha reparado que estava a conter a respiração. Voltei a deixar-me cair em cima da cama, a olhar para o teto.

Será que não podíamos ter uma conversa normal, que não degenerasse em discussão? Era esgotante.

Não nos conhecíamos assim tão bem um ao outro. Desejaria eu realmente mudar-me para casa dele? Nem sequer sabia se deveria servir-lhe chá ou café enquanto trabalhava. Deveria sequer interrompê-lo? Eu não fazia ideia do que ele gostava ou deixava de gostar.

Era evidente que estava aborrecido com aquela história de Elena. Ele tinha razão – eu tinha de seguir em frente, esquecer o assunto. Bom, pelo menos esperava que eu me tornasse amiga dela. Agora tinha esperança de que ela parasse de me assediar para eu me encontrar com ela.

Saí da cama e aproximei-me da janela. Abri a porta da varanda e aproximei-me da balaustrada de vidro. A sua transparência era inquietante. O ar estava frio e refrescante, por estar tão alto.

Olhei para as luzes cintilantes de Seattle. Ele estava tão apartado de tudo, ali em cima, na sua fortaleza. Não tinha de dar contas a ninguém. *Ele a acabar de dizer que me amava e toda esta porcaria a acontecer por causa daquela mulher horrível.* Revirei os olhos. A vida dele era tão complicada. Ele era tão complicado.

Suspirei pesadamente e olhei uma última vez para Seattle, estendida a meus pés como um pedaço de tecido dourado, e decidi telefonar a Ray. Há algum tempo que não falava com ele. A conversa foi breve, como de costume, mas concluí que estava bem e que estava a interromper um importante jogo de futebol.

— Espero que esteja tudo a correr bem com o Christian — disse ele, descontraidamente. Eu percebi que ele estava a tentar tirar nabos da púcara, embora a coisa não lhe interessasse realmente.

— Sim, estamos bem. — Quer dizer, mais ou menos, e eu vou mudar-me aqui para casa dele, embora ainda não tenhamos combinado quando. — Adoro-te, pai.

— Eu também te adoro, Annie.

Desliguei e olhei para o relógio de pulso. Ainda eram apenas dez horas. Sentia-me estranhamente enervada e inquieta, por causa da nossa conversa.

Tomei um duche rápido e voltei para o quarto, decidindo vestir um dos négligés que Caroline Acton me comprara no Neuman Marcus. Christian estava sempre a queixar-se das minhas *t-shirts*. Havia três. Escolhi o rosa-claro e enfiei-o pela cabeça. O tecido roçou-me pela pele, acariciando-me e colando-se a mim, ao cair-me sobre o corpo. Era sumptuoso — do melhor e mais fino cetim. *Eh lá!* Parecia uma atriz de cinema dos anos trinta, ao espelho. Era comprido e elegante — não tinha nada a ver comigo.

Agarrei no robe a condizer e decidi ir buscar um livro à biblioteca. Poderia ler no meu iPad, mas naquele momento precisava do conforto e do encorajamento de um livro físico. Deixaria Christian em paz. Talvez recuperasse o bom humor assim que acabasse de trabalhar.

Havia tantos livros na biblioteca de Christian. Iria demorar uma eternidade a examinar todos os títulos. De vez em quando, olhava para a mesa de bilhar e corava ao lembrar-me da noite anterior. Sorri ao reparar que a régua ainda estava no chão. Apanhei-a e bati com ela na palma da mão. Au! Doía.

Porque é que eu não podia suportar um pouco mais de dor pelo meu homem? Poisei-a na secretária, desconsolada, e continuei à procura de uma boa leitura.

Na sua maioria, os livros eram primeiras edições. Como teria ele conseguido reunir uma coleção daquelas em tão pouco tempo? Talvez as funções de Taylor incluíssem a compra de livros. Decidi-me por *Rebecca*, de Daphne du Maurier. Há muito tempo que não o lia. Sorri ao enroscar-me numa das poltronas estofadas a ler a primeira linha:

Ontem à noite sonhei que tinha ido de novo a Mandarley...

Acordei sobressaltada quando Christian me ergueu nos seus braços.

– Olá – murmurou. – Adormeceste. Não conseguia encontrar-te. – Roçou-me o nariz pelo cabelo. Coloquei os braços à volta do seu pescoço, sonolenta, inalando o seu odor – que bem que cheirava – e ele voltou a levar-me para o quarto, deitou-me na cama e tapou-me.

– Dorme, querida – sussurrou, colando os lábios à minha testa.

Acordei de repente de um sonho perturbador e senti-me momentaneamente desorientada. Dei comigo a olhar ansiosamente para os pés da cama, mas não estava lá ninguém. Acordes indistintos de uma intricada melodia de piano pairavam pelo ar, vindos da sala grande.

Que horas seriam? Olhei para o despertador – duas da manhã. Será que Christian se chegara sequer a deitar? Desembaracei as pernas do robe, que ainda tinha vestido e saltei da cama.

Fiquei escondida nas sombras da sala grande, a ouvir. Christian estava embrenhado na música. Parecia protegido e seguro dentro da sua bolha de luz. O tema que estava a tocar tinha uma melodia cadenciada e algumas partes dela pareciam-me familiares, mas bastante elaboradas. *Ele toca tão bem.* Porque será que isso me apanhava sempre de surpresa?

Todo o cenário parecia de alguma forma diferente e eu reparei que a tampa do piano estava fechada, o que me dava uma perspetiva completa. Ele levantou a cabeça e ficámos de olhos presos um no outro.

Os seus olhos cinzentos estavam ligeiramente luminosos sob o brilho difuso do candeeiro. Ele continuou a tocar sem vacilar, quando me aproximei dele. Os seus olhos seguiram-me, absorvendo-me, brilhando mais intensamente. Quando cheguei junto dele, parou de tocar.

– Porque paraste? Isso era lindo.

– Fazes alguma ideia de quão apetecível estás neste momento? – disse ele, num tom de voz suave.

Oh.

– Vem para a cama – sussurrei. Os seus olhos inflamaram-se e ele estendeu-me a mão. Quando lhe dei a mão, puxou-a inesperadamente e eu caí no colo dele. Envolveu-me nos seus braços e roçou-me com o nariz no pescoço, atrás da orelha, provocando-me arrepios pela espinha acima.

– Porque discutimos nós? – sussurrou, roçando-me os dentes pelo lóbulo da orelha.

O meu coração parou por instantes e começou a martelar-me o peito, espalhando-me calor por todo o corpo.

– Porque estamos a conhecer-nos um ao outro e tu és teimoso, conflituoso, mal-humorado e difícil – murmurei, sem fôlego, movendo a cabeça para que ele me alcançasse mais facilmente a garganta. Ele roçou-me o nariz pelo pescoço e eu senti o seu sorriso.

– Sou todas essas coisas, Miss Steele. É um milagre que me ature. – Mordiscou-me o lóbulo da orelha e eu gemi. – Será sempre assim? – suspirou.

– Não faço ideia.

– Eu também não. – Puxou-me o cinto do robe, este abriu-se, e a sua mão roçou-me ao de leve pelo corpo descendo até ao meu seio. Os meus mamilos endureceram sob o seu toque suave exercendo pressão no cetim. A sua mão continuou a descer até à minha cintura e depois até à anca.

– Sabe tão bem tocar-te por cima do tecido. Consigo ver tudo, até isto. – Puxou-me ao de leve os pelos púbicos, através do tecido, fazendo-me arquejar, e agarrou-me um punhado de cabelos na nuca, com a outra mão. Puxou-me a cabeça para trás e beijou-me, com uma língua insistente, implacável e carente. Eu reagi com um gemido, acariciando o seu rosto mais que precioso. Ele puxou-me delicadamente o *négligé* para cima, com uma lentidão desesperante, e afagou-me o traseiro nu, passando-me a unha do polegar pelo interior da coxa.

Subitamente, levantou-se e ergueu-me sobre o piano. Os meus pés estavam assentes sobre as teclas, que produziam notas dissonantes e desconexas, e as suas mãos deslizaram-me pelas pernas acima, afastando-me os joelhos. Depois, agarrou-me nas mãos.

– Deita-te para trás – ordenou, segurando-me nas mãos enquanto eu me deitava, em cima do piano. Sentia a tampa rija e dura contra as minhas costas. Ele largou-me e afastou-me mais as pernas. Os meus pés saltitavam sobre as teclas, nas notas mais altas e mais baixas.

Oh, meu Deus. Eu sabia o que ele ia fazer e a expectativa… Beijou-me a parte de dentro do joelho e eu gemi alto, e depois percorreu-me a perna, beijando-a, sugando-a e mordiscando-a até à coxa. O cetim macio do meu *négligé* ia subindo, roçando-me pela pele sensível, à medida que ele ia puxando o tecido. Fleti os pés e ouvi de novo as cordas do piano. Fechei os olhos e rendi-me, ao sentir a sua boca alcançar o cimo das minhas coxas.

Ele beijou-me… *lá no sítio…* *Oh, meu Deus…* soprando depois delicadamente antes de me contornar o clítoris com a língua. Abriu-me mais as pernas. Eu sentia-me tão aberta – tão exposta. Ele prendeu-me, colocando as mãos mesmo acima dos joelhos e torturou-me com a língua, sem me dar tréguas, descanso… ou alívio. Eu inclinei as ancas para cima, ao seu encontro, conjugando-me com o seu ritmo. Sentia-me consumida.

– Oh, Christian, por favor – gemi.

– Ah não, querida, por enquanto não – disse ele, provocadoramente, mas eu senti a minha excitação crescer, tal como a sua, e ele parou.

– Não – choraminguei.

– Esta é a minha vingança, Ana – rosnou, baixinho. – Se discutires comigo, vingar-me-ei de alguma forma no teu corpo. – Deixou-me um rasto de beijos na barriga e as suas mãos subiram-me pelas coxas, afagando-as e massajando-as tentadoramente. A sua língua contornou-me o umbigo e *os seus polegares* – *ah, os polegares* – chegaram-me ao cimo das coxas.

– Ah! – gritei, ao senti-lo mergulhar um deles dentro de mim. O outro atormentava-me a um ritmo aflitivamente lento, acariciando-me repetidamente, em círculos. Eu arqueei as costas sobre o piano, contorcendo-me sob o seu toque. Era quase insuportável.

– Christian! – gritei, mergulhando em espiral e perdendo por completo o controlo, tal era a minha carência.

Ele compadeceu-se de mim e parou. Ergueu-me os pés das teclas, empurrou-me e eu dei subitamente comigo a deslizar sem esforço sobre o piano, sobre o cetim. Ele seguiu-me ajoelhando-se brevemente entre as minhas pernas, para colocar um preservativo. Depois, ficou a pairar sobre mim. Eu olhei-o, ofegante, furiosa de desejo, e apercebi-me de que ele estava nu. Quando se teria despido?

Olhou para mim e havia assombro nos seus olhos, deslumbramento, amor e paixão. Era de cortar a respiração.

– Desejo-te tanto – disse-me ele penetrando-me devagar, maravilhosamente.

Eu estava deitada sobre ele, exausta, com os membros pesados e lânguidos, ambos deitados em cima do seu piano de cauda. *Oh, meu Deus*, era muito mais confortável estar deitada em cima dele do que em cima do piano. Encostei a cara ao seu corpo, com cuidado, para não lhe tocar no peito, e fiquei perfeitamente imóvel. Ele não se opôs e eu fiquei a ouvir a sua respiração abrandar, à semelhança da minha. Ele acariciou-me delicadamente o cabelo.

– Costumas beber chá ou café à noite? – perguntei, sonolenta.

– Que pergunta tão estranha – respondeu, languidamente.

– Pensei em levar-te chá ao escritório, mas depois apercebi-me de que não sabia o que tu querias.

– Ah, compreendo. Água ou vinho à noite, Ana, mas se calhar, devia experimentar o chá. – A sua mão movia-se ritmicamente ao longo das minhas costas, afagando-me ternamente.

– Sabemos mesmo muito pouco acerca um do outro – murmurei.

– Eu sei – disse ele. O seu tom de voz era pesaroso. Sentei-me e olhei para ele.

– O que foi? – perguntei. Ele abanou a cabeça, como se estivesse a tentar livrar-se de um pensamento desagradável e ergueu a mão, acariciando-me a face com uns olhos luminosos e sinceros.

– Amo-te, Ana Steele – disse ele.

O despertador disparou com as notícias de trânsito das seis da manhã e fui bruscamente arrancada do meu sonho perturbante, com umas mulheres muito louras e outras morenas. Não consegui perceber sobre o que era e dispersei-me imediatamente, porque Christian Grey estava embrulhado em mim como seda, com a cabeça desgrenhada sobre o meu peito, uma mão no meu seio e uma perna em cima de mim, prendendo-me à cama. Ele ainda dormia e eu sentia-me quente demais, mas ignorei o meu desconforto e levantei hesitantemente a mão, passando-lhe delicadamente os dedos pelo cabelo. Ele mexeu--se e abriu os olhos cinzento-claros, sorrindo, com um ar sonolento. *Oh meu Deus... ele é tão lindo.*

– Bom dia, minha linda – disse ele.

– Bom dia, meu lindo – respondi, retribuindo-lhe o sorriso. Ele beijou-me, libertou-se de mim e apoiou-se num cotovelo, olhando-me.

– Dormiste bem? – perguntou.

– Sim, apesar da interrupção do sono, ontem à noite.

O sorriso dele alargou-se: – Podes interromper-me dessa forma quando quiseres – disse ele, voltando a beijar-me.

– E tu? Dormiste bem?

– Contigo, durmo sempre bem, Anastasia.

– Não tiveste mais pesadelos?

– Não.

Franzi o sobrolho e arrisquei uma pergunta.

– Os teus pesadelos são acerca de quê?

Ele franziu a testa e o seu sorriso diluiu-se. *Merda – curiosidade imbecil.*

– São *flashbacks* do início da minha infância. Pelo menos é o que o Dr. Flynn diz. Uns mais vívidos do que outros. – Baixou a voz e um olhar distante e angustiado perpassou-lhe o rosto. Depois, começou a passar-me despreocupadamente o dedo pela clavícula e distraiu-me.

– Acordas a chorar e a gritar? – perguntei, tentando em vão gracejar.

Ele olhou-me, perplexo.

– Não, Anastasia, nunca chorei, pelo menos que me lembre. – Franziu o sobrolho, como se estivesse a tentar alcançar as profundezas da sua memória. Oh não – esse era certamente um local demasiado tenebroso para se visitar àquela hora.

– Tens algumas recordações felizes da tua infância? – perguntei, rapidamente, sobretudo para o distrair. Ele pareceu ficar pensativo por instantes, ainda a passar-me o dedo pela pele.

– Lembro-me da prostituta viciada em *crack* a fazer bolos. Lembro-me do cheiro. Acho que era um bolo de aniversário, para mim. E depois da chegada da Mia com a minha mãe e o meu pai. A mãe estava com receio da minha reação, mas eu perdi-me imediatamente de amores pela Mia em bebé. A minha primeira palavra foi *Mia*. Lembro-me da minha primeira lição de piano. A minha professora, Miss Kathie, era extraordinária. Também criava cavalos. – Sorriu melancolicamente.

– Tu disseste que a tua mãe te salvou. Como?

Aquilo arrancou-o dos seus devaneios e olhou-me como se eu não soubesse juntar dois mais dois.

– Ela adotou-me – disse ele, simplesmente. – A primeira vez que a vi, julguei que era um anjo. Estava vestida de branco e foi extremamente gentil e calma enquanto me estava a examinar. Jamais esquecerei isso. Se ela ou o Carrick tivessem recusado... – Encolheu os ombros e olhou para o despertador, por cima do ombro. – Mas tudo isto é um pouco profundo demais para esta hora da manhã.

– Eu jurei a mim mesma ficar a conhecer-te melhor.

– Não me diga, Miss Steele? Julguei que quisesse saber se eu preferia chá ou café – disse ele com um sorriso afetado. – Seja como for, sei de uma forma de me ficar a conhecer melhor. – Pressionou sugestivamente as ancas contra mim.

– Acho que já te conheço o suficiente dessa forma. – Disse-o num tom arrogante e repreensivo, o que o fez sorrir ainda mais.

– Pois eu acho que nunca te ficarei a conhecer o suficiente dessa forma – murmurou. – Acordar ao teu lado tem, sem dúvida, as suas vantagens. – O seu tom de voz era suave e tão sedutor que me poderia derreter os ossos.

– Não tens de te levantar? – Eu estava com uma voz grave e rouca. *Ah, o que ele provoca em mim…*

– Esta manhã, não. Há apenas um sítio onde gostaria de estar levantado, neste momento, Miss Steele. – Os seus olhos cintilaram lascivamente.

– Christian! – exclamei, chocada. Ele moveu-se subitamente para cima de mim, enterrando-me na cama. Agarrou-me nas mãos, puxando-as para cima da minha cabeça, e começou a beijar-me o pescoço.

– Oh, Miss Steele – disse ele, sorrindo contra a minha pele. As suas mãos desceram ao longo do meu corpo, provocando-me um delicioso formigueiro, e começou a puxar-me lentamente o *negligé* de cetim.

– O que eu gostaria de lhe fazer – murmurou.

E eu perdi-me, esquecendo todas as interrogações.

Mrs. Jones serviu-me um pequeno-almoço de panquecas e *bacon* e a Christian uma omeleta de *bacon*. Estávamos sentados, lado a lado, ao balcão, num silêncio confortável.

– Quando vou conhecer o Claude, o teu *personal trainer*, para ver do que ele é capaz? – perguntei e Christian olhou-me de relance, sorrindo.

– Depende da tua vontade de ires a Nova Iorque este fim de semana, a menos que o queiras ver num dia desta semana, de manhã cedo. Vou pedir à Andrea que verifique a agenda dele e informo-te.

– Andrea?

– A minha AP.

Ah, sim.

– Uma das tuas incontáveis louras – disse eu, de modo provocador.

– Ela não é minha, trabalha para mim. Tu é que és minha.

– Eu trabalho para ti – murmurei, amargamente.

Ele sorriu como se tivesse esquecido esse pormenor.

– Pois trabalhas. – O seu sorriso radioso era contagiante.

– Talvez o Claude me possa ensinar *kickboxing* – adverti.

– Ah sim? Para te dar mais vantagem sobre mim? – perguntou Christian divertido, arqueando uma sobrancelha. – Vamos a isso, Miss Steele. – Estava tão feliz em comparação com o péssimo estado de espírito em que ficara, no dia anterior, depois de Elena sair. Era totalmente desarmante. Talvez fosse do sexo… talvez por isso estivesse tão alegre.

Olhei de relance para o piano, atrás de mim, saboreando a recordação da noite anterior.

– Voltaste a levantar a tampa do piano.

– Fechei-a ontem à noite para não te perturbar, mas parece que não resultou e ainda bem. – Os lábios de Christian estremeceram com um sorriso lascivo, ao comer uma garfada de omeleta. Eu fiquei vermelha e desfiz-me em sorrisos.

Oh sim… foram momentos divertidos em cima do piano.

Mrs. Jones debruçou-se sobre o balcão e colocou à minha frente um saco de papel com o meu almoço, e eu corei com um ar culpado.

– Para mais tarde, Ana. Atum está bem?

– Oh, sim. Obrigada, Mrs. Jones – dirigi-lhe um sorriso tímido, que ela retribuiu amigavelmente, antes de sair da sala grande. Fiquei com a impressão de que o fez para nos dar alguma privacidade.

– Posso perguntar-te uma coisa? – perguntei, virando-me de novo para Christian.

A sua expressão divertida diluiu-se.

– Claro.

– Não vais ficar zangado?

– É sobre a Elena?

– Não.

– Então não vou ficar zangado.

– Mas agora tenho uma pergunta suplementar.

– Ah, sim?

– Que é acerca dela.

Ele revirou os olhos.

– O que foi? – disse ele. Agora estava exasperado.

– Porque ficas tão furioso quando te faço perguntas acerca dela?

– Honestamente?

Franzi-lhe o sobrolho. – Julgava que eras sempre honesto comigo.

– Tento ser.

Olhei-o de olhos semicerrados.

– Isso parece-me uma resposta bastante evasiva.

– Eu sou sempre sincero contigo, Ana. Não quero entrar em jogos. Não nesse tipo de jogos – enfatizou, e os seus olhos aqueceram.

– Em que tipo de jogos queres entrar?

Inclinou a cabeça para um lado e sorriu-me afetadamente.

– É tão fácil dispersá-la, Miss Steele.

Dei uma gargalhada. Ele tinha razão.

– Mr. Grey, o senhor é dispersante a tantos níveis. – Olhei para os seus olhos cinzentos saltitantes, carregados de humor.

– Nada me agrada mais no mundo do que o som do teu riso, Anastasia. Muito bem, qual era tua pergunta, inicialmente? – perguntou num tom brando e eu fiquei com a sensação de que ele me estava a gozar. Tentei fazer um trejeito com a boca para demonstrar o meu desagrado, mas gostava do Cinquenta brincalhão – era divertido. Eu adorava galhofa matinal. Franzi o sobrolho, tentando lembrar-me da pergunta.

– Ah, já sei. Só vias as tuas submissas aos fins de semana?

– Exatamente – disse ele, olhando-me, nervoso.

Sorri para ele. – Então, nada de sexo durante a semana.

Ele deu uma gargalhada.

– Ah, então era aí que querias chegar. – Parecia ligeiramente aliviado. – Porque achas que faço exercício todos os dias, durante a semana? – Agora estava mesmo a gozar comigo, mas eu não me ralei. Apetecia-me abraçar-me a mim mesma de regozijo. Mais uma estreia – ou melhor, várias estreias.

– Parece muito satisfeita consigo mesma, Miss Steele.

– E estou, Mr. Grey.

– E tens motivos para estar – disse ele, sorrindo. – Agora come o teu pequeno-almoço.

Ah, o Cinquenta autoritário... andava sempre por perto.

Estávamos no banco de trás do *Audi*. A intenção de Taylor era deixar-me no trabalho e depois levar Christian. Sawyer ia sentado no lugar do passageiro.

– Não disseste que o irmão da amiga com quem partilhas a casa chegava hoje? – perguntou Christian, quase descontraidamente, sem deixar transparecer nada na voz ou na expressão.

– Ah, o Ethan! – exclamei. – Tinha-me esquecido. Obrigada por me lembrares, Christian. Tenho de voltar para o apartamento.

Ele ficou com uma expressão pendurada.

– A que horas?

– Não sei ao certo a que horas ele chega.

– Não quero que vás a lado nenhum sozinha – disse ele, incisivamente.

– Eu sei – murmurei, fazendo um esforço para não revirar os olhos ao Exagerado-mor. – O Sawyer vai ficar a espia… a patrulhar hoje? – Olhei timidamente na direção de Sawyer e vi a parte de trás das suas orelhas tingirem-se de vermelho.

– Sim – disse Christian bruscamente, com um olhar glacial.

– Se eu fosse a conduzir o *Saab* seria mais fácil – murmurei, petulantemente.

– O Sawyer terá um carro e poderá levar-te ao teu apartamento. Depende apenas da hora.

– Ok. Creio que o Ethan me vai contactar durante o dia. Depois digo-te quais são os meus planos.

Ele olhou para mim sem dizer nada. O que estaria ele a pensar?

– Ok – assentiu. – Não vais sozinha a lado nenhum, entendeste? – Sacudiu-me um dedo.

– Sim, querido – murmurei.

Havia vestígios de um sorriso no seu rosto.

– E talvez fosse melhor usares apenas o teu BlackBerry. Vou-te enviar um e-mail a partir dele. Isso irá evitar que o tipo da Informática tenha uma manhã interessante, ok? – O seu tom era sardónico.

– Sim, Christian. – Não resisti e revirei-lhe os olhos. Ele sorriu-me afetadamente.

– Miss Steele, acho que está a deixar-me com a palma da mão irrequieta.

– Ah, Mr. Grey, essa palma da mão permanentemente irrequieta. O que poderemos nós fazer com ela?

Ele deu uma gargalhada, mas depois foi distraído pelo BlackBerry que devia estar regulado para vibrar, porque não tocou. Ao ver a identificação da chamada, franziu o sobrolho.

– O que é? – disse ele, bruscamente, ao telefone, escutando depois com atenção Aproveitei a oportunidade para examinar as suas belas feições – o nariz direito e o cabelo despenteado, caído sobre a testa – mas a sua expressão distraiu-me da minha contemplação cobiçosa e sub-reptícia, ao passar de incrédula a divertida, e fiquei atenta à conversa.

– Estás a brincar... Para uma cena? Quando é que ele te disse isso? – Christian riu baixinho, quase relutantemente. – Não, não te preocupes. Não tens de pedir desculpa. Ainda bem que há uma explicação lógica. Pareceu-me, de facto, uma quantia ridiculamente baixa... Tenho a certeza de que já planeaste algo de pérfido e criativo para te vingares. Pobre Isaac. – Sorriu. – Ótimo... Adeus. – Desligou o telefone bruscamente e olhou-me de relance. O seu olhar tornara-se subitamente cauteloso, mas por estranho que pareça, parecia também aliviado.

– Quem era? – perguntei.

– Queres mesmo saber? – perguntou, calmamente.

Ao ouvir essa resposta, percebi. Abanei a cabeça e olhei pela janela, contemplando aquele dia cinzento em Seattle. Sentia-me desamparada. Porque não o deixaria ela em paz?

– Ei. – Pegou-me na mão e beijou-me cada um dos nós dos dedos e, de repente, dei com ele a chupar-me o dedo mindinho e a mordê-lo suavemente.

Eh lá! Ele devia ter uma linha direta ligada às minhas virilhas. Arquejei, olhei nervosamente para Taylor e Sawyer, e depois para Christian, que estava com um olhar mais sombrio. Um sorriso sensual desenhou-se-lhe lentamente nos lábios.

– Não percas tempo a pensar nisso, Anastasia – murmurou. – Ela pertence ao passado. – Depositou-me um beijo no meio da palma da mão, que me provocou um formigueiro pelo corpo todo, e o meu ressentimento momentâneo caiu no esquecimento.

– Bom dia, Ana – murmurou Jack, ao encaminhar-me para a minha secretária. – Belo vestido.

Eu corei. O vestido fazia parte do meu novo guarda-roupa, por cortesia do meu namorado incrivelmente rico. Era um vestido de linho, azul-claro, sem mangas, de corte direito, bastante justo. Eu calçara umas sandálias beges, de salto alto. Acho que Christian gostava de saltos. A ideia fez-me sorrir em segredo, mas depressa recuperei o brando sorriso, profissional, destinado ao meu patrão.

– Bom dia, Jack.

Comecei por chamar um paquete, para levar a brochura dele à gráfica. Ele espreitou para fora do gabinete.

– Importa-se de me trazer um café, Ana?

– Claro. – Dirigi-me calmamente para a cozinha e deparei-me com a Claire da receção, que também estava a fazer café.

– Oi, Ana – disse ela, alegremente.

– Olá, Claire.

Conversámos, durante breves instantes, sobre a sua longa reunião de família, no fim de semana, que ela adorara, e eu contei-lhe que fora velejar com Christian.

– O teu namorado é tão giro, Ana – disse ela com um olhar vítreo.

Senti-me tentada a revirar-lhe os olhos.

– Não é nada de se deitar fora – disse eu, sorrindo, e ambas desatámos a rir.

– Isso estava demorado! – disse Jack, bruscamente, quando lhe levei o café.

Oh!

– Desculpe. – Corei e depois franzi o sobrolho. Demorara o tempo habitual. Qual era o problema dele? Talvez estivesse nervoso com alguma coisa.

Abanou a cabeça.

– Desculpe, Ana, não era minha intenção gritar-lhe, querida.

Querida?

– Passa-se qualquer coisa ao nível dos quadros superiores da administração e eu não sei o que é. Fique de ouvidos bem abertos, ok? Se souber de alguma coisa… Eu sei que vocês, miúdas, cochicham umas com as outras. – Sorriu para mim e senti-me ligeiramente nauseada. Mal ele sabia até que ponto nós, "miúdas", cochichávamos. Além disso, eu sabia o que se estava a passar.

– Informa-me, certo?

– Claro – murmurei. – Mandei a brochura para a gráfica. Tê-la-
-emos de volta às duas da tarde.

– Ótimo. Tome lá. – Entregou-me uma pilha de manuscritos. – É
necessário fazer sinopses do primeiro capítulo para todos eles e depois
arquivá-los.

– Vou tratar disso.

Senti-me aliviada por sair do seu gabinete e sentar-me na minha
secretária. Era difícil estar a par de tudo. O que iria ele fazer quando
descobrisse? O sangue gelou-me nas veias. Algo me dizia que Jack ia
ficar irritado. Olhei de relance para o meu BlackBerry e sorri. Tinha
um e-mail de Christian.

De: Christian Grey
Assunto: Nascer do Sol
Data: 14 de junho de 2011 09:23
Para: Anastasia Steele

Adoro acordar contigo de manhã.

Christian Grey
CEO Perdidamente Apaixonado, Grey Enterprises Holdings, Inc.

Creio que o meu rosto se abriu ao meio, tal foi o meu sorriso.

De: Anastasia Steele
Assunto: Pôr do Sol
Data: 14 de junho de 2011 09:35
Para: Christian Grey

Querido CEO Perdidamente Apaixonado,

Adoro acordar contigo. Mas também gosto de estar contigo na cama, em elevadores, em cima de pianos, mesas de bilhar, barcos, secretárias, chuveiros, banheiras, acorrentada a estranhas cruzes de madeira, em camas de dossel com lençóis de cetim vermelhos, casas de barcos e quartos de infância.

Tua

Louca por Sexo Insaciável

Bjs

_____

De: Christian Grey
Assunto: *Hardware* Húmido
Data: 14 de junho de 2011 09:37
Para: Anastasia Steele

Querida Louca por Sexo Insaciável,

Acabei de cuspir o café sobre o meu teclado.

Acho que isso nunca me tinha acontecido antes.

Admiro uma mulher capaz de se concentrar na geografia.

Deverei deduzir que apenas me queres por causa do meu corpo?

Christian Grey

CEO Absolutamente Chocado, Grey Enterprises Holdings, Inc.

_____

De: Anastasia Steele
Assunto: A Rir – e Também Molhada
Data: 14 de junho de 2011 09:42
Para: Christian Grey

Querido CEO Absolutamente Chocado,

Sempre.

Tenho de trabalhar.

Para de me importunar.

Bjs, LSI

_____

De: Christian Grey
Assunto: Tenho de o Fazer?
Data: 14 de junho de 2011 09:50
Para: Anastasia Steele

Querida LSI,

Como sempre, os seus desejos são ordens para mim.

Agrada-me que estejas a rir molhada.

Adeusinho, querida. x

Christian Grey
CEO Perdidamente Apaixonado, Chocado e Enfeitiçado, Grey Enterprises Holdings, Inc.

_____

Poisei o BlackBerry e prossegui com o meu trabalho.

À hora do almoço, Jack pediu-me para ir ao café e assim que saí do gabinete dele telefonei a Christian.

– Anastasia – respondeu ele, de imediato, num tom de voz afetuoso e terno. Como conseguia aquele homem fazer-me derreter pelo telefone?

– Christian, o Jack pediu-me para lhe ir buscar o almoço.

– Estupor indolente – protestou Christian.

Eu ignorei-o e prossegui: – Por isso vou buscá-lo. Talvez seja conveniente dares-me o contacto do Sawyer, para eu não ter de te incomodar.

– Não é incómodo nenhum, querida.

– Estás sozinho?

– Não, neste momento tenho seis pessoas a olhar para mim e a interrogarem-se com quem estou a falar.

Merda...

– A sério? – disse eu, arquejando, em pânico.

– A sério. É a minha namorada – anunciou, longe do telefone.

Com os diabos!

– Provavelmente todos eles pensavam que eras *gay*, sabes?

Ele deu uma gargalhada.

– Sim, é provável que sim. – Senti o seu sorriso.

– Hum... é melhor ir andando. – Tenho a certeza de que ele estava a perceber até que ponto eu estava embaraçada por estar a interrompê-lo.

– Vou informar o Sawyer. – Deu mais uma gargalhada. – Já tiveste notícias do teu amigo?

– Ainda não. Será o primeiro a saber, Mr. Grey.

– Ótimo. Adeusinho, querida.

– Adeus, Christian. – Sorri. Fazia-me sorrir sempre que dizia aquilo... era tão pouco próprio dele e, ao mesmo tempo tão característico.

Quando saí, segundos depois, Sawyer estava à espera nas escadas da entrada do edifício.

– Miss Steele – disse ele, cumprimentando-me formalmente.

– Sawyer – respondi, com um aceno de cabeça, e dirigimo-nos ao café juntos.

Eu não me sentia tão confortável com Sawyer como com Taylor. Ele sondava continuamente a rua, enquanto percorríamos o quarteirão. Na verdade, isso estava a deixar-me mais nervosa e dei comigo a fazer o mesmo que ele.

Andaria Leila por aí ou estaríamos todos contaminados pela paranoia de Christian? Faria isso parte das suas cinquenta sombras? O que eu não daria por meia hora de conversa franca com o Dr. Flynn, para o saber.

Não se passava nada de estranho. Era apenas Seattle à hora do almoço – pessoas a saírem apressadas para almoçar, fazer compras ou para se encontrarem com amigos. Vi duas jovens abraçarem-se quando se encontraram.

Sentia a falta de Kate. Tinham passado apenas duas semanas desde que partira para as suas férias, mas estavam a ser as duas semanas mais longas da minha vida. Acontecera tanta coisa – ela jamais iria acreditar em mim quando eu lhe contasse. Ou melhor, quando eu lhe contasse a versão editada, compatível com o Acordo de Confidencialidade. Franzi o sobrolho. Tinha de falar com Christian acerca disso. O que iria Kate pensar de tudo aquilo? Só de imaginar, empalideci. Talvez ela regressasse com o Ethan. Senti uma vaga de entusiasmo ao pensar nisso, mas era pouco provável. Provavelmente iria ficar com o Elliot.

– Onde fica enquanto está à espera, a vigiar a rua lá fora? – perguntei a Sawyer ao juntarmo-nos à fila para o almoço. Sawyer estava à minha frente, virado para a porta, a monitorizar continuamente a rua e todas as pessoas que entravam. Era inquietante.

– Fico sentado no café do outro lado da rua, Miss Steele.

– Deve ser bastante aborrecido, não?

– Para mim, não, minha senhora. É o meu trabalho – disse ele, rigidamente.

Eu corei.

– Desculpe, não era minha intenção insinuar... – Calei-me ao ver a sua expressão amável e compreensiva.

– Por favor, Miss Steele, o meu trabalho é protegê-la e é isso que vou fazer.

– Então, não há sinais da Leila?

– Não, minha senhora.

Franzi o sobrolho.

– Como é que sabe como ela é?

– Vi a fotografia dela.

– Ah, sim? Tem-la consigo?

– Não, minha senhora. – Bateu ao de leve na cabeça – Memorizei-a.

Claro. Eu queria muito examinar uma fotografia de Leila, para ver como ela era antes de se tornar a Rapariga Fantasma. Será que Christian me deixaria ficar com uma cópia? Sim, era provável que deixasse – para minha própria segurança. Concebi um plano e o meu subconsciente acenou com a cabeça, exultante.

As brochuras foram-nos de novo entregues no escritório e, para meu alívio, pareciam estar ótimas. Levei uma ao gabinete de Jack. Os seus olhos iluminaram-se, não sei ao certo se para mim, se para a brochura. Preferi acreditar que era para a brochura.

– Parecem estar ótimas, Ana – disse ele, folheando-as de modo indolente. – Bom trabalho. Vai estar com o seu namorado hoje à noite? – Revirou os lábios ao dizer "namorado".

– Sim. Nós vivemos juntos. – O que era mais ou menos verdade. Bom, pelo menos agora, e eu já aceitara oficialmente mudar-me para lá, portanto não se tratava propriamente de uma mentira piedosa. Tinha esperança de que fosse o suficiente para que ele me largasse.

– Ele opor-se-ia a que você saísse para tomar uma bebida rápida hoje à noite, para festejar o seu trabalho esforçado?

– Tenho um amigo que chega hoje à noite e vamos todos jantar fora. – *E estarei ocupada todas as noites, Jack.*

– Compreendo – disse ele, suspirando, exasperado. – Talvez quando eu regressar de Nova Iorque, não? – Arqueou as sobrancelhas, expectante, e o seu olhar escureceu sugestivamente.

Oh não. Sorri de forma evasiva, contendo um estremecimento.

– Quer tomar um chá ou um café? – perguntei.

– Café, por favor. – Estava com uma voz grave e rouca, como se estivesse a pedir mais alguma coisa. Merda. Ele não ia recuar. Estava a perceber isso agora. *Oh... O que fazer?*

Dei um grande suspiro de alívio quando saí do seu gabinete. Ele fazia-me sentir tensa. Christian tinha razão acerca dele e eu sentia-me em parte furiosa por isso.

Sentei-me à secretária e o meu BlackBerry tocou – um número que não reconheci.

– Ana Steele.

– Olá, Steele! – A fala arrastada de Ethan apanhou-me momentaneamente de surpresa.

– Ethan! Como estás? – Quase guinchei de alegria.

– Feliz por estar de volta. Estou seriamente saturado de sol, *shots* de rum e de ver a minha irmã mais nova perdidamente apaixonada por aquele matulão. Tem sido um inferno, Ana.

– Pois! Mar, areia, sol e *shots* de rum, parece de facto o *Inferno de Dante* – disse eu a rir. – Onde estás?

– Estou no Sea-Tac, à espera da minha mala. O que estás a fazer?

– Estou a trabalhar. Sim, arranjei um bom emprego – respondi, ao ouvi-lo arquejar. – Queres vir aqui buscar as chaves? Posso ir ter contigo ao apartamento, mais tarde.

– Parece-me ótimo. Vemo-nos dentro de uns quarenta e cinco minutos, ou talvez uma hora, não? Qual é a endereço?

Dei-lhe o endereço da SIP.

– Até já, Ethan.

– Adeusinho – disse ele e desligou. O quê? Ethan também? Apercebi-me então de que ele acabara de passar uma semana com Elliot. Escrevi rapidamente um e-mail a Christian:

_____

Para: Christian Grey
Assunto: Visitas Vindas de Climas Quentes
Data: 14 de junho de 2011 14:55
Para: Christian Grey

Querido CEO Perdidamente AC&E,
Ethan regressou e vem aqui buscar as chaves do apartamento.
Gostaria mesmo de me assegurar de que fica bem instalado.
Porque não me vens buscar depois do trabalho? Podíamos ir ao apartamento e depois ir TODOS jantar fora.
Posso pagar eu?

Tua

Bjs, Ana
Ainda LSI

Anastasia Steele

Assistente de Jack Hyde, Editor, SIP

———

De: Christian Grey
Assunto: Jantar Fora
Data: 14 de junho de 2011 15:05
Para: Anastasia Steele

Aprovo o teu plano, tirando a parte de seres tu a pagar!
Eu pago.
Vou buscar-te às 18:00.

Beijo

PS: Porque não estás a usar o teu BlackBerry?!?

Christian Grey
CEO Completamente Irritado, Grey Enterprises Holdings, Inc.

———

De: Anastasia Steele
Assunto: Autoritarismo
Data: 14 de junho 2011 15:11
Para: Christian Grey

Ah, não sejas tão ríspido e rezingão.
Está tudo em código.
Vemo-nos às 18:00.

Bjs, Ana
Anastasia Steele
Assistente de Jack Hyde, Editor, SIP

De: Christian Grey
Assunto: Mulher de Enlouquecer
Data: 14 de junho de 2011 15:18
Para: Anastasia Steele

Ríspido e rezingão?
Eu dou-te o ríspido e o rezingão.
E estou ansioso por isso.

Christian Grey
CEO Mais Irritado Ainda, mas a Sorrir por Qualquer Razão Desconhecida, Grey Enterprises Holdings, Inc.

_____

De: Anastasia Steele
Assunto: Promessas, Promessas
Data: 14 de junho de 2011 15:23
Para: Christian Grey

Vamos a isso, Mr. Grey.
Eu também estou ansiosa por isso :D

Bjs, Ana

Anastasia Steele
Assistente de Jack Hyde, Editor, SIP

_____

Ele não respondeu, mas eu também não esperava que o fizesse.
Imaginei-o a lamentar-se acerca de sinais pouco claros e a ideia fez-
-me sorrir. Imaginei por breves instantes o que poderia fazer, mas dei

comigo a remexer-me na cadeira. O meu subconsciente olhou-me desa-provadoramente, por cima dos óculos em forma de meia-lua – conti-nua a trabalhar.

Um pouco mais tarde o meu telefone tocou. Era a Claire da receção.

– Está um tipo muito giro na receção para falar contigo. Um dia destes temos de ir tomar uns copos, Ana. Conheces uns grandes bor-rachos – sussurrou ela pelo telefone, num tom conspirativo.

Ethan! Tirei as chaves da minha bolsa e saí apressadamente para o vestíbulo.

Com os diabos – um homem bronzeado, de cabelo loiro, queimado do sol, com um par de olhos brilhantes, cor de avelã, olhou-me do sofá verde. Assim que me viu, ficou de queixo caído e veio ao meu encontro.

– Uau, Ana – disse ele, franzindo-me o sobrolho, ao curvar-se para me dar um abraço.

– Tu pareces estar bem – disse eu, sorrindo-lhe.

– Tu pareces… uau… diferente. Mundana, mais sofisticada. O que aconteceu? Mudaste de penteado? De roupa? Não sei, Steele, estás *sexy*!

Eu corei intensamente.

– Oh, Ethan, estou apenas com a minha roupa de trabalho – retor-qui, repreensivamente. Claire olhava-nos com uma sobrancelha arque-ada e um sorriso irónico.

– Que tal foram as férias em Barbados?

– Divertidas – disse ele.

– Quando volta a Kate?

– Ela e o Elliot regressam de avião na sexta-feira. Aquilo está a ficar sério entre eles. – Ethan revirou os olhos.

– Tenho sentido a falta dela.

– Sim? Como te tens estado a dar com o Magnata?

– O Magnata? – perguntei, com um sorriso afetado. – Bom, tem sido interessante. Ele vai levar-nos a jantar fora, hoje à noite.

– Fixe. – Ethan parecia genuinamente satisfeito. Ufa!

– Toma – disse eu, entregando-lhe as chaves. – Tens a morada?

– Sim. Adeusinho. – Inclinou-se e beijou-me na cara.

– Essa expressão é do Elliot?

– É. Entranha-se em nós.

– Pois é. Adeusinho. – Sorri-lhe e ele pegou no grande saco a tira-colo, que estava ao lado do sofá verde, e saiu do edifício.

Quando me virei, Jack estava a observar-me do lado oposto do vestíbulo, com uma expressão inescrutável. Eu fiz-lhe um sorriso radioso e voltei para a minha secretária, sentindo os seus olhos cravados em mim o tempo todo. Aquilo estava a começar a bulir-me com os nervos. O que fazer? Não fazia ideia. Teria de esperar até que Kate regressasse. Ela iria certamente arquitetar um plano qualquer. A ideia dissipou o meu estado de espírito sombrio e peguei no manuscrito seguinte.

Às cinco para as seis o meu telefone tocou. Era Christian.

– Fala o Ríspido Rezingão – disse ele e eu sorri. Era ainda o Cinquenta brincalhão. A minha deusa interior batia palmas, exultante, como uma criança pequena.

– Bom, daqui fala a Louca por Sexo Insaciável. Presumo que estejas lá fora – disse eu, secamente.

– Na verdade, estou, Miss Steele, e ansioso por a ver. – Estava com uma voz afetuosa e sedutora e o meu coração palpitou.

– Idem aspas, Mr. Grey. Vou já sair. – Desliguei o telefone. Desliguei o computador e peguei na bolsa e no casaco de lã creme.

– Vou sair agora, Jack – disse eu, em voz alta.

– Ok, Ana. Obrigado pelo dia de hoje! Desejo-lhe uma excelente noite.

– Igualmente. – Porque não era ele sempre assim? Eu não o entendia.

O *Audi* estava estacionado junto do passeio e Christian saiu do carro quando me aproximei. Tirara o casaco e estava de calças cinzentas – as minhas preferidas, as que lhe ficavam penduradas nas ancas, daquela maneira. Como era possível que aquele deus grego fosse meu? Dei comigo a sorrir como uma imbecil em resposta ao sorriso idiota dele.

Ele agira o dia inteiro como um namorado apaixonado – apaixonado por mim. Aquele homem adorável, complicado e imperfeito estava apaixonado por mim e eu por ele. A alegria explodiu inesperadamente dentro de mim e desfrutei do momento, sentindo-me por breves ins-tantes capaz de conquistar o mundo.

– Parece-me tão cativante como esta manhã, Miss Steele – disse Christian, puxando-me para os seus braços e beijando-me em profundidade.

– O senhor também, Mr. Grey.

– Vamos buscar o teu amigo. – Sorriu-me e abriu a porta do carro.

Enquanto Taylor se dirigia para o apartamento, Christian falou--me acerca do seu dia – um dia muito melhor do que o anterior, ao que parecia. Eu olhava-o com uma expressão de adoração, enquanto ele me explicava algumas das descobertas que o Departamento de Ciência Ambiental da WSU, em Vancouver, fizera. As suas palavras pouco significado tinham para mim, mas a sua paixão e o seu interesse pelo assunto cativaram-me. Talvez, de futuro, as coisas fossem assim mesmo – uns dias bons, outros maus – e se os dias bons fossem como aquele, eu não teria muito de que me queixar. Entregou-me uma folha de papel.

– Estas são as horas a que Claude está disponível, esta semana – disse ele.

Ah! O *personal treiner.*

Ao pararmos em frente do meu prédio, tirou o BlackBerry do bolso.

– Grey – respondeu ele. – O que é, Ros? – Ouviu atentamente e eu percebi que era uma conversa complicada.

– Vou buscar o Ethan. Demoro dois minutos – disse para Christian apenas com os lábios, erguendo dois dedos.

Ele anuiu, visivelmente distraído com o telefonema. Taylor abriu-me a porta, sorrindo-me amavelmente e eu sorri-lhe também. Até Taylor estava a sentir. Carreguei no botão do intercomunicador da entrada e gritei alegremente para ele:

– Olá, Ethan, sou eu. Abre-me a porta.

A porta zuniu e eu subi as escadas para o apartamento. Ocorreu--me que não ia lá desde sábado de manhã e pareceu-me uma eternidade. Ethan teve a amabilidade de me deixar a porta da frente aberta. Assim que entrei no apartamento, não sei porquê, fiquei instintivamente pregada ao chão. Só instantes depois percebi que era por causa da figura pálida e abatida que estava junto da bancada central da cozinha, com um pequeno revólver na mão. Era Leila e estava a olhar para mim com um ar impassível.

CAPÍTULO TREZE

Com os diabos.

Ali estava ela a olhar para mim, de arma em punho e com uma expressão inquietantemente vazia. O meu subconsciente caiu no chão, inconsciente e creio que nem com sais seria possível reanimá-lo.

Eu pisquei repetidamente os olhos a Leila e a minha mente entrou em sobrecarga. Como teria ela entrado? Onde estaria Ethan? Raios! Onde estaria Ethan?

Um medo crescente, gelado, tolheu-me o coração. Senti um formigueiro no couro cabeludo, e todos os folículos da minha cabeça se contraíram de pavor. E se ela lhe tinha feito mal? A adrenalina e um pavor arrepiante percorreram-me o corpo e comecei a hiperventilar. *Mantém-te calma, mantém-te calma* – repetia eu incessantemente para comigo mesma, como um mantra.

Ela inclinou a cabeça para um lado, olhando-me como se eu fosse uma aberração em exposição num circo de horrores. Raios, a aberração ali não era eu.

Pareceu-me demorar uma eternidade a assimilar aquilo, embora, na realidade se tivesse passado apenas uma fração de segundo. Leila continuava com um ar inexpressivo e estava mais mal-arranjada e desalinhada do que nunca. Continuava com aquela gabardina imunda e parecia precisar desesperadamente de um duche. Estava com o cabelo oleoso e escorrido, colado à cabeça e os seus olhos castanhos estavam baços e turvos, com uma expressão ligeiramente confusa.

Eu tentei falar, apesar de não ter pinga de saliva na boca:

– Olá. Leila, não é? – disse eu, asperamente. Ela sorriu mas era mais um revirar de lábios inquietante do que propriamente um sorriso.

– Ela fala – sussurrou ela. A sua voz era suave e áspera ao mesmo tempo, o que era sinistro.

– Sim, falo – respondi brandamente, como se estivesse a falar com uma criança. – Está aqui sozinha? Onde está o Ethan? – Senti o coração martelar-me o peito só de pensar que lhe poderia ter acontecido alguma coisa.

Ela ficou com uma expressão de tal maneira perturbada que eu pensei que ela ia rebentar em lágrimas – parecia tão abandonada.

– Sozinha – sussurrou ela –, sozinha. – A profunda tristeza contida naquela palavra era de partir o coração. O que quereria ela dizer com aquilo? Estaria a perguntar se eu estava sozinha, ou a dizer que estava sozinha? Estaria sozinha por ter feito mal ao Ethan? Oh… não… Tive de lutar contra o pavor sufocante que me tolheu a garganta, ao sentir-me prestes a rebentar em lágrimas.

– O que está aqui fazer? Posso ajudá-la? – As minhas palavras soaram como uma pergunta calma e gentil, apesar do medo sufocante que sentia na garganta. Ela franziu a testa como se estivesse totalmente confusa com as minhas perguntas, mas não fez qualquer movimento violento contra mim. Continuava a agarrar na arma com a mão descontraída. Eu mudei de estratégia, tentando ignorar o meu couro cabeludo contraído.

– Quer tomar um chá? – Porque estaria eu a perguntar-lhe se queria chá? Era a reação de Ray a qualquer situação emotiva a vir ao de cima no momento menos oportuno. Raios, ele teria um ataque, se me visse naquele momento. O seu treino militar já teria produzido efeito e ele já a teria desarmado. Na verdade, ela não estava a apontar aquela arma para mim. Talvez eu me pudesse mexer. Abanou a cabeça e inclinou-a para um lado e para o outro, como se estivesse a esticar o pescoço.

Eu respirei fundo, enchendo os pulmões do tão precioso oxigénio, tentando acalmar a minha respiração apavorada e movi-me na direção da bancada central da cozinha. Ela franziu o sobrolho, como se não percebesse bem o que eu estava a fazer e mudou ligeiramente de posição, de forma a continuar de frente para mim. Eu peguei na chaleira com uma mão trémula e enchi-a com água da torneira. Quando me movi, a minha respiração abrandou. Sim, se ela me quisesse matar, certamente que já me teria dado um tiro. Ela observava-me, com uma curiosidade ausente e desorientada. Ao acender o bico da chaleira, Ethan voltou a atormentar-me. Estaria ferido? Amarrado?

– Está mais alguém no apartamento? – perguntei, hesitantemente. Ela inclinou a cabeça para o outro lado, agarrou numa madeixa do cabelo comprido e oleoso, com a mão direita – a que segurava o revólver – e começou a remexer nervosamente nele, puxando-o e torcendo-o. Era obviamente um tique nervoso e embora isso me perturbasse, apercebi-me mais uma vez de como ela era parecida comigo. Contive a respiração, à espera da sua resposta, com a ansiedade a crescer a um nível quase insuportável.

– Sozinha, totalmente sozinha – murmurou ela. Eu achei isso reconfortante. Talvez Ethan não estivesse lá. O alívio era revigorante.

– Tem a certeza de que não quer um chá ou um café?

– Não tenho sede – respondeu ela, brandamente, dando um passo cauteloso na minha direção. A sensação de vigor evaporou-se. Merda! Voltei a ficar ofegante, sentindo um pavor basto e áspero percorrer-me as veias. Apesar disso, num ato de extrema coragem, virei-me e tirei as chávenas do armário.

– O que tens tu a mais do que eu? – perguntou ela, num tom de voz musical de uma criança.

– O que quer dizer com isso, Leila? – perguntei, tão brandamente quanto possível.

– O Senhor, Mr. Grey, permite que tu o trates pelo nome próprio.

– Eu não sou submissa dele, Leila, e... e o Senhor percebe que eu não consigo, que eu sou incapaz de desempenhar esse papel.

Ela inclinou a cabeça para o outro lado. Era um gesto perfeitamente inquietante e anormal.

– In-ca-paz – disse ela, testando a palavra, proferindo-a em voz alta, para ver como lhe soava dita por si. – Mas o Senhor está feliz. Eu vi-o. Ele ri e sorri e essas reações são raras... muito raras nele.

Oh.

– Tu és parecida comigo. – Leila mudou de estratégia, surpreendendo-me, e os seus olhos pareceram focar-se verdadeiramente em mim, pela primeira vez. – O Senhor gosta de mulheres obedientes que se pareçam contigo e comigo. As outras são todas iguais... todas iguais... mas tu dormes na cama dele. Eu vi-te.

Merda! Ela tinha estado mesmo no quarto. Não era imaginação minha.

– Viu-me na cama dele? – sussurrei.

– Eu nunca dormi na cama do Senhor – murmurou ela. Era como um espectro etéreo, prostrado. Meia pessoa. Parecia tão magra e, apesar de estar a empunhar uma arma, senti subitamente uma terrível compaixão por ela. Ela fletiu as mãos em torno da arma e eu arregalei os olhos, que pareciam prestes a saltar-me das órbitas.

– Porque é que o Senhor gosta de nós assim? Faz-me pensar... faz-me pensar que... que o Senhor é tenebroso... o Senhor é um homem tenebroso, mas eu amo-o.

Não, não é, disse eu para comigo mesma, arrepiando-me por dentro. Ele não era tenebroso, era um bom homem e não estava nas trevas. Reunira-se a mim, na luz. E agora ela estava ali a querer arrastá-lo de novo para lá, com uma ideia qualquer pervertida de que o amava.

– Leila, não me quer dar a arma? – perguntei, brandamente. Ela apertou-a firmemente na mão abraçando-a contra o peito.

– Isto é meu, é tudo o que me resta – disse ela, acariciando suavemente a arma. – Para que ela possa reunir-se ao seu amor.

Merda! Que amor – Christian? Foi como se ela me tivesse dado um murro no estômago. Eu sabia que ele ia aparecer a qualquer momento, para saber porque me estava a demorar. Seria sua intenção matá-lo? A ideia era tão horrível que senti a garganta inchada e dorida do nó quase sufocante que se estava a formar dentro dela, à semelhança do medo que me crescia no estômago.

Nem de propósito, a porta abriu-se, e Christian apareceu subitamente à entrada com Taylor atrás de si.

Fitando-me por breves instantes, os olhos de Christian varreram-me da cabeça aos pés e eu reparei numa pequena centelha de alívio no seu olhar. Mas o seu alívio foi fugaz, ao desviar bruscamente o olhar para Leila, fixando-o nela, sem pestanejar sequer. Olhava-a fixamente, com uma intensidade que eu nunca lhe vira antes, com uns olhos selvagens, esgazeados, furiosos e assustados.

Oh, não... não.

Leila arregalou os olhos e pareceu, por instantes, recuperar a razão, piscando rapidamente os olhos e apertando de novo a mão em torno do revólver.

Contive a respiração e o meu coração começou a bater com tanta força que ouvia o sangue a pulsar-me nos ouvidos. *Não, não, não!*

O meu mundo oscilava perigosamente nas mãos daquela pobre mulher perturbada. Iria ela matar-nos a ambos? Ou apenas Christian? A ideia era paralisante.

Uma eternidade depois, em que o tempo permaneceu suspenso à nossa volta, ela baixou ligeiramente a cabeça e olhou-o através das suas longas pestanas, com um ar arrependido.

Christian ergueu a mão, fazendo sinal a Taylor para ficar onde estava. A palidez de Taylor denunciava a sua fúria. Eu nunca o vira daquela maneira. Ainda assim, ficou perfeitamente imóvel enquanto Christian e Leila olhavam um para o outro.

Eu apercebi-me de que estava a conter a respiração. O que iria ela fazer? O que iria ele fazer? Porém, eles limitavam-se a olhar um para o outro. Christian estava com uma expressão crua, carregada de uma emoção desconhecida. Poderia ser pena, medo, afeição... ou seria amor? Não, por favor, amor não!

Os seus olhos pareciam perfurá-la e o ambiente no apartamento modificou-se a um ritmo aflitivamente lento. A tensão estava a crescer de tal maneira que eu sentia a ligação entre eles, a carga elétrica entre eles.

Não! Subitamente, senti que a intrusa era *eu* e que me estava a meter entre eles enquanto olhavam um para o outro. Uma estranha, uma espetadora, a observar uma cena proibida e íntima, por trás de cortinas fechadas.

O olhar intenso de Christian estava mais ardente e a sua postura mudara subtilmente. Parecia mais alto, mais angular, mais frio e mais distante. Reconheci aquela postura, pois já o vira assim antes – no quarto do prazer.

Voltei a sentir um formigueiro no couro cabeludo. Aquele era o Christian Dominador e parecia bastante à vontade. Eu não fazia ideia se ele nascera ou fora talhado para aquele papel, mas o meu coração afundou-se e senti uma náusea no estômago ao ver Leila reagir, entre-abrindo os lábios, com a respiração acelerada e os primeiros rubores a mancharem-lhe as faces. *Não!* Era um vislumbre demasiado indesejá-vel do seu passado. Era aflitivo testemunhar aquilo.

Por fim ele disse-lhe uma palavra apenas com os lábios. Não consegui perceber o que foi, mas produziu um efeito imediato em Leila. Ela deixou-se cair de joelhos no chão, de cabeça curvada e a arma caiu-lhe da mão, deslizando inutilmente pelo soalho de madeira. *Merda.*

Christian encaminhou-se calmamente para o sítio onde a arma caíra e curvou-se num movimento elegante para a apanhar, mal conseguindo esconder a sua indignação ao olhar para ela e ao guardá-la no bolso do casaco. Depois, olhou mais uma vez para Leila, ajoelhada obedientemente junto da bancada central da cozinha.

– Anastasia, vai com o Taylor – ordenou ele. Taylor atravessou a soleira da porta e olhou para mim.

– Ethan – sussurrei.

– Está lá em baixo – respondeu ele, num tom prosaico, sempre de olhos fixos em Leila.

Ele estava lá em baixo e não ali. Ethan estava bem. O alívio percorreu-me subitamente as veias e, por instantes, pensei que ia desmaiar.

– Anastasia. – O tom de Christian era brusco, como que uma advertência.

Pisquei-lhe os olhos e senti-me subitamente incapaz de me mexer. Não queria deixá-lo... não queria deixá-lo ali com ela. Ele foi para o lado de Leila. Ela estava ajoelhada a seus pés. Ele pairava com um ar protetor sobre ela. Ela estava de tal forma imóvel que não parecia natural. Eu não conseguia tirar os olhos de ambos... juntos...

– Por amor de Deus, Anastasia, não te importas de fazer o que te mandam, por uma vez na vida e ires-te embora?! – Os olhos de Christian fixaram-se nos meus e ele olhou-me furioso. A sua voz era como uma lasca de gelo e a raiva por trás das suas palavras calmas e determinadas era palpável.

Zangado comigo? Não podia ser. Por favor... não! Foi como se me esbofeteasse com força. Porque queria ele ficar com ela?

– Taylor, leva Miss Steele lá para baixo, imediatamente.

Taylor acenou afirmativamente e eu olhei para Christian.

– Porquê? – sussurrei.

– Vai. Volta para o apartamento. – Fitava-me com um brilho gelado nos olhos. – Preciso de ficar sozinho com a Leila – disse ele, num tom insistente.

Eu achei que ele me estava a tentar transmitir uma mensagem qualquer, mas estava de tal forma abalada com tudo o que acontecera que não tinha a certeza. Olhei de relance para Leila e vi um ligeiro sorriso perpassar-lhe os lábios mas, tirando isso, continuava totalmente impassível. Totalmente submissa. *Merda!* O meu coração gelou.

É disto que ele precisa. É disto que ele gosta. *Não!* Só me apetecia chorar.

– Miss Steele. Ana. – Taylor estendeu-me a mão, implorando-me que saísse, mas eu estava paralisada perante o horrível espetáculo que tinha diante dos meus olhos. Confirmava os meus piores receios e despertava todas as minhas inseguranças. Christian e Leila, juntos – o Dominador e a sua submissa.

– Taylor – disse Christian, num tom de voz insistente, e Taylor pegou-me ao colo. A última coisa que vi, antes de sairmos, foi Christian a afagar delicadamente a cabeça de Leila, murmurando-lhe algo, num tom suave.

Não!

Eu ia prostrada nos braços de Taylor, enquanto este descia as escadas comigo, tentando perceber o que acontecera nos últimos dez minutos. Teria passado mais ou menos tempo? Perdera por completo a noção do tempo.

Christian e Leila, Leila e Christian... juntos? O que estaria ele a fazer com ela agora?

– Caramba, Ana! O que raio se está a passar?

Fiquei aliviada ao ver Ethan atravessar o pequeno átrio, ainda com o seu grande saco. *Ah, graças a Deus que ele está bem!*

Quando Taylor me poisou, atirei-me praticamente a Ethan, envolvendo-lhe o pescoço com os braços.

– Oh, Ethan, graças a Deus! – Abracei-o, apertando-o contra mim. Estava tão preocupada. Dei por instantes tréguas ao meu pânico crescente em relação ao que se estava a passar lá em cima, no meu apartamento.

– O que raio se está a passar, Ana? Quem é este tipo?

– Ah, desculpa, Ethan, este é o Taylor. Trabalha com o Christian. Taylor, este é o Ethan, irmão da amiga com quem partilho a casa.

338

Eles acenaram com a cabeça um ao outro.

– O que se está a passar lá em cima, Ana? Estava a tirar as chaves para abrir a porta quando estes tipos me apareceram de repente, vindos do nada, e agarram nelas. Um deles era Christian... – Ethan calou-se.

– Graças a Deus que te atrasaste.

– Sim, encontrei um amigo de Pullman e tomámos uma bebida rápida. O que se passa lá em cima?

– Está uma rapariga no nosso apartamento, uma ex-namorada do Christian. Tornou-se violenta e o Christian está... – A minha voz embargou-se e os meus olhos encheram-se de lágrimas.

– Ei – sussurrou Ethan, puxando-me mais uma vez contra si. – Alguém chamou a polícia?

– Não é esse tipo de coisa – solucei contra o seu peito, agora incapaz de parar de chorar, libertando toda a tensão daquele último episódio nas minhas lágrimas. Ethan apertou-me mais nos seus braços, mas eu sentia a sua desorientação.

– Olha, Ana, vamos tomar uma bebida – disse ele, batendo-me ao de leve nas costas, constrangido. Subitamente, senti-me também constrangida e embaraçada. Muito sinceramente, o que me apetecia era estar sozinha, mas acenei com a cabeça e aceitei a sua oferta. Queria afastar-me dali, afastar-me do que quer que se estivesse a passar lá em cima.

Virei-me para Taylor. – Verificaram o apartamento? – perguntei-lhe, de lágrimas nos olhos, limpando o nariz com as costas da mão.

– Esta tarde – disse Taylor, encolhendo os ombros apologeticamente e dando-me um lenço. Parecia devastado. – Lamento, Ana – murmurou.

Franzi o sobrolho. Raios. Ele já estava com um ar tão culpado. Não queria fazê-lo sentir-se pior.

– Ela parece ter uma aptidão invulgar para nos despistar – disse ele, voltando a franzir o sobrolho.

– Eu e o Ethan vamos tomar uma bebida rápida e depois regressamos ao Escala. – Enxuguei os olhos.

Taylor apoiou-se desconfortavelmente num pé e depois no outro.

– Mr. Grey queria que regressasse ao apartamento – disse ele, baixinho.

– Agora já sabemos onde a Leila está. – Não consegui esconder a amargura na voz. – Portanto não há necessidade de tanta segurança. Diga ao Christian que vamos ter com ele mais tarde.

Taylor abriu a boca para dizer algo, mas depois voltou a fechá-la sensatamente.

– Queres deixar o teu saco com o Taylor? – perguntei ao Ethan.

– Não, levo-o comigo, obrigado.

Ethan acenou com a cabeça a Taylor, conduzindo-me depois pela porta principal. Lembrei-me de que deixara a minha carteira no banco de trás do *Audi*, mas era tarde demais. Não tinha nada comigo.

– A minha mala...

– Não te preocupes – murmurou Ethan, com a apreensão estampada no rosto. Não faz mal. Eu convido.

Escolhemos um bar do outro lado da rua e sentámo-nos em bancos de madeira, junto da janela. Eu queria ver o que se passava – quem entrava e, sobretudo, quem saía. Ethan passou-me uma garrafa de cerveja.

– Problemas com uma ex-namorada? – perguntou-me, gentilmente.

– É um pouco mais complicado do que isso – murmurei bruscamente, com um ar reservado. Não podia falar acerca daquilo, pois assinara um Acordo de Confidencialidade e, pela primeira vez, estava a ressentir-me do facto de o ter feito e de Christian não me ter falado em rescindi-lo.

– Eu tenho tempo – disse Ethan, gentilmente, bebendo um grande gole de cerveja.

– É uma ex-namorada de há anos atrás. Deixou o marido por causa de um tipo qualquer. Ele morreu num acidente de automóvel há algumas semanas e agora ela veio à procura do Christian. – Encolhi os ombros. Pronto, não tinha revelado grande coisa.

– Veio à procura dele?

– Ela tinha uma arma.

– O quê?

– Não chegou a ameaçar realmente ninguém com ela. Acho que queria fazer mal a si própria. Era por isso que eu estava tão preocupada contigo, pois não sabia se estavas no apartamento.

– Compreendo. Ela parece estar instável.

– Sim, está.

– O que está o Christian a fazer com ela, agora?

O sangue fugiu-me do rosto e a bílis subiu-me à garganta.

– Não sei – sussurrei.

Ethan arregalou os olhos – por fim entendera.

Era esse o cerne da questão. O que raio estariam eles a fazer? A conversar, esperava eu... Apenas a conversar. Contudo, tudo o que eu via mentalmente era a mão dele a acariciar-lhe o cabelo.

Ela está perturbada e Christian preocupa-se com ela. Nada mais do que isso, racionalizei eu. Mas algures na minha mente, o meu subconsciente abanava tristemente a cabeça.

Era mais do que isso. Leila conseguia satisfazer as suas necessidades de uma forma que eu não podia.

Tentei concentrar-me em tudo o que fizéramos nos últimos dias – a sua declaração de amor, o seu humor galanteador, a sua graça, mas as palavras de Elena não paravam de me assombrar. Era verdade o que se dizia acerca dos bisbilhoteiros.

Não tens saudades... do teu quarto do prazer?

Terminei a minha cerveja em tempo recorde e Ethan mandou vir outra. Eu não estava grande companhia, mas para seu próprio mérito, Ethan continuou a conversar comigo, tentando animar-me, falando-me de Barbados, das palhaçadas de Kate e de Elliot, o que era uma maravilhosa distração, mas não passava disso – de uma distração.

A minha mente, o meu coração e a minha alma estavam ainda naquele apartamento, com o meu Cinquenta Sombras, e a mulher que fora em tempos sua submissa, uma mulher que achava que ainda o amava, e era parecida comigo.

Enquanto bebíamos a nossa terceira cerveja, um enorme monovolume, de vidros fumados muito escuros, parou ao lado do *Audi*, em frente do apartamento. Reconheci o Dr. Flynn, quando este saiu do carro, acompanhado por uma mulher aparentemente vestida com roupa hospitalar, azul-clara. Vi Taylor abrir-lhes a porta principal.

– Quem é aquele? – perguntou Ethan.

– É o Dr. Flynn. Christian conhece-o.

– Que tipo de médico é?

– É psiquiatra.

– Ah, bom.

Ficámos ambos a observar e alguns minutos depois eles regressaram. Christian trazia Leila ao colo, embrulhada num cobertor. *O quê?* Fiquei horrorizada ao vê-los todos entrar no monovolume, que se afastou velozmente.

Ethan olhou-me empaticamente. Eu sentia-me desolada, completamente desolada.

– Posso beber algo um pouco mais forte? – perguntei a Ethan, num tom de voz débil.

– Claro. O que queres tomar?

– Um *brandy*, por favor.

Ethan anuiu e foi ao balcão. Olhei para a porta principal através da janela. Momentos depois, Taylor saiu, entrou no *Audi* e afastou-se na direção do Escala… Atrás de Christian? Não sabia.

Ethan colocou-me um grande *brandy* à frente.

– Vá lá, Steele, vamos embebedar-nos.

Pareceu-me a melhor proposta que tivera nos últimos tempos. Batemos ao de leve com os copos um no outro e eu bebi uma golada do líquido cor de âmbar. O seu calor ardente era uma distração conveniente da dor hedionda que me crescia no coração.

Era tarde e eu sentia-me aturdida. Ethan e eu estávamos fora do apartamento, sem chaves. Ele insistiu em levar-me a pé ao Escala, mas não quis ficar. Telefonou ao amigo com quem se encontrara antes para ir tomar uma bebida e combinou ficar a dormir em casa dele.

– Então é aqui que vive o magnata – disse Ethan, impressionado, assobiando entre dentes.

Eu acenei com a cabeça.

– De certeza que não queres que eu entre contigo? – perguntou.

– Não, tenho de enfrentar isto – ou então deitar-me.

– Vemo-nos amanhã?

– Sim. Obrigada, Ethan. – Abracei-o.

– Tu vais resolver o assunto, Steele – murmurou ao meu ouvido.

Depois largou-me e seguiu-me com os olhos, enquanto eu me dirigia para o edifício.

– Adeusinho – disse ele, em voz alta. Eu dirigi-lhe um sorriso débil e acenei-lhe, carregando depois no botão para chamar o elevador.

Saí do elevador e entrei no apartamento de Christian. Taylor não estava à minha espera, o que não era habitual. Abri as portas duplas e dirigi-me para a sala grande. Christian estava ao telefone, a andar para a frente e para trás pela sala, perto do piano.

– Ela já chegou – disse ele, bruscamente. Virou-se e olhou-me furioso, ao desligar o telefone. – Por onde raio é que andaste? – resmungou, mas não fez qualquer gesto para se aproximar de mim.

Estava zangado comigo? Ele, que acabara de passar sabe Deus quanto tempo com a maluquinha da ex-namorada, estava zangado comigo?

– Estiveste a beber? – perguntou, horrorizado.

– Um pouco. – Julguei que não fosse assim tão evidente.

Ele arquejou e passou a mão pelo cabelo.

– Eu disse-te para voltares para aqui. – Estava com uma voz ameaçadoramente calma. – São dez e um quarto. Estava preocupado contigo.

– Fui tomar umas bebidas com o Ethan enquanto tratavas da tua ex – disse-lhe, num tom de voz sibilante. – Não sabia quanto tempo irias ficar… com ela.

Ele semicerrou os olhos, deu alguns passos na minha direção, mas depois parou.

– Porque o dizes nesse tom?

Encolhi os ombros e olhei para os dedos.

– Ana, o que se passa? – E pela primeira vez, distingui algo mais do que raiva na sua voz. O que seria? Medo?

Engoli em seco tentando pensar no que queria dizer.

– Onde está a Leila? – perguntei, olhando para ele.

– Num hospital psiquiátrico em Fremont – respondeu. O seu rosto parecia perscrutar o meu. – O que foi, Ana? – Aproximou-se de mim, até ficar mesmo à minha frente. – O que se passa? – sussurrou.

Eu abanei a cabeça.

– Eu não sirvo para ti.

– O quê? – murmurou, arregalando os olhos, alarmado. – Porque achas isso? Como é possível que aches isso?

– Eu não consigo ser tudo o que tu precisas.

– Tu és tudo o que eu preciso.

– Só de te ver com ela... – Emudeci.

– Porque me estás a fazer isto? Não tem nada a ver contigo, Ana. Tem a ver com ela. – Inspirou bruscamente e voltou a passar a mão pelo cabelo. – Neste momento, ela é uma rapariga muito doente.

– Mas eu senti-o... Senti o que vocês tiveram juntos.

– O quê? Não. – Tentou alcançar-me e eu recuei instintivamente. Ele deixou cair a mão e piscou-me os olhos. Parecia dominado pelo pânico.

– Estás a fugir? – sussurrou com os olhos arregalados de pavor.

Eu não respondi, tentando reunir as ideias.

– Não podes fugir – implorou.

– Christian... eu... – Tentei a custo organizar os pensamentos. O que estava eu a tentar dizer? Precisava de tempo para assimilar aquilo. Precisava que ele me desse tempo.

– Não. Não! – disse ele.

– Eu...

Ele olhou em redor, desvairado. Estaria à procura de inspiração? De intervenção divina? Não fazia ideia.

– Não te podes ir embora. Eu amo-te, Ana!

– Eu também te amo, Christian, só que...

– Não... não! – disse ele, desesperado, levando ambas as mãos à cabeça.

– Christian...

– Não – sussurrou, com os olhos arregalados de pânico e, subitamente, deixou-se cair de joelhos diante de mim, de cabeça curvada e as mãos abertas sobre as coxas. Respirou fundo e ficou imóvel.

O quê?

– Christian, o que estás a fazer?

Ele continuou de cabeça baixa, sem olhar para mim.

– Christian! O que estás a fazer? – repeti, num tom de voz agudo. Ele não se mexeu.

– Christian, olha para mim! – ordenei, em pânico.

Ele levantou a cabeça sem qualquer hesitação e olhou-me passivamente com os seus olhos cinzentos e frios – parecia quase sereno... expectante.

Merda... Christian, o submisso.

CAPÍTULO CATORZE

Ver Christian ajoelhado a meus pés, de olhos cinzentos fixos em mim, era a imagem mais assustadora e preocupante com que jamais me deparara – era pior ainda do que ver Leila com a arma – e o vago torpor alcoólico que sentia evaporou-se num instante, dando lugar a um formigueiro no couro cabeludo e a uma sensação arrepiante de perdição, ao sentir o sangue escoar-se do meu rosto.

Arfei com o choque. *Não, não, aquilo não batia certo, não batia de todo certo e era bastante perturbador.*

– Christian, por favor, não faças isso. Eu não quero isso.

Ele continuou a olhar para mim, passivamente, sem se mexer, sem dizer nada.

Ah, merda, meu pobre Cinquenta. Senti o coração apertado, tolhido. Que raio lhe fiz eu? As lágrimas arderam-me nos olhos.

– Porque estás a fazer isto? Fala comigo – sussurrei.

Ele piscou os olhos uma vez.

– O que gostarias que eu dissesse? – disse ele, brandamente, num tom insípido e eu senti-me por instantes aliviada, pelo facto de ele estar a falar. Mas não daquela maneira... Não!

As lágrimas começaram a escorrer-me pelas faces e subitamente tornou-se insuportável vê-lo na mesma posição prostrada que aquela criatura patética chamada Leila. A imagem de um homem poderoso, que na realidade era ainda um rapazinho horrivelmente violentado e negligenciado, que se sentia indigno do amor da sua família perfeita e da sua namorada nem pouco mais ou menos perfeita... a imagem do meu menino perdido... era de cortar a respiração.

A compaixão, a perda e o desalento inundaram-me o coração e senti um desespero sufocante. Iria ter de lutar para trazer de volta o *meu* Cinquenta.

A ideia de dominar alguém era assustadora para mim. A ideia de dominar Christian era nauseante, pois far-me-ia igual a ela – a mulher que lhe fizera aquilo.

Estremeci só de pensar, lutando para conter a bílis na garganta. Era-me impossível fazer isso, ou desejar isso.

Quando as minhas ideias se tornaram mais claras, vi que havia apenas uma forma e deixei-me cair de joelhos em frente dele, sem desviar os meus olhos dos dele.

Sentia o soalho de madeira rijo contra as minhas canelas e limpei rudemente as lágrimas com as costas da mão.

Assim éramos iguais, estávamos ao mesmo nível. Só assim o poderia recuperar.

Ele arregalou ligeiramente os olhos, quando olhei para ele, mas para além dessa expressão a sua postura não se alterou.

– Christian, não precisas de fazer isto – implorei. – Eu não vou fugir. Já te disse vezes sem conta que não vou fugir. Tudo o que aconteceu é… arrasador. Preciso apenas de tempo para pensar… de algum tempo para mim própria. Porque pensas sempre no pior? – Voltei a sentir o coração apertado, pois sabia o motivo: era por ele ser tão incrédulo e por se odiar tanto a si mesmo.

As palavras de Elena voltaram a assombrar-me: *"Ela sabe até que ponto és negativo em relação a ti próprio? Ela está a par de todos os teus problemas?"*

Oh, Christian! O medo voltou a tolher-me o coração e eu balbuciei:

– Ia sugerir-te voltar para o meu apartamento esta noite. Tu nunca me dás tempo… tempo para ponderar nas coisas – solucei, e ele franziu o sobrolho quase impercetivelmente. – Preciso apenas de tempo para pensar. Nós mal nos conhecemos e toda esta bagagem que carregas contigo… Preciso… Preciso de tempo para ponderar nisto. E agora que a Leila está… seja lá onde for que esteja… já não anda pelas ruas e já não é uma ameaça… por isso eu pensei… eu pensei em… – Calei-me e olhei para ele. Ele olhou-me atentamente e eu fiquei com a sensação de que ele estava a ouvir.

– Ver-te com a Leila… – Fechei os olhos e a dolorosa recordação da sua interação com a ex-submissa voltou a atormentar-me. – foi um choque tão grande. Tive um vislumbre de como a tua vida era... e... – Olhei para os meus dedos entrelaçados, ainda com as lágrimas a escorrerem-me pelo rosto. – O problema é eu não ser suficientemente boa para ti. Aquilo deu-me uma perspetiva da tua vida e eu tenho muito medo de que te aborreças de mim e fiques... e que acabes como a Leila... transformado numa sombra. Porque eu amo-te, Christian. Se me abandonares, para mim será como viver num mundo sem luz. Ficarei na escuridão. Eu não quero fugir, mas tenho tanto medo que me abandones...

Ao dizer-lhe aquelas palavras – na esperança de que ele me estivesse a ouvir – percebi qual era o meu verdadeiro problema. Eu não entendia porque é que ele gostava de mim. *Nunca* o entendera.

– Eu não percebo porque é que me achas atraente – murmurei. – Tu és... bom, tu és tu mesmo... e eu sou... – Encolhi os ombros e levantei os olhos para ele. – Não entendo. Tu és bonito, *sexy*, bem-sucedido, bom, gentil e carinhoso. Tu és tudo isso, e eu não. Não consigo fazer as coisas que tu gostas de fazer, não consigo dar-te aquilo de que precisas. Como poderias ser feliz comigo? Como poderei eu jamais prender-te? – A minha voz era um sussurro, ao expressar os meus medos mais tenebrosos. – Nunca percebi o que vês em mim. Ver-te com ela recordou-me tudo isso. – Funguei e limpei o nariz com as costas da mão, fitando a sua expressão impassível.

Ah, ele era tão exasperante. *Fala comigo, raios!*

– Vais ficar aqui ajoelhado toda a noite? É que eu também fico – disse-lhe eu, num tom brusco.

Creio que a sua expressão se suavizou – parecia até ligeiramente divertido, mas era difícil de perceber.

Poderia esticar o braço e tocar-lhe, mas isso seria abusar grosseiramente da posição em que ele me colocara. Eu não queria isso, mas não entendia o que ele queria, ou o que estava a tentar dizer-me. Não percebia.

– Christian, por favor... por favor, fala comigo – supliquei-lhe, torcendo as mãos no colo. Sentia-me desconfortável de joelhos, mas continuei ajoelhada, a olhar para os seus olhos cinzentos, belos e circunspectos, e esperei.

Esperei. Esperei.

– Por favor – implorei, mais uma vez. O seu olhar intenso tornou-se subitamente mais sombrio e ele piscou os olhos.

– Estava tão assustado – sussurrou ele.

Ah, graças a Deus! O meu subconsciente regressou cambaleante à sua poltrona, com os ombros descaídos de alívio, e bebeu uma grande golada de gin.

Ele está a falar! Fui inundada por uma sensação de gratidão e engoli em seco, tentando conter a minha emoção e mais um ataque iminente de lágrimas.

Ele falava num tom de voz brando e grave.

– Quando vi o Ethan chegar, percebi que alguém te tinha deixado entrar no apartamento. Eu e o Taylor saltámos para fora do carro. Nós sabíamos. Vê-la ali contigo, daquela maneira, ainda por cima armada, foi como morrer mil vezes, Ana. Alguém a ameaçar-te... os meus piores medos concretizados. Sentia-me furioso com ela, contigo, com Taylor e comigo mesmo.

Abanou a cabeça, revelando o seu sofrimento:

– Eu não sabia até que ponto ela estaria volátil, não sabia o que fazer. Não sabia como ela iria reagir. – Fez uma pausa e franziu o sobrolho. – Mas depois ela deu-me uma pista, pois parecia bastante arrependida, e eu percebi o que tinha de fazer. – Fez uma pausa e olhou-me, tentando avaliar a minha reação.

– Continua – sussurrei.

Ele engoliu em seco.

– Vê-la naquele estado, sabendo que podia ser em parte responsável pelo seu esgotamento nervoso... – Voltou a fechar os olhos. – Ela era sempre tão maliciosa, tão alegre. – Estremeceu e inspirou asperamente, quase como se estivesse a soluçar. Ouvir aquilo era torturante mas eu continuei atenta, de joelhos, a assimilar avidamente a sua perspetiva.

– Ela podia ter-te feito mal e a culpa teria sido minha. – Os seus olhos vaguearam pela sala, carregados de pavor e incompreensão, e ele voltou a ficar em silêncio.

– Mas não fez – sussurrei. – E tu não és responsável pelo facto de ela estar naquele estado, Christian. – Pisquei-lhe os olhos, encorajando-o a prosseguir.

Depois compreendi que tudo o que fizera fora para me proteger. A mim e talvez à Leila, pois também gostava dela. Mas até que ponto gostaria dela? A pergunta ficou a pairar-me indesejavelmente na cabeça. Ele dizia que me amava, mas fora tão áspero ao expulsar-me do meu próprio apartamento.

– Eu só queria que tu te fosses embora – murmurou, com a sua estranha aptidão para me ler os pensamentos. – Eu queria-te longe do perigo e tu… Não. Havia. Meio. De. Saíres – disse ele, abanando a cabeça, de dentes cerrados, num tom de voz sibilante. A sua irritação era palpável. Olhou para mim atentamente.

– Tu és a mulher mais teimosa que eu conheço, Anastasia Steele. – Fechou os olhos e voltou a abanar a cabeça, incrédulo.

Oh, ele voltou. Deixei escapar um longo suspiro de alívio, purificante.

Ele voltou a abrir os olhos. Estava com uma expressão desamparada, sincera.

– Não ias fugir? – perguntou.

– *Não!*

Voltou a fechar os olhos e todo o seu corpo se descontraiu. Quando abriu os olhos, vi dor e angústia neles.

– Pensei… – calou-se. – Eu sou assim, Ana, todo eu… e sou inteiramente teu. O que tenho eu de fazer para que entendas isso, para que vejas que te quero de todas as formas possíveis e percebas que te amo?

– Eu também te amo, Christian, e ver-te assim… – Senti-me sufocar e as lágrimas voltaram. – Pensava que te tinha destruído.

– Destruído? A mim? Ah, não, Ana, muito pelo contrário. – Esticou o braço e pegou-me na mão. – Tu és a minha tábua de salvação – sussurrou, beijando-me os nós dos dedos, e apertando-me a palma da mão contra a sua.

Puxou-me delicadamente pela mão e colocou-a sobre o seu peito, por cima do coração – na zona proibida – de olhos muito abertos, carregados de medo. A sua respiração acelerou. O coração dele era como uma tatuagem frenética e palpitante, debaixo dos meus dedos. Ele estava de maxilares crispados e dentes cerrados e não tirava os olhos de mim.

Arquejei. *Oh, meu Cinquenta!* Ele estava a permitir que eu lhe tocasse e foi como se todo o ar se evaporasse dos meus pulmões. Senti o sangue pulsar-me ruidosamente nos ouvidos, à medida que o ritmo cardíaco aumentava conjugando-se com o seu.

Ele largou-me a mão, deixando-a sobre o seu coração. Eu fleti ligeiramente os dedos, sentindo o calor da sua pele, por baixo do tecido da camisa. Ele estava a conter a respiração. Não o consegui suportar e comecei a mover a mão.

– Não – disse ele, bruscamente, voltando a colocar a sua mão sobre a minha, e apertando-me os dedos contra si. – Não faças isso.

Encorajada por aquelas quatro palavras, cheguei-me mais a ele, até ficarmos com os joelhos encostados, erguendo hesitantemente a outra mão, para lhe dar a entender exatamente o que pretendia fazer. Ele arregalou os olhos, mas não tentou deter-me.

Comecei a desabotoar-lhe delicadamente os botões da camisa. Era complicado fazê-lo só com uma mão. Fleti os dedos sobre a sua mão e ele largou-a, deixando-me usar ambas as mãos para lhe desapertar os botões. Eu abri-lhe por completo a camisa e destapei-lhe o peito, sem desviar os meus olhos dos seus.

Ele engoliu em seco, entreabrindo os lábios, e a sua respiração tornou-se mais acelerada. Senti o seu pânico crescente, mas ele não se afastou. Estaria ainda no papel de submisso? Não fazia ideia.

Deveria fazer aquilo? Não era minha intenção magoá-lo, fosse em termos físicos fosse em termos mentais. Vê-lo a oferecer-se a mim, daquela maneira, fora um abanão para mim.

Ergui o braço e a minha mão ficou a pairar sobre o seu peito. Olhei para ele... pedindo-lhe permissão. Ele inclinou muito subtilmente a cabeça para um lado, como que a preparar-se, na expectativa do meu toque, e senti a tensão irradiar dele, só que desta vez não era raiva, mas sim medo.

Hesitei. Poderia realmente fazer-lhe aquilo?

– Sim – sussurrou, com a sua estranha aptidão para responder às minhas perguntas por expressar.

Estiquei os dedos para os pelos do seu peito, roçando-os ao de leve pelo seu externo. Ele fechou os olhos e franziu o rosto, como se estivesse a sentir uma dor infernal. Era insuportável testemunhá-lo, por isso levantei de imediato os dedos, mas ele agarrou-me rapidamente na mão, voltando a poisá-la, aberta sobre o seu peito nu. Os seus pelos faziam-me cócegas na palma da mão.

– Não – disse ele, num tom de voz tenso. – Eu preciso de fazer isto.

Estava de olhos fechados e franzidos. Aquilo devia ser um sofrimento e vê-lo era verdadeiramente torturante. Acariciei-lhe cuidadosamente o peito com os dedos, até ao coração, maravilhada por estar a senti-lo, mas apavorada com a possibilidade de estar a ir longe demais.

Os seus olhos abriram-se, queimando-me como fogo cinzento.

Com os diabos. O olhar dele era escaldante, ferino, terrivelmente intenso e a sua respiração estava acelerada, agitando-me o sangue. Contorci-me sob o seu olhar.

Ele não me impedira de o fazer, por isso voltei a passar-lhe a ponta dos dedos sobre o peito e a sua boca descontraiu-se. Ele estava ofegante, mas eu não sabia se era do medo ou por outra razão.

Desejava beijá-lo ali há tanto tempo que me endireitei sobre os joelhos, e fiquei por instantes de olhos presos nos seus, deixando perfeitamente clara a minha intenção. Depois curvei-me e beijei-o delicadamente por cima do coração, sentindo o calor e o cheiro doce da sua pele sob os meus lábios.

O seu gemido sufocado comoveu-me de tal forma que me voltei a sentar sobre os tornozelos, receando o que iria ver no seu rosto. Ele fechara os olhos com força, mas não se mexera.

– Outra vez – sussurrou e eu voltei a inclinar-me para o seu peito, beijando-lhe desta vez uma das cicatrizes. Ele arquejou e eu beijei outra, e outra ainda. Ele gemeu alto, envolvendo-me subitamente nos seus braços, e levou-me uma mão ao cabelo, puxando-me dolorosamente a cabeça, ao encontro da sua boca insistente. Beijámo-nos e os meus dedos arrepanharam-lhe o cabelo.

– Oh, Ana – murmurou, torcendo-se e puxando-me para o chão, de forma a eu ficar debaixo dele. Eu ergui as mãos para agarrar no seu belo rosto e nesse instante senti as suas lágrimas.

Ele está a chorar… não. Não!

– Christian, por favor, não chores. Eu estava a falar a sério quando disse que jamais te abandonaria. Estava mesmo. Lamento muito se te dei outra impressão… por favor, perdoa-me. Eu amo-te. Vou amar-te sempre.

Ele ergueu-se sobre mim, olhando para o meu rosto, com uma expressão terrivelmente angustiada.

– O que foi?

Ele arregalou os olhos.

– Que segredo é esse que te faz pensar que eu vou fugir a sete pés? Que te faz tanto acreditar nisso? – perguntei com a voz trémula. – Diz-me, Christian, *por favor...*

Ele sentou-se, embora desta vez cruzasse as pernas, e eu sentei-me também, de pernas esticadas. Interroguei-me vagamente se poderíamos sair do chão, mas não queria interromper a sua linha de raciocínio. Ele ia finalmente abrir-se comigo.

Olhou para mim com um ar perfeitamente desolado. *Oh, merda – é grave.*

– Ana... – Fez uma pausa, à procura das palavras certas, com uma expressão angustiada... Onde raio estaria ele a querer chegar?

Respirou fundo e engoliu em seco.

– Eu sou um sádico, Ana, e gosto de chicotear rapariguinhas morenas como tu porque todas vocês são parecidas com a prostituta viciada em *crack*, com a minha mãe biológica. Estou certo de que adivinhas porquê. – Disse-o precipitadamente, como se tivesse a frase na cabeça, há dias e dias, e estivesse desesperado para se livrar dela.

O meu mundo parou. *Oh, não.*

Não era aquilo que eu esperava. Aquilo era grave, realmente grave. Olhei para ele, tentando entender as implicações do que ele acabara de dizer. Realmente explicava a razão por que éramos todas parecidas.

O meu pensamento imediato foi que Leila tinha razão. *O Senhor é tenebroso.*

Lembrei-me da primeira conversa que tivera com ele acerca das suas inclinações, quando estávamos no Quarto Vermelho da Dor.

– Tu disseste que não eras um sádico – sussurrei, tentando desesperadamente entender... inventar qualquer desculpa a seu favor.

– Não, eu disse que era um Dominador. Se te menti foi por omissão. Desculpa. – Olhou brevemente para as unhas bem cuidadas.

Acho que se sentia mortificado. Mortificado por me mentir, ou por ser o que era?

– Quando me fizeste essa pergunta, eu imaginara uma relação muito diferente entre nós – murmurou, e eu percebi pelo seu olhar que estava aterrorizado.

Depois a coisa bateu-me como uma bola de demolição. Se ele era um sádico, precisava mesmo de toda aquela treta das flagelações e das vergastadas. Ah, merda. Aninhei a cabeça nas mãos.

– Então é verdade – sussurrei, olhando para ele. – Eu não posso dar-te aquilo de que precisas. – Pronto, aquilo queria mesmo dizer que éramos incompatíveis.

O mundo começou a fugir-me debaixo dos pés, a ruir à minha volta, e eu senti o pânico tolher-me a garganta. Pronto. Não íamos conseguir.

Ele franziu o sobrolho: – Não, não, não, Ana. Tu podes. Tu dás-me *de facto* o que eu preciso. – Cerrou os punhos. – Por favor, acredita em mim – murmurou ele. As suas palavras eram uma súplica apaixonada.

– Não sei em que acreditar, Christian. Isto é tão fodido – sussurrei, com a garganta irritada e dorida, a fechar-se e a sufocar-me com lágrimas por derramar.

Ao voltar a olhar para mim, os seus olhos estavam esgazeados e luminosos.

– Acredita em mim, Ana. Quando tu me abandonaste depois de eu te castigar, a minha visão do mundo mudou. Eu não estava a brincar quando disse que ia evitar voltar a sentir-me assim. – Olhou-me com um ar suplicante, angustiado. – Quando me disseste que me amavas, foi uma revelação. Nunca ninguém me dissera isso antes e foi como se eu pusesse fim a algo, ou talvez tu pusesses fim a algo, não sei. Eu e o Dr. Flynn continuamos profundamente embrenhados na discussão desse assunto.

Oh. A esperança acendeu-se por breves instantes no meu coração. Talvez ficássemos bem. Eu queria que ficássemos bem. *Ou será que não?*

– O que significa tudo isso? – sussurrei.

– Significa que eu não preciso disso. Agora já não.

O quê?

– Como é que sabes? Como podes ter tanta certeza?

– Sei, simplesmente. A ideia de te magoar… de alguma forma real… é odiosa para mim.

– Não entendo. Então e as réguas, os espancamentos e todas essas merdas debochadas?

Ele passou uma mão pelo cabelo e quase sorriu, mas acabou por suspirar pesarosamente.

– Estou a referir-me às merdas pesadas, Anastasia. Gostava que visses do que eu sou capaz com uma vergasta ou um gato.

Fiquei de boca aberta, perplexa.

– Preferia não ver.

– Eu sei. Se quisesses sujeitar-te a isso, muito bem … mas tu não queres e eu compreendo. Não posso fazer nada disso contigo se tu não quiseres. Já uma vez antes te disse que és tu que tens todo o poder. Além disso, deixei de sentir essa compulsão desde que voltaste.

Olhei-o pasmada, por instantes, tentando assimilar tudo aquilo:

– Mas quando nos conhecemos era isso que querias.

– Sim, sem dúvida.

– Como é possível que a tua compulsão tenha desaparecido, Christian? Como se eu fosse uma panaceia qualquer e tu estivesses curado, à falta de melhor palavra? Não entendo.

Voltou a suspirar: – Eu não diria "curado"… Não acreditas em mim?

– Acho simplesmente… inacreditável, o que é diferente.

– Se nunca me tivesses abandonado, é possível que eu não me sentisse assim. Abandonares-me foi a melhor coisa que podias ter feito… por nós, pois fez-me entender até que ponto te quero – a ti e só a ti. Estava a falar a sério quando disse que te quero ter de todas as formas possíveis.

Olhei para ele. Poderia eu acreditar naquilo? A cabeça doía-me só de tentar pensar naquilo tudo. No meu íntimo sentia-me… entorpecida.

– Tu ainda aqui estás. A estas horas pensei que já cá não estivesses – sussurrou.

– Porquê? Por eu poder considerar-te um tarado pelo facto de gostares de chicotear e foder mulheres parecidas com a tua mãe? O que te teria dado essa impressão? – perguntei, num tom sibilante, atacando-o.

Ele empalideceu ao ouvir as minhas palavras ásperas.

– Bom, não o colocaria dessa forma, mas sim – disse ele, melindrado, de olhos arregalados.

A sua expressão dava que pensar e eu arrependi-me da minha explosão, franzindo o sobrolho, atormentada pela culpa.

O que podia eu fazer? Olhei-o e ele parecia sinceramente arrependido... parecia o meu Cinquenta.

Lembrei-me inesperadamente da fotografia do seu quarto de infância e percebi nesse instante por que razão a mulher da fotografia me parecera tão familiar. Era parecida com ele. Devia ser a sua mãe biológica.

Veio-me à memória a forma descontraída como se descartou dela: *Ninguém importante...* Ela era a culpada de tudo aquilo... e eu era parecida com ela... *Merda!*

Fitou-me com um olhar cru e eu percebi que ele estava à espera que eu desse o passo seguinte. Parecia genuíno. Dissera que me amava, mas eu sentia-me bastante confusa.

Aquilo era tudo tão lixado. Ele tranquilizara-me acerca de Leila, mas agora eu estava mais certa do que nunca de que ela conseguira dar-lhe prazer. A ideia era desgastante e intragável.

– Christian, estou exausta. Podemos falar nisto amanhã? Quero ir para a cama.

Ele piscou-me os olhos, surpreendido.

– Não te vais embora?

– Queres que eu vá?

– Não! Pensei que te fosses embora, assim que soubesses.

Lembrei-me por instantes de todas as vezes que ele me dissera que eu me iria embora assim que soubesse dos seus segredos mais tenebrosos... e agora sabia. *Merda. O Senhor era tenebroso.*

Deveria ir-me embora? Olhei para o louco que amava – sim, amava-o. Conseguiria eu abandoná-lo? Abandonara-o uma vez, antes, e isso quase me destruíra... a mim e a ele. Eu amava-o. Apesar daquela revelação, sabia que o amava.

– Não me abandones – sussurrou.

– Oh, por amor de Deus – *não!* Eu não me vou embora! – gritei e foi catártico. Pronto, já o dissera. Não me ia embora.

– A sério? – disse ele, arregalando os olhos.

– O que posso eu fazer para que entendas que não vou fugir? O que posso dizer?

Olhou para mim e engoliu em seco, revelando de novo o seu medo e angústia.

– Há uma coisa que podes fazer.

– O quê? – perguntei, bruscamente.

– Casa comigo – sussurrou.

O quê? Teria ele acabado de...

O meu mundo parou pela segunda vez, no espaço de uma hora. *Merda.* Olhei para aquele homem profundamente perturbado que eu amava. Mal podia acreditar no que ele acabara de dizer.

Casamento? Ele estava a pedir-me em casamento? Estaria a brincar? Uma pequena gargalhada incrédula explodiu-me das entranhas. Foi mais forte do que eu. Mordi o lábio para evitar que esta se convertesse numa gargalhada desabrida e histérica, mas falhei miseravelmente. Deitei-me ao comprido no chão e rendi-me ao riso, dando gargalhadas como nunca antes dera, enormes uivos catárticos de riso.

Por instantes, fiquei sozinha, a desdenhar daquela situação absurda – uma rapariga afogada em gargalhadas, junto de um rapaz belo e perturbado. Poisei o braço sobre os olhos e as minhas gargalhadas transformaram-se em lágrimas escaldantes. *Não, não... aquilo era demais.*

Quando a histeria abrandou, Christian levantou-me delicadamente o braço do rosto e eu virei-me para olhar para ele. Estava debruçado sobre mim, a fazer um trejeito irónico e divertido com a boca, mas os seus olhos estavam com uma tonalidade ardente de cinzento, como que melindrados. *Oh não.*

Ele limpou-me delicadamente uma lágrima dispersa, com os nós dos dedos.

– Acha a minha proposta divertida, Miss Steele?

Oh, Cinquenta! Levantei o braço e acariciei-lhe ternamente a face, comprazendo-me com a sensação da sua barba debaixo dos meus dedos. Meu Deus, eu amava aquele homem.

– Mr. Grey... Christian, o teu sentido de oportunidade é sem dúvida... – Faltaram-me as palavras e eu olhei para ele.

Ele sorriu-me afetadamente, mas as rugas em torno dos olhos diziam-me que estava magoado. Dava que pensar.

– Estás a magoar-me, Ana. Casas comigo?

Eu sentei-me e encostei-me a ele, poisando as mãos sobre os seus joelhos e olhei para o seu belo rosto.

– Christian, eu encontrei a psicopata da tua ex com uma arma, fui expulsa do meu apartamento e provoquei-te uma fúria termonuclear.

Abriu a boca para falar, mas eu levantei a mão e ele fechou-a obedientemente.

– Acabaste de me fazer revelações francamente chocantes acerca de ti mesmo e agora pediste-me em casamento.

Moveu a cabeça de um lado para o outro como se estivesse a ponderar nos factos. Estava divertido. Graças a Deus.

– Sim, creio que essa é uma síntese justa e exata da situação – disse ele, secamente.

Abanei a cabeça: – O que aconteceu à gratificação adiada?

– Já ultrapassei isso e agora sou um acérrimo defensor da gratificação imediata. *Carpe Diem*, Ana – sussurrou.

– Escuta, Christian, conheço-te há três minutos e há muita coisa que preciso de saber. Bebi demasiado, estou com fome, estou cansada e quero ir para a cama. Preciso de ponderar na tua proposta da mesma forma que ponderei naquele contrato que me deste. Além disso – cerrei os lábios para demonstrar o meu descontentamento, mas também para aligeirar o ambiente entre nós –, não foi uma proposta muito romântica.

Ele inclinou a cabeça para um lado, com um sorriso a estremecer-lhe nos lábios. – Bem visto, como sempre, Mrs. Steele – sussurrou, com uma nota de alívio na voz. – Então, isso não é um não.

Eu suspirei: – Não, Mr. Grey, não é um não, mas também não é um sim. Só estás a fazer isso porque estás assustado e não confias em mim.

– Não, estou a fazer isto porque encontrei finalmente alguém com quem quero passar o resto da minha vida.

Oh. O coração parou-me por instantes e eu derreti-me por dentro. Como conseguia ele dizer coisas tão românticas nas situações mais bizarras? Abri a boca, perplexa.

– Nunca pensei que isso me acontecesse – prosseguiu ele, com uma expressão que irradiava pura e genuína sinceridade.

Olhei-o, pasmada, à procura das palavras certas.

– Importas-te que eu… pense nesse assunto e em tudo o resto que aconteceu hoje? O que acabaste de me revelar? Pediste-me paciência e fé. Muito bem, agora peço-te eu o mesmo, Grey, pois vou precisar disso.

Os seus olhos procuraram os meus. Instantes depois, inclinou-se para mim e prendeu-me o cabelo atrás da orelha.

– Não morro por isso. – Beijou-me rapidamente nos lábios. – Com que então não foi muito romântico? – Arqueou as sobrancelhas e eu abanei a cabeça, repreensivamente. – Corações e flores? – perguntou, brandamente.

Eu acenei com a cabeça e ele sorriu ligeiramente.

– Tens fome?

– Sim.

– Não comeste. – Os seus olhos gelaram e ele crispou o maxilar.

– Não, não comi. – Sentei-me sobre os calcanhares e olhei-o passivamente. – Ser expulsa do meu apartamento, depois de ver o meu namorado interagir intimamente com a sua ex-submissa, tirou-me bastante o apetite. – Olhei-o fixamente e cerrei os punhos, fincando-os nas ancas.

Christian abanou a cabeça e levantou-se elegantemente. *Ah, finalmente podemos sair do chão.* Estendeu-me a mão.

– Deixa-me arranjar-te algo para comer – disse ele.

– Não me posso ir simplesmente deitar? – murmurei, num tom exausto, ao dar-lhe a mão.

Ajudou-me a levantar. Eu estava rígida. Olhou para mim com uma expressão branda.

– Não, tu precisas de comer. Anda. – O Christian autoritário estava de volta, o que era um alívio.

Conduziu-me até à área da cozinha e apontou para um banco ao balcão, dirigindo-se ao frigorífico. Olhei para o relógio de pulso. Eram quase onze e meia e eu tinha de me levantar para ir trabalhar na manhã seguinte.

– Christian, a sério que não tenho fome.

Ele ignorou-me diligentemente, vasculhando no interior do enorme frigorífico.

– Queijo? – perguntou.

– A esta hora, não.

– *Pretzels?*

– No frigorífico? Não – disse eu, bruscamente.

Ele virou-se para mim e sorriu: – Não gostas de *pretzels*?

– Às onze e meia da noite, não. Christian, vou-me deitar. Tu podes ficar a vasculhar no teu frigorífico o resto da noite, se quiseres. Estou cansada e já comuniquei o suficiente para um dia. Um dia que gostaria de esquecer. – Desci do banco e ele franziu-me o sobrolho, mas naquele momento eu não queria saber disso para nada. Queria ir para cama – estava exausta.

– Macarrão com queijo? – Ergueu uma taça branca tapada com papel de alumínio. Parecia tão esperançoso e persistente.

– Tu gostas de macarrão com queijo? – perguntei.

Ele acenou entusiasticamente e o meu coração derreteu. Parecia tão jovem, de repente. Quem iria imaginar? Christian Grey gostava de comida de crianças.

– Queres um pouco? – perguntou, num tom esperançoso, e eu não consegui resistir-lhe pois estava com fome.

Acenei com a cabeça, com um sorriso débil, e ele retribuiu-me com um sorriso de cortar a respiração. Tirou o papel de alumínio da taça e colocou-a no micro-ondas. Eu voltei a subir para o banco e apreciei quão maravilhoso era ver Mr. Christian Grey – o homem que queria casar comigo – mover-se com elegância e naturalidade pela sua cozinha.

– Então, sabes usar o micro-ondas? – disse eu, provocando-o brandamente.

– Se a comida estiver num pacote, normalmente consigo fazer alguma coisa dela, o meu problema é a comida a sério.

Mal podia acreditar que aquele era o mesmo homem que estivera ajoelhado diante de mim, há menos de meia hora. Volátil como sempre. Dispôs os pratos, os talheres e os panos de tabuleiro em cima do balcão.

– É muito tarde – murmurei.

– Não vás trabalhar amanhã.

– Tenho de ir trabalhar amanhã. O meu patrão vai para Nova Iorque.

Christian franziu o sobrolho: – Queres lá ir este fim de semana?

– Ouvi as previsões meteorológicas e parece que vai chover – disse eu, abanando a cabeça.

– Então, o que queres fazer?

O micro-ondas retiniu, anunciando que a nossa ceia já estava quente.

– Neste momento, quero apenas viver um dia de cada vez. Toda esta excitação é... cansativa. – Arqueei-lhe uma sobrancelha que ele ignorou criteriosamente.

Christian colocou a taça branca entre os nossos lugares, ao balcão, e sentou-se ao meu lado. Parecia embrenhado nos seus pensamentos, absorto. Eu servi os pratos de macarrão. Cheirava divinalmente e fez-me crescer água na boca por antecipação. Estava esfomeada.

– Desculpa a história da Leila – murmurou.

– Porque pedes desculpa? – *Hum,* o macarrão sabia tão bem como cheirava e o meu estômago roncou agradecido.

– Deve ter sido um choque terrível para ti tê-la encontrado no teu apartamento. O Taylor tinha-o revistado algumas horas antes e está bastante aborrecido.

– Eu não culpo o Taylor.

– Eu também não. Ele andou lá fora à tua procura.

– A sério? Porquê?

– Porque eu não sabia onde estavas. Deixaste a tua bolsa e o telefone e eu não podia sequer localizar-te. Onde foste? – perguntou. Falava num tom suave, mas havia algo de ameaçador nas suas palavras.

– Eu e o Ethan fomos a um bar do outro lado da rua, para eu poder ver o que se estava a passar.

– Compreendo. – O ambiente entre nós mudara subtilmente e já não era descontraído.

Ok... este jogo pode ser jogado a dois. Vamos lá reverter o assunto para ti, Cinquenta. Tentando mostrar-me indiferente e satisfazer a minha curiosidade ardente, ainda que receasse a resposta, perguntei:

– Então, o que fizeste com a Leila no apartamento?

Olhei-o de relance e ele ficou paralisado com o garfo cheio de macarrão, suspenso no ar. *Oh não. Aquilo não era bom sinal.*

– Queres mesmo saber?

Senti um nó no estômago e o meu apetite desapareceu.

– Sim – sussurrei. *Ah queres? Queres mesmo?* O meu subconsciente atirara a garrafa de *gin,* vazia, para o chão, e estava sentado na sua poltrona, horrorizado, a olhar-me fixamente.

Christian cerrou os lábios numa linha e hesitou. – Conversámos e eu dei-lhe banho. – Estava com a voz rouca e apressou-se a prosseguir, ao ver que eu não reagia. – Vesti-a com algumas das tuas roupas. Espero que não te importes. Ela estava sebenta.

Merda. Dera-lhe banho?

Que coisa mais descabida. Eu estava vacilante, de olhos postos no meu macarrão por comer. Só de olhar para ele estava a ficar com naúseas. *Tenta racionalizar isso,* aconselhou o meu subconsciente. A parte fria e intelectual do meu cérebro sabia que ele o fizera apenas porque ela estava suja, mas era demasiado difícil. O meu ego frágil e ciumento não o conseguiu aguentar.

Subitamente, apeteceu-me chorar – não sucumbir a lágrimas senhoris que me escorressem decorosamente pela face, mas uivar à lua a chorar. Respirei fundo para me conter, mas sentia a garganta seca e apertada das lágrimas e soluços por derramar.

– Era tudo o que podia fazer, Ana – disse ele, brandamente.

– Ainda sentes alguma coisa por ela?

– Não! – exclamou, horrorizado, e fechou os olhos com uma expressão angustiada. Eu virei-me, olhando mais uma vez para a minha comida enjoativa. Não suportava olhar para ele.

– Vê-la assim, tão diferente, tão destruída. Preocupo-me com ela, como um ser humano se preocupa com outro. – Encolheu os ombros como que para se desembaraçar de uma recordação desagradável. Caramba, contaria ele com a minha compaixão?

– Ana, olha para mim.

Eu não conseguia, pois sabia que se o fizesse, iria rebentar em lágrimas. Aquilo era simplesmente demasiado para mim. Eu parecia um depósito de gasolina a transbordar – excedera a minha capacidade. Não havia espaço para mais. Não podia simplesmente lidar com mais porcaria. Iria incendiar-me e explodir e seria muito feio se o tentasse. Caramba!

Christian a cuidar da sua ex-submissa de forma tão íntima – a imagem surgiu-me por instantes na mente. Ele a dar-lhe banho – nua – por amor de Deus! Um estremecimento desagradável e doloroso percorreu-me violentamente o corpo.

– Ana.

— O que foi?

— Não fiques assim. Não tem qualquer significado. Foi como cuidar de uma criança, uma criança arruinada, despedaçada – murmurou.

O que raio poderia ele saber de crianças? Aquela era uma mulher com quem ele mantivera um relacionamento sexual assumido e pervertido. *Ah, isto dói.* Respirei fundo para me recompor. Talvez estivesse a referir-se a si próprio. A criança arruinada era ele. Assim, fazia mais sentido… ou talvez não fizesse sentido nenhum. Ah, aquilo era tão lixado. Subitamente senti-me extenuada. Precisava de dormir.

— Ana?

Levantei-me, levei o meu prato para o lava-loiça e raspei os restos para o lixo.

— Ana, por favor.

Dei meia volta e encarei-o: — Para, Christian! Para de dizer "Ana, por favor!" – gritei-lhe e as lágrimas começaram-me a correr pelas faces. — Já tive que me chegasse desta merda, hoje. Vou-me deitar. Estou cansada e emotiva. Agora deixa-me estar.

Dei meia volta e corri praticamente para o quarto, levando comigo a memória do seu olhar esgazeado e chocado. Era bom saber que também o conseguia chocar. Despi a roupa duas vezes mais depressa do que era hábito e, depois de vasculhar na sua cómoda, agarrei numa das suas *t-shirts* e encaminhei-me para a casa de banho.

Olhei para mim própria no espelho, mal reconhecendo a bruxa desgrenhada e magra, de olhos vermelhos e faces manchadas que me olhava. Foi a gota de água. Deixei-me escorregar para o chão e rendi-me àquela emoção arrasadora, já incapaz de a conter, soluçando violentamente, e deixando por fim as lágrimas correrem livremente.

CAPÍTULO QUINZE

– Olá – disse Christian, gentilmente, puxando-me para os seus braços. – Por favor, Ana, por favor, não chores – suplicou. Ele estava no chão da casa de banho, comigo ao colo. Abracei-o e chorei contra o seu pescoço. Ele murmurava palavras brandas contra o meu cabelo, afagando-me as costas e a cabeça.

– Desculpa, querida – sussurrou, e isso fez-me chorar ainda mais e abraçá-lo com mais força.

Ficámos assim, sentados, durante uma eternidade. Por fim, depois de eu chorar tudo o que tinha a chorar, Christian levantou-se cambaleante, comigo ao colo, e levou-me para o seu quarto, deitando-me na cama. Segundos depois, estava a meu lado com as luzes apagadas. Puxou-me para os seus braços e abraçou-me com força, e eu acabei por adormecer – um sono tenebroso e inquieto.

Acordei em sobressalto. Sentia-me confusa e demasiado quente. Christian estava enrolado em mim como uma trepadeira. Gemeu a dormir, quando eu me libertei dos seus braços, mas não acordou. Sentei-me e olhei de relance para o despertador. Eram três da manhã. Precisava de um *ben-u-ron* e de beber qualquer coisa. Baloicei as pernas para fora da cama e encaminhei-me para a cozinha.

Encontrei um pacote de sumo de laranja e enchi um copo. Hum... era delicioso e a confusão na minha cabeça acalmou imediatamente. Vasculhei nos armários à procura de analgésicos e acabei por encontrar uma caixa de plástico, cheia de medicamentos. Tomei dois *ben-u-rons* e voltei a encher o copo de sumo de laranja.

Fui até junto da grande janela e olhei para a cidade de Seattle adormecida. As luzes cintilavam e piscavam abaixo do castelo celeste de Christian, ou deveria dizer fortaleza? Encostei a testa à janela fria –

foi um alívio. Tinha tanto em que pensar depois das revelações do dia anterior. Encostei-me ao vidro e deixei-me escorregar até ao chão. A sala grande parecia enorme, na escuridão. A única luz visível provinha dos três candeeiros por cima da bancada central da cozinha.

Conseguiria viver naquele sítio, casada com Christian, depois de tudo o que ele ali fizera? Com todo o significado que aquela casa tinha para ele?

Casamento. Era quase inacreditável e fora totalmente inesperado. Mas também, tudo em Christian era inesperado. Um sorriso afetado desenhou-se-me nos lábios perante a ironia da questão. Esperai o inesperado de Christian Grey – lixado em cinquenta tons.

O meu sorriso esmoreceu. Eu era parecida com a mãe dele. Isso feria-me profundamente e o ar fugiu-me subitamente dos pulmões. Todas nós éramos parecidas com a mãe dele.

Como raio iria eu ultrapassar a revelação desse pequeno segredo? Não admira que não me quisesse dizer. Certamente que não tinha muitas recordações da mãe. Voltei a interrogar-me se deveria falar com o Dr. Flynn. Será que Christian permitiria? Talvez ele me pudesse preencher as lacunas.

Abanei a cabeça. Sentia-me completamente exausta, mas estava a apreciar a calma e a serenidade da sala grande e as suas maravilhosas obras de arte – frias e austeras, mas ainda assim belas à sua maneira – mergulhadas nas sombras. Certamente que valiam uma fortuna. Conseguiria eu viver ali? Para o bem e para o mal? Na saúde e na doença? Fechei os olhos, inclinei a cabeça para trás, contra o vidro, e respirei fundo, purificando-me.

A minha tranquilidade pacífica foi estilhaçada por um grito visceral e primitivo, que me arrepiou todos os pelos do corpo. *Merda, Christian, o que aconteceu?* Levantei-me e corri de novo para o quarto, antes mesmo de os ecos daquele som horrível se diluírem, com o coração palpitante de pavor.

Liguei um dos interruptores e a luz da cabeceira de Christian acendeu-se. Estava a virar-se e a revirar-se na cama, contorcendo-se em agonia.

– Não! – gritou ele, mais uma vez, e o som horrendo e devastador do seu grito voltou a percorrer-me corpo.

Merda – um pesadelo!

– Christian! – Debrucei-me sobre ele, agarrei-o pelos ombros e sacudi-o para o acordar. Abriu os olhos. Estava com um olhar selvagem e vazio e sondou rapidamente o quarto antes de voltar a poisar os olhos em mim.

– Tu foste-te embora, tu foste-te embora, tu deves ter saído – murmurou e os seus olhos esgazeados assumiram uma expressão acusadora. Parecia tão desorientado que senti um aperto no coração. Pobre Cinquenta.

– Estou aqui. – Sentei-me na cama, a seu lado. – Estou aqui – murmurei, brandamente, tentando tranquilizá-lo. Estiquei o braço e encostei a palma da mão a um dos lados do seu rosto, procurando acalmá-lo.

– Tu desapareceste – sussurrou ele rapidamente. Os seus olhos estavam ainda com uma expressão selvagem e assustada, mas ele parecia estar a acalmar.

– Fui buscar um sumo. Estava com sede.

Ele fechou os olhos e esfregou a cara, e quando os voltou a abrir parecia desolado.

– Estás aqui. Graças a Deus. – Esticou os braços para mim e agarrou-me firmemente, puxando-me para a cama, para o seu lado.

– Fui só tomar uma bebida – murmurei.

Ah... consigo sentir a intensidade do seu medo. A sua *t-shirt* estava ensopada em suor e o coração martelava-lhe no peito, ao abraçar-me. Olhava-me como que a assegurar-se de que eu estava realmente ali. Afaguei-lhe suavemente o cabelo e depois a face.

– Christian, por favor. Eu estou aqui e não vou para lado nenhum – disse eu, num tom tranquilizador.

– Oh, Ana – sussurrou, agarrando-me no queixo, imobilizando-o e a sua boca colou-se à minha. Senti o desejo percorrê-lo e o meu corpo reagiu espontaneamente, tal era a união e a sincronia que nos unia. Ele beijou-me a orelha, depois o pescoço e de novo a boca, puxando-me delicadamente o lábio inferior com os dentes, e a sua mão percorreu-me o corpo, da anca ao seio, arrastando consigo a *t-shirt*, acariciando-me e tateando todos os relevos da minha pele e o seu toque desencadeou a mesma reação familiar, provocando-me arrepios pelo corpo todo.

A sua mão agarrou-me no seio, e eu gemi, ao senti-lo apertar-me o mamilo com os dedos.

– Desejo-te – murmurou.

– Estou aqui para ti. Só para ti, Christian.

Gemeu e voltou a beijar-me apaixonadamente, com um fervor e um desespero que nunca antes sentira nele. Agarrei na bainha da *t-shirt*, puxei-a, e ele ajudou-me a despi-la pela cabeça. Depois, ajoelhou-se entre as minhas pernas, sentou-me precipitadamente e arrancou-me a *t-shirt*.

Ele estava com uns olhos sérios e carentes, carregados de segredos sombrios – expostos. Aninhou-me o rosto nas mãos, beijou-me e afundámo-nos mais uma vez na cama. Ele tinha uma coxa entre as minhas, parcialmente em cima de mim. Eu sentia a sua ereção rígida contra a minha anca, através dos *boxers* justos. Ele desejava-me, mas as suas palavras anteriores – o que dissera acerca da mãe – escolheram aquele momento para me voltarem a assombrar, e foram como um balde de água fria sobre a minha libido. Merda, não conseguia fazer aquilo. Naquele momento, não.

– Christian… para. Não consigo fazer isto – sussurrei, num tom insistente, contra a sua boca, empurrando-lhe os braços com as mãos.

– O que foi? O que se passa? – murmurou e começou a beijar-me o pescoço, passando-me a ponta da língua ao de leve pela garganta… *Oh…*

– Não, por favor, não consigo fazer isto. Agora não. Preciso de algum tempo, por favor.

– Oh, Ana, não penses demasiado nisso – sussurrou, mordiscando-me o lóbulo da orelha.

– Ah! – disse eu, arquejante, sentindo-o nas minhas virilhas e o meu corpo arqueou-se, traindo-me. Aquilo era tão confuso.

– Eu sou o mesmo, Ana. Amo-te e preciso de ti. Toca-me, por favor. – Roçou o nariz no meu. A sua súplica calma e sentida comoveu-me e eu derreti.

Tocar-lhe, tocar-lhe enquanto fazemos amor. Oh meu Deus.

Ele recuou e ergueu-se, olhando para baixo. Sob a luz mortiça do candeeiro de cabeceira, percebi que ele aguardava a minha decisão e fora apanhado no meu feitiço.

Levantei o braço e coloquei hesitantemente a mão sobre o rasto de pelos macios do seu peito. Ele arquejou e fechou os olhos com força, como se estivesse a sentir dor, mas desta vez eu não tirei a mão, fazendo-a deslizar até aos seus ombros, e sentindo um tremor percorrer-lhe o corpo. Gemeu e eu puxei-o para mim, levando ambas as mãos às suas costas, onde nunca antes lhe tocara, depois ao ombro, às espáduas, prendendo-o contra mim. O seu gemido sufocado excitou-me imenso.

Enterrou a cabeça no meu pescoço, beijando-me, sugando-me, mordendo-me, e depois roçou-me o nariz pela face e beijou-me, possuindo-me a boca com a língua. As suas mãos voltaram a deslizar pelo meu corpo e os seus lábios foram descendo... descendo... descendo... até aos meus seios, venerando o meu corpo à medida que desciam. Mantive as mãos nos seus ombros e costas, apreciando as flexões e ondulações dos músculos finamente talhados. A sua pele estava ainda húmida do pesadelo. Os seus lábios fecharam-se sobre o meu mamilo, repuxando-o, e este ergueu-se, saudando a sua boca maravilhosamente destra.

Eu gemi e rocei-lhe as unhas pelas costas e ele arquejou, deixando escapar um gemido sufocado.

– Ah, bolas, Ana – disse ele, num tom sufocado, meio gritado, meio gemido, que me dilacerou o coração e as entranhas, contraindo-me todos os músculos abaixo da cintura. Ah, o que eu conseguia fazer-lhe! Eu estava agora ofegante e a minha respiração conjugou-se com o ritmo torturado da dele.

A sua mão deslizou-me sobre a barriga até ao meu sexo. Os seus dedos deslizaram sobre mim e depois para dentro de mim. Gemi ao senti-lo mover os dedos em círculo, dentro de mim daquela maneira, e ergui a bacia, acolhendo o seu toque.

– Ana – sussurrou, largando-me subitamente e sentando-se. Despiu os *boxers* justos e inclinou-se para a mesa de cabeceira, agarrando numa embalagem de preservativos. Os seus olhos estavam com uma tonalidade ardente de cinzento, ao passar-me o preservativo.

– Queres fazer isto? Ainda podes dizer que não. Podes sempre dizer que não – murmurou.

– Não me dês hipótese de pensar, Christian. Eu também te desejo.

– Rasguei a embalagem com os dentes. Ele estava ajoelhado entre as minhas pernas e eu coloquei-lhe o preservativo, com os dedos trémulos.

– Cuidado – disse ele. – Vais acabar por me desanimar, Ana.

Estava maravilhada com o que conseguia fazer àquele homem ao tocar-lhe. Ele crescia sobre mim e eu, por instantes, pus de parte as minhas dúvidas, fechando-as num recanto escuro, assustador e profundo da minha mente. Estava intoxicada com aquele homem, o meu homem, o meu Cinquenta Sombras. Ele mudou subitamente de posição, apanhando-me totalmente de surpresa, e eu fiquei por cima dele. *Eh, lá.*

– Possui-me… tu – murmurou. Os seus olhos brilhavam com uma intensidade ferina.

Oh, meu Deus… Mergulhei sobre ele devagar, muito devagar. Ele inclinou a cabeça para trás e fechou os olhos com um gemido. Agarrei-lhe nas mãos e comecei a mexer-me, exultando com a sensação de preenchimento total, exultando com a sua reação, ao vê-lo desfazer-se debaixo de mim. Sentia-me uma deusa. Inclinei-me e beijei-lhe o queixo, roçando os dentes no seu maxilar coberto de barba. Sabia deliciosamente. Ele agarrou-me nas ancas estabilizando lentamente o meu ritmo, com naturalidade.

– Ana, por favor… toca-me.

Oh. Inclinei-me para a frente, apoiando as mãos no seu peito e ele deu um grito semelhante a um lamento, penetrando-me profundamente.

– Ah – gemi, passando delicadamente as mãos pelo seu peito e pelos seus pelos. Ele gemeu alto, torcendo-se abruptamente, e eu fiquei de novo por baixo dele.

– Chega – gemeu. – Mais não, por favor. – Era uma súplica sentida.

Levantei os braços, agarrei-lhe no rosto entre as mãos, e senti a humidade nas suas faces, puxando-o para baixo, ao encontro dos meus lábios, beijando-o e movendo as mãos para as suas costas.

Gemeu num tom grave e gutural, movendo-se dentro de mim, estimulando-me e elevando-me, mas eu não consegui atingir o orgasmo. Tinha a cabeça demasiado cheia de problemas. Estava demasiado envolvida com ele.

– Solta-te, Ana – incitou-me ele.

– Não.

– Sim – rosnou, mudando ligeiramente de posição e girando repetidamente as ancas.

Caramba... argh!

– Vá lá, querida, eu preciso disto. Dá-mo.

E eu explodi, escrava do seu corpo, enrolando-me nele, colando-me a ele como uma trepadeira. Ele gritou, e veio-se comigo, caindo depois sobre mim e enterrando-me no colchão com o peso do seu corpo.

Aninhei Christian nos meus braços, com a cabeça encostada ao meu peito. Estávamos ambos deitados a desfrutar da satisfação, depois do sexo. Eu passei-lhe os dedos pelo cabelo, ouvindo a sua respiração regressar ao normal.

– Nunca me abandones – sussurrou e eu revirei os olhos, plenamente consciente de que ele não me podia ver.

– Sei que me estás a revirar os olhos – murmurou, e eu apercebi-me de uma nota de humor na sua voz.

– Conheces-me bem – murmurei.

– Gostaria de te conhecer melhor.

– Idem aspas, Grey. O teu pesadelo era acerca de quê?

– O mesmo de sempre.

– Diz-me.

Ele engoliu em seco e ficou tenso, suspirando longamente.

– Eu devo ter uns três anos e o chulo da prostituta viciada em *crack* está outra vez furioso. Fuma cigarros atrás de cigarros e não consegue encontrar um cinzeiro. Ele para e eu sinto um arrepio de pavor tolher-me o coração. Doía – disse ele. – É da dor que me lembro. É isso que me dá pesadelos. Isso e o facto de ela não ter feito nada para o deter.

Oh, não. Aquilo era insuportável. Apertei-o mais, prendendo-o contra mim com as pernas e os braços, tentando evitar que o desespero me sufocasse. Como poderia alguém tratar uma criança daquela forma? Ele levantou a cabeça, prendendo-me o olhar com o cinzento intenso dos seus olhos.

– Tu não és como ela. Nunca penses isso, por favor.

Pestanejei. Era muito reconfortante ouvir isso. Ele voltou a poisar a cabeça sobre o meu peito e eu pensei que ele tinha terminado, mas ele surpreendeu-me ao prosseguir:

– Por vezes, nos sonhos, ela está simplesmente caída no chão, e eu penso que está a dormir, mas ela não se mexe, nunca se mexe, e eu tenho fome, muita fome.

Ah, merda.

– Ouve-se um ruído alto e ele volta e bate-me com força, amaldiçoando a prostituta viciada em *crack*. A sua primeira reação era sempre usar os punhos ou o cinto.

– É por isso que não gostas que te toquem?

Ele fechou os olhos e abraçou-me com mais força.

– É complicado – murmurou, roçando-me com o nariz entre os seios e respirando fundo, tentando distrair-me.

– Diz-me – disse eu, incitando-o.

Ele suspirou.

– Ela não me amava e eu não me amava. O único toque que conhecia era... desagradável. É daí que vem a coisa. O Flynn sabe explicá-lo melhor do que eu.

– Posso falar com o Flynn?

Ele levantou a cabeça e olhou para mim:

– Para te deixares contagiar pelas cinquenta sombras?

– Isso e muito mais. Eu gosto da forma como me estão a contagiar agora. – Contorci-me provocadoramente por baixo dele e ele sorriu.

– Sim, Miss Steele, também gosto disso. – Inclinou-se e beijou-me, olhando-me por instantes.

– Tu és tão preciosa para mim, Ana. Estava a falar a sério quando disse que queria casar contigo. Poderemos ficar a conhecer-nos um ao outro. Poderei cuidar de ti e tu poderás cuidar de mim. Poderemos ter filhos se quiseres. Colocarei o meu mundo a teus pés, Anastasia. Quero-te de corpo e alma, para sempre. Por favor pensa no assunto.

– Vou pensar no assunto, Christian, vou mesmo – disse eu, para o tranquilizar, vacilando mais uma vez. *Filhos? Caramba.* – Ainda assim, gostaria de falar com o Dr. Flynn, se não te importares.

– Tudo o que quiseres, querida, tudo. Quando gostarias de falar com ele?

– Quanto mais cedo melhor.

– Ok, eu trato disso amanhã de manhã. – Olhou de relance para o relógio. – É tarde. Devíamos dormir. – Mudou de posição para apagar a luz da cabeceira e puxou-me contra si.

Eu olhei de relance para o despertador. Raios, eram três e quarenta e cinco. Ele envolveu-me nos seus braços, encostando o peito às minhas costas e roçou-me o nariz pelo pescoço.

– Amo-te, Ana Steele, e quero ter-te sempre a meu lado. Agora, dorme.

Fechei os olhos.

Abri relutantemente as pálpebras pesadas e vi que o quarto estava inundado de luz. Gemi. Sentia-me confusa, desligada dos meus membros pesados e Christian estava enroscado em mim como uma hera. Como de costume, sentia-me demasiado quente. Não deviam ser mais do que cinco da manhã, pois o despertador ainda não tocara. Espreguicei-me para me libertar do seu calor, virando-me nos seus braços e ele balbuciou algo ininteligível, a dormir. Olhei de relance para o relógio. Oito e quarenta e cinco.

Merda, ia chegar atrasada. *Foda-se.* Saí apressadamente da cama e corri para a casa de banho. Quatro minutos depois estava cá fora, de duche tomado.

Christian sentou-se na cama mal conseguindo esconder um misto de divertimento e receio ao observar-me, enquanto eu me enxugava e reunia as minhas roupas. Talvez estivesse à espera que eu reagisse às revelações do dia anterior, mas eu não tinha tempo para isso, naquele momento.

Verifiquei as minhas roupas – calças e camisa preta – um nadinha Mrs. R, mas não me ocorria nenhuma outra muda de roupa. Vesti apressadamente um sutiã e umas cuecas pretas, consciente de que ele me estava a observar todos os movimentos. Era... inquietante. As cuecas e o sutiã serviam muito bem.

– Estás com bom aspeto – ronronou Christian da cama. – Podes telefonar a dizer que estás doente, sabes? – Dirigiu-me aquele sorriso enviesado, devastador, bem capaz de rebentar com um par de cuecas. Ele era tão tentador. A minha deusa fez-me beicinho, com um ar provocador.

– Não, Christian, não posso. Não sou um CEO megalómano, com um belo sorriso, que pode ir e vir quando lhe apetece.

– Eu gosto de me vir quando me apetece – disse ele, com um sorriso afetado, regulando-o para HD IMAX.

– Christian! – repreendi-o, atirando-lhe com a toalha e ele deu uma gargalhada.

– Com que então um belo sorriso.

– Sim, tu sabes o efeito que tens em mim. – Pus o meu relógio de pulso.

– Sei? – Piscou os olhos inocentemente.

– Sabes, sim. O mesmo efeito que tens em todas as mulheres. Torna-se bastante cansativo vê-las todas a desfalecer.

– Ah, sim? – Arqueou-me uma sobrancelha, mais divertido.

– Não se faça de inocente, Mr. Grey, não lhe fica nada bem – murmurei, distraidamente, prendendo o cabelo num rabo-de-cavalo e calçando os meus sapatos pretos, de salto alto. Pronto. Era o suficiente.

Quando me curvei para me despedir dele, ele agarrou-me e puxou-me para cima da cama, inclinando-se sobre mim, com um sorriso de orelha a orelha. *Oh, meu Deus*, que bonito que ele era – aqueles olhos brilhantes carregados de malícia, aquele cabelo escorrido de quem acabara de ter sexo pela segunda vez, aquele sorriso deslumbrante. Agora queria brincadeira.

Eu ainda estava cansada e vacilante de todas as revelações do dia anterior, e ele fresco que nem uma alface e *sexy* como o raio. Ah, meu Cinquenta exasperante.

– O que posso eu fazer para que te sintas tentada a ficar? – perguntou, brandamente. O meu coração parou por instantes e começou a martelar-me o peito. Aquilo era a tentação em pessoa.

– Não podes – resmunguei, lutando para me voltar a sentar. – Deixa-me ir embora.

Ele fez beicinho e eu desisti. Sorri e passei os dedos pelos seus lábios perfeitos – o meu Cinquenta Sombras. Amava-o tanto, apesar da sua monumental insanidade. Ainda nem começara sequer a assimilar os acontecimentos do dia anterior, nem o que sentia a esse respeito.

Inclinei-me para o beijar, agradecida pelo facto de ter lavado os dentes. Ele beijou-me longamente com força, ajudando-me rapidamente a pôr de pé, o que me deixou aturdida, ofegante e ligeiramente vacilante.

– O Taylor leva-te. É mais rápido do que arranjares lugar para estacionar. Ele está à espera à porta do prédio – disse Christian, gentilmente, parecendo aliviado. De certeza que estava preocupado em ver qual seria a minha reação esta manhã. Certamente que a noite – ou melhor, a madrugada anterior – lhe provara que eu não ia fugir.

– Ok. Obrigada – murmurei, dececionada pelo facto de estar de pé, confusa com a sua hesitação e ligeiramente irritada pelo facto de voltar a não poder conduzir o meu *Saab*. Mas é claro que ele tinha razão – seria mais rápido com Taylor.

– Desfrute da sua manhã de preguiça, Mr. Grey. Quem me dera poder ficar, mas o dono da empresa onde eu trabalho não iria aprovar que o pessoal faltasse, só para praticar sexo escaldante. – Agarrei na bolsa.

– Pessoalmente, não tenho qualquer dúvida de que ele aprovaria, Miss Steele. Na verdade, é bem capaz de insistir no assunto.

– Porque vais ficar na cama? Isso nem parece teu.

Ele cruzou as mãos por trás da cabeça e sorriu-me.

– Porque posso, Miss Steele.

Eu abanei-lhe a cabeça.

– Adeusinho, querido. – Atirei-lhe um beijo e saí porta fora.

Taylor estava à minha espera e pareceu perceber que eu estava atrasada, pois conduziu que nem um louco para me conseguir deixar no trabalho às nove e um quarto. Senti-me grata quando ele estacionou junto do passeio. Grata por estar viva, pois conduzira de forma assustadora, e também por não estar terrivelmente atrasada – apenas cerca de quinze minutos.

– Obrigada, Taylor – murmurei, pálida. Lembrava-me de Christian me dizer que ele conduzia tanques; talvez conduzisse também na NASCAR[4].

---

4. A *National Association for Stock Car Auto Racing* é a associação automobilística norte-americana que controla os campeonatos de *stock cars* do país. (N. da T.)

— Ana — disse ele, despedindo-se com um aceno de cabeça e eu corri para dentro do escritório, concluindo que Taylor ultrapassara a formalidade do Miss Steele, ao abrir a porta da receção, o que me fez sorrir.

Claire sorriu-me, ao ver-me atravessar a receção a toda a velocidade, a caminho da minha secretária

— Ana! — chamou Jack. — Chegue aqui dentro.

Oh, merda.

— Que horas são estas? — disse ele, num tom brusco.

— Lamento, adormeci — respondi, vermelha.

— Que isto não volte a acontecer. Prepare-me um café. Depois vou precisar que escreva algumas cartas. Toca a andar — gritou, fazendo-me encolher.

Porque estaria tão furioso? Qual era o problema dele? O que fizera eu de mal? Dirigi-me apressadamente à cozinha para preparar o café dele. Se calhar devia ter faltado. Poderia estar... bom, poderia estar a fazer algo *sexy* com o Christian, a tomar o pequeno-almoço com ele, ou apenas a conversar — o que seria uma novidade.

Jack mal me deu atenção quando me aventurei a entrar de novo no seu gabinete para lhe entregar o café, estendendo-me bruscamente uma folha de papel, manuscrita, com uns gatafunhos praticamente ilegíveis.

— Digite isso, traga-me para eu assinar e depois tire fotocópias e envie-as por correio a todos os nossos autores.

— Sim, Jack.

Ele não levantou os olhos quando eu saí. Bolas, estava mesmo furioso.

Foi com algum alívio que me sentei finalmente à minha secretária. Bebi um gole de chá enquanto esperava que o computador arrancasse. Consultei os meus e-mails.

———

De: Christian Grey

Assunto: Saudades Tuas

Data: 15 de junho de 2011 09:05

Para: Anastasia Steele

Por favor usa o teu BlackBerry.

Beijo,

Christian Grey
CEO, Grey Enterprises Holdings, Inc.

_____

De: Anastasia Steele
Assunto: Última Oportunidade para Alguns
Data: 15 de junho de 2011 09:27
Para: Christian Grey

O meu patrão está furioso.
Responsabilizo-te por me teres mantido acordada até tarde com as tuas… estúrdias.
Devias ter vergonha.

Anastasia Steele
Assistente de Jack Hyde, Editor, SIP

_____

De: Christian Grey
Assunto: Esturquê?
Data: 15 de junho de 2011 09:32
Para: Anastasia Steele

Não precisas de trabalhar, Anastasia.
Nem imaginas como estou horrorizado com as minhas estúrdias.
Mas eu gosto de te manter acordada até tarde. ;)

Por favor, utiliza o teu BlackBerry.

Ah, é verdade, e casa comigo, por favor.

Christian Grey
CEO, Grey Enterprises Holdings, Inc.

De: Anastasia Steele
Assunto: Tenho de Ganhar a Vida
Data: 15 de junho de 2011 09:35
Para: Christian Grey

Eu sei que tens uma tendência natural para seres maçador, mas para.
Preciso de falar com o teu psiquiatra.
Só então te darei a minha resposta.
Não me oponho a viver em pecado.

Anastasia Steele
Assistente de Jack Hyde, Editor, SIP

De: Christian Grey
Assunto: BLACKBERRY
Data: 15 de junho de 2011 09:40
Para: Anastasia Steele

Anastasia, se vais começar a falar no Dr. Flynn, UTILIZA O TEU
BLACKBERRY.

Isto não é um pedido.

Christian Grey
CEO Agora Furioso, Grey Enterprises Holdings, Inc.

Oh, merda. Agora estava furioso comigo. Bom, podia até ferver de raiva pela parte que me tocava. Tirei o BlackBerry da bolsa, olhando-o ceticamente e ao fazê-lo, este começou a tocar. Será que não poderia deixar-me em paz?

– Sim – disse eu, num tom brusco.

– Olá, Ana...

– José! Como estás? – Que bom era ouvir a sua voz.

– Estou ótimo, Ana. Escuta, ainda andas com aquele tipo, o Grey?

– Hum... sim... Porquê? – Onde estaria ele a querer chegar com aquilo?

– Bom, é que ele comprou todas as tuas fotos e eu achei que poderia ir aí levá-las a Seattle. A exposição termina na quinta-feira, por isso estava a pensar ir na sexta-feira à noite e deixá-las aí e talvez pudéssemos tomar uma bebida, ou coisa do género. Na verdade, tinha esperança de arranjar também um sítio onde dormir.

– Isso é ótimo, José. Sim, tenho a certeza de que se poderia arranjar qualquer coisa. Deixa-me falar com o Christian e já te ligo de volta, ok?

– Fixe, fico à espera das tuas notícias. Adeus, Ana.

– Adeus. – Ele desligou o telefone.

Com os diabos, desde a exposição que não via o José, não tinha notícias dele e nem sequer lhe perguntara como correra a exposição, nem se tinha vendido mais fotografias. Mas que grande amiga que eu era.

Nesse caso, poderia passar o serão com o José na sexta-feira. Como iria Christian aceitar isso? Só me apercebi de que estava a morder o lábio quando este me doeu. Ah, aquele homem de princípios dúbios. Podia dar banho à ex-namorada chanfrada – estremeci só de pensar –, mas eu iria provavelmente ter grandes dissabores por querer tomar uma bebida com o José. Como iria eu lidar com a questão?

– Ana! – Jack arrancou-me subitamente dos meus devaneios. Ainda estava furioso? – Onde está essa carta?

– Hum... está a sair. – Merda. O que o estaria a consumir?

Digitei a carta duas vezes mais depressa do que o habitual, imprimi-a e dirigi-me nervosamente ao seu gabinete.

– Aqui tem. – Poisei-a na secretária dele e virei-me para me ir embora, mas Jack depressa a examinou com o seu olhar crítico e penetrante.

– Não sei o que está a fazer aí fora, mas eu pago-lhe para trabalhar. – Ladrou ele.

– Estou consciente disso, Jack – murmurei, apologeticamente, sentindo o calor aflorar-me lentamente à superfície da pele.

– Isto está cheio de erros – disse ele, bruscamente. – Faça-a outra vez.

Merda. Estava a começar a parecer-se com alguém que eu conhecia. Eu aturava este tipo de coisas ao Christian, mas o Jack estava a começar a irritar-me.

– E arranje-me outro café enquanto o estiver a fazer.

– Desculpe – sussurrei, saindo do gabinete dele o mais depressa que pude.

Bolas, estava insuportável. Voltei a sentar-me na secretária, repetindo apressadamente a carta, que tinha dois erros e verifiquei-a cuidadosamente, antes de a imprimir. Agora estava perfeita. Fui-lhe buscar outro café, revirando os olhos a Claire para lhe demonstrar que estava a haver tourada, respirei fundo, e voltei a aproximar-me do gabinete dele.

– Está melhor – murmurou, relutantemente, ao assinar a carta. – Tire fotocópias, arquive o original e envie-a por correio a todos os autores, entendido?

– Sim. – Não sou idiota. – Jack, há algum problema?

Ele olhou para mim e os seus olhos azuis escureceram, ao olhar-me dos pés à cabeça. O sangue gelou-me.

– Não. – A sua resposta foi concisa, indelicada e displicente e eu ali fiquei, como a idiota que afirmava não ser, acabando por voltar a arrastar os pés para fora do gabinete. Talvez ele também sofresse de um distúrbio de personalidade. Livra, estavam por toda a parte. Encaminhei-me para a fotocopiadora. É claro que estava encravada e quando resolvi a questão, descobri que não tinha papel. Não estava nos meus dias.

Quando finalmente regressei à minha secretária, para pôr as cartas dentro dos envelopes, o meu BlackBerry zuniu. Conseguia ver Jack ao telefone, através da parede de vidro, e respondi. Era Ethan.

– Olá, Ana. Como correram as coisas, ontem à noite?

Ontem à noite. Uma rápida sequência de imagens veio-me por instantes à cabeça – Christian de joelhos, a sua revelação, a sua proposta, o macarrão com queijo, o meu ataque de lágrimas, o pesadelo dele, *o sexo*, tocar-lhe...

– Hum... bem – murmurei, num tom pouco convincente.

Ethan fez uma pausa e decidiu ser conivente com a minha negação. – Fixe. Posso ir buscar as chaves?

– Claro.

– Estarei aí dentro de meia hora. Tens tempo para tomar um café?

– Hoje não. Cheguei atrasada e o meu patrão parece um urso furioso, com a cabeça dorida e uma hera venenosa enfiada no cu.

– Parece mau.

– Mau e horrível – disse eu a rir.

Ehtan deu uma gargalhada e eu animei-me um pouco.

– Ok, vemo-nos dentro de meia hora. – Ethan desligou o telefone.

Olhei de relance para Jack e ele estava a olhar para mim. Oh, merda. Ignorei-o diligentemente e continuei a pôr as cartas dentro dos envelopes.

Meia hora mais tarde, o meu telefone zuniu. Era Claire.

– O deus loiro está aqui outra vez, na receção.

Era uma alegria ver Ethan depois de toda a angústia do dia anterior e do mau humor que o meu patrão estava a despejar em cima de mim, mas ele depressa se despediu.

– Vejo-te esta noite?

– Provavelmente vou ficar com o Christian – respondi, corando.

– Estás totalmente apanhada por ele – comentou Ethan, em tom afável.

Encolhi os ombros. Era muito mais do que isso. Nesse momento concluí que estava mais do que apanhada por ele. Estava apanhada para o resto da vida e, por incrível que parecesse, Christian parecia sentir o mesmo. Ethan deu-me um abraço rápido.

– Adeusinho, Ana.

Voltei para a secretária a debater-me com a minha constatação. O que eu não dava por um dia a sós comigo mesma, apenas para pensar naquilo tudo.

– Onde esteve? – Subitamente, Jack estava a crescer para mim, junto da minha secretária.

– Tive de tratar de um assunto na receção. – Ele estava mesmo a bulir-me com os nervos.

– Quero o meu almoço. O habitual – disse ele, abruptamente, encaminhando-se pesadamente para o gabinete.

Porque não fiquei eu em casa com o Christian? A minha deusa interior cruzou os braços e crispou os lábios; também queria a resposta àquela pergunta. Peguei na bolsa e no BlackBerry, encaminhei-me para a porta e verifiquei as mensagens.

_____

De: Christian Grey
Assunto: Saudades Tuas
Data: 15 de junho de 2011 09:06
Para: Anastasia Steele

A minha cama é grande demais sem ti.

Afinal parece que terei de ir trabalhar.

Até mesmo um CEO megalómano precisa de algo para fazer.

Beijo,

Christian Grey
CEO de Braços Cruzados, Grey Enterprises Holdings, Inc.

_____

E havia outra mensagem dele, enviada um pouco mais tarde, nessa manhã.

_____

De: Christian Grey
Assunto: Descrição

Data: 15 de junho de 2011 09:50

Para: Anastasia Steele

É o que a coragem tem de melhor.

Por favor sê discreta… o teu trabalho e os teus e-mails são monitorizados.

QUANTAS VEZES TENHO DE TE DIZER ISTO?

Sim, gritos em maiúsculas, como tu dizes. UTILIZA O TEU BLACKBERRY.

O Dr. Flynn pode receber-nos amanhã à noite.

Beijo,

Christian Grey

CEO Ainda Furioso, Grey Enterprises Holdings, Inc.

———

E outro ainda mais tarde… Oh, não.

———

De: Christian Grey

Assunto: Só Oiço Grilos

Data: 15 de junho de 2011 12:15

Para: Anastasia Steele

Não tive notícias tuas.

Por favor diz-me que estás bem.

Tu sabes como me preocupo.

Vou mandar o Taylor verificar!

Beijo,

Christian Grey

CEO Superansioso, Grey Enterprises Holdings, Inc.

Eu revirei os olhos e telefonei-lhe. Não queria que ele se preocupasse.

– Telefone de Christian Grey, fala Andrea Parker.

Oh. Fiquei tão desconcertada por não ser Christian a responder que parei no meio da rua e o jovem que vinha atrás de mim murmurou algo, furioso, desviando-se para não bater contra mim. Eu estava debaixo do toldo verde do café.

– Estou? Posso ajudá-la? – disse Andrea, preenchendo o vazio daquele silêncio constrangedor.

– Desculpe... hum... Contava falar com o Christian...

– Mr. Grey neste momento está numa reunião – disse ela, eficientemente, num tom eriçado. – Deseja que lhe transmita alguma mensagem?

– Pode dizer-lhe que a Ana telefonou?

– Ana? Anastasia Steele?

– Hum... Sim. – A pergunta dela confundiu-me.

– Um momento, por favor, Miss Steele.

Escutei atentamente, quando ela poisou o telefone, mas não percebi o que se passava. Alguns segundos depois, Christian estava em linha.

– Estás bem?

– Sim, estou bem.

Ele respirou fundo, aliviado.

– Porque não haveria de estar bem, Christian? – sussurrei tranquilizadoramente.

– Normalmente és tão rápida a responder aos meus e-mails. Depois do que eu te disse ontem, estava preocupado – disse ele, baixinho, e depois ouvi-o a falar com alguém no escritório.

– Não, Andrea, diga-lhes que esperem – disse ele, num tom severo. Ah, eu conhecia aquele tom de voz.

Não ouvi a resposta de Andrea.

– Não. Eu disse para esperarem – disse ele, bruscamente.

– Christian, é óbvio que estás ocupado. Telefonei apenas para saberes que estou bem, e estou a falar a sério, só que tenho estado bastante ocupada, hoje. O Jack tem estado a fazer estalar o chicote. Hum... isto é... – Corei e fiquei em silêncio.

Christian não disse nada durante um minuto.

– Com que então a fazer estalar o chicote. Bom, tempos houve em que lhe chamaria um homem de sorte. – A sua voz estava carregada de humor seco. – Não deixes. Não deixes que ele te caia em cima, querida.

– Christian! – disse eu, num tom repreensivo, e percebi que ele estava a sorrir.

– Fica de olho nele, só isso. Ainda bem que estás bem. A que horas queres que te vá buscar?

– Eu mando-te um e-mail.

– Do teu BlackBerry – disse ele, num tom severo.

– Sim, senhor – retorqui, bruscamente.

– Adeusinho, querida.

– Adeus…

Ele ainda estava ao telefone.

– Desliga – disse, repreensivamente, sorrindo.

Ele suspirou pesadamente ao telefone.

– Quem me dera que não tivesses ido trabalhar esta manhã.

– Eu também, mas estou ocupada. Desliga.

– Desliga tu. – Senti o seu sorriso. Ah, o Christian brincalhão, adorava o Christian brincalhão. Hum… adorava Christian, ponto final.

– Já estivemos nesta situação antes.

– Estás a morder o lábio.

Merda, ele tinha razão. Como sabia ele?

– Vês, tu pensas que eu não te conheço, Anastasia, mas eu conheço-te melhor do que tu imaginas – murmurou, sedutoramente, daquela forma que me fazia sentir fraca e húmida.

– Christian, falo contigo mais tarde. Neste momento, também eu desejava muito não ter saído esta manhã.

– Ficarei à espera do seu e-mail, Miss Steele.

– Bom dia, Mr. Grey.

Desliguei e encostei-me ao vidro frio e rijo da montra do café. Oh, meu Deus, mesmo ao telefone conseguia tomar conta de mim. Abanei a cabeça para varrer de mim tudo o que se relacionasse com Grey e encaminhei-me para o café, deprimida ao pensar em Jack.

Ele estava de sobrolho franzido quando voltei.

— Não se importa que eu vá almoçar agora? — perguntei, hesitantemente. Ele levantou os olhos para mim e franziu ainda mais o sobrolho.

— Se tem mesmo de ir — disse ele, num tom brusco. — Quarenta e cinco minutos, para compensar o tempo que perdeu esta manhã.

— Jack, posso perguntar-lhe uma coisa?

— O quê?

— Você hoje parece estar um pouco irritável. Fiz alguma coisa que o ofendesse?

Ele piscou-me os olhos, momentaneamente.

— Não creio que esteja com disposição para lhe enumerar as suas falhas, neste momento. Estou ocupado. — Continuou a olhar para o ecrã do computador, despachando-me eficazmente.

Eh lá... o que fiz eu?

Dei meia volta, saí do gabinete e durante um minuto achei que ia chorar. Porque ganhara ele subitamente tamanha antipatia por mim? Veio-me à cabeça uma ideia bastante indesejável, mas ignorei-a. Não me apetecia pensar naquela merda agora — já tinha problemas que me chegassem.

Saí do edifício e fui ao Starbucks mais próximo, pedi um café com leite e sentei-me junto da janela. Tirei o *iPad* da bolsa e coloquei os auriculares. Escolhi um tema aleatório e carreguei na tecla "repetir", para que tocasse várias vezes. Precisava de música para pensar.

Comecei a divagar: Christian, o sádico; Christian, o submisso; Christian, o intocável; Christian com tendências edipianas; Christian a dar banho a Leila. Gemi e fechei os olhos assombrada com essa última imagem.

Conseguiria eu realmente casar com aquele homem? Havia tanto para digerir nele. Era complexo e difícil, mas no meu íntimo sabia que não o queria abandonar, apesar de todos os seus problemas. Jamais conseguiria abandoná-lo. Amava-o. Seria como cortar o braço direito.

Nunca como agora me sentira tão viva e tão cheia de vitalidade. Confrontara-me com todo o tipo de sentimentos desconcertantes e profundos e tivera novas experiências, desde que o conhecera. Não havia um momento de tédio com o Cinquenta.

Fazendo uma retrospetiva da minha vida antes de Christian, era como se tudo fosse a preto e branco, como as fotos de José. Agora todo o meu mundo estava recheado de cores intensas, brilhantes e saturadas e eu voava num feixe de luz ofuscante, a luz ofuscante de Christian. Continuava a voar demasiado perto do sol, como Ícaro. Contive uma gargalhada. Voar com Christian – quem poderia resistir a um homem que sabia voar?

Conseguiria desistir dele? Desejaria desistir dele? Era como se ele tivesse ligado um interruptor e me iluminasse por dentro. Conhecê-lo estava a ser um treino. Descobrira mais acerca de mim mesma nas últimas semanas do que jamais descobrira antes. Aprendera coisas sobre o meu corpo, os meus limites intransponíveis e dos meus limites ultrapassáveis, acerca da minha tolerância, paciência, compaixão e capacidade de amar.

A evidência do que ele precisava, e merecia receber de mim, fulminou-me como um relâmpago – amor incondicional. Ele nunca o recebera da prostituta viciada em *crack* – era disso que ele precisava. Conseguiria eu amá-lo incondicionalmente? Conseguiria eu aceitá-lo como era, independentemente das revelações da noite anterior?

Eu sabia que ele estava em mau estado mas não me parecia que fosse irrecuperável. Suspirei ao recordar as palavras de Taylor: *"Ele é um bom homem, Miss Steele".*

Já vira provas convincentes da sua bondade – o seu trabalho de caridade, a sua ética nos negócios, a sua generosidade – e, no entanto, ele não as via em si mesmo. Não se sentia merecedor de amor algum. Considerando a sua história e as suas preferências, eu tinha uma ideia do motivo do ódio que sentia por si mesmo – por isso jamais deixara ninguém entrar. *Será que eu consigo ultrapassar isso?*

Ele dissera-me uma vez que eu não fazia ideia até que ponto ele era depravado. Bom, agora já mo dissera e isso não me surpreendia, tendo em conta os primeiros anos da sua vida… embora não deixasse de ser um choque ouvi-lo dizer em voz alta. Pelo menos dissera-mo e parecia mais feliz agora que o fizera. Eu estava a par de tudo.

Será que isso desvalorizava o seu amor por mim? Não, não me parecia. Ele nunca se sentira assim antes e eu também não. Ambos tínhamos percorrido um longo caminho.

Senti lágrimas arderem-me e acumularem-se nos olhos ao recordar o momento em que as suas últimas barreiras se tinham desfeito, na noite anterior, quando me deixara tocar-lhe. Fora preciso Leila e toda a sua loucura para nos levar até lá.

Deveria talvez sentir-me grata. O facto de ele lhe ter dado banho já não tinha um sabor tão amargo na minha boca. Perguntei a mim mesma que roupas ele lhe teria dado. Esperava que não fosse o vestido cor de ameixa. Eu gostava dele.

Conseguiria eu amar incondicionalmente aquele homem, com todos os seus problemas? Porque era exatamente isso que ele merecia. Precisava ainda de aprender a respeitar limites e pequenas coisas como a empatia, e aprender a ser menos controlador. Ele dizia que já não sentia compulsão para me molestar. Talvez o Dr. Flynn pudesse lançar alguma luz sobre isso.

Basicamente, era isso que mais me preocupava – que precisasse disso e tivesse sempre encontrado mulheres que pensavam como ele e que também precisavam disso. Franzi o sobrolho. Sim, era dessa garantia que eu precisava. Eu queria ser tudo para aquele homem, o seu Alfa, o seu Ómega e tudo o mais entre isso, porque ele era tudo para mim.

Esperava que Flynn tivesse as respostas. Talvez depois disso eu pudesse dizer sim, e eu e Christian encontrássemos o nosso pedaço de paraíso ao sol.

Olhei para a buliçosa Seattle, à hora do almoço. Mrs. Christian Grey – quem poderia imaginar? Olhei para o meu relógio de pulso. *Merda!* Saltei do meu lugar e dirigi-me apressadamente para a porta – passara uma hora inteira sentada – o tempo voara! Jack ia ficar possesso!

Esgueirei-me de novo para a minha secretária. Felizmente ele não estava no gabinete. Parecia que me tinha safado. Olhei atentamente para o ecrã do meu computador, sem ver nada, tentando reunir ideias e entrar em modo laboral.

– Por onde andou?

Dei um salto. Jack estava atrás de mim, de braços cruzados.

– Estava na cave a tirar fotocópias – menti e Jack cerrou os lábios numa linha fina e inflexível.

– Vou apanhar o meu avião às seis e meia. Preciso que cá fique até essa hora.

– Ok – disse-lhe eu, sorrindo-lhe o mais docemente possível.

– Preciso do meu itinerário de Nova Iorque impresso e fotocopiado dez vezes. Trate de embalar as brochuras e vá buscar-me um café! – rosnou, voltando para o gabinete, furioso.

Dei um suspiro de alívio e deitei-lhe a língua de fora quando ele fechou a porta. Estupor.

Às quatro da tarde, Claire ligou-me da receção.

– Tenho Mia Grey em linha para ti.

Mia? Esperava que ela não quisesse ir passear para o centro comercial.

– Olá, Mia!

– Olá, Ana, como estás? – O seu entusiasmo era sufocante.

– Bem. Estou bastante ocupada, hoje. E tu?

– Estou tão entediada! Precisava de arranjar qualquer coisa para fazer, por isso estou a preparar a festa de aniversário do Christian.

– O aniversário do Christian? – Caramba, não fazia ideia. – Quando é?

– Eu sabia. Eu sabia que ele não te ia dizer. É no sábado. A mãe e o pai querem que venham cá todos comer e festejar. Eu estou a convidar-te oficialmente.

– Ah, mas que simpático. Obrigada, Mia.

– Já telefonei ao Christian a dizer-lhe e ele deu-me o teu número daí.

– Fixe. – Eu tinha a cabeça feita num oito. O que raio ia eu oferecer ao Christian no seu aniversário? O que se poderia comprar a um homem que tinha tudo?

– Talvez num dia da próxima semana possamos ir almoçar fora.

– Claro. Que tal amanhã? O meu patrão vai para Nova Iorque.

– Ah, isso seria ótimo, Ana. A que horas?

– Meio-dia e quarenta e cinco?

– Vou aí ter. Adeus, Ana.

– Adeus. – Desliguei o telefone.

O Aniversário de Christian. O que raio lhe poderia comprar?

De: Anastasia Steele
Assunto: Antediluviano
Data: 15 de junho de 2011 16:11
Para: Christian Grey

Caro Mr. Grey,
Quando tencionava dizer-me, exatamente?
O que hei de comprar ao meu velhote para o seu aniversário?
Talvez umas pilhas novas para o aparelho auditivo, não?

Bjs
A

Anastasia Steele
Assistente de Jack Hyde, Editor, SIP

___

De: Christian Grey
Assunto: Pré-histórico
Data: 15 de junho de 2011 16:20
Para: Anastasia Steele

Não desdenhe dos mais velhos.
Fico feliz por saber que estás viva e de boa saúde.
E que a Mia te contactou.
As pilhas dão sempre jeito.
Não gosto de festejar o meu aniversário.

Beijo

Christian Grey
CEO Surdo que Nem uma Porta, Grey Enterprises Holdings, Inc.

De: Anastasia Steele
Assunto: Hum
Data: 15 de junho de 2011 16:24
Para: Christian Grey

Consigo imaginar-te a fazer beicinho ao escreveres a última frase.
Isso provoca-me coisas.

Bjs,
A

Anastasia Steele
Assistente de Jack Hyde, Editor, SIP

De: Christian Grey
Assunto: A Revirar os Olhos
Data: 15 de junho de 2011 16:29
Para: Anastasia Steele

Miss Steele,
IMPORTA-SE DE UTILIZAR O SEU BLACKBERRY?

Beijo,

Christian Grey
CEO Com As Palmas das Mãos Irrequietas, Grey Enterprises Holdings, Inc.

Revirei os olhos. Porque seria tão sensível em relação aos e-mails?

De: Anastasia Steele
Assunto: Inspiração
Data: 15 de junho de 2011 16:33
Para: Christian Grey

Caro Mr. Grey,
...as suas palmas das mãos nunca ficam muito tempo quietas, pois não?
Interrogo-me o que diria o Dr. Flynn acerca disso.

Agora já sei o que lhe oferecer no seu aniversário – e espero que me
deixe dorida...

;)

Bjs, A

_____

De: Christian Grey
Assunto: Angina de Peito
Data: 16 de junho de 2011 16:38
Para: Anastasia Steele

Miss Steele,
Não creio que o meu coração – ou as minhas calças – suportassem a
tensão de outro e-mail como esse.

Comporte-se.

Beijo,

Christian Grey
CEO, Grey Enterprises Holdings, Inc.

De: Anastasia Steele
Assunto: Difícil
Data: 15 de junho de 2011 16:42
Para: Christian Grey

Christian,

Estou a tentar trabalhar para o meu difícil patrão.

Por favor, para de me aborrecer e de ser também difícil.

O teu último e-mail fez-me entrar em combustão.

Bjs

PS: Podes vir buscar-me às 18:30?

De: Christian Grey
Assunto: Lá estarei
Data: 15 de junho de 2011 16:47
Para: Anastasia Steele

Nada me daria maior prazer.

Por acaso, ocorrem-me uma série de coisas que me dariam maior prazer e todas elas te envolvem.

Beijo,

Christian Grey
CEO, Grey Enterprises Holdings, Inc.

Corei e abanei a cabeça, ao ler a sua resposta. Brincar por e-mail era muito bonito, mas nós precisávamos mesmo de falar. Talvez depois de estarmos com Flynn. Poisei o meu BlackBerry e terminei o que estava a fazer.

Às seis e um quarto o escritório estava deserto e eu tinha tudo pronto para Jack. O táxi para o aeroporto já fora chamado e eu tinha apenas de lhe entregar os documentos que me pedira. Olhei ansiosamente através do vidro, mas ele continuava embrenhado numa conversa ao telefone e eu não queria interrompê-lo – não no estado de espírito em que estava hoje.

Enquanto esperava que ele terminasse lembrei-me de que não comera. O Cinquenta não ia gostar disso. Escapei-me rapidamente para a cozinha para ver se ainda havia bolachas.

Quando estava a abrir o frasco de bolachas do pessoal, Jack apareceu inesperadamente à porta da cozinha e assustou-me.

Ah, o que está ele aqui a fazer?

Olhou para mim. – Bom, Ana, acho que esta é a altura ideal para conversarmos sobre as suas falhas. – Entrou e fechou a porta atrás de si. Fiquei imediatamente com a boca seca, sentindo campainhas de alarme a ressoarem-me ruidosamente pelo cérebro.

Ah, merda.

Um sorriso grotesco aflorou-lhe os lábios e os seus olhos brilharam em tons escuros de cobalto.

– Finalmente apanho-a sozinha – disse ele, lambendo lentamente o lábio inferior.

O quê?

– Bom… vai ser uma boa menina e escutar atentamente o que eu vou dizer?

CAPÍTULO DEZASSEIS

Os olhos de Jack brilharam em tons profundos de azul, e ele olhou-me lubricamente de cima a baixo, com um sorriso escarninho.

O medo sufocou-me. O que era aquilo? O que queria ele? Algures no meu íntimo e, apesar da secura que sentia na boca, reuni a determinação e coragem necessárias para balbuciar a custo algumas palavras. O mantra das minhas aulas de autodefesa pairava-me na mente, como uma sentinela etérea: "Dá-lhe corda".

– Jack, talvez este não seja o melhor momento para isto. O seu táxi estará aqui dentro de dez minutos e preciso de lhe dar todos os documentos que me pediu. – Falava num tom de voz calmo mas rouco, o que me traiu.

Ele sorriu-me, mas foi um sorriso despótico e displicente que lhe chegou aos olhos que cintilavam sob a luz áspera da lâmpada fluorescente, por cima de nós, na sala pardacenta, sem janelas. Deu um passo na minha direção, com um olhar penetrante, sem desviar os olhos dos meus. As suas pupilas dilatavam-se a cada instante que passava – o preto a obliterar o azul. Oh, não. O meu receio aumentou.

– Você sabe que eu tive de discutir com a Elizabeth para lhe dar este emprego… – Calou-se ao dar outro passo na minha direção e eu recuei contra os armários encardidos na parede. *Dá-lhe corda, dá-lhe corda, dá-lhe corda.*

– Jack, qual é o seu problema, exatamente? Se pretende expressar as suas queixas, talvez fosse boa ideia pedir aos RH que participassem. Poderíamos discuti-lo com Elizabeth, num cenário mais formal.

Onde estariam os Seguranças? Ainda estariam no edifício?

– Não precisamos dos RH para complicar este assunto, Ana – disse ele, com um sorriso escarninho. – Quando a contratei, achei que ia trabalhar com afinco, achei que tinha potencial, mas agora, já não sei.

Tornou-se distraída e desleixada e eu interroguei-me... se não seria o seu *namorado* que a estava a desencaminhar. – Proferiu a palavra "namorado" com um desdém arrepiante.

– Decidi verificar a sua conta de e-mail para ver se encontrava algumas pistas e sabe o que encontrei, Ana? O que me pareceu fora de propósito? Os únicos e-mails pessoais da sua conta eram destinados ao figurão do seu namorado. – Fez uma pausa, avaliando a minha reação. – E eu dei comigo a pensar... onde estão os e-mails dele? Não há nenhum. Zero. Nada. O que se passa, Ana? Como é que é possível que os e-mails que ele lhe enviou não estejam no nosso sistema? Será você uma espia empresarial, colocada aqui pela organização de Grey? É disso que se trata?

Com os diabos, os e-mails. *Oh não.* O que dissera eu?

– De que é que está a falar, Jack? – Apostei na perplexidade e fui bastante convincente. Aquela conversa não estava a correr como eu esperava e não confiava nem um bocadinho nele. Jack emanava uma feromona subliminar que me estava a manter em alerta máximo. Aquele homem estava irritável, volátil e altamente imprevisível. Tentei argumentar com ele.

– Você acabou de dizer que teve de persuadir a Elizabeth para me contratar. Como poderia eu então ter sido aqui colocada como espia? Decida-se, Jack.

– Mas foi Grey que lixou a viagem a Nova Iorque, não foi?

Oh, merda.

– Como conseguiu ele isso, Ana? O que fez o seu namorado rico da Ivy League[5]?

O pouco sangue que me restava no rosto esvaiu-se dele, e achei que ia desmaiar.

– Não sei de que é que está a falar, Jack – sussurrei. – O seu táxi deve estar a chegar. Quer que vá buscar as suas coisas? – Ah, por favor, deixa-me ir embora. Para com isto.

Jack prosseguiu, deliciando-se com o meu desconforto.

---

5. Associação de oito universidades do nordeste dos Estados Unidos: Brown, Columbia, Cornell, Dartmouth, Harvard, Princeton, a Universidade da Pennsylvania e Yale, que figuram entre as melhores do mundo. (N. da T.)

– Ele acha que eu iria tentar atirar-me a si? – Sorriu afetadamente e os seus olhos aqueceram. – Enquanto eu estiver em Nova Iorque quero que pense no seguinte: Eu dei-lhe este emprego e espero que me demonstre alguma gratidão. Na verdade, mereço-a. Tive de lutar para ficar consigo. A Elizabeth queria alguém com melhores qualificações, mas eu... eu vi algo em si. Por isso temos de estabelecer um acordo. Um acordo que determina que você terá de me satisfazer. Percebe o que eu estou a dizer, Ana?

Merda!

– Entenda-o como um apuramento das suas funções, se quiser. Se me satisfizer, eu não continuarei a investigar de que forma o seu namorado está a manipular os seus contactos, para obter informações deles, ou a tirar proveito de algum favor prestado a um bajulador da fraternidade da *Ivy League.*

Eu fiquei de boca aberta. *Ele está a chantagear-me, em troca de sexo!* O que podia eu dizer? As notícias sobre a aquisição de Christian iriam permanecer interditas durante mais três semanas. Eu mal podia acreditar naquilo. Sexo... comigo?

Jack aproximou-se, acabando por ficar à minha frente, de olhos postos nos meus. A sua água-de-colónia adocicada e enjoativa invadiu-me as narinas – era nauseante – e pareceu-me também distinguir um fedor amargo a álcool no seu hálito. *Merda, ele esteve a beber... mas quando?*

– Você é uma pudica, uma empata-fodas provocadora, sabia, Ana? – sussurrou de dentes cerrados.

O quê? Provocadora... eu?

– Jack, não faço ideia do que está a falar – murmurei, sentindo a adrenalina percorrer-me o corpo. Ele estava agora mais perto e eu estava à espera do momento de passar à ação. Ray ficaria orgulhoso de mim. Ray ensinara-me como agir. Ray sabia como se defender. Se Jack me tocasse – se respirasse sequer demasiado perto de mim –, eu iria derrubá-lo. Eu estava com a respiração acelerada. *Não posso desmaiar, não posso desmaiar.*

– Olhe bem para si – disse ele, com um olhar lúbrico. – Está tão excitada que se vê à distância. Foi você que me encorajou. Lá no fundo, eu sei que também quer.

Merda. O homem estava completamente delirante. O meu medo atingiu o nível de alerta máximo, e parecia prestes a dominar-me.

– Não, Jack, eu nunca o encorajei.

– Encorajou, sim, sua cabra provocadora. Eu sei ler os sinais. – Ergueu a mão e acariciou-me delicadamente o rosto até ao queixo, com os nós dos dedos. O seu indicador afagou-me a garganta e eu senti o coração na boca, lutando para conter o vómito. Ele alcançou a depressão, na base do meu pescoço, junto do botão desabotoado da minha camisa preta e encostou-me a mão ao peito.

– Você deseja-me, Ana, admita-o.

Olhei-o fixamente e concentrei-me no que tinha a fazer – tentando ignorar a repugnância e o medo que cresciam dentro de mim – e poisei delicadamente a minha mão sobre a sua, acariciando-a. Ele sorriu triunfantemente e eu agarrei-lhe no dedo mindinho e torci-o para trás, puxando-o bruscamente para baixo, e para trás, na direção da sua anca.

– *Arrgh!* – gritou ele de dor e surpresa. Ao vê-lo inclinar-se em desequilíbrio, ergui rapidamente o joelho e atingi-o em cheio nas virilhas, desviando-me habilmente para a esquerda. Os seus joelhos cederam e ele caiu no chão da cozinha, a gemer, com as mãos entre as pernas.

– Nunca mais volte a tocar-me – rosnei-lhe. – O itinerário e as brochuras estão embalados na minha secretária. Agora vou para casa. Desejo-lhe uma boa viagem e, de futuro, trate de ir buscar o seu café.

– Sua cabra de merda! – disse ele, meio a gemer meio a gritar, mas eu já tinha saído porta fora.

Corri o mais depressa que pude para a minha secretária, agarrei no casaco e na mala e saí apressadamente para a receção, ignorando os gemidos e as injúrias que emanavam do estupor, ainda prostrado no chão da cozinha. Saí disparada do edifício e parei por instantes, ao sentir o ar fresco no rosto. Respirei fundo e tentei recuperar a compostura, mas não comera durante o dia todo, e logo que a indesejável vaga de adrenalina baixou, fui-me abaixo das pernas e caí redonda no chão.

E foi num estado de ligeira apatia que vi o filme em câmara lenta que se desenrolou diante de mim: Christian e Taylor, de fato escuro e camisa branca, a saltarem do carro, que estava à minha espera, e a correrem na minha direção. Christian ajoelhou-se a meu lado e a única coisa que passou algures pela minha cabeça foi: *Ele está aqui, o meu amor está aqui.*

– Ana, Ana! O que se passa? – Christian puxou-me para o seu colo e esfregou-me os braços, à procura de sinais de ferimentos. Depois, agarrou-me a cabeça entre as mãos e os seus olhos cinzentos fitaram os meus, esgazeados, com uma expressão apavorada. Eu deixei cair o corpo contra ele, subitamente dominada pelo alívio e pela fadiga. Ah, os braços de Christian. Não havia outro lugar no mundo onde desejasse estar.

– Ana – disse ele, sacudindo-me delicadamente –, o que se passa? Estás doente?

Abanei a cabeça e percebi que tinha de começar a falar.

– Jack – sussurrei, e senti Christian – ainda que não o visse – olhar rapidamente para Taylor, que desapareceu de repente, no interior do edifício.

– Merda! – disse Christian, envolvendo-me nos seus braços. – O que te fez esse monte de esterco?

Uma gargalhada a roçar a insanidade borbulhou-me na garganta, ao recordar a surpresa total de Jack quando eu lhe agarrara no dedo.

– O pior foi o que eu lhe fiz. – Não conseguia parar de rir.

– Ana! – Christian sacudiu-me de novo e o meu ataque de riso abrandou. – Ele tocou-te?

– Só uma vez.

A raiva inundou-o. Os seus músculos retesaram-se e ele levantou-se rápida e vigorosamente comigo nos braços, firme como uma rocha. Estava furioso. *Não!*

– Onde está esse sacana?

Ouvimos gritos abafados vindos do interior do edifício e Christian poisou-me de pé.

– Consegues aguentar-te de pé?

Assenti com a cabeça.

– Não, Christian, não entres. – O meu receio voltou subitamente. Receio do que Christian pudesse fazer a Jack.

– Entra no carro – gritou-me.

– Christian, não. – disse-lhe eu, agarrando-lhe no braço.

– Entra no carro, Ana. – disse ele, sacudindo-me o braço.

– Não! Por favor! – supliquei. – Fica aqui. Não me deixes sozinha – disse eu, fazendo uso da minha derradeira arma.

Christian passou as mãos pelo cabelo, a ferver de raiva, e olhou para mim, claramente indeciso. Os gritos dentro do edifício aumentaram e depois pararam subitamente.

Oh não. O que teria feito Taylor?

Christian tirou o seu BlackBerry do bolso.

– Christian, ele tem os meus e-mails.

– O quê?

– Os e-mails que eu te mandei. Ele queria saber onde estavam os teus e-mails para mim. Estava a tentar chantagear-me.

Christian estava com um olhar homicida.

Oh, merda.

– Foda-se! – balbuciou ele, olhando-me de olhos semicerrados, e marcou um número no BlackBerry.

Oh, não. Estava metida num sarilho. A quem estaria ele a telefonar?

– Barney, fala Grey. Quero que acedas ao servidor principal da SIP e apagues todos os e-mails de Anastasia Steele para mim. Depois acede aos ficheiros pessoais de Jack Hyde e certifica-te se eles não estão lá guardados. Se estiverem, apaga-os... Sim, todos eles. Imediatamente. Informa-me quando terminares.

Carregou com força no botão de desligar e marcou outro número.

– Roach, fala Grey. Quero o Hyde fora da empresa. Já, imediatamente. Chama a segurança. Ordena-lhe que limpe a secretária agora mesmo, de contrário liquidarei esta empresa amanhã de manhã, à primeira hora. Já tens todas as justificações necessárias para lhe apresentares a carta de despedimento, entendido? – Escutou durante breves instantes e depois desligou, aparentemente satisfeito.

– BlackBerry – disse-me ele em surdina, de dentes cerrados.

– Por favor, não fiques zangado comigo – disse-lhe eu, pestanejando.

– Estou tão furioso contigo neste momento – rosnou, voltando a passar a mão pelo cabelo. – Entra no carro.

– Christian, por favor...

– Entra na porcaria do carro, Anastasia, ou juro-te que sou eu que te ponho lá dentro – disse ele, num tom ameaçador, com a fúria a arder-lhe nos olhos.

Oh, merda.

– Não faças nada de estúpido, por favor – supliquei.

– ESTÚPIDO? – explodiu ele. – Eu disse-te para usares o raio do BlackBerry. Não me fales em estupidez. Mete-te na porcaria do carro, Anastasia. JÁ! – rosnou e eu fui percorrida por uma vaga de medo. Aquele era o Christian Furibundo. Nunca antes o vira tão furioso. Mal conseguia dominar-se.

– Ok – murmurei, para o apaziguar. – Mas, por favor, tem cuidado.

Ele cerrou os lábios numa linha rígida e apontou furioso para o carro, olhando-me fixamente.

Está bem, raios. Já entendi.

– Por favor, tem cuidado. Não quero que te aconteça nada. Isso daria cabo de mim – murmurei. Ele piscou os olhos rapidamente e ficou imóvel, baixando o braço e respirando fundo.

– Eu tenho cuidado – disse ele, com um olhar mais brando. Graças a Deus. Os seus olhos pareciam perfurar-me, ao dirigir-me para o carro, abrir a porta da frente do lado do passageiro, e entrar. Logo que me viu em segurança, no conforto do *Audi*, desapareceu no interior do edifício e eu voltei a sentir o coração na boca. O que estaria ele a planear fazer?

Fiquei sentada e esperei, esperei, esperei. Cinco minutos pareceram-me uma eternidade. O táxi de Jack parou em frente do *Audi*. Dez minutos... quinze minutos. Raios, o que estariam eles a fazer lá dentro? Como estaria Taylor? A espera era aflitiva.

Vinte e cinco minutos depois, Jack saiu do edifício, com uma caixa de cartão. O segurança vinha atrás dele. Onde estava ele antes? Christian e Taylor saíram atrás deles. Jack parecia doente e encaminhou-se diretamente para o táxi. Eu senti-me grata pelo facto de o *Audi* ter vidros fumados, muito escuros, e ele não me poder ver. O táxi afastou-se – mas não para o Sea-Tac, certamente. Christian e Taylor chegaram ao carro nesse instante.

Christian abriu a porta do condutor e sentou-se calmamente no assento, provavelmente por eu estar sentada à frente e Taylor entrou para o banco de trás. Nenhum deles disse uma palavra. Christian pôs o

carro a trabalhar e reuniu-se ao trânsito. Eu aventurei-me a olhar brevemente para o Cinquenta. Ele estava com os lábios cerrados numa linha
firme, mas parecia disperso. O telefone do carro tocou.

– Grey – disse Christian, bruscamente.

– Mr. Grey, fala Barney.

– Barney, estou em alta voz e há outras pessoas no carro – advertiu Christian.

– Está tudo feito, mas eu preciso de falar consigo acerca de outras
coisas que encontrei no computador de Mr. Hyde.

– Ligo-te quando chegar ao meu destino. Obrigado, Barney.

– De nada, Mr. Grey.

Barney desligou. Parecia muito mais jovem do que eu esperava.

O que haveria mais no computador de Jack?

– Vais falar comigo? – perguntei, calmamente.

Christian olhou-me de relance e voltou a fixar os olhos na estrada,
diante dele, e eu percebi que ele ainda estava furioso.

– Não – murmurou, num tom mal-humorado.

Cá vamos nós… mas que infantilidade. Abracei-me ao meu próprio
corpo e olhei através da janela sem ver nada. Talvez fosse melhor pedir-
-lhe que me deixasse no meu apartamento; uma vez na segurança do
Escala, poderia evitar falar comigo à vontade, poupando-nos a ambos ao
incómodo da inevitável discussão. Mas ao mesmo tempo que o pensei,
percebi que não queria deixá-lo a remoer. Não depois do dia anterior.

Acabámos por estacionar em frente ao seu apartamento. Christian
saiu do carro, contornando-o até ao meu lado com uma elegância natural, e abriu-me a porta.

– Anda – ordenou-me, enquanto Taylor subia para o lugar do condutor. Agarrei na sua mão estendida e segui-o até ao elevador, percorrendo o majestoso vestíbulo. Ele não me largou.

– Porque estás tão zangado comigo, Christian? – sussurrei, enquanto
esperávamos.

– Tu sabes porquê – murmurou, ao entrarmos no elevador, digitando o código para o seu andar. – Meu Deus, se te tivesse acontecido
alguma coisa, ele estaria morto a estas horas. – O seu tom de voz gelou-
-me até aos ossos. As portas fecharam-se.

– Tal como as coisas estão, vou arruinar-lhe a carreira para que não volte a aproveitar-se de mulheres jovens, uma desculpa miserável para o homem que é. – Abanou a cabeça. – Caramba, Ana. – Agarrou-me subitamente, aprisionando-me ao canto do elevador.

Agarrou-me os cabelos de punhos cerrados e puxou-me o rosto para si, colando a sua boca à minha. Havia um desespero apaixonado no seu beijo. Não sei por que motivo isso me apanhou de surpresa, mas o certo é que apanhou. Senti o seu alívio, a sua ânsia e a sua raiva residual, enquanto a língua dele me possuía a boca. Ele deteve-se e olhou para mim, apoiando o seu peso contra mim, por isso eu não me podia mexer. Deixou-me sem fôlego, agarrada a ele para me amparar, a olhar para aquele rosto belíssimo, carregado de determinação, sem o mínimo vestígio de humor.

– Se te tivesse acontecido alguma coisa... se ele te tivesse magoado... – Senti-o estremecer. – A partir de agora usa o BlackBerry – ordenou ele calmamente –, entendido?

Acenei com a cabeça, incapaz de desviar os olhos do seu olhar sombrio e hipnótico.

Quando o elevador parou, ele endireitou-se e soltou-me.

– Ele disse que tu lhe deste um pontapé nos tomates. – O tom de Christian era agora mais ligeiro e havia nele uma nota de admiração, o que me levou a pensar que estava perdoada.

– Sim – sussurrei, ainda vacilante da intensidade do seu beijo e da ordem exaltada que me dera.

– Ótimo.

– O Ray é ex-militar e treinou-me bem.

– Fico muito satisfeito por isso – sussurrou, arqueando uma sobrancelha ao acrescentar: – É melhor não me esquecer disso. – Pegou-me na mão e conduziu-me para fora do elevador e eu segui-o, aliviada. Creio que o seu estado de espírito não iria piorar mais.

– Tenho de telefonar ao Barney. Não me demoro. – Desapareceu no interior do escritório, abandonando-me no meio da ampla sala de estar. Mrs. Jones estava a dar os toques finais na nossa refeição e eu apercebi-me de que estava esfomeada, mas precisava de fazer qualquer coisa.

– Posso ajudar? – perguntei.

Ela riu-se. – Não, Ana. Posso preparar-lhe uma bebida ou algo assim? Parece estar exausta.

– Adoraria um copo de vinho.

– Branco?

– Sim, por favor.

Empoleirei-me num dos bancos do balcão e ela deu-me um copo de vinho gelado. Eu não sabia que vinho era, mas era delicioso e bebia-se bem, acalmando-me os nervos estilhaçados. Em que estava eu a pensar algumas horas antes? No facto de me sentir tão viva desde que conhecera Christian. No facto de a minha vida se ter tornado tão excitante. Caramba. Não poderia ao menos ter alguns dias de tédio?

E se eu nunca tivesse conhecido Christian? Estaria enfiada no meu apartamento, a desabafar com Ethan, completamente apavorada com o meu confronto com Jack, sabendo que teria de voltar a enfrentar aquele monte de esterco na sexta-feira. Tal como as coisas estavam, tinha boas hipóteses de nunca mais voltar a pôr-lhe a vista em cima. Mas para quem iria eu trabalhar agora? Franzi o sobrolho, pois não pensara nisso antes. Merda. Ainda teria emprego?

– Boa noite, Gail – disse Christian, ao regressar à sala grande, arrancando-me das minhas cogitações. Depois, dirigiu-se diretamente ao frigorífico e encheu um copo de vinho.

– Boa noite, Mr. Grey. Posso servir o jantar dentro de dez minutos?

– Parece-me bem.

Christian ergueu o seu copo.

– À saúde dos ex-militares que treinam bem as filhas – disse ele, e a expressão do seu olhar suavizou-se.

– Saúde – murmurei, erguendo o meu copo.

– O que se passa? – perguntou Christian.

– Não sei se ainda tenho emprego.

Ele inclinou a cabeça para o lado.

– Ainda o queres ter?

– Claro.

– Então, ainda o tens.

Simples, percebem? Ele era dono do meu universo. Revirei-lhe os olhos e ele sorriu.

Mrs. Jones fez um excelente empadão de galinha e deixou-nos a apreciar o fruto do seu trabalho. Eu sentia-me muito melhor agora que comera alguma coisa. Estávamos sentados ao balcão da cozinha e embora eu o tentasse persuadir o melhor que podia, Christian não me queria dizer o que Barney encontrara no computador de Jack. Pus o assunto de parte, optando por abordar o problema controverso da visita iminente de José.

– O José telefonou – disse eu, despreocupadamente.

– Ah, sim? – Christian virou-se para me encarar.

– Quer entregar-te as fotos na sexta-feira.

– Uma entrega pessoal. Mas que conveniente para ele – murmurou Christian.

– Ele quer sair para tomar uma bebida comigo.

– Compreendo.

– A Kate e o Elliot já devem ter regressado – acrescentei, rapidamente.

Christian poisou o garfo e franziu-me o sobrolho.

– O que me estás a pedir, exatamente?

Encrespei-me.

– Não estou a pedir nada. Estou a informar-te dos meus planos para sexta-feira. Escuta, eu quero ver o José e gostava que ele ficasse cá a pernoitar. Tanto pode ficar aqui como em minha casa, mas se ficar lá, eu também terei de lá estar.

Christian arregalou os olhos. Parecia aturdido.

– Ele atirou-se a ti.

– Christian, isso foi há semanas. Ele estava bêbedo e eu também. Tu resolveste o problema, não volta a acontecer. Por amor de Deus, ele não é o Jack.

– O Ethan está lá e pode fazer-lhe companhia.

– Ele quer ver-me a mim e não ao Ethan.

Christian franziu-me o sobrolho.

– Ele é apenas um amigo – disse eu num tom de voz empático.

– A ideia não me agrada.

E depois? Caramba, às vezes era tão irritante. Respirei fundo.

– Ele é meu amigo, Christian. Não o vejo desde a exposição e a visita foi demasiado breve. Eu sei que tu não tens amigos, tirando aquela mulher horrível, mas não me queixo pelo facto de estares com ela – disse eu, num tom brusco e Christian pestanejou, chocado. – Eu quero vê-lo. Não tenho sido uma grande amiga para ele. – O meu subconsciente estava alarmado. *Estás a bater o pé? Cuidado!*

Ele fitou-me com uns olhos cinzentos flamejantes.

– É isso que achas? – sussurrou ele.

– É isso que acho acerca de quê?

– Acerca da Elena. Preferias que eu não estivesse com ela?

– Exatamente, preferia que não estivesses com ela.

– Porque não disseste?

– Porque não me compete dizer isso. Tu achas que ela é a tua única amiga. – Encolhi os ombros, exasperada. Ele não entendia mesmo. Como é que aquilo se transformara numa conversa acerca dela? Eu não queria sequer pensar nela, por isso tentei voltar a canalizar a conversa para o José. – Da mesma forma que não te compete a ti dizer se eu posso ou não estar com o José. Não entendes isso?

Christian olhou-me. Creio que estava perplexo. *Oh, o que estaria ele a pensar?*

– Suponho que possa aqui ficar – aquiesceu. – Eu posso ficar de olho nele. – Disse-o num tom petulante.

Aleluia!

– Obrigada. Sabes, é que se eu também vou viver aqui… – Calei-me. Christian acenou com a cabeça. Ele sabia o que eu estava a querer dizer. – Não é que te falte espaço – disse eu, com um sorriso afetado.

Um sorriso desenhou-se lentamente nos seus lábios.

– Isso é um sorriso afetado, Miss Steele?

– Absolutamente, Mr. Grey. – Levantei-me, não fossem as palmas da sua mão começarem a ficar irrequietas, peguei nos pratos e levei-os para a máquina de lavar loiça.

– A Gail faz isso.

– Agora já fiz. – Levantei-me e olhei-o. Estava a observar-me atentamente.

– Tenho de trabalhar um pouco – disse ele, apologeticamente.

– Não faz mal. Arranjarei qualquer coisa para fazer.

– Anda cá – ordenou-me, mas o seu tom de voz era brando e sedutor e estava com um olhar escaldante. Avancei para os seus braços, sem hesitações, abraçando-me ao seu pescoço. Ele estava empoleirado no seu banco, ao balcão. Envolveu-me nos seus braços e esmagou-me contra si prendendo-me.

– Estás bem? – sussurrou contra o meu cabelo.

– Bem?

– Depois do que aconteceu com aquele sacana? Depois do que aconteceu ontem? – acrescentou, num tom de voz calmo e sincero.

Olhei para aqueles olhos sombrios e sérios. *Se estou bem?*

– Sim – sussurrei.

Ele apertou-me com mais força nos seus braços e eu senti-me segura, estimada e amada, o que me fez sentir feliz. Fechei os olhos e desfrutei da sensação de estar nos seus braços. Eu amava aquele homem. Adorava o seu odor intoxicante, a sua força, a sua postura volátil – o meu Cinquenta.

– Não vamos discutir – murmurou, beijando-me o cabelo e inspirando profundamente. – Cheiras divinalmente, como sempre, Ana.

– Tu também – sussurrei, beijando-lhe o pescoço.

Mas depressa me largou.

– Devo demorar apenas umas horas.

Eu vagueava, apática pelo apartamento. Christian ainda estava a trabalhar. Eu tomara um duche, vestira umas calças de fato de treino e uma *t-shirt* das minhas e sentia-me entediada. Não me apetecia ler, mas se ficasse de braços cruzados, sem fazer nada, iria lembrar-me de Jack e dos seus dedos em cima de mim.

Verifiquei o meu quarto antigo. O quarto das submissas. José podia dormir ali – iria gostar da vista. Eram umas oito e um quarto e o Sol estava a começar a pôr-se a oeste. As luzes da cidade cintilavam a meus pés. Era maravilhoso. Sim, José iria gostar de ali ficar. Interroguei-me distraidamente onde iria Christian pendurar as fotografias que José me tirara. Preferia que não o fizesse. Olhar para mim mesma não era coisa que me entusiasmasse muito.

Ao regressar ao corredor, dei comigo à porta do quarto do prazer, e experimentei o puxador da porta sem pensar. Normalmente Christian

mantinha-a fechada à chave, mas para minha surpresa a porta abriu-
-se. Que estranho. Sentia-me como uma criança a fazer gazeta e a fugir
para a floresta proibida. Entrei. Estava às escuras. Liguei o interruptor e
as luzes debaixo da cornija acenderam-se com um brilho suave. Estava
como eu me recordava dele – um quarto semelhante a um ventre.

Recordações da última vez que ali estivera vieram-me à cabeça.
O cinto... retraí-me ao lembrar-me disso. Agora estava inocentemente
pendurado, e alinhado com os outros na grade, junto da porta. Passei
hesitantemente os dedos pelos cintos, açoites, palmatórias e chicotes.
Raios. Era isso que eu precisava de esclarecer com o Dr. Flynn. Poderia alguém com aquele estilo de vida parar? Parecia tão improvável.
Aproximei-me calmamente da cama e sentei-me sobre os lençóis vermelhos de cetim, olhando para todos os instrumentos em redor.

Ao meu lado estava o banco e, por cima deste, a coleção de vergastas. *Tantas! Não seria uma suficiente?* Bom, quanto menos se falasse
nisso melhor. Depois vi a mesa grande. Nunca experimentáramos nada
do que ele costumava fazer em cima dela. Os meus olhos desviaram-se
para o sofá. Aproximei-me dele e sentei-me. Era apenas um sofá, sem
nada de extraordinário – nada para nos prender a ele –, pelo menos que
eu visse. Olhando de relance para trás, vi a cómoda de museu, o que me
espicaçou a curiosidade. O que guardaria ele ali?

Ao abrir a gaveta de cima, percebi que tinha o sangue a latejar nas
veias. Porque estava tão nervosa? Aquilo parecia tão ilícito. Era como
se estivesse a invadir propriedade privada e é claro que estava mesmo.
Mas se ele queria casar comigo, bom...

Merda. *O que raio vem a ser isto?* Uma coleção de instrumentos e
acessórios bizarros – que eu não fazia ideia o que eram, nem para que
serviam – estavam cuidadosamente dispostos no expositor da gaveta.
Peguei num deles. Tinha a forma de uma bala e uma espécie de pega.
Hum... o que raio fazes tu com isto? Fiquei intrigada, embora tivesse
uma ideia. Havia quatro tamanhos diferentes! Senti um formigueiro
no couro cabeludo e olhei de relance para cima.

Christian estava à entrada, a olhar para mim, com uma expressão ilegível. Há quanto tempo estaria ali? Era como se tivesse sido apanhada a roubar bolachas.

– Olá – disse eu, sorrindo nervosamente, e percebi que estava mortalmente pálida, de olhos arregalados.

– O que estás a fazer? – perguntou brandamente, mas havia uma entoação qualquer na sua voz.

Oh, merda, estaria zangado? Eu corei.

– Hum… estava entediada e curiosa – murmurei, embaraçada por ter sido apanhada. Ele dissera que ia demorar duas horas.

– Isso é uma combinação muito perigosa. – Passou o indicador pelo lábio inferior em contemplação silenciosa, sem tirar os olhos de mim. Eu engoli em seco e senti a boca seca.

Ele entrou lentamente no quarto e fechou suavemente a porta atrás de si, com uns olhos que pareciam fogo líquido, cinzento. *Oh meu Deus*. Apoiou-se descontraidamente contra a cómoda, mas eu fiquei com a impressão de que a sua postura era enganadora. A minha deusa interior não sabia se deveria lutar ou fugir.

– Afinal, está curiosa acerca de quê, Miss Steele? Talvez eu a possa esclarecer.

– A porta estava aberta… e eu… – Contive a respiração e pestanejei ao olhar para Christian, como sempre receosa da sua reação, sem saber o que havia de dizer. Ele estava com um olhar sombrio. Pareceu-me que estava divertido, mas era difícil de saber. Poisou os cotovelos sobre a cómoda de museu, apoiando o queixo nas mãos entrelaçadas.

– Estive aqui há algumas horas a pensar no que fazer com tudo isto e devo-me ter esquecido de fechar a porta à chave. – Franziu momentaneamente o sobrolho, como se deixar a porta aberta fosse um terrível descuido. Franzi o sobrolho. Não era próprio dele ser esquecido.

– Ah, sim?

– Mas agora aqui estás tu, curiosa como sempre. – Falava num tom brando, intrigado.

– Não estás zangado? – sussurrei, esgotando o meu último fôlego.

Ele inclinou a cabeça para um lado, divertido, e os seus lábios estremeceram.

– Porque haveria de estar zangado?

– Sinto-me como se estivesse a invadir propriedade alheia... e tu estás sempre zangado comigo. – Falava num tom voz baixo, embora me sentisse aliviada. Christian voltou a franzir a testa.

– Sim, estás a invadir propriedade alheia, mas não estou zangado. Espero que um dia vivas aqui comigo – fez um gesto abrangente em redor, com uma mão – e tudo isto será teu também.

O meu quarto do prazer...? Olhei para ele, pasmada – aquilo era demasiado para mim.

– Foi por isso que eu vim aqui hoje, para tentar decidir o que fazer. – Bateu ao de leve nos lábios com o indicador. – Se estou sempre zangado contigo? Esta manhã não estava.

Oh, lá isso é verdade. Sorri ao lembrar-me do despertar de Christian, o que me distraiu da questão acerca do futuro do quarto do prazer. O Cinquenta estava tão divertido nessa manhã.

– Estavas brincalhão. Eu gosto do Christian brincalhão.

– Não me digas? – Arqueou uma sobrancelha e a sua boca linda curvou-se num sorriso, um sorriso tímido. Uau!

– O que é isto? – perguntei, erguendo a geringonça em forma de bala prateada.

– Sempre ansiosa por informação, Miss Steele. Isso é um tampão anal – disse ele gentilmente.

– Oh...

– Comprei-o para ti.

O quê?

– Para mim?

Ele acenou lentamente com a cabeça, agora com uma expressão séria e cautelosa.

– Compras... brinquedos novos... para cada submissa?

– Para algumas coisas, sim.

– Tampões anais?

– Sim.

Ok.... Engoli em seco. Tampão anal. Era de metal maciço – não seria aquilo desconfortável? Recordei a nossa discussão sobre brinquedos sexuais e limites intransponíveis, depois da minha licenciatura. Creio que na altura dissera que iria tentar. Mas agora, ao ver realmente um, não creio que fosse coisa que me apetecesse experimentar. Examinei-o mais uma vez e voltei a colocá-lo na gaveta.

– E isto? – Tirei um objeto comprido, com a consistência de borracha, com umas contas esféricas cada vez menores, ligadas umas às outras. A primeira era grande e as últimas muito mais pequenas. Oito contas ao todo.

– Contas anais – disse Christian, observando-me cautelosamente.

Oh! Examinei-as ao mesmo tempo horrorizada e fascinada. Todas elas dentro de mim… *lá no sítio!* Não fazia ideia do que se sentiria.

– Produzem um efeito fantástico, se as puxares para fora a meio de um orgasmo – acrescentou, prosaicamente.

– Isto é para mim? – sussurrei.

– Para ti – disse ele, acenando lentamente com a cabeça.

– Esta é a gaveta do rabo?

Sorriu afetadamente.

– Se o quiseres colocar assim.

Fechei-a muito depressa, sentindo-me da cor de um semáforo vermelho.

– Não gostas da gaveta do rabo? – perguntou, divertido, com um ar inocente. Olhei para ele e encolhi os ombros, tentando descaradamente negar o meu choque.

– Não é das primeiras opções na minha lista de pedidos para o Natal – murmurei, com um ar desinteressado, abrindo hesitantemente a segunda gaveta. Ele sorriu.

– A gaveta seguinte tem uma coleção de vibradores.

Fechei rapidamente a gaveta.

– E a outra a seguir? – sussurrei, de novo pálida, mas desta vez de embaraço.

– Essa é mais interessante.

Oh!

Abri a gaveta, hesitante sem tirar os olhos do seu rosto lindo, mas bastante presunçoso. Lá dentro havia coleções de objetos metálicos e algumas molas da roupa. Molas da roupa? Peguei num grande objeto metálico semelhante a um grampo.

– Grampo genital – disse Christian, endireitando-se e contornando descontraidamente a cómoda até ficar a meu lado. Guardei-o imediatamente e escolhi algo mais delicado – dois pequenos grampos numa corrente.

– Alguns deles são para provocar dor, mas a maioria são para dar prazer – murmurou.

– O que é isto?

– Grampos de mamilos. Esses são para ambas as coisas.

– Para ambos os mamilos?

Christian sorriu-me afetadamente.

– Bom, são dois grampos, querida. Sim, são para ambos os mamilos, mas não era isso que eu queria dizer. Esses tanto servem para provocar dor como para dar prazer.

Oh. Tirou-mos das mãos.

– Estica o dedo mindinho.

Eu obedeci e ele prendeu-me um dos grampos na ponta do dedo. A sensação não era muito desagradável.

– A sensação é bastante intensa, mas é quando se tiram que são mais dolorosos e dão mais prazer. – Removi o grampo. Hum... aquilo talvez fosse agradável. Torci-me só de pensar.

– Gosto do aspeto deles – murmurei, e Christian sorriu.

– Sabe, Miss Steele, acho que dá para perceber.

Eu acenei timidamente com a cabeça e ele voltou a guardar os grampos na gaveta, inclinando-se para a frente e tirando outros dois.

– Estes são ajustáveis – ergueu-os para que eu os examinasse.

– Ajustáveis?

– Podes usá-los muito apertados... ou não, consoante o teu estado de espírito.

Como conseguia fazê-lo parecer tão erótico? Engoli em seco e tirei um acessório semelhante a um corta-massas, com dentes pontiagudos, para o distrair.

– E isto? – Franzi o sobrolho. Certamente que não se cozinhava no quarto do prazer.

– Isso é uma roda de Wartenberg[6].

– E serve para?

6. Dispositivo médico para uso neurológico. (N. da T.)

Esticou o braço e tirou-ma.

– Dá-me a tua mão com a palma virada para cima.

Eu estendi-lhe a mão esquerda e ele pegou nela delicadamente, roçando-me o polegar pelos nós dos dedos, e fui percorrida por um arrepio. A sua pele em contacto com a minha estimulava-me sempre. Passou a roda sobre a palma da minha mão.

Ah! – Os dentes enterraram-se-me na pele – não provocava apenas dor. Na verdade, fazia cócegas.

– Imagina isso sobre os teus seios – murmurou Christian, lascivamente.

Oh! Eu corei e puxei a mão para trás. A minha respiração e ritmo cardíaco aceleraram.

– Há uma linha muito ténue entre o prazer e a dor, Anastasia – disse ele, brandamente, ao inclinar-se e voltar a guardar o instrumento na gaveta.

– Molas da roupa? – sussurrei.

– Pode fazer-se muita coisa com uma mola da roupa – Os seus olhos queimavam.

Encostei-me à gaveta para a fechar.

– É tudo? – Christian parecia divertido.

– Não... – Abri a quarta gaveta e fiquei confusa ao ver um amontoado de couro e correias. Puxei por uma das correias que parecia estar presa a uma bola.

– Mordaça de bola. Para que fiques calada – disse Christian, mais uma vez divertido.

– Limite ultrapassável – murmurei.

– Eu lembro-me – disse ele. – Mas consegues respirar à mesma, os teus dentes fecham-se sobre a bola. – Tirou-ma e imitou uma boca, agarrando na bola com os dedos.

– Já alguma vez usaste alguma? – perguntei.

Ele ficou imóvel e olhou para mim:

– Sim.

– Para abafar os teus gritos?

Ele fechou os olhos e pareceu-me exasperado.

– Não, não é para isso que servem.

Ah, não?

— Tem tudo a ver com controlo, Anastasia. Até que ponto te sentirias indefesa amarrada e sem poderes falar? Até que ponto terias de confiar em mim, sabendo que eu tinha tamanho poder sobre ti, e que teria de decifrar o teu corpo e as tuas reações em vez de ouvir as tuas palavras? Torna-te mais dependente e dá-me um controlo total.

Engoli em seco.

— Pareces ter saudades disso.

— É o que eu conheço — murmurou, de olhos esgazeados e sérios, e o ambiente entre nós mudou, como se ele estivesse no confessionário.

— Tu tens poder sobre mim, tu sabes que tens — sussurrei.

— Tenho? Tu fazes-me sentir... indefeso.

— Não! — *Oh Cinquenta...* — Porquê?

— Porque és a única pessoa que conheço que conseguiu magoar-me realmente. — Ergueu a mão e prendeu-me o cabelo atrás da orelha.

— Oh, Christian... isso funciona para ambos os lados. Se tu não me quisesses... — Estremeci, baixando os olhos para os dedos torcidos. Essa era outra das minhas reservas tenebrosas acerca de nós. Será que ele me quereria se não estivesse tão... destruído? Abanei a cabeça. Tinha de tentar não pensar dessa forma.

— A última coisa que quero é magoar-te. Eu amo-te — murmurei, erguendo ambas as mãos, passando-lhe os dedos pelas patilhas e acariciando-lhe delicadamente a cara. Ele inclinou o rosto contra a minha mão, voltou a largar a mordaça na gaveta, e enlaçou-me pela cintura, puxando-me para si.

— Já terminámos a mostra? — perguntou, num tom de voz brando e sedutor, e a sua mão subiu-me pelas costas até à nuca.

— Porquê? O que querias fazer?

Curvou-se e beijou-me delicadamente, e eu derreti-me encostada a ele, agarrando-me aos seus braços.

— Ana, tu hoje foste quase atacada. — Falava num tom suave mas cauteloso.

— E então? — perguntei, desfrutando do toque da sua mão nas minhas costas e da sua proximidade. Puxou a cabeça para trás e franziu-me o sobrolho.

— O que queres dizer com isso? — disse ele num tom repreensivo.

Olhei deslumbrada para o seu belíssimo rosto mal-humorado.

– Christian, eu estou bem.

Ele envolveu-me nos braços, e puxou-me contra si.

– Quando penso no que poderia ter acontecido – sussurrou, enterrando o rosto no meu cabelo.

– Quando é que aprendes que eu sou mais forte do que pareço? – murmurei tranquilizadoramente contra o seu pescoço, inalando o seu delicioso odor. Não havia nada melhor no planeta do que estar nos braços de Christian.

– Eu sei que és forte – disse ele, meditando em voz baixa. Depois, beijou-me o cabelo, mas largou-me, para minha grande deceção. *Ah sim?*

Curvei-me, tirei outro objeto da gaveta aberta e ergui-o. Eram várias algemas presas a uma barra.

– Isso – disse Christian com os olhos a escurecerem – é uma barra separadora com algemas para os pulsos e para os tornozelos.

– Como funciona? – perguntei, genuinamente intrigada.

– Queres que te mostre? – sussurrou, surpreendido, fechando os olhos por breves instantes.

Eu pestanejei e quando ele voltou a abrir os olhos, estes ardiam.

– Sim, quero uma demonstração. Gosto de ser amarrada – sussurrei e a minha deusa interior executou um salto à vara para cima da sua *chaise-longue*.

– Oh, Ana – murmurou, parecendo subitamente angustiado.

– O que foi?

– Aqui não.

– O que queres dizer com isso?

– Eu quero-te na minha cama e não aqui. Anda. – Agarrou na barra e na minha mão, conduzindo-me imediatamente para fora do quarto.

Porque nos estávamos a ir embora? Olhei para trás, ao sairmos.

– Porque não aqui dentro?

Christian parou nas escadas e olhou-me, com uma expressão grave.

– Ana, talvez tu estejas pronta para voltar ali para dentro, mas eu não estou. A última vez que ali estivemos tu deixaste-me. Estou sempre a dizer-te isso. Quando é que vais entender? – Franziu o sobrolho e largou-me para poder gesticular com a mão livre.

– A minha atitude modificou-se por completo em consequência disso. A minha forma de encarar a vida alterou-se radicalmente. Eu já te disse isto, o que ainda não te disse é que… – Parou de falar e passou a mão pelo cabelo, à procura das palavras certas. – Eu sou como um alcoólico em recuperação, ok? É a única comparação que me ocorre fazer. A compulsão desapareceu, mas eu não quero confrontar-me com a tentação, não te quero magoar.

Parecia estar cheio de remorsos e eu senti-me trespassada por uma dor aguda e incómoda, nesse preciso instante. O que teria eu feito àquele homem? Teria eu melhorado a sua vida? Ele era feliz antes de me conhecer, não era?

– Não suporto magoar-te porque te amo – acrescentou, olhando para mim com uma expressão absolutamente sincera, como um rapazinho pequeno a confessar uma verdade muito simples.

Estava a ser totalmente franco e eu fiquei sem fôlego. Não havia nada, ninguém que eu amasse tanto como ele. O meu amor por aquele homem era *de facto* incondicional.

Atirei-me a ele com tanta força que ele teve de largar o que tinha na mão para me agarrar, quando o empurrei contra a parede. Agarrei-lhe o rosto entre as mãos e puxei-o ao encontro dos meus lábios, saboreando a sua surpresa ao enfiar-lhe a língua na boca. Eu estava um degrau acima dele, por isso ficávamos ao mesmo nível, e eu sentia-me euforicamente revigorada. Beijei-o apaixonadamente, arrepanhando-lhe os cabelos com os dedos. Apetecia-me tocar-lhe em toda a parte, mas contive-me, consciente do seu medo. Apesar disso, o meu desejo expandiu-se, quente e intenso, florescendo-me nas entranhas. Ele gemeu e agarrou-me nos ombros, afastando-me de si.

– Queres que te foda nas escadas? – murmurou, ofegante. – É que neste momento estou disposto a isso.

– Sim – murmurei e tenho a certeza de que o meu olhar sombrio era igual ao dele.

Ele olhou-me fixamente, de olhos semicerrados, pesados.

– Não, quero-te na minha cama. – Pegou subitamente em mim e pendurou-me ao ombro, fazendo-me guinchar alto. Bateu-me com força no rabo e eu voltei a guinchar. Ao descer as escadas, baixou-se para apanhar a barra separadora, caída no chão.

Mrs. Jones vinha a sair da casa das máquinas, quando passámos no corredor. Ela sorriu e acenei-lhe apologeticamente de cabeça para baixo. Não me parece que Christian tenha reparado nela.

No quarto, poisou-me de pé e atirou a barra separadora para cima da cama.

– Não me parece que me vás magoar – sussurrei.

– Eu também acho que não te vou magoar – disse ele. Agarrou-me na cabeça entre as mãos e beijou-me longamente, com força, incendiando--me o sangue já quente.

– Desejo-te tanto – sussurrou contra a minha boca, ofegante. – Tens a certeza de que queres isto depois do dia de hoje?

– Sim, desejo-te e quero despir-te. – Mal podia esperar para lhe pôr as mãos em cima, os meus dedos estavam desejosos de lhe tocar.

Ele arregalou os olhos e hesitou por instantes, talvez para ponderar no meu pedido.

– Ok – disse, cautelosamente.

Eu alcancei-lhe o segundo botão da camisa e senti-o recuperar o fôlego.

– Não te tocarei se não quiseres que eu o faça – murmurei.

– Não – respondeu ele –, toca-me. Não faz mal. Eu estou bem – respondeu.

Desapertei-lhe delicadamente o botão e os meus dedos deslizaram pela camisa até ao botão seguinte. Ele estava com uns olhos grandes e luminosos, com uma respiração mais rápida e os lábios entreabertos. Estava tão bonito, mesmo com medo... justamente por estar com medo. Desabotoei o terceiro botão e vi os seus pelos macios através do grande V da camisa.

– Quero beijar-te ali – murmurei.

Ele inspirou bruscamente.

– Beijar-me?

– Sim – sussurrei.

Ao desabotoar o botão seguinte ele arquejou e eu inclinei-me muito lentamente para a frente, tornando claras as minhas intenções. Ele estava a conter a respiração, mas ficou absolutamente imóvel quando lhe depositei um beijo delicado entre os pelos macios e encaracolados, à vista. Desabotoei o último botão e ergui o rosto para ele. Ele estava a olhar para mim e havia no seu semblante satisfação, calma e... assombro.

– Está a tornar-se mais fácil, não está? – sussurrei.

Ele acenou com a cabeça e eu puxei-lhe lentamente a camisa pelos ombros, deixando-a cair no chão.

– O que me fizeste tu, Ana? – murmurou. – Seja lá o que for, não pares. – Envolveu-me nos seus braços e mergulhou ambas as mãos no meu cabelo, puxando-me a cabeça para trás para me alcançar mais facilmente o pescoço.

Roçou-me os lábios pelo maxilar, mordiscando-os suavemente. Gemi. Oh, como eu desejava aquele homem. Os meus dedos remexeram no cós das suas calças, desabotoando o botão e abrindo o fecho.

– Oh, querida – sussurrou, beijando-me atrás da orelha. Senti a sua ereção firme e rija contra mim. Queria-a... dentro da minha boca e recuei abruptamente, ajoelhando-me.

– Eh lá! – arquejou.

Puxei-lhe as calças e os *boxers* bruscamente e libertei-o, metendo-a na boca e sugando com força, antes que ele me pudesse deter, saboreando a sua perplexidade, ao vê-lo abrir a boca pasmado. Baixou os olhos para mim, seguindo todos os meus movimentos, com um olhar sombrio repleto de felicidade carnal. Oh, meu Deus. Envolvi-o com os dentes e chupei com mais força. Ele fechou os olhos e rendeu-se àquele maravilhoso prazer carnal. Eu sabia o que provocava nele. Era hedonista, libertador e *sexy* como o raio. Inebriante. Não me sentia apenas poderosa – sentia-me omnisciente.

– Raios – disse ele, em surdina, aninhando-me delicadamente a cabeça nas mãos, fletindo as ancas, e movendo-se mais para dentro da minha boca. Oh, sim, eu queria isso e girei a minha língua em torno do seu membro, puxando-o com força... repetidas vezes.

– Ana – disse ele, tentando recuar.

Ah, não, Grey. Eu desejo-te. Agarrei-lhe firmemente nas ancas, redobrando os meus esforços e percebi que ele estava quase a vir-se.

– Por favor – disse ele, ofegante. – Vou-me vir, Ana – gemeu.

Ótimo. A minha deusa interior estava com a cabeça pendurada

para trás, em êxtase, e ele veio-se na minha boca, num orgasmo ruidoso e húmido.

Abriu os olhos cinzento-claros e olhou para mim e eu sorri-lhe, lambendo os lábios. Ele retribuiu-me com um sorriso malicioso e libertino.

– Então é esse o jogo, Miss Steele? – Curvou-se, prendeu as mãos debaixo dos meus braços e ergueu-me, colando subitamente a sua boca à minha e gemendo.

– Sinto o meu próprio sabor. Tu sabes melhor – murmurou contra os meus lábios. Arrancou-me a *t-shirt* e atirou-a descuidadamente para o chão, pegando em mim e atirando-me para cima da cama. Agarrou-me na extremidade das calças de fato de treino e puxou-as bruscamente, tirando-mas de uma só vez. Eu estava deitada a toda a largura da sua cama, nua da cintura para baixo. Desejosa, à espera. Ele tirou lentamente o resto da sua roupa, bebendo-me com os olhos, sem nunca os desviar de mim.

– És uma mulher lindíssima, Anastasia – murmurou, num tom apreciador.

Hum… inclinei sedutoramente a cabeça para um lado, com um sorriso radioso.

– E tu, Christian, és um homem lindíssimo, e sabes divinalmente.

Ele sorriu-me com malícia e pegou na barra separadora. Agarrou-me no tornozelo esquerdo e prendeu-o depressa, apertando firmemente a fivela, mas sem a puxar demasiado, introduzindo o dedo mindinho entre a algema e o meu tornozelo, para verificar a folga, sempre de olhos postos nos meus. Não precisava de ver o que estava a fazer. Hum… já tinha feito aquilo antes.

– Teremos de verificar a que sabe. Se bem me lembro, a menina é uma delicada e requintada iguaria, Miss Steele.

Oh.

Agarrou-me no outro tornozelo e prendeu-o também rápida e eficientemente, e eu fiquei com os pés a uma distância de sessenta centímetros um do outro.

– A vantagem desta barra separadora é que é extensível – murmurou. Carregou em algo na barra, puxando-a, e as minhas pernas afastaram-se mais. Eh lá, estavam a noventa centímetros uma da outra.

Fiquei de boca aberta e respirei fundo. Bolas, aquilo era *sexy*. Sentia-me a arder, inquieta e carente.

Christian lambeu o lábio inferior.

– Ah, nós vamos divertir-nos com isto, Ana. – Pegou na barra e torceu-a e eu fiquei virada de barriga para baixo. Apanhou-me de surpresa.

– Vês o que eu te posso fazer? – disse ele, num tom sombrio, torcendo-a de novo abruptamente, e eu voltei a ficar deitada de costas, a olhar para ele pasmada e ofegante.

– As outras algemas são para os teus pulsos, mas ainda vou pensar no assunto. Depende da forma como te portares.

– Quando é que eu me porto mal?

– Ocorrem-me algumas infrações – disse ele, passando-me os dedos pelas solas dos pés. Aquilo fazia-me cócegas, mas a barra impedia-me de me mexer, ainda que eu tentasse torcer-me para escapar aos seus dedos.

– Para começar, o teu BlackBerry.

Eu arquejei.

– O que vais fazer?

– Oh, nunca revelo os meus planos. – Sorriu-me afetadamente, com uns olhos luminosos carregados de malícia pura.

Uau. Ele era tão incrivelmente *sexy* que me deixava sem fôlego. Subiu para a cama e ficou ajoelhado entre as minhas pernas, maravilhosamente nu. Eu estava indefesa.

– Hum, que exposta que a menina está, Miss Steele. – Passou os dedos de ambas as mãos pela parte de dentro das minhas pernas, numa cadência lenta e determinada, desenhando nelas pequenos padrões circulares, sempre de olhos pregados nos meus.

– Tem tudo a ver com a expectativa, Ana. O que vou eu fazer contigo? – As suas palavras brandas penetraram diretamente na parte mais profunda e sombria do meu ser. Eu torci-me na cama e gemi. Os seus dedos prosseguiram a sua lenta escalada pelas minhas pernas, passando-me pela parte de trás dos joelhos. Desejei instintivamente fechar as pernas, mas não podia.

– Não te esqueças, se não gostares de alguma coisa diz-me que eu paro – murmurou. Depois curvou-se e beijou-me a barriga, sugando-a delicadamente com beijos suaves, enquanto as suas mãos prosseguiam a viagem lenta e tortuosa para norte, percorrendo-me a parte interior das coxas, tocando-me e provocando-me.

– Oh, por favor, Christian – implorei.

– Oh, Miss Steele, descobri que a menina pode ser impiedosa nas suas investidas amorosas e acho que lhe devo retribuir o favor.

Os meus dedos arrepanharam o edredão e eu rendi-me a ele. A sua boca deslocava-se delicadamente para sul, e os seus dedos para norte, até ao topo exposto e vulnerável das minhas coxas. Eu gemi ao senti-lo introduzir os dedos lentamente dentro de mim e empinei a bacia para ir ao seu encontro. Christian gemeu em resposta.

– Não paras de me surpreender, Ana. Estás tão molhada – murmurou, sobre a linha onde os meus pelos púbicos se uniam à barriga, e o meu corpo arqueou-se ao sentir a sua boca descobrir-me.

Oh meu Deus.

Ele iniciou um ataque lento e sensual, girando a língua repetidas vezes e movendo os dedos dentro de mim. Era intenso, realmente intenso, pois eu não podia fechar as pernas nem mexer-me. Arqueei as costas, tentando absorver as sensações.

– Oh, Christian – gritei.

– Eu sei, querida – sussurrou, soprando-me na parte mais sensível do corpo para me aliviar.

– *Arrgh*, por favor – implorei.

– Diz o meu nome – ordenou-me.

– Christian – gritei, mal reconhecendo a minha voz. Parecia tão estridente e carente.

– Outra vez – sussurrou.

– Christian, Christian, Christian Grey – gritei alto.

– És minha. – A sua voz era suave e mortífera. A sua língua moveu-se uma última vez e eu precipitei-me num orgasmo espetacular, que se prolongou interminavelmente pelo facto de eu estar com as pernas longe uma da outra e acabei por me perder.

Apercebi-me vagamente de que Christian me virara de barriga para baixo.

– Vamos experimentar isto, querida. Se não gostares ou for demasiado desconfortável, dizes-me e eu paro.

O quê? Estava demasiado inebriada pela sensação de satisfação carnal para articular quaisquer pensamentos coerentes. Estava sentada ao colo de Christian. Como acontecera aquilo?

– Inclina-te para baixo, querida – murmurou ao meu ouvido. – Com a cabeça e o peito sobre a cama.

Obedeci, aturdida. Ele puxou-me ambas as mãos para trás e prendeu-as à barra, junto dos meus tornozelos. *Oh…* os meus joelhos ergueram-se e eu estava de rabo no ar, completamente vulnerável, totalmente à sua mercê.

– Ana, estás tão bonita. – A sua voz estava carregada de assombro, e eu ouvi-o rasgar o pacote do preservativo. Passou-me os dedos pela base da espinha, na direção do meu sexo, detendo-se por instantes sobre o meu rabo.

– Diz-me quando estiveres pronta. Eu também quero isto. – O seu dedo pairava sobre mim. Arquejei ruidosamente, sentindo o meu corpo retesar-se sob o seu toque delicado. – Hoje não, doce Ana, mas um dia… Quero possuir-te de todas as maneiras. Quero possuir cada centímetro do teu corpo. És minha.

Eu pensei no tampão anal e tudo se contraiu nas minhas entranhas. As suas palavras fizeram-me gemer e os seus dedos deslizaram para baixo, em círculos, para um território mais familiar.

Momentos depois estava a arremeter contra mim.

– *Aargh*! Devagar – gritei eu, e ele imobilizou-se.

– Estás bem?

– Devagar… deixa-me habituar a isto.

Ele saiu lentamente de dentro de mim, voltando depois a penetrar-me delicadamente, preenchendo-me, estirando-me, duas, três vezes e eu senti-me indefesa.

– Sim, ótimo, já percebi – murmurei, desfrutando da sensação.

Ele gemeu e ganhou ritmo, movendo-se repetidamente… implacavelmente… para diante… para dentro… preenchendo-me… era maravilhoso. Havia alegria no meu desamparo, alegria pelo facto de me estar a render a ele e saber que ele se podia perder em mim da forma que queria. Eu conseguia fazer aquilo. Ele levava-me a locais tenebrosos, locais que não sabia que existiam e juntos inundávamo-los de luz ofuscante.

Oh sim... de uma luz ardente e ofuscante.

Abandonei-me ao meu doce orgasmo e vim-me de novo, ruidosamente, gritando o seu nome, exultante com o que ele provocava em mim. Ele imobilizou-se e verteu o seu coração e a sua alma dentro de mim.

– Ana, querida – gritou, caindo prostrado a meu lado.

Os seus dedos soltaram habilmente as correias e massajou-me os tornozelos e depois os pulsos. Quando terminou e eu fiquei finalmente liberta, puxou-me para os seus braços e acabei por dormitar, exausta.

Quando voltei a emergir, estava enroscada a seu lado e ele estava a olhar para mim. Não fazia ideia de que horas eram.

– Poderia ver-te dormir para sempre, Ana – murmurou, beijando-me a testa.

Sorri e movi-me langorosamente a seu lado.

– Não quero que te vás embora, nunca – disse ele, brandamente, envolvendo-me nos seus braços.

Hum.

– Eu nunca me vou querer ir embora. Nunca me deixes ir embora – murmurei, sonolenta. As minhas pálpebras recusavam-se a abrir.

– Preciso de ti – sussurrou, mas a sua voz era como uma parte de um sonho distante e etéreo. Ele precisava de mim... ele precisava de mim... Quando finalmente mergulhei na escuridão, os meus últimos pensamentos foram sobre um rapazinho de olhos cinzentos e cabelo acobreado sujo e desgrenhado, que me sorria timidamente.

CAPÍTULO DEZASSETE

Hum.

Christian estava a roçar-me o nariz no pescoço e eu ia acordando lentamente.

– Bom dia, querida – sussurrou, mordiscando-me o lóbulo da orelha. Os meus olhos estremeceram e abriram-se, voltando a fechar--se rapidamente. A luz clara do início da manhã inundava o quarto e a sua mão acariciava-me suavemente o seio, estimulando-me delicadamente. Ele baixou a mão e agarrou-me na anca, deitado atrás de mim, prendendo-me contra si.

Espreguicei-me a seu lado, desfrutando do seu toque, e senti a sua ereção contra o meu rabo. *Oh meu Deus.* O serviço de despertar de Christian Grey.

– Estás satisfeito por me ver – balbuciei, sonolenta, torcendo-me sugestivamente contra ele, sentindo o seu sorriso contra o meu maxilar.

– Estou muito satisfeito por te ver – disse ele, passando-me a mão pelo estômago, aninhando-a contra o meu sexo e explorando-o com os dedos. – Acordar junto de si sem dúvida que tem as suas vantagens, Miss Steele – disse ele, num tom provocador, virando-me gentilmente de forma a eu ficar deitada de costas.

– Dormiste bem? – perguntou-me, prosseguindo a sua tortura sensual com os dedos. Estava com aquele sorriso deslumbrante, displicente e perfeito, de modelo masculino americano. Deixava-me sem fôlego.

Comecei a baloiçar as ancas ao ritmo da dança que os seus dedos tinham iniciado. Ele beijou-me castamente nos lábios e depois desceu até ao pescoço, mordiscando-o, beijando-o e sugando-o lentamente, à medida que descia. Gemi. Ele estava a ser delicado e o seu toque era leve e divinal. Os seus dedos intrépidos desceram e ele introduziu lentamente um deles dentro de mim, silvando baixinho, assombrado.

– Oh, Ana – murmurou, reverentemente, contra o meu pescoço.
– Estás sempre pronta. – Movia o dedo ao ritmo dos beijos e os seus lábios viajaram sobre a minha clavícula sem pressas, descendo-me até ao peito. Torturou-me primeiro um mamilo e depois o outro, muito delicadamente, com os dentes e os lábios, e estes contraíram-se e alongaram-se deliciosamente.

Eu gemi.

– Hum – gemeu ele suavemente, erguendo a cabeça e dirigindo-me um olhar cinzento, abrasador. – Quero-te agora. – Esticou o braço para a mesa de cabeceira, passou por cima de mim, apoiando o peso do corpo nos cotovelos, e roçou o nariz no meu, abrindo-me lentamente as pernas com as suas. Depois ajoelhou-se e abriu a embalagem de papel de alumínio.

– Estou ansioso por sábado – disse, com os olhos brilhantes de deleite lascivo.

– Pela tua festa? – perguntei, ofegante.

– Não. É que posso parar de usar estes sacanas.

– Um nome bastante apropriado – disse eu a rir.

Ele sorriu-me afetadamente e colocou o preservativo.

– Está-se a rir, Miss Steele?

– Não – disse eu, tentando em vão ficar séria.

– Não é altura para rir – disse ele, abanando a cabeça, em tom repreensivo. Estava com uma voz grave e severa, mas a sua expressão era em simultâneo glacial e vulcânica – *caramba!*

Contive a respiração.

– Julgava que gostavas de me ouvir rir – sussurrei asperamente, olhando para as profundezas dos seus olhos tempestuosos.

– Agora não. Há horas e locais próprios para rir. Este não é nem uma coisa nem outra. Tenho de te pôr na ordem e acho que sei como o fazer – disse ele, ameaçadoramente, e o seu corpo cobriu o meu.

– O que quer tomar ao pequeno-almoço, Ana?

– Vou comer apenas cereais. Obrigada, Mrs. Jones.

Corei ao ocupar o meu lugar junto de Christian, ao balcão da cozinha. A última vez que vira a decorosa e respeitável Mrs. Jones estava a ser transportada sem cerimónias para o quarto, pendurada no ombro de Christian.

– Estás linda – disse Christian, brandamente. Estava outra vez com a minha saia travada, cinzenta, e a minha blusa de seda cinzenta.

– Tu também – disse eu, sorrindo-lhe timidamente. Ele estava de camisa azul clara e *jeans*, com um ar fresco, descontraído e perfeito, como sempre.

– Devíamos comprar-te mais algumas saias – disse ele, prosaicamente. – Na verdade… adoraria levar-te às compras.

Hum, ir às compras. Eu detestava ir às compras, mas com Christian talvez não fosse assim tão mau. Apostei na distração como melhor forma de defesa.

– Pergunto a mim própria o que irá acontecer no trabalho, hoje.

– Eles vão ter de substituir o monte de esterco – disse Christian, de sobrolho franzido, fazendo uma careta, como se tivesse acabado de pisar algo extraordinariamente desagradável.

– Espero que escolham uma mulher para minha nova chefe.

– Porquê?

– Bom, é que é menos provável que te oponhas a que eu me ausente com ela – disse eu, para o provocar.

Os seus lábios estremeceram e ele começou a comer a omeleta.

– Qual é a graça? – perguntei.

– Tu. Come os cereais todos, se é a única coisa que vais comer.

Autoritário como sempre. Crispei-lhe os lábios, mas continuei a comer.

– A chave entra aqui – disse Christian, apontando para a ignição por baixo das mudanças.

– Que local estranho – murmurei. Estava encantada com todos os pequenos detalhes e praticamente aos saltos como uma criança pequena, sentada no confortável assento de cabedal. Christian deixara-me finalmente conduzir o meu carro.

Olhou-me friamente, embora os seus olhos estivessem carregados de humor.

– Estás bastante excitada com isto, não estás? – murmurou, divertido.

Acenei com a cabeça a sorrir como uma idiota. – Sente-me só este cheiro a carro novo. Isto ainda é melhor do que a Oferta Especial de Submissa... quer dizer... o A3 – acrescentei, rapidamente, corando.

Christian fez um trejeito com a boca.

– Com que então Oferta Especial de Submissa. A menina tem de facto jeito para as palavras, Miss Steele. – Recostou-se no banco fingindo-se incomodado, mas eu não fui na conversa. Sabia que ele estava divertido.

– Vamos embora – disse ele, acenando na direção da entrada da garagem.

Eu bati palmas, pus o carro a trabalhar e o motor ronronou e ganhou vida. Meti a primeira, tirei o pé do travão e o *Saab* arrancou suavemente. Taylor pôs o *Audi* a trabalhar atrás de nós e assim que a barreira da garagem se ergueu, seguiu-nos até à rua.

– Podemos ligar o rádio? – perguntei, enquanto esperávamos no primeiro sinal de stop.

– Quero que te concentres – disse ele, num tom brusco.

– Christian, por favor, eu consigo conduzir com música a tocar. – Revirei os olhos. Ele franziu o sobrolho durante um minuto, acabando por esticar o braço para o rádio.

– Podes ouvir o teu iPod, discos de mp3 e CD aqui – murmurou.

Os acordes doces e ruidosos dos Police inundaram subitamente o carro e Christian baixou a música. *Hum...*

– *King of Pain.*

– O teu hino – disse eu, provocadoramente, mas arrependi-me imediatamente ao vê-lo cerrar os lábios numa linha fina. *Oh não.* – Eu tenho este álbum algures – prossegui, precipitadamente, para o distrair. Hum... algures no apartamento onde passara tão pouco tempo.

Interroguei-me como estaria Ethan. Teria de lhe telefonar hoje. Não devia ter muito que fazer no trabalho.

A ansiedade cresceu-me no estômago. O que iria acontecer quando eu chegasse ao escritório? Será que todos sabiam o que acontecera a Jack? Será que estavam a par do envolvimento de Christian? Será que eu ainda teria emprego? Caramba, o que iria eu fazer sem emprego?

Casa-te com o multimilionário, Ana! O meu subconsciente estava com o seu rosto sarcástico, mas eu ignorei-o – porco ganancioso.

– Eh, Língua Afiada, volta! – disse Christian, fazendo-me regressar ao presente, ao pararmos no semáforo seguinte.

– Estás muito distraída. Concentra-te, Ana – disse ele, repreensivamente. – É quando não nos concentramos que os acidentes acontecem.

Por amor de Deus – fui subitamente catapultada para o tempo em que Ray me estava a ensinar a conduzir. Não precisava de outro pai. Um marido, talvez. Um marido debochado. *Hum.*

– Estou só a pensar no trabalho.

– Vai correr tudo bem, querida, acredita – disse Christian, sorrindo.

– Por favor não interfiras. Por favor, Christian, eu quero fazer isto sozinha. É importante para mim – disse eu, tão brandamente quanto possível. Não queria discutir. Ele voltou a cerrar os lábios numa linha teimosa e rígida, e achei que ele ia voltar a ralhar comigo.

Oh não.

– Não vamos discutir, Christian. Tivemos uma manhã tão boa. A noite de ontem foi … – Faltaram-me as palavras. A noite anterior fora… um paraíso.

Ele não disse nada. Eu olhei-o e ele estava de olhos fechados.

– Sim, um paraíso – disse ele, brandamente. – Eu estava a falar a sério.

– Acerca de quê?

– Eu não quero deixar-te ir embora.

– Eu não me quero ir embora.

Ele sorriu. De novo aquele sorriso tímido, inédito nele, que dissolvia tudo no seu caminho. Era poderoso, bolas.

– Ótimo – respondeu, simplesmente, descontraindo-se visivelmente.

Entrei no parque de estacionamento, a meio quarteirão da SIP.

– Levo-te ao trabalho a pé. O Taylor vai lá buscar-me – sugeriu Christian. Eu saí desajeitadamente do carro, com os movimentos presos pela saia travada, ao contrário de Christian, que saiu com elegância, perfeitamente à vontade com o seu próprio corpo ou, pelo menos, dando a impressão de estar à vontade com o seu próprio corpo. Hum… uma pessoa que não suportava que lhe tocassem não podia estar assim tão à vontade. Franzi o sobrolho à divagação.

– Não te esqueças que nos vamos encontrar com o Flynn esta noite, às sete horas – disse ele, ao estender-me a mão. Carreguei no comando automático das portas e dei-lhe a mão.

– Não me esquecerei. Vou compilar uma lista de perguntas para ele.

– Perguntas? Acerca de mim?

Acenei com a cabeça.

– Posso responder-te a quaisquer perguntas sobre mim. – Christian parecia ofendido.

Eu sorri-lhe.

– Sim, mas eu quero a opinião imparcial do charlatão caro.

Ele franziu o sobrolho e puxou-me subitamente para os seus braços, prendendo-me ambas as mãos atrás das costas com firmeza.

– Será isto boa ideia? – disse ele, num tom de voz grave e rouco. Eu inclinei-me para trás e vi a ansiedade crescer-lhe nos olhos. Despedaçou-me a alma.

– Se não quiseres que eu o faça, não o farei. – Olhei para ele e pestanejei, desejando poder varrer a preocupação do seu rosto com uma carícia. Puxei uma das mãos. Ele soltou-a e toquei-lhe ternamente na cara – estava macia, pois fizera a barba nessa manhã.

– Estás com receio de quê? – perguntei, num tom de voz suave e tranquilizador.

– De que te vás embora.

– Christian, quantas vezes terei de dizer-te que não vou a lado nenhum? Tu já me contaste o pior. Não te vou abandonar.

– Então, porque não me respondeste?

– Responder-te? – murmurei, num tom pouco sincero.

– Sabes de que é que eu estou a falar, Ana.

Suspirei.

– Quero ter a certeza de que chego para ti, Christian. Só isso.

– E não acreditas na minha palavra? – disse ele, exasperado, soltando-me.

– Christian, isto foi tudo tão rápido. Segundo tu próprio admitiste, estás lixado em cinquenta sombras. Eu não posso dar-te o que precisas – murmurei. – Não é vida para mim, mas isso fez-me sentir inadequada, especialmente ao ver-te com a Leila. Quem sabe se um dia não encontrarás alguém que goste de fazer o que tu fazes? Alguém muito mais adequado às tuas necessidades? Quem sabe se tu não... se tu não te apaixonas por ela? – Imaginar Christian com outra pessoa deu-me náuseas e baixei os olhos para os dedos entrelaçados.

– Conheci várias mulheres que gostavam de fazer o que eu faço e nenhuma delas me atraiu da forma como tu me atrais. Nunca tive uma ligação emocional com nenhuma delas. Tu és a única, desde sempre.

– Porque nunca lhes deste hipótese. Passaste demasiado tempo fechado na tua fortaleza, Christian. Escuta, vamos discutir isto mais tarde. Tenho de ir trabalhar. Talvez o Dr. Flynn nos possa dar a sua perspetiva. – Aquilo era uma discussão demasiado pesada para se ter num parque de estacionamento às oito e um quarto da manhã e, por uma vez na vida, Christian pareceu concordar, acenando com a cabeça, mas estava com um olhar receoso.

– Anda – ordenou, estendendo-me a mão.

Quando cheguei à minha secretária, vi um bilhete a pedir-me para ir diretamente ao gabinete de Elizabeth. Senti o coração na boca. Pronto, vou ser despedida.

– Anastasia – disse Elizabeth, sorrindo-me amavelmente, e fazendo-me sinal para me sentar numa cadeira. Sentei-me e olhei para ela, expectante, esperando que ela não ouvisse o coração a martelar-me no peito. Ela ajeitou o cabelo negro e basto e fitou-me com uns olhos sombrios, de um azul cristalino.

– Tenho notícias bastante tristes.

Tristes? Oh, não.

– Chamei-a para a informar de que o Jack abandonou a empresa de forma bastante repentina.

Corei. Isso para mim não era triste. Deveria dizer-lhe que já sabia?

– A sua saída precipitada deixou um lugar vago e nós gostaríamos que o preenchesse por agora, até encontrarmos um substituto.

O quê? Senti o sangue ecoar-se da cabeça. *Eu?*

– Mas eu só cá estou há pouco mais de uma semana.

– Sim, Anastasia, compreendo, mas o Jack sempre foi um defensor das suas aptidões e tinha grandes esperanças em relação a si.

Contive a respiração. Tinha grandes esperanças de saltar para cima de mim, claro.

– Aqui tem uma descrição detalhada das funções. Analise-a bem e poderemos discutir mais logo.

– Mas…

– Por favor, eu sei que isto é repentino, mas você já está em contacto com os autores mais importantes do Jack e as suas notas não passaram despercebidas aos outros editores. Tem uma mente sagaz, Anastasia, e todos nós achamos que vai conseguir.

– Ok. – *Isto é irreal.*

– Pense no assunto. Entretanto poderá ocupar o gabinete do Jack.

Levantou-se e dispensou-me eficazmente, estendendo-me a mão. Eu apertei-lha, completamente aturdida.

– Ainda bem que ele se foi embora – sussurrou ela. Um olhar assombrado perpassou-lhe o rosto. *Com os diabos.* O que lhe teria ele feito?

De regresso à minha secretária, agarrei no meu BlackBerry e telefonei a Christian. Ele atendeu ao segundo toque.

– Anastasia, estás bem? – perguntou, preocupado.

– Acabaram de me dar o lugar do Jack… bom, temporariamente – disse eu, precipitadamente.

– Estás a brincar – sussurrou, perplexo.

– Tiveste alguma coisa a ver com isto? – disse-o num tom de voz mais brusco do que pretendia.

– Não… não, nada mesmo. Quer dizer, com o devido respeito, Anastasia, tu estás aí há pouco mais de uma semana… e não o estou a dizer por indelicadeza.

– Eu sei – disse eu, de sobrolho franzido. – Parece que o Jack me valorizou bastante.

– Não me digas – disse-o num tom de voz gelado e depois suspirou. – Bom, querida, se eles acham que tu consegues, tenho a certeza de que vais conseguir. Parabéns. Devíamos talvez festejar depois de estarmos com o Flynn.

– Hum. Tens a certeza de que não tiveste nada a ver com isto?

Ele ficou em silêncio durante algum tempo e depois disse num tom de voz baixo e ameaçador: – Estás a duvidar de mim? Enfurece-me que o faças.

Engoli em seco. Bolas, enfurecia-se com tanta facilidade.

– Desculpa – sussurrei, acabrunhada.

– Se precisares de alguma coisa, diz-me. Eu estarei aqui. Outra coisa, Anastasia.

– O que é?

– Usa o teu BlackBerry – acrescentou, sucintamente.

– Sim, Christian.

Não desligou como eu esperava, mas respirou fundo.

– Estou a falar a sério. Se precisares de mim, estou aqui. – As suas palavras eram muito mais brandas e conciliatórias. Era tão volátil... as suas oscilações de humor eram como um metrómeno regulado em presto.

– Ok – murmurei. – É melhor ir andando. Tenho de mudar de gabinete.

– Estou a falar a sério. Se precisares de mim... – murmurou.

– Eu sei. Obrigada, Christian. Amo-te.

Senti o seu sorriso do outro lado da linha. Voltara a conquistá-lo.

– Eu também te amo, querida. – Alguma vez me iria fartar de o ouvir dizer-me aquelas coisas?

– Falo contigo mais tarde.

– Adeusinho, querida.

Desliguei e olhei de relance para o gabinete de Jack. O meu gabinete. Com os diabos! – Anastasia Steele, Editora Interina. Quem iria imaginar? Deveria pedir um aumento.

O que iria Jack pensar se soubesse? Estremeci só de imaginar, interrogando-me distraidamente como estaria ele a passar a manhã, pois era óbvio que não estava em Nova Iorque como esperava. Dirigi-me para o meu novo gabinete, sentei-me à secretária e comecei a ler a descrição de funções.

Ao meio-dia e meia, Elizabeth ligou-me.

– Ana, precisamos que esteja presente numa reunião no conselho de administração, à uma. Jerry Roach e Kay Bestie estarão lá, o presidente e a vice-presidente da empresa, percebe? Todos os editores estarão presentes.

Merda.

– Preciso de preparar alguma coisa?

– Não, é apenas uma reunião informal que fazemos uma vez por mês. Será servido almoço.

– Lá estarei – disse eu, desligando o telefone.

Com os diabos! Verifiquei o atual rol de autores de Jack. Sim, já os apanhara praticamente a todos. Tinha os cinco manuscritos que ele estava a promover e mais dois que deveriam realmente ser considerados para publicação. Respirei fundo. Mal conseguia acreditar que já era hora de almoço. O dia passara a correr e eu estava a adorar. A manhã fora tão absorvente. Um tinido do meu calendário anunciou um encontro.

Oh não – Mia! No meio de toda aquela excitação esquecera-me do nosso almoço. Peguei no BlackBerry, procurando freneticamente o seu número de telefone.

O meu telefone tocou.

– Ele está na receção – disse Claire, em voz baixa.

– Quem? – Por instantes pensei que fosse Christian.

– O deus loiro.

– Ethan?

Oh, o que quereria ele? Senti-me imediatamente culpada por não lhe ter telefonado.

Ethan estava de camisa azul de xadrez, *t-shirt* branca e *jeans* e dirigiu-me um sorriso radioso quando apareci.

– Uau! Estás com um ar *sexy*, Steele – disse ele acenando com a cabeça, com um ar apreciador, abraçando-me rapidamente.

– Está tudo bem? – perguntei.

Ele franziu o sobrolho:

– Está tudo bem, Ana. Queria apenas ver-te. Não tinha notícias tuas há algum tempo e queria saber como o Magnata te estava a tratar.

Eu corei e não pude deixar de sorrir.

– Ok – exclamou Ethan, erguendo as mãos. – Pelo sorriso misterioso já percebi que é melhor não saber mais nada. Passei por cá na esperança remota de que pudesses vir almoçar. Matriculei-me em Seattle para começar a fazer umas cadeiras de Psicologia para o meu mestrado, em setembro.

– Oh, Ethan, aconteceu tanta coisa. Tenho um monte de coisas para te contar, mas neste momento não posso porque tenho uma reunião. – De repente tive uma ideia. – Estava aqui a pensar se me poderias fazer um grande favor. – Uni as mãos, à laia de súplica.

– Claro – disse ele, intrigado com o meu pedido.

– Eu devia ir almoçar com a irmã de Christian e Elliot, mas não a consigo apanhar, e esta reunião surgiu-me inesperadamente. Não te importas de a levar a almoçar? Por favor.

– Oh, Ana, não me apetece fazer de ama-seca de uma fedelha qualquer.

– Por favor, Ethan. – Dirigi-lhe o olhar mais azul, demorado e pestanudo que pude. Ele revirou os olhos e percebi que o apanhara.

– Vais ter de me cozinhar alguma coisa – murmurou.

– Claro, o que quiseres, quando quiseres.

– Onde está ela?

– Deve estar a chegar. – Nem de propósito, ouvi a voz dela.

– Ana! – gritou Mia da porta da frente.

Virámo-nos e ali estava ela, toda curvilínea e esguia, com o seu elegante penteado à *garçonne*, de vestido curto, cor de menta, e sapatos de salto alto a condizer, com tiras à volta dos tornozelos esguios. Estava deslumbrante.

– A fedelha? – sussurrou ele, olhando-a pasmado.

– Sim, a fedelha que precisa de ama-seca – sussurrei em resposta. – Olá, Mia. – Dei-lhe um abraço e ela olhou para Ethan de uma forma bastante ostensiva.

– Mia, este é Ethan, o irmão da Kate.

Ele acenou com a cabeça, surpreendido, de sobrancelhas arqueadas. Mia piscou os olhos várias vezes, ao estender-lhe a mão.

– Encantado em conhecê-la – murmurou Ethan, brandamente, e Mia voltou a piscar os olhos, em silêncio, por uma vez na vida. Depois corou.

Oh meu Deus, acho que nunca a tinha visto corar.

– Não vou conseguir ir almoçar – disse, desajeitadamente –, mas o Ethan concordou em levar-te a almoçar, se não te importares. Podemos adiar o nosso almoço?

– Claro – disse ela, calmamente. Mia calma? Aquilo era uma novidade.

– Sim, do resto trato eu. Adeusinho, Ana – disse Ethan, oferecendo o braço a Mia. Ela aceitou-o com um sorriso tímido.

– Adeus, Ana – disse Mia. Depois, virou-se para mim e disse-me apenas como os lábios: – Oh meu Deus! – com uma piscadela de olho exagerada.

Ela gostou dele! Acenei com a mão a ambos, enquanto saíam do edifício, perguntando a mim mesma qual seria a postura de Christian em relação aos namoros da irmã. A ideia deixou-me desconfortável. Ela era da minha idade, portanto ele não se poderia opor, não é?

Mas é com Christian que estamos a lidar. O meu subconsciente sarcástico estava de volta com a sua língua aguçada, casaco de malha e bolsa debaixo do braço. Tentei abstrair-me da imagem. Mia era uma mulher crescida e Christian conseguia ser razoável, certo? Descartei a ideia e voltei para o gabinete de Jack… quer dizer… para o meu gabinete, para me preparar para a reunião.

Eram três e meia quando voltei. A reunião tinha corrido bem. Conseguira até garantir a aprovação dos dois manuscritos cuja publicação defendia. A sensação era inebriante.

Em cima da minha secretária estava um enorme cesto de vime, cheio de deslumbrantes rosas brancas e cor-de-rosa pálido. Uau – só o perfume era divinal. Sorri ao pegar no cartão, pois sabia quem as tinha mandado:

Parabéns, Miss Steele.
Conseguiu tudo sozinha!
Não houve qualquer ajuda do CEO sufocante e megalómano da vizinhança.
Saudades,
Christian

Peguei no meu BlackBerry para lhe mandar um e-mail.

_____

De: Anastasia Steele
Assunto: Megalómano...
Data: 16 de junho de 2011 15:43
Para: Christian Grey

...é o meu tipo preferido de maníaco. Obrigada pelas lindas flores. Chegaram num enorme cesto de vime que me lembra piqueniques e mantas.

Bjs

_____

De: Christian Grey
Assunto: Ar Fresco
Data: 16 de junho de 2011 15:55
Para: Anastasia Steele

Com que então, maníaco. O Dr. Flynn é capaz de ter alguma coisa a dizer acerca disso.

Queres fazer um piquenique?
Podíamos divertir-nos ao ar livre, Anastasia...

Como está a correr o teu dia, querida?

Christian Grey
CEO, Grey Enterprises Holdings Inc.

_____

Oh meu Deus, corei ao ler a sua resposta.

_____

De: Anastasia Steele
Assunto: Agitado
Data: 16 de junho de 2011 16:00
Para: Christian Grey

O dia passou a correr. Mal consegui ter um momento a sós para pensar noutra coisa que não fosse trabalho, mas acho que consigo dar conta do recado!
Conto-te mais quando chegar a casa.
Ao ar livre... parece-me interessante.

Amo-te.

Bjs
A

PS: Não te preocupes com o Dr. Flynn.

———

O meu telefone zuniu. Era Claire, da receção, desesperada para saber quem me tinha mandado flores, e o que acontecera a Jack. Eu perdera os mexericos, pois estivera o dia inteiro enfiada no gabinete. Disse-lhe rapidamente que as flores eram do meu namorado e que sabia muito pouco acerca da saída de Jack. O meu BlackBerry zuniu e vi que tinha outro e-mail de Christian.

———

De: Christian Grey
Assunto: Vou Tentar...
Data: 16 de junho de 2011 16:09
Para: Anastasia Steele

...não me preocupar.

Adeusinho, querida.

Beijo,

Christian Grey

CEO, Grey Enterprises Holding Inc.

———

Às cinco e meia arrumei a minha secretária. Mal podia acreditar como o dia passara a correr. Tinha de regressar ao Escala e preparar-me para ir ter com o Dr. Flynn. Não tiver sequer tempo de pensar em perguntas. Talvez pudéssemos ter um primeiro encontro hoje e Christian me deixasse vê-lo de novo. Porém, ao sair disparada do gabinete, pus a ideia de parte, acenando brevemente com a mão a Claire.

Tinha também de pensar no aniversário de Christian. Já sabia o que lhe ia oferecer. Gostaria de lhe dar o presente hoje à noite, antes de nos encontrarmos com o Dr. Flynn, mas como? Ao lado do parque de estacionamento havia uma pequena loja que vendia bugigangas para turistas. Tive uma inspiração e entrei na loja.

Quando entrei na sala grande, meia hora depois, Christian estava de pé, a falar ao BlackBerry, a olhar lá para fora, através da parede de vidro. Virou-se, fez um grande sorriso e abreviou a chamada.

– Ótimo, Ros. Informa Barney e partiremos daí... Adeus.

Eu estava timidamente parada à entrada e ele veio ao meu encontro. Mudara de roupa e estava agora com uma *t-shirt* branca e uns *jeans*, todo rufia, e *sexy* como o raio. *Eh lá!*

– Boa noite, Miss Steele – murmurou, curvando-se para me beijar. – Parabéns pela sua promoção – disse ele, envolvendo-me nos seus braços. Cheirava deliciosamente.

– Tomaste duche?

– Acabei de ter um treino com Claude.

– Ah, bom.

– Consegui derrubá-lo duas vezes – disse Christian com um grande sorriso infantil, muito satisfeito consigo mesmo. O seu sorriso era contagiante.

– Isso não costuma acontecer?

– Não, e é muito gratificante quando acontece. Tens fome?

Eu abanei a cabeça.

– O quê? – Franziu-me o sobrolho.

– Estou nervosa por causa do encontro com o Dr. Flynn.

– Eu também. Como correu o teu dia? – Largou-me e eu fiz-lhe um breve resumo. Escutou-me atentamente.

– Ah, é verdade… tenho mais uma coisa para te contar – acrescentei. – Eu devia ter ido almoçar com a Mia.

Ele arqueou as sobrancelhas surpreendido.

– Nunca me falaste nisso.

– Eu sei, esqueci-me. Não consegui ir, por causa da reunião, e o Ethan levou-a a almoçar no meu lugar.

O rosto dele ensombrou-se.

– Compreendo. Para de morder o lábio.

– Vou refrescar-me um pouco – disse eu, mudando de assunto e virando-me para sair antes que ele tivesse tempo de reagir.

O consultório do Dr. Flynn ficava a escassos minutos de carro do apartamento de Christian. *Muito à mão para sessões de emergência*, pensei.

– Normalmente venho de casa até aqui a correr – disse Christian, ao estacionar o meu *Saab*. – É um belo carro – disse ele, a sorrir para mim.

– Também acho – respondi, retribuindo-lhe o sorriso. – Christian… eu… – Olhei ansiosamente para ele.

– O que foi, Ana?

– Toma. – Tirei o pequeno presente preto da minha bolsa. – Isto é para o teu aniversário. Queria dar-to agora, mas tens de me prometer que só o abres no sábado, está bem?

Ele pestanejou surpreendido, e engoliu em seco.

– Ok – murmurou cautelosamente.

Respirei fundo e dei-lho, ignorando a sua expressão intrigada. Sacudiu a caixa e esta produziu um ruído bastante satisfatório. Franziu o sobrolho e percebi que ele estava desesperado para ver o que continha. Depois sorriu e os seus olhos iluminaram-se com uma excitação jovial e despreocupada. *Oh meu Deus…* parece ter a idade que tem – está tão bonito.

– Só o podes abrir no sábado – adverti.

– Já entendi – disse ele. – Porque me estás a dar isto agora? – Meteu a caixa no bolso interior do seu casaco listrado azul, junto do coração.

Que apropriado, pensei eu, sorrindo-lhe afetadamente.

– Porque posso, Mr. Grey.

Ele fez um trejeito enviesado com a boca, divertido.

– Roubou-me a frase, Miss Steele.

Fomos conduzidos ao consultório palaciano do Dr. Flynn por uma eficiente e simpática rececionista que cumprimentou Christian caloro-samente – um pouco calorosamente de mais para o meu gosto, pois tinha idade para ser sua mãe. Ele sabia o nome dela.

A sala era discreta – paredes verde-claras, dois sofás verde-escuros em frente de duas poltronas de cabedal – e tinha o ambiente de um clube de cavalheiros. O Dr. Flynn estava sentado a uma secretária, do lado oposto da sala.

Ao entrarmos, ele levantou-se e aproximou-se, reunindo-se a nós na área dos sofás. Usava calças pretas e uma camisa azul-clara de colarinho aberto, sem gravata. Nada parecia escapar aos seus olhos azul-claros.

– Christian – disse ele, sorrindo-lhe e apertando-lhe a mão ami-gavelmente.

– John – Christian retribuiu-lhe. – Lembras-te da Anastasia?

– Como poderia eu esquecer-me? Bem-vinda, Anastasia.

– Ana, por favor – murmurei, enquanto ele me apertava firme-mente a mão. Eu adorava o seu sotaque inglês.

– Ana – disse ele, amavelmente, conduzindo-nos para os sofás.

Christian fez-me sinal para eu me sentar num deles. Sentei-me e tentei parecer descontraída, poisando a mão sobre o braço do sofá. Ele atirou-se para cima do outro sofá, a meu lado, de forma a ficarmos em ângulo reto em relação um ao outro. Entre nós havia uma pequena mesa com um candeeiro simples e eu reparei, com interesse, que havia uma caixa de lenços de papel ao lado do candeeiro.

Aquilo não era o que eu esperava. A imagem que tinha em mente era de uma sala totalmente branca, com uma *chaise-longue* de cabedal preto.

O Dr. Flynn sentou-se numa das poltronas, com um ar descontraído e controlado, e pegou num bloco de notas de cabedal. Christian cruzou as pernas e poisou o tornozelo sobre o joelho, esticando um braço ao longo das costas da cadeira, e o outro na direção da mão que eu tinha poisada sobre os braços do sofá, apertando-a tranquilizadoramente.

– O Christian pediu-me permissão para que a Ana o acompanhasse a uma das nossas sessões – começou por dizer o Dr. Flynn, brandamente. – Devo dizer-lhe que consideramos estas sessões estritamente confidenciais.

Eu arqueei uma sobrancelha a Flynn, interrompendo-o a meio do discurso.

– Ah… é que eu assinei um Acordo de Confidencialidade – murmurei, embaraçada pelo facto de ele se ter calado. Flynn e Christian olharam ambos para mim e Christian largou-me a mão.

– Um Acordo de Confidencialidade? – O Dr. Flynn franziu a testa e olhou interrogativamente para Christian.

Christian encolheu os ombros.

– Inicia todas as suas relações com mulheres com um Acordo de Confidencialidade? – perguntou-lhe o Dr. Flynn.

– As relações contratuais, sim.

O lábio do Dr. Flynn estremeceu.

– Manteve outro tipo de relações com mulheres? – perguntou ele, com um ar divertido.

– Não – respondeu Christian, instantes depois, com um ar igualmente divertido.

– Foi o que eu pensei. – O Dr. Flynn voltou a desviar a sua atenção para mim. – Bom, creio que não teremos de nos preocupar com questões de confidencialidade, mas gostaria de vos sugerir que discutissem ambos esse assunto, quando vos for oportuno. Pelo que me é dado a entender, vocês já não mantêm esse tipo de relação contratual.

– Será outro tipo de contrato, se Deus quiser – disse Christian, brandamente, olhando-me de relance. Eu corei e o Dr. Flynn semicerrou os olhos.

– Ana, terá de me perdoar, mas é provável que eu saiba muito mais acerca de si do que pensa. O Christian tem sido bastante acessível.

Olhei nervosamente para Christian. O que lhe teria ele contado?

– Um Acordo de Confidencialidade? – prosseguiu ele. – Isso deve-a ter chocado.

Eu pisquei-lhe os olhos.

– Oh, creio que o choque que tive se revelou insignificante, atendendo às mais recentes revelações de Christian – respondi, num tom de voz suave e hesitante. Parecia tão nervosa.

– Estou certo de que sim – disse o Dr. Flynn, sorrindo-me amavelmente. – Então, Christian, de que gostaria de falar?

Christian encolheu os ombros como um adolescente mal-humorado.

– Foi a Anastasia que quis vir falar consigo, talvez fosse melhor perguntar-lhe a ela. – A surpresa voltou a transparecer no rosto do Dr. Flynn, que me fitou com um olhar sagaz.

Com os diabos. Aquilo era mortificante.

Eu baixei os olhos para os dedos.

– Sentir-se-ia mais confortável se Christian nos deixasse a sós, durante algum tempo?

Os meus olhos desviaram-se bruscamente para Christian. Ele olhava-me com um ar expectante.

– Sim – sussurrei.

Christian franziu o sobrolho e abriu a boca, mas voltou a fechá-la prontamente, levantando-se num único movimento rápido e elegante.

– Estou na sala de espera – disse ele, cerrando os lábios em linha fina, com um ar mal humorado.

Oh não.

– Obrigado, Christian – disse o Dr. Flynn, com um ar impassível.

Christian dirigiu-me um olhar penetrante e demorado, saindo impetuosamente da sala, mas não bateu com a porta. Ufa! Descontraí-me imediatamente.

– Ele intimida-a?

– Sim, mas não tanto como antes. – Senti-me desleal mas era a verdade.

– Isso não me surpreende, Ana. Em que a posso ajudar?

Olhei para os meus dedos entrelaçados. O que poderia eu perguntar-lhe?

– Dr. Flynn, nunca tive uma relação antes e o Christian ... bom, o Christian é o Christian. Aconteceu muita coisa na última semana e não tive hipótese de refletir sobre o assunto.

– Sobre o que é que precisa de refletir?

Eu olhei-o de relance e ele estava com a cabeça inclinada para um lado, a olhar-me com compaixão, creio eu.

– Bom... o Christian disse-me que abandonará de bom grado... hum. – Tropecei nas palavras e calei-me. Falar naquilo era muito mais difícil do que eu imaginava.

O Dr. Flynn suspirou:

– Ana, você fez mais progressos com o meu paciente no curto espaço de tempo que passou, desde que o conheceu, do que eu, nos últimos dois anos. Você teve um efeito profundo nele. Certamente que já se apercebeu disso.

– Ele também teve um efeito profundo em mim, só que eu não sei se chego para satisfazer as suas necessidades – sussurrei.

– É disso que precisa? De encorajamento?

Acenei afirmativamente.

– As necessidades mudam – disse ele, simplesmente. – O Christian deu consigo numa situação em que os seus métodos de lidar com a vida já não resultam. Você forçou-o muito simplesmente a confrontar alguns dos seus demónios e a reconsiderar.

Pisquei-lhe os olhos. Aquilo correspondia ao que Christian me dissera.

– Sim, os seus demónios – murmurei.

– Nós não pensamos neles, pois pertencem ao passado. Christian sabe quais são os seus demónios, tal como eu, e agora estou certo de que você também sabe. Estou muito mais interessado no futuro e em conduzir o Christian a um espaço onde ele queira estar.

Franzi o sobrolho e ele arqueou uma sobrancelha.

– O termo técnico é TBOS... desculpe. – Sorriu. – Significa Terapia Breve Orientada para as Soluções e é uma terapia essencialmente orientada para um objetivo. Concentramo-nos no espaço em que o Christian gostaria de estar e na forma de o guiar até lá. É uma abordagem dialética. Não vale a pena penitenciarmo-nos acerca do passado, tudo aquilo que já foi abordado pelos médicos, psicólogos e psiquiatras que Christian consultou até hoje. Sabemos porque é que ele está como está, mas o importante é o futuro. O espaço em que Christian se imagina e em que deseja estar. Foi preciso que você o abandonasse para que ele levasse a sério esta forma de terapia. Percebeu que o seu objetivo é manter uma relação amorosa consigo – tão simples quanto isso – e é nisso que estamos a trabalhar agora. É claro que há obstáculos – a sua afefobia, por exemplo.

A sua quê? Arquejei.

– Desculpe. Refiro-me ao seu medo de ser tocado – disse o Dr. Flynn, abanando a cabeça, como se estivesse a censurar-se a si mesmo. – Estou certo de que já se apercebeu disso.

Corei e acenei com a cabeça. *Ah, isso!*

– Ele tem uma repugnância mórbida por si mesmo. Tenho a certeza de que isso não é surpresa nenhuma para si. Há também a questão da parassónia, é claro… hum… terrores noturnos, para os leigos.

Eu pisquei-lhe os olhos, tentando assimilar todos aqueles palavrões. Eu sabia de tudo isso, mas Flynn ainda não abordara a minha principal preocupação.

– Mas ele é um sádico e, como tal, tem certamente necessidades que eu não posso satisfazer.

O Dr. Flynn revirou os olhos e cerrou os lábios numa linha rígida.

– Isso já não é reconhecido como um termo psiquiátrico. Não sei quantas vezes lhe disse isso. Desde os anos noventa que não é sequer classificado como uma parafilia.

O Dr. Flynn despistara-me de novo. Pisquei-lhe os olhos e ele sorriu-me amavelmente.

– É uma implicância minha – disse ele, abanando a cabeça. – O Christian pensa sempre o pior de qualquer situação. Isso tem a ver com a repugnância que sente por si mesmo. É claro que o sadismo sexual existe, mas não é uma doença, é uma opção, um estilo de vida. Se for praticado numa relação segura e sã, entre adultos consensuais, não constitui problema. Tanto quanto sei, o Christian conduziu todas as suas relações BDSM dessa forma. Você é a primeira amante que não consentiu nisso e por isso ele não está disposto a fazê-lo.

Amante!

– Mas certamente que não é assim tão simples.

– Porque não? – perguntou o Dr. Flynn encolhendo os ombros, amigavelmente.

– Bom... as razões por que o faz.

– É aí que bate o ponto, Ana. Em termos de terapia orientada para as soluções, é tão simples quanto isso. O Christian quer estar consigo e, para o conseguir, precisa de renunciar aos aspetos mais extremos desse tipo de relação. Afinal de contas o que você está a pedir não é descabido de todo... pois não?

Corei. Não era descabido, pois não?

– Penso que não, mas receio que ele o ache.

– Christian reconhece que não e tem agido em conformidade. Ele não é louco. – O Dr. Flynn suspirou. – Em suma, não é um sádico, Ana. É um jovem brilhante zangado e assustado, que teve a pouca sorte de nascer num ambiente adverso. Poderemos todos penitenciar-nos por isso e analisar até à exaustão o quem, o como e o porquê, ou permitir que o Christian siga em frente e decida como quer viver. Ele encontrou algo que resultou mais ou menos para ele durante alguns anos mas, desde que a conheceu, isso deixou de funcionar e está a mudar a sua forma de agir em consequência disso. Nós os dois temos de respeitar a sua escolha e apoiá-lo no processo.

– É esse o meu encorajamento?

– Melhor não posso fazer, Ana. Nada é garantido nesta vida. – Sorriu. – Esta é a minha opinião profissional.

Eu sorri também, debilmente. Piadas de médico... *caramba*.

– Mas ele compara-se a um alcoólico em recuperação.

– O Christian irá sempre pensar o pior de si mesmo. Como já disse, tem a ver com a repugnância que sente por si próprio. Está na sua constituição, independentemente de tudo o resto. Naturalmente que está ansioso por fazer esta mudança na sua vida. Possivelmente está a expor-se a todo um novo universo de dor emocional, da qual teve, aliás, uma amostra quando você o abandonou. Naturalmente que está apreensivo. – O Dr. Flynn fez uma pausa. – Não é minha intenção enfatizar como é importante o seu papel na conversão Damascena do Christian – a sua estrada para Damasco – mas é. O Christian não estaria onde está se não a tivesse conhecido. Pessoalmente, não considero a analogia do alcoólico muito boa, mas se por agora está a resultar para ele, acho que deveríamos dar-lhe o benefício da dúvida.

Dar o benefício da dúvida a Christian. A ideia fez-me franzir o sobrolho.

– O Christian é um adolescente em termos emocionais, Ana. Essa fase da sua vida escapou-lhe por completo. Canalizou todas as suas energias para o sucesso no mundo dos negócios, e conseguiu-o, ultrapassando todas as expectativas. O seu universo emocional tem de correr para o apanhar.

– Como poderei ajudá-lo, então?

O Dr. Flynn riu.

– Continue a fazer o que está a fazer – disse ele, sorrindo. – O Christian está perdidamente apaixonado. Dá gosto de ver.

Corei. A minha deusa interior abraçava-se a si mesma, rejubilante. Mas algo me estava a preocupar.

– Posso perguntar só mais uma coisa?

– Claro.

Respirei fundo.

– Uma parte de mim acha que se ele não estivesse tão destruído… não me quereria.

O Dr. Flynn arqueou bruscamente as sobrancelhas, surpreendido.

– É muito negativo da sua parte dizer uma coisa dessas de si própria, Ana, e para ser franco, revela muito mais acerca de si do que acerca de Christian. Não é o ódio que ele sente por si próprio, mas estou surpreendido.

– Bom, então olhe para ele… e depois olhe para mim.

O Dr. Flynn franziu o sobrolho.

– Já o fiz e vejo um jovem e uma jovem atraentes. Porque não se considera atraente, Ana?

Oh não… Eu não queria que a conversa fosse acerca de mim. Baixei os olhos para os dedos. Alguém bateu bruscamente à porta e dei um salto. Christian voltou a entrar na sala, olhando furioso para ambos. Eu corei e olhei rapidamente para Flynn, que estava a sorrir benignamente a Christian.

– Bem-vindo de volta, Christian – disse ele.

– Acho que o tempo acabou, John.

– Quase. Christian, junte-se a nós.

Christian sentou-se, desta vez a meu lado, poisando-me possessivamente a mão sobre o joelho, e o seu gesto não passou despercebido ao Dr. Flynn.

– Tinha mais alguma pergunta, Ana? – perguntou o Dr. Flynn. A sua preocupação era evidente. Merda... não devia ter feito aquela pergunta. Abanei a cabeça.

– Christian?

– Hoje não, John.

Flynn acenou com a cabeça.

– Talvez seja benéfico que voltem os dois outra vez. Tenho a certeza de que a Ana terá mais perguntas para fazer.

Christian assentiu relutantemente.

Eu corei. Merda... Ele queria aprofundar. Christian agarrou-me na mão e olhou-me atentamente.

– Tudo bem? – perguntou, brandamente.

Eu sorri-lhe e acenei com a cabeça. Sim, vamos apostar no benefício da dúvida, graças ao bom doutor de Inglaterra.

Christian apertou-me a mão e virou-se para Flynn.

– Como está ela? – perguntou, brandamente.

Eu?

– Ela vai lá – disse ele, tranquilizadoramente.

– Ótimo. Mantenha-me informado sobre a evolução dela.

– Assim farei.

Merda, estavam a falar da Leila.

– Vamos festejar a tua promoção? – perguntou-me Christian, enfaticamente.

Eu acenei timidamente e Christian levantou-se.

Despedimo-nos do Dr. Flynn e Christian conduziu-me para fora do edifício, com uma pressa despropositada.

Ao chegarmos à rua virou-se para mim.

– Que tal foi? – Estava com uma voz ansiosa.

– Foi bom.

Ele olhou-me desconfiado e inclinei a cabeça para um lado.

– Mr. Grey, por favor não olhe assim para mim. Vou dar-te o benefício da dúvida, por indicação do doutor.

– O que quer isso dizer?

– Verás.

Ele fez um trejeito com a boca e semicerrou os olhos.

– Entra no carro – ordenou, abrindo a porta do passageiro do *Saab*.

Oh, mudança de direção. O meu BlackBerry zuniu e eu tirei-o da bolsa.

Merda, José!

– Olá!

– Olá, Ana...

Fitei o Cinquenta, que me olhava desconfiado. – José – disse-lhe eu com os lábios. Ele olhou-me impassível, mas o seu olhar endureceu. Julgaria ele que eu não percebia? Voltei a concentrar a minha atenção no José.

– Desculpa não te ter telefonado. É acerca de amanhã? – perguntei ao José, mas olhei para Christian.

– Sim. Escuta, falei com um tipo da casa de Grey, para saber onde poderia entregar as fotos e devo lá chegar entre as cinco e as seis... depois disso estou livre.

Oh.

– Bom, eu agora tenho ficado em casa do Christian, e ele diz que tu também lá podes ficar, se quiseres.

Christian cerrou os lábios numa linha rígida. Hum – mas que grande anfitrião que ele era.

José ficou em silêncio um minuto, a assimilar as notícias, e eu retraí-me. Ainda não tivera hipótese de lhe falar acerca do Christian.

– Ok – disse ele, finalmente. – Essa história com o Grey é séria?

Virei-me de costas para o carro e caminhei até ao outro lado do passeio.

– Sim.

– Séria até que ponto?

Revirei os olhos e calei-me. Porque tinha Christian de estar a ouvir?

– Séria.

– Ele está contigo, agora? É por isso que estás a falar por monos-sílabos?

– Sim.

– Ok. Então, e podes sair amanhã?

– Claro que posso. – Tinha esperanças disso. Cruzei automatica-mente os dedos.

– Então onde me encontro contigo?

– Podias ir buscar-me ao trabalho – sugeri.

– Ok.

– Mando-te uma mensagem com a morada.

– A que horas?

– Seis?

– Claro. Vemo-nos lá, então. – Desliguei o telefone e virei-me. Christian estava encostado ao carro a observar-me atentamente, com uma expressão ilegível.

– Como está o teu amigo? – perguntou, friamente.

– Está bem. Vai buscar-me ao trabalho e acho que vamos tomar uma bebida. Queres vir connosco?

Christian hesitou. Os seus olhos cinzentos estavam frios.

– Achas que ele não vai tentar fazer nada?

– Não. – Disse-o num tom de voz exasperado, mas evitei revirar os olhos.

– Ok – disse Christian erguendo as mãos, vencido. – Vai sair com o teu amigo e vemo-nos mais tarde, à noite.

Eu estava à espera de uma discussão e a facilidade com que aceitou a situação apanhou-me de surpresa.

– Vês? Eu consigo ser razoável – disse ele com um sorriso afetado.

Fiz um trejeito com a boca. Veremos.

– Posso conduzir?

Christian piscou os olhos, surpreendido com o meu pedido.

– Preferia que não conduzisses.

– Porquê, exatamente?

– Porque não gosto de ser transportado.

– Esta manhã deixaste e pareceste tolerar o facto de ser o Taylor a transportar-te.

– Eu confio tacitamente na condução do Taylor.

– E na minha não? – Levei as mãos às ancas. – Sinceramente, o teu espírito controlador não tem limites. Eu conduzo desde os quinze anos.

Respondeu com um encolher de ombros, como se isso fosse irrelevante. Era tão exasperante! Benefício da dúvida? Uma fava!

– Este carro não é meu? – perguntei, enfaticamente.

Ele franziu-me o sobrolho.

– É claro que o carro é teu.

– Então, dá-me as chaves, por favor. Conduzi-o duas vezes e só para ir e vir do trabalho e agora tu é que estás a ter o gozo todo. – Eu estava com o ar mais amuado deste mundo e os lábios de Christian estremeceram, contendo um sorriso.

– Mas tu não sabes onde vamos.

– Estou certa de que me poderá esclarecer, Mr. Grey. Soube fazê-lo bastante bem até agora.

Ele olhou para mim, surpreendido, dirigindo-me aquele sorriso tímido inédito que me desarmava e me deixava sem fôlego.

– Isso é que foi um bom trabalho.

Corei.

– Basicamente foi.

– Bom, nesse caso... – Passou-me as chaves, contornou o carro até à porta do condutor e abriu-ma.

– Vira à esquerda aqui – ordenou-me Christian, e virámos para norte, na direção da I-5.

– Raios, Ana... devagar. – disse ele, agarrando-se ao *tablier*.

Ah, por amor de Deus. Revirei os olhos, mas não me virei para olhar para ele. Van Morrison cantava em música de fundo, através das colunas do carro.

– Abranda!

– Estou a abrandar!

Christian suspirou.

– O que disse o Flynn? – Senti a ansiedade invadir-lhe a voz.

– Já te disse. Aconselhou-me a dar-te o benefício da dúvida. –

Raios, talvez fosse melhor ter deixado Christian conduzir, pois poderia observá-lo. Na verdade… fiz sinal para parar.

– O que estás a fazer? – disse ele, alarmado, num tom brusco.

– Estou a deixar-te conduzir.

– Porquê?

– Para poder olhar para ti.

Ele deu uma gargalhada.

– Não, não, tu querias conduzir, portanto conduzes e eu é que olho para ti.

Franzi-lhe o sobrolho.

– Olha para estrada! – gritou.

O meu sangue ferveu. Muito bem! Parei junto do passeio, mesmo antes de um semáforo, saí de rompante do carro, bati com a porta, e fiquei parada no passeio, de braços cruzados. Olhei-o, furiosa, e ele saiu do carro.

– O que estás a fazer? – perguntou ele, furioso, olhando para mim.

– Não. O que estás tu a fazer?

– Não podes estacionar aqui.

– Eu sei.

– Então porque estacionaste?

– Porque já não suporto que me dês ordens aos gritos. Ou paras de criticar a minha condução, ou conduzes tu!

– Anastasia, volta para o carro antes que apanhemos uma multa.

– Não.

Ele piscou-me os olhos, totalmente desorientado, passou as mãos pelo cabelo e a raiva deu lugar à perplexidade. De repente, ficou com um ar tão cómico que não pude deixar de lhe sorrir. Franziu-me o sobrolho.

– O que foi? – disse ele, de novo num tom brusco.

– És tu.

– És a mulher mais frustrante do planeta, Anastasia – disse ele, erguendo ambas as mãos. – Está bem, eu conduzo. – Agarrei-lhe nas abas do casaco e puxei-o para mim.

– Não. O senhor é que é o homem mais frustrante do planeta, Mr. Grey.

Ele olhou para mim, com um olhar sombrio e intenso, e enlaçou-me pela cintura, abraçando-me e puxando-me contra si.

– Nesse caso, talvez sejamos feitos um para o outro – disse ele, brandamente, respirando fundo, com o nariz no meu cabelo. Abracei-o e fechei os olhos e senti-me descontrair, pela primeira vez desde essa manhã.

– Ana, Ana, Ana – sussurrou, de lábios mergulhados no meu cabelo. Apertei-o mais nos meus braços e ficámos ambos imóveis, desfrutando de um inesperado momento de tranquilidade, no meio da rua. Ele largou-me e abriu-me a porta do passageiro. Entrei e sentei-me em silêncio, observando-o, enquanto ele contornava o carro.

Christian voltou a pôr o carro a trabalhar e voltou ao trânsito, a trautear Van Morrison distraidamente.

Eh lá. Eu nunca o ouvira cantar, nem mesmo no duche. Franzi o sobrolho. Tinha uma bela voz... é claro. Hum... alguma vez ele me teria ouvido cantar?

Se te tivesse ouvido, não te teria pedido para casares com ele! O meu subconsciente estava de braços cruzados, todo ele de xadrez Burberry. A canção terminou e Christian sorriu.

– Se tivéssemos apanhado uma multa, o registo de propriedade deste carro estava em teu nome, sabes?

– Bom, ainda bem que fui promovida, para poder pagar a multa – disse eu, presunçosamente, olhando para o seu lindo perfil. Os lábios dele estremeceram. Ao entrar na rampa de acesso da I-5, em direção a norte, começou outra música de Van Morrison.

– Onde vamos?

– É surpresa. O que mais disse o Flynn?

Suspirei.

– Falou na BBBTOS ou coisa que o que valha.

– TBOS, a última opção de terapia – murmurou ele.

– Experimentaste outras?

Christian conteve uma gargalhada.

– Querida, fui sujeito a todas elas. Cognitivismo, Freud, funcionalismo, Gestalt, behaviourismo... fiz tudo o que possas imaginar, ao longo dos anos – disse ele e o seu tom de voz denunciou a sua amargura. O rancor na sua voz era perturbante.

– Achas que esta última abordagem poderá ajudar?

– O que disse o Flynn?

– Disse para não remoermos no teu passado e concentrarmo-nos no futuro – no futuro que desejas para ti.

Christian acenou com a cabeça, mas encolheu os ombros ao mesmo tempo, com uma expressão cautelosa.

– E que mais? – insistiu ele.

– Falou no teu medo de seres tocado, embora lhe chamasse outra coisa. Falou também nos teus pesadelos e na repugnância que sentes por ti mesmo. – Olhei-o de relance e ele estava pensativo, a chupar na unha do polegar, enquanto conduzia, à luz do crepúsculo. Olhou bruscamente para mim:

– Olhos na estrada, Mr. Grey – disse eu, num tom repreensivo, arqueando-lhe uma sobrancelha.

Ele parecia divertido e ligeiramente exasperado.

– Falaram durante uma eternidade, Anastasia. O que mais disse ele? Engoli em seco.

– Ele não acha que tu sejas um sádico – sussurrei.

– A sério? – disse Christian calmamente, de sobrolho franzido, e o ambiente no carro caiu a pique.

– Diz que esse termo não é reconhecido em psiquiatria desde os anos noventa – murmurei rapidamente, tentando salvar o ambiente entre nós.

O rosto de Christian ensombrou-se e ele suspirou longamente.

– O Flynn e eu temos opiniões diferentes acerca disso – disse ele, calmamente.

– Ele diz que tu pensas sempre o pior acerca de ti próprio e eu sei que isso é verdade – murmurei. – Falou também em sadismo sexual, mas disse que era uma opção em termos de estilo de vida e não um problema psiquiátrico. Talvez seja nisso que estejas a pensar.

Os seus olhos voltaram a fitar-me brevemente e ele cerrou os lábios numa linha sombria.

– Então, bastou falares uma vez com o bom do doutor para te tornares uma conhecedora – disse ele, num tom ácido, voltando a olhar em frente.

Oh céus... Suspirei.

– Escuta, se não queres ouvir o que ele disse, não me perguntes – murmurei, brandamente.

Eu não queria discutir. De qualquer forma ele tinha razão – o que raio sabia eu daquela merda? Teria sequer interesse em saber? Poderia enumerar as questões mais evidentes – o seu espírito controlador, a sua possessividade, os seus ciúmes, a sua superproteção – e percebia perfeitamente de onde tudo aquilo vinha. Conseguia até perceber porque é que ele não gostava que lhe tocassem, pois vira as cicatrizes físicas, mas tinha apenas uma vaga ideia das cicatrizes mentais e só tivera um vislumbre dos seus pesadelos uma vez. Além disso, o Dr. Flynn dissera...

– Quero saber do que falaram – disse Christian, interrompendo os meus pensamentos, ao sair da I-5 pela saída 172, em direção a oeste e ao Sol que se afundava lentamente.

– Ele disse que eu era tua amante.

– Não me digas? – O seu tom era conciliatório. – Ele emprega termos bastante fastidiosos, mas parece-me uma descrição exata, não achas?

– Encaravas as tuas submissas como amantes?

Christian franziu a testa mais uma vez, mas desta vez estava a pensar. O *Saab* voltou a virar suavemente em direção a norte. *Onde iríamos nós?*

– Não, eram parceiras sexuais – murmurou de novo num tom cauteloso. – Tu és a minha única amante e quero que sejas mais do que isso.

Oh... lá estava de novo aquela palavra mágica cheia de promessas. Ouvi-la fez-me sorrir e abracei-me interiormente, tentando conter a minha alegria.

– Eu sei – disse eu, fazendo um esforço para esconder a minha excitação. – Precisava apenas de algum tempo, para assimilar estes últimos dias. – Ele olhou-me estranhamente, com um ar perplexo, inclinando a cabeça para um lado.

Instantes depois, o semáforo onde estávamos parados ficou verde. Ele acenou com a cabeça, pôs a música mais alto e a nossa conversa terminou.

Van Morrison continuava a cantar – agora num tom mais otimista – sobre uma noite maravilhosa para dançar ao luar. Olhei através da janela, contemplando os pinheiros salpicados pela luz dourada e mortiça do poente, projetando as suas longas sombras na estrada. Christian virara para uma rua residencial e dirigíamo-nos para oeste, em direção ao Sound.

– Onde vamos? – perguntei, de novo, ao virarmos para uma estrada. Depois vi uma placa sinalizadora: 9.ª Av. Nova Iorque. Estava intrigada.

– É surpresa – disse ele, sorrindo misteriosamente.

CAPÍTULO DEZOITO

Christian continuou a conduzir, passando por casas térreas e bem conservadas, de madeira, onde se viam miúdos a jogar basquetebol em pátios, ou a andar de bicicleta e a correr na rua. Todo o cenário parecia próspero e sadio, com as casas aninhadas entre as árvores. Talvez fôssemos visitar alguém. Mas quem?

Alguns minutos depois, Christian virou bruscamente para a esquerda e deparámo-nos com uns portões brancos, de ferro ornamentado, num muro de arenito de um metro e oitenta de altura. Christian carregou num botão no puxador da sua porta e a janela elétrica zuniu suavemente até ao fundo. Digitou um número no teclado numérico e os portões abriram-se acolhedoramente.

Olhou-me de relance e a sua expressão mudou. Parecia hesitante, dir-se-ia até nervoso.

– O que foi? – perguntei, incapaz de esconder a preocupação na voz.

– Uma ideia – disse ele, em voz baixa, entrando lentamente com o *Saab* pelo portão.

Percorremos um caminho ladeado de árvores, apenas com largura para dois carros. De um dos lados, as árvores circundavam uma área densamente arborizada, e do outro lado havia uma vasta extensão de erva, um campo outrora cultivado, mas agora em pousio, invadido de ervas e flores silvestres, que lhe conferiam a aparência de um paraíso rural – um prado onde a brisa do anoitecer ondulava subtilmente na erva e o sol de fim de tarde dourava as flores silvestres. Era lindo, absolutamente sereno, e eu imaginei-me subitamente deitada na erva, a olhar para um céu azul-claro de verão. A ideia era tentadora, mas por qualquer razão desconhecida fez-me sentir saudades de casa. Que estranho. A estrada descrevia uma curva e desembocava num amplo caminho de acesso em frente de uma casa impressionante, de estilo Mediterrânico e paredes de arenito rosa-pálido. Era palaciana. Todas as luzes estavam acesas e todas as janelas iluminadas à luz do crepúsculo. Um elegante *BMW* preto estava estacionado em frente de uma garagem de quatro automóveis, mas Christian parou em frente do imponente alpendre da entrada.

Hum... Perguntei a mim mesma quem viveria ali e porque iríamos visitá-los?

Christian olhou-me ansiosamente e desligou o motor do carro.

– Vais manter a mente aberta? – perguntou-me.

Franzi o sobrolho.

– Christian, desde o dia em que te conheci que tenho de manter a mente aberta.

Ele sorriu ironicamente e acenou com a cabeça.

– Bem visto, Miss Steele. Vamos.

As portas de madeira escura abriram-se. Uma mulher de cabelo castanho-escuro, com um sorriso sincero e um elegante fato lilás estava à nossa espera. Senti-me grata por ter optado pelo meu vestido azul-escuro, novo, de corte direito, para impressionar o Dr. Flynn. Ok, não calçara uns sapatos de salto alto, com a classe dos dela, mas ainda assim não estava de *jeans*.

– Mr. Grey – disse ela, sorrindo calorosamente, e apertaram ambos as mãos.

– Miss Kelly – disse ele, cortesmente.

Sorriu para mim e estendeu-me o braço e eu apertei-lhe a mão. O momento em que corou e foi como se dissesse "Mas que sonho de homem, quem me dera que fosse meu" não me passou despercebido.

– Olga Kelly – disse ela, despreocupadamente.

– Ana Steele – murmurei, em resposta. Quem seria aquela mulher? Ela desviou-se, acolhendo-nos no interior da casa. Quando entrei, fiquei chocada. A casa estava vazia, completamente vazia. Estávamos num grande *hall* de entrada. As paredes, numa tonalidade debotada de amarelo prímula, estavam raspadas nos locais onde outrora deviam ter quadros pendurados. Tudo o que restava eram os candeeiros antiquados de cristal. Os soalhos eram de madeira rija e baça. Havia portas fechadas de ambos os lados, mas Christian não me deu tempo para assimilar o que se estava a passar.

– Anda – disse ele, dando-me a mão e conduzindo-me pela arcada diante de nós, até um vestíbulo interior, ainda maior, dominado por uma ampla escadaria curva, com uma intrincada balaustrada de metal. Mas nem aí parou, conduzindo-me até à sala de estar principal. Tirando um enorme tapete dourado, debotado – o maior tapete que eu já vira em toda a minha vida – a sala estava vazia. Ah, e tinha quatro lustres de cristal.

Mas as intenções de Christian tornaram-se claras ao atravessarmos a sala e sairmos para uma grande varanda de pedra, através de umas janelas de portada, abertas. Por baixo de nós havia meio campo de futebol de relva bem tratada, e para lá deste, a vista. *Uau.*

A vista panorâmica, ininterrupta, era de cortar a respiração, eu diria mesmo assombrosa: o crepúsculo sobre o Sound. À distância via-se a ilha de Bainbridge e, mais adiante, o sol poente a afundar-se lentamente, por trás do Olympic National Park, brilhando em tons de sangue e laranja fogo, naquele fim de tarde cristalino. Nuances escarlate vertiam-se no céu azul-celeste, em tons de opala e água-marinha, fundindo-se com os tons de púrpura mais escuros das nuvens dispersas e esfarrapadas, e com a terra, para lá do Sound. A natureza no seu melhor, uma sinfonia visual orquestrada no céu, refletida nas águas profundas e calmas do Sound. Perdi-me na vista – de olhos fixos nela, tentando absorver toda aquela beleza.

Apercebi-me de que estava a conter a respiração – deslumbrada – e que Christian ainda me estava a segurar na mão. Quando desviei relutantemente os olhos da paisagem, ele estava a olhar para mim, com um ar ansioso.

– Trouxeste-me aqui para admirar a vista? – sussurrei.

Ele acenou com a cabeça, com uma expressão séria.

– É assombrosa, Christian, obrigada. – murmurei, permitindo que os meus olhos desfrutassem mais uma vez dela. Ele largou-me a mão.

– Que tal poderes olhar para ela durante o resto da tua vida? – perguntou num murmúrio.

O quê? Virei bruscamente o rosto para ele e os meus olhos azuis, sobressaltados, fundiram-se com o cinzento melancólico dos seus. Creio que fiquei de boca aberta e olhei para ele, pasmada, sem expressão.

– Eu sempre quis viver na costa. Cobiço estas casas sempre que percorro o Sound de barco. Esta casa não está no mercado há muito tempo. Quero comprá-la, demoli-la e construir uma casa nova, para nós – sussurrou e os seus olhos brilharam, deixando transparecer as suas esperanças e sonhos.

Com os diabos. Consegui manter-me direita, mas estava vacilante. *Viver aqui, nesta magnífica enseada para o resto da minha vida…*

– É só uma ideia – acrescentou, cautelosamente.

Olhei de relance para trás, avaliando o interior da casa. Quanto valeria? Cinco, dez milhões de dólares? Não fazia ideia. Caramba.

– Porque queres demoli-la? – perguntei, olhando de novo para ele. Ele ficou com uma expressão desanimada. *Oh não.*

– Gostaria de construir uma casa mais sustentável, utilizando as mais recentes técnicas ecológicas. O Elliot poderia construí-la.

Voltei a olhar para a sala. Miss Olga Kelly estava do lado oposto, a passarinhar à entrada. Ela era a agente imobiliária, claro. Reparei que a sala era enorme e tinha um pé direito duplo, um pouco como a sala grande do Escala. Por cima havia uma galeria – que deveria ser o patamar do segundo andar. Havia uma grande lareira e uma fiada de janelas com portada que davam acesso à varanda. Tinha um encanto europeu.

– Podemos dar uma volta pela casa?

Ele piscou-me os olhos.

– Claro – respondeu, encolhendo os ombros, intrigado.

Ao voltarmos para dentro, o rosto de Miss Kelly iluminou-se como se fosse dia de Natal. Estava encantada por nos poder mostrar a casa e fazer-nos o seu discurso.

A casa era enorme. Mil cento e catorze metros quadrados em dois hectares e meio de terreno. Para além da sala de estar, havia a sala de jantar – ou melhor, a sala de banquetes – a cozinha, com uma sala de estar familiar, contígua – *família!* –, uma sala de música, uma biblioteca, um escritório e, para meu grande espanto, uma piscina interior e um ginásio, com sauna e sala de banhos de vapor. Lá em baixo, na cave, havia uma sala de cinema – *caramba* – e uma sala de jogos. Hum… que tipo de jogos se poderiam jogar ali?

Miss Kelly apontou-nos todo o tipo de particularidades, mas a casa era basicamente linda e era evidente que fora em tempos a casa de uma família feliz. Agora estava um pouco decrépita; nada que não se resolvesse com um pouco de amor e carinho.

Ao seguirmos Miss Kelly pelas magníficas escadas principais, até ao segundo andar, mal conseguia conter o meu entusiasmo... aquela casa tinha tudo o que eu jamais poderia desejar num lar.

– Não poderias tornar a casa que existe mais ecológica e autossustentável?

Christian piscou-me os olhos, perplexo.

– Tenho de perguntar ao Elliot. Ele é que é o especialista nestas coisas.

Miss Kelly conduziu-nos ao quarto principal, com janelas do chão ao teto, que se abriam para uma varanda. A vista era igualmente espetacular. Poderia ficar sentada na cama a olhar lá para fora o dia inteiro, a observar os veleiros e as alterações climáticas.

Havia mais seis quartos nesse andar. *Filhos!* Pus rapidamente a ideia de parte. Já tinha demasiado em que pensar. Miss Kelly estava a enfatizar energicamente o facto de o terreno poder acomodar estábulos e um cercado, mas Christian não parecia estar a ouvir. *Cavalos!* Imagens apavorantes das poucas lições de montar que tivera vieram-me por instantes à memória.

– O cercado ficaria onde está agora o prado? – perguntei.

– Sim – disse Miss Kelly, animadamente.

O prado parecia-me um local para nos deitarmos na erva alta e fazermos piqueniques e não para um demónio de quatro patas andar a vaguear.

De regresso à sala de estar principal, Miss Kelly desapareceu discretamente e Christian conduziu-me mais uma vez à varanda. O Sol já se pusera e as luzes das povoações da península de Olympic cintilavam do lado oposto do Sound.

Christian puxou-me para os seus braços, inclinando-me o queixo para cima com o indicador, e olhou-me atentamente.

– Demasiado para assimilar? – perguntou, com uma expressão ilegível.

Eu acenei com a cabeça.

– Queria saber se tu gostavas antes de comprar a propriedade.

– Da vista?

Ele acenou afirmativamente.

– Adoro a vista e gosto da casa que aqui está.

– Gostas?

Sorri timidamente.

– Christian, convenceste-me com o prado.

Ele entreabriu os lábios, inspirou bruscamente e o seu rosto transformou-se com um sorriso. Subitamente, as suas mãos arrepanharam-me o cabelo e a sua boca colou-se à minha.

De novo no carro, ao dirigirmo-nos para Seattle, o estado de espírito de Christian melhorou consideravelmente.

– Então, vais comprá-la? – perguntei.

– Sim.

– Vais pôr o Escala à venda?

Ele franziu o sobrolho.

– Porque haveria eu de fazer isso?

– Para pagar... – Calei-me... é claro. E corei.

Ele sorriu-me afetadamente.

– Eu posso comprá-la, acredita.

– Gostas de ser rico?

– Sim. Indica-me alguém que não goste – disse ele, num tom sombrio.

Ok, tinha de mudar de assunto rapidamente.

– Anastasia, tu também vais ter de aprender a ser rica, se aceitares – disse ele, brandamente.

– Nunca aspirei a ter fortuna, Christian. – Franzi o sobrolho.

– Eu sei e adoro isso em ti. Mas também nunca passaste fome – disse ele, simplesmente. As suas palavras davam que pensar.

– Onde vamos? – perguntei, alegremente, mudando de assunto.

– Vamos festejar – disse Christian, descontraindo-se.

Oh!

– Festejar o quê? A casa?

– Já te esqueceste? És editora interina.

– Ah, sim. – Por incrível que pareça, tinha-me esquecido.

– Onde?

– Lá no alto, no meu clube.

– O teu clube?

– Sim. Um deles.

O Mile High Club[7] ficava no septuagésimo sexto andar do Columbia Tower, mais alto ainda do que o apartamento de Christian. Estava muito na moda e tinha das vistas mais estonteantes sobre Seattle.

– Cristal, minha senhora? – Eu estava sentada num banco, ao balcão e Christian passou-me um copo de champanhe gelado.

– Ah, obrigada, *cavalheiro.* – Enfatizei a última palavra de forma sedutora, pestanejando deliberadamente.

Ele olhou para mim e ficou com uma expressão mais sombria.

– Está a flirtar comigo, Miss Steele?

– Estou sim, Mr. Grey. O que vai fazer acerca disso?

– Estou certo de que me lembrarei de qualquer coisa – disse ele, num tom de voz grave. – Anda, a nossa mesa está pronta.

Quando nos aproximámos da mesa, Christian deteve-me, poisando-me a mão no ombro.

– Vai tirar as cuecas.

Oh! Um delicioso formigueiro percorreu-me a espinha.

– Vai – ordenou-me, calmamente.

Eh lá! O quê? Ele não estava a sorrir – estava a falar muito a sério. Todos os músculos abaixo da minha cintura se contraíram. Dei-lhe o meu copo de champanhe, virei-me bruscamente e dirigi-me aos lavabos.

Merda. O que iria ele fazer? Talvez o clube tivesse o nome adequado.

Os lavabos eram o último grito em *design* moderno – tudo em madeira escura e granito negro com focos de luz provenientes de lâmpadas de halogéneo estrategicamente dispostas. Na intimidade da cabina, sorri afetadamente ao desembaraçar-me da roupa interior, sentindo-me mais uma vez agradecida pelo facto de ter optado pelo meu vestido de corte direito, azul-escuro. Achei que era a indumentária adequada para me reunir com o bom do Dr. Flynn, mas não esperava que a noite tomasse aquele rumo inesperado.

---

7. Expressão atribuída à prática de sexo em aviões. (N. da T)

Já estava excitada. Porque é que ele me afetava tanto? Ressentia-me ligeiramente pelo facto de cair tão facilmente no seu feitiço. Agora já sabia que ele não ia passar a noite a conversar sobre os nossos problemas e acontecimentos recentes... mas como poderia eu resistir-lhe?

Verifiquei a minha aparência no espelho. Estava com os olhos brilhantes e corada de excitação. *Problemas. Que se lixem os problemas.*

Respirei fundo e voltei para o clube. Quer dizer, não é que não tivesse já andado sem cuecas. A minha deusa interior pavoneava-se de sapatos de salto alto de agulha, enrolada numa *écharpe* de plumas cor-de-rosa e coberta de diamantes.

Quando regressei à mesa, Christian levantou-se cortesmente, com uma expressão inescrutável. Estava frio, calmo, controlado e perfeito como sempre. É claro que eu sabia que não era bem assim.

– Senta-te a meu lado. – Eu deslizei para o lugar e ele sentou-se. – Já pedi o teu prato, espero que não te importes. – Passou-me o copo de champanhe meio vazio, olhando-me atentamente, e o meu sangue voltou a aquecer sob o seu escrutínio. Poisou as mãos sobre as coxas. Eu fiquei tensa e abri ligeiramente as pernas.

O empregado chegou com um prato de ostras sobre gelo esmagado. *Ostras.* Veio-me à memória a imagem de nós os dois na sala de jantar privada do Heathman. Estávamos a discutir o contrato dele. Meu Deus, percorrêramos um longo caminho desde então.

– Pareceu-me que tinhas gostado de ostras da última vez que as provaste. – Estava com uma voz grave e sedutora.

– Foi a única vez que provei. – Eu já estava ofegante e a voz traía-me. Um sorriso estremeceu-lhe nos lábios.

– Oh, Miss Steele, quando será que vai aprender? – disse ele, num tom pensativo.

Tirou uma ostra do prato e ergueu a outra mão da coxa. Eu estremeci, expectante, mas ele pegou numa fatia de limão.

– Aprender o quê? – perguntei. Caramba, estava com a pulsação acelerada. Os seus dedos longos e experientes espremeram delicadamente o limão sobre o marisco.

– Come – disse ele, aproximando-me a concha da boca. Eu entreabri os lábios e ele colocou-me delicadamente a concha sobre o lábio inferior. – Inclina a cabeça para trás, devagar – murmurou. Eu obedeci e a ostra escorregou-me pela garganta abaixo. Ele não me tocou, só a concha.

Christian serviu-se de uma ostra e depois deu-me outra. Esse processo torturante prolongou-se até termos comido as doze ostras, sem que a sua pele entrasse em contacto com a minha. Aquilo estava a dar comigo em doida.

– Ainda gostas de ostras? – perguntou-me, enquanto eu engolia a última.

Acenei com a cabeça, afogueada, ansiosa por que ele me tocasse.

– Ótimo.

Torci-me no meu lugar. Porque é que aquilo era tão *sexy*?

Ele voltou a poisar descontraidamente a mão sobre a coxa e eu derreti. Agora. Por favor, toca-me. A minha deusa interior estava de joelhos, apenas de cuecas – a implorar. Ele esfregou a mão na coxa, ergueu-a, e voltou a colocá-la onde estava.

O empregado encheu-nos os copos de champanhe e tirou-nos rapidamente os pratos. Momentos depois regressou com o primeiro prato. *Não acredito* – Robalo com espargos, batatas salteadas e um molho holandês.

– Um dos seus pratos favoritos, Mr. Grey?

– Absolutamente, Miss Steele, embora me pareça que comemos bacalhau no Heathman. – Voltou a esfregar a mão na coxa, de cima a baixo. A minha respiração acelerou, mas ele continuava a não me tocar. Era tão frustrante. Tentei concentrar-me na nossa conversa.

– Lembro-me que na altura estávamos numa sala de jantar privada, a discutir contratos.

– Bons velhos tempos – disse ele, com um sorriso afetado. – Espero conseguir foder-te, desta vez. – Mexeu a mão para pegar na faca.

Grr!

Comeu um pouco de robalo. Estava a fazer de propósito.

– Não contes com isso – murmurei, fazendo beicinho. Ele olhou para mim divertido. – A propósito de contratos – acrescentei –, o Acordo de Confidencialidade?

– Rasga-o – disse ele, simplesmente.

Eh lá.

– O quê? A sério?

– Sim.

– Tens a certeza de que eu não vou a correr ao *Seattle Times* prestar declarações? – disse eu, para o provocar.

Ele riu-se e o som da sua gargalhada foi maravilhoso. Parecia tão jovem.

– Não, eu confio em ti. Vou dar-te o benefício da dúvida.

Oh. Sorri-lhe timidamente.

– Idem aspas – sussurrei.

Os seus olhos iluminaram-se.

– Ainda bem que estás de vestido – murmurou ele e pumba! O desejo percorreu-me o sangue já sobreaquecido.

– Então porque é que ainda não me tocaste? – disse eu, num tom sibilante.

– Sentes a falta do meu toque? – perguntou, a sorrir. Estava divertido… o estupor.

– Sim – disse eu a ferver de raiva.

– Come – ordenou.

– Não me vais tocar, pois não?

– Não – disse ele, abanando a cabeça.

O quê? Arquejei alto.

– Imagina só como te vais sentir quando estivermos em casa – sussurrou. – Estou ansioso por te levar para casa.

– Se eu irromper em chamas aqui, no septuagésimo sexto andar, a culpa é tua – murmurei, de dentes cerrados.

– Oh, Anastasia, arranjaremos maneira de apagar o fogo – disse ele, com um sorriso lascivo.

Eu atirei-me ao robalo, a fumegar, e a minha deusa interior semicerrou os olhos, em silenciosa e tortuosa contemplação. Também podíamos entrar naquele jogo. Eu aprendera as regras básicas durante a nossa refeição no Heathman. Comi uma garfada do meu robalo. Estava absolutamente delicioso. Fechei os olhos, para o saborear, e quando os voltei a abrir comecei a seduzir Christian Grey, puxando muito lentamente o vestido e expondo mais as minhas coxas.

Christian parou momentaneamente, com um garfo cheio de peixe suspenso no ar.

Toca-me.

Instantes depois, continuou a comer. Eu comi outra garfada de peixe e ignorei-o. Depois, poisei a minha faca, e passei os dedos pela parte de dentro da minha coxa, batendo ao de leve com a ponta dos dedos na pele. Até para mim própria aquilo era perturbante, especialmente pelo facto de estar ansiosa por que ele me tocasse. Christian fez mais uma pausa.

— Eu sei o que estás a fazer. — Estava com uma voz grave e rouca.

— Eu sei que sabe, Mr. Grey — respondi, brandamente. — A ideia é essa. — Peguei num caule de espargos, olhei-o de soslaio, por baixo das pestanas, e mergulhei o espargo no molho holandês, girando repetidamente a extremidade.

— Não vai levar a melhor, Miss Steele — disse ele com um sorriso afetado, tirando-me o espargo, mas por incrível que pareça, e por muito irritante que isso fosse, conseguiu não me tocar. Não, aquilo não batia certo — aquilo não estava a correr de acordo com os meus planos. — *Grr!*

— Abre a boca — ordenou.

Eu estava a perder aquela guerra de vontades. Voltei a olhá-lo de relance e os seus olhos cinzentos estavam incandescentes. Entreabri ligeiramente os lábios e passei a língua pelo lábio inferior. Christian sorriu e os seus olhos escureceram ainda mais.

— Mais — sussurrou, entreabrindo os lábios de forma a ver-lhe a língua. Gemi interiormente, mordi o lábio inferior e obedeci.

Ouvi-o inspirar bruscamente — afinal não estava assim tão imune. Ótimo. Finalmente, estava a perturbá-lo.

De olhos fixos nos dele, meti o espargo na boca, chupando-o suavemente... delicadamente... a ponta. O molho holandês era delicioso. Mordi-o e gemi num tom apreciador.

Christian fechou os olhos. *Yes!* Quando os voltou a abrir, estava com as pupilas dilatadas, o que produziu um efeito imediato em mim. Gemi e estiquei a mão para lhe tocar na coxa, mas, para minha surpresa, ele agarrou-me no pulso com a outra mão.

– Ah não, Miss Steele – murmurou brandamente. Levou a minha mão à boca, roçando-me suavemente os lábios nos nós dos dedos e eu retorci-me. Finalmente! Mais, por favor.

– Não toca – disse ele, calmamente, num tom repreensivo, voltando a colocar-me a mão sobre o joelho. Um breve contacto insatisfatório – era tão frustrante.

– Não estás a jogar limpo – disse eu, fazendo beicinho.

– Eu sei. – Pegou no copo de champanhe para propor um brinde e eu fiz o mesmo.

– Parabéns pela sua promoção, Miss Steele. – Batemos com os copos um no outro e eu corei.

– Sim, foi um pouco inesperado – murmurei. Ele franziu o sobrolho como se lhe tivesse ocorrido algo de desagradável.

– Come – ordenou. – Não te levo para casa enquanto não terminares a refeição. Depois poderemos festejar a sério. – Estava com uma expressão tão quente, tão crua, tão dominante. Eu estava a derreter.

– Não tenho fome. De comida, não.

Abanou a cabeça, divertidíssimo, mas olhou-me de olhos semicerrados.

– Come ou deito-te em cima do meu joelho aqui mesmo, e acabaremos por dar espetáculo.

Retorci-me ao ouvir as suas palavras. Não se atreveria! Ele e a sua palma da mão irrequieta. Cerrei os lábios numa linha rígida e olhei para ele. Ele pegou num caule de espargos, mergulhando a extremidade no molho holandês.

– Come isto – disse ele, num tom de voz grave e sedutor.

Eu obedeci de bom grado.

– Tu de facto não comes o suficiente. Já perdeste peso desde que te conheci. – Falava num tom de voz brando.

Não queria pensar acerca do meu peso. Na verdade, gostava de estar magra como estava. Engoli o espargo.

– Só quero ir para casa fazer amor – murmurei, desconsoladamente. Christian sorriu.

– Também eu, e iremos para casa. Come.

Voltei a concentrar-me relutantemente na comida e comecei a

comer. Francamente. Tirara as cuecas e tudo. Sentia-me como uma criança a quem fora recusado um doce. Ele era tão provocador. Provocador, delicioso, *sexy* e perverso, e era todo meu.

Christian começou a fazer-me perguntas sobre Ethan. Acontece que Christian tinha negócios com o pai de Kate e Ethan. Hum… o mundo era pequeno. Fiquei aliviada pelo facto de ele não falar no Dr. Flynn, nem na casa, pois estava a ser difícil concentrar-me na nossa conversa. Eu queria ir para casa.

A expectativa carnal crescia entre nós. Ele era muito bom nisso. Fazer-me esperar, montar a cena. Colocou a mão sobre a coxa, muito perto da minha, entre duas garfadas, mas continuava a não me tocar, só para me provocar mais.

Estupor!

Finalmente, terminei a refeição e poisei a faca e o garfo sobre o prato.

— Linda menina — murmurou e aquelas duas palavras pareciam carregadas de promessas.

Eu franzi-lhe o sobrolho.

— E agora? — perguntei com o desejo a arrepanhar-me a barriga. Como eu desejava aquele homem.

— Agora vamos embora. Presumo que esteja com algumas expectativas, Miss Steele, e eu tenciono satisfazê-las o melhor que puder.

Eh lá!

— O… melhor… que… p-puderes? — gaguejei. *Com os diabos.*

Ele sorriu e levantou-se.

— Não temos de pagar? — perguntei, sem fôlego.

Ele inclinou a cabeça para um lado.

— Eu sou membro do clube. Eles mandam-me a conta. Venha, Anastasia, faça favor. — Ele desviou-se e eu levantei-me para sair, consciente de que estava sem cuecas.

Ele olhou-me sombriamente, como se estivesse a despir-me e eu exultei com a sua avaliação carnal. Fazia-me sentir tão *sexy* — aquele homem lindo desejava-me. Será que isso me iria dar sempre prazer? Parei intencionalmente à sua frente, alisando o vestido nas ancas.

Christian sussurrou-me ao ouvido.

– Estou ansioso por te levar para casa. – Mas continuou a não me tocar.

À saída, murmurou qualquer coisa acerca do carro ao gerente, mas eu não estava a ouvir. A minha deusa interior estava incandescente, tal era a sua expectativa. Caramba, poderia iluminar Seattle.

Dois casais de meia-idade juntaram-se a nós enquanto esperávamos pelos elevadores. Quando as portas se abriram, Christian agarrou-me pelo cotovelo e conduziu-me para o fundo do elevador. Olhei em redor e estávamos rodeados de espelhos de vidro escuro, fumado. Os outros casais entraram e um homem com um fato castanho, que não o favorecia nada, cumprimentou Christian.

– Grey – disse ele com um aceno de cabeça cortês. Christian retribuiu-lhe o cumprimento mas ficou em silêncio.

Os casais estavam à nossa frente, virados para as portas do elevador e eram obviamente amigos – as mulheres conversavam em voz alta, empolgadas e animadas depois da refeição. Creio que todos eles estavam um pouco tocados.

Quando as portas se fecharam, Christian curvou-se por breves instantes para atar o atacador do sapato. Estranho, pois não estava com os atacadores soltos. Depois tive um sobressalto, ao senti-lo colocar discretamente a mão no meu tornozelo. Ao endireitar-se, a sua mão percorreu-me rapidamente a perna, deslizando deliciosamente sobre a minha pele – até lá cima – *Eh lá*. Tive de me controlar para não arquejar de surpresa, quando a sua mão me alcançou o traseiro. Christian colocou-se atrás de mim.

Oh meu Deus. Fiquei pasmada, a olhar para a nuca das pessoas à nossa frente. Elas não faziam ideia do que nós estávamos a fazer. Christian enlaçou-me pela cintura, com o braço livre, prendendo-me contra si e explorando-me com os dedos. *Com os diabos... aqui dentro?* O elevador desceu suavemente, parando no quinquagésimo terceiro andar, para que mais algumas pessoas entrassem, mas eu não estava a dar-lhes atenção, pois estava atenta a todos os pequenos movimentos dos seus dedos. Primeiro moviam-se em círculos... e agora estavam a avançar e a tatear, à medida que ambos recuávamos.

Voltei a conter um gemido quando alcançaram o seu objetivo.

– Sempre tão pronta, Miss Steele – sussurrou, mergulhando um dedo dentro de mim. Eu retorci-me e arquejei. Como podia ele fazer aquilo com toda aquela gente ali?

– Fica quieta e calada – segredou-me ao ouvido, a título de advertência.

Eu estava afogueada, quente e carente, presa num elevador com sete pessoas, seis delas alheias ao que se estava a passar ao canto.

O seu dedo deslizava repetidamente para dentro e para fora de mim. A minha respiração… Raios, era embaraçante. Apetecia-me pedir-lhe para parar… e continuar… e parar. Deixei-me cair contra o seu corpo. Ele apertou-me mais contra si e eu senti a sua ereção contra a minha perna.

Voltámos a parar no quadragésimo quarto andar. *Oh… quanto tempo irá durar esta tortura? Dentro… e fora… dentro… e fora…* Eu rocei-me subtilmente contra o seu dedo persistente. Depois de estar todo aquele tempo sem me tocar, era agora que decidia tocar-me! Ali! Sentia-me tão… lasciva.

– Chiu – sussurrou, aparentemente indiferente ao facto de entrarem mais duas pessoas. O elevador estava a ficar cheio. Christian puxou-nos a ambos mais para trás, de forma a ficarmos espremidos contra o canto do elevador, prendendo-me e prosseguindo com a sua tortura. Roçou-me o nariz pelo cabelo. Se alguém se desse ao trabalho de se virar e visse o que estávamos a fazer, tenho a certeza de que pensaria que éramos um jovem casal apaixonado a acariciar-se ao canto do elevador… Ele introduziu lentamente outro dedo dentro de mim.

Merda! – gemi, sentindo-me grata pelo facto de aquele grupo de pessoas à nossa frente continuar a conversar animadamente, perfeitamente alheados.

Oh, Christian o que tu me fazes. Encostei a cabeça ao seu peito e fechei os olhos, rendendo-me aos seus dedos implacáveis.

– Não te venhas – sussurrou. – Quero isso mais tarde. – Abriu a mão sobre a minha barriga e apertou-a ligeiramente, prosseguindo o seu delicioso exercício. A sensação era maravilhosa.

Finalmente o elevador chegou ao rés do chão. As portas abriram-se com um tinido alto e os passageiros começaram a sair quase imediatamente. Christian retirou os dedos devagar de dentro de mim, beijando-me a nuca. Eu olhei-o de relance e ele sorriu, voltando a acenar com a cabeça ao Homem do Fato Castanho Deselegante, que lhe retribuiu o cumprimento, e saiu lentamente do elevador com a esposa. Eu mal reparei, preferindo tentar manter-me direita e controlar a minha respiração ofegante. Caramba, sentia-me desejosa e abandonada. Christian largou-me, deixando que eu me desencostasse dele e me endireitasse.

Virei-me e olhei para ele... parecia calmo, imperturbável e composto, como sempre. Hum... não era justo.

– Preparada? – perguntou e os seus olhos cintilaram maliciosamente, ao introduzir primeiro o indicador e depois o dedo do meio na boca e chupá-los.

– Muito bom, Miss Steele – sussurrou e eu quase tive uma convulsão ali mesmo.

– Não posso acreditar no que acabaste de fazer – murmurei, praticamente a romper pelas costuras.

– Ficaria surpreendida com o que posso fazer, Miss Steele – disse ele, prendendo-me uma madeixa de cabelo atrás da orelha, com um ligeiro sorriso, que denunciou quão divertido estava.

– Eu queria levar-te para casa, mas o mais provável é não passarmos do carro. – Sorriu para mim e deu-me a mão, conduzindo-me para fora do elevador.

O quê? Sexo no carro? Porque não ali, no mármore fresco do chão do vestíbulo... por favor.

– Anda.

– Sim, eu quero.

– Miss Steele! – disse ele, divertido, num tom repreensivo, fingindo-se horrorizado.

– Nunca fiz sexo num carro – murmurei. Christian parou, colocou-me os mesmos dois dedos debaixo do queixo, e inclinou-me a cabeça para trás, olhando-me fixamente

– Fico muito satisfeito por saber isso. Devo dizer que ficaria muito surpreendido, para não dizer furioso, se já o tivesses feito.

Corei e pisquei-lhe os olhos. Claro, pois se só tivera relações com ele. Franzi o sobrolho.

– Não era isso que eu queria dizer.

470

– O que é que querias dizer? – O seu tom de voz tornou-se inesperadamente áspero.

– Christian, era apenas uma força de expressão.

– A famosa expressão: "Nunca fiz sexo num carro". Sim, de facto, sai-nos quase sem querer.

Qual é o problema dele?

– Christian, disse-o sem pensar. Por amor de Deus, tu... tu acabaste de me fazer aquilo num elevador cheio de gente. Estou um pouco aturdida.

Ele arqueou as sobrancelhas: – O que é que eu te fiz? – disse ele, num tom desafiador. Eu franzi-lhe o sobrolho. Ele queria que eu o dissesse.

– Excitaste-me à grande e à francesa. Agora, leva-me para casa e fode-me.

Ele ficou de queixo caído e deu uma gargalhada, surpreendido. Agora estava com um ar jovem e despreocupado. Adorava ouvi-lo rir, por ser tão raro.

– É uma romântica nata, Miss Steele. – Deu-me a mão e encaminhámo-nos para fora do edifício, em direção ao arrumador que estava junto do meu *Saab*.

– Então queres praticar sexo num carro – murmurou Christian ao ligar a ignição.

– Para ser franca, ter-me-ia dado por feliz com o chão do vestíbulo.

– Eu também, Ana, acredita, mas não me agrada ser preso a esta hora da noite e não me apetecia foder-te nuns lavabos. Hoje não.

O quê?

– Quer dizer que havia hipótese?

– Ah sim.

– Vamos voltar para trás.

Ele virou-se para olhar para mim e deu uma gargalhada. O seu riso era contagiante e pouco depois estávamos ambos a rir às gargalhadas – um riso maravilhoso, catártico, desbragado. Ele esticou o braço e acariciou-me o joelho com os seus dedos experientes e eu parei de rir.

– Paciência, Anastasia – disse, mergulhando no trânsito de Seattle.

Estacionou o *Saab* na garagem do Escala, desligou o motor e o ambiente no interior do carro mudou subitamente. Eu olhei-o de relance com uma expectativa lasciva, tentando conter o meu coração palpitante. Ele estava virado para mim, encostado à porta com o cotovelo apoiado no volante.

Puxou o lábio inferior com o polegar e o indicador. A sua boca era tão perturbante. Queria-a colada a mim. Ele observava-me atentamente com uns olhos cinzento-escuros. Senti a boca seca. Um sorriso *sexy* desenhou-se lentamente nos seus lábios.

– Eu direi onde e quando iremos foder no carro. Neste momento quero possuir-te em todas as superfícies disponíveis do meu apartamento.

Era como se estivesse a dirigir-se à parte de baixo da minha cintura... a minha deusa interior fez três *arabescos* e um passo de dança.

– Sim. – Eu parecia tão ofegante e desesperada, raios.

Ele inclinou-se ligeiramente para a frente e fechei os olhos à espera do seu beijo, pensando – finalmente! Mas não aconteceu nada. Depois de alguns segundos intermináveis, abri os olhos e dei com ele a olhar para mim. Não percebi o que ele estava a pensar, mas antes que pudesse dizer alguma coisa ele voltou a distrair-me.

– Se eu te beijar, não conseguiremos chegar ao apartamento. Anda.

Grr! Poderia aquele homem ser mais frustrante? Saiu do carro.

Esperámos mais uma vez pelo elevador. O meu corpo vibrava de expectativa. Christian segurava-me na mão, passando-me ritmicamente o polegar pelos nós dos dedos e cada carícia reverberava-me pelo corpo. Ah, queria que ele me tocasse no corpo todo. Já me torturara o suficiente.

– Então, o que aconteceu à gratificação imediata? – murmurei enquanto esperávamos.

– Isso não se adequa a todas as situações, Anastasia.

– Desde quando?

– Desde hoje à noite.

– Porque me estás a torturar tanto?

– Olho por olho, dente por dente, Miss Steele.

– De que forma é que eu te estou a torturar?

– Acho que tu sabes.

Olhei para ele e a sua expressão era difícil de decifrar. *Ele quer a minha resposta... é isso.*

– Também estou com vontade de adiar a gratificação – sussurrei, sorrindo timidamente.

Puxou-me a mão inesperadamente e, de repente, dei comigo nos seus braços. Agarrou-me no cabelo e puxou-o delicadamente, inclinando-me a cabeça para trás.

– O que posso eu fazer para que digas sim? – perguntou num tom fervoroso, voltando a apanhar-me de surpresa. Pisquei os olhos, fitando a sua belíssima expressão séria e desesperada.

– Dá-me mais algum tempo, por favor – murmurei. Ele gemeu, beijando-me finalmente, demorada e intensamente. Depois entrámos no elevador, todos nós, mãos, língua, lábios e cabelo. Um desejo basto e intenso percorreu-me o sangue, toldando-me a razão. Ele empurrou-me contra a parede, prendendo-me com as suas ancas, com uma mão no meu cabelo e outra no queixo, imobilizando-me.

– Pertenço-te – sussurrou. – O meu destino está nas tuas mãos, Ana.

As suas palavras eram intoxicantes e no estado de excitação em que eu estava apeteceu-me rasgar-lhe as roupas. Despi-lhe o casaco e quando o elevador chegou ao apartamento, cambaleámos para o vestíbulo.

Christian prendeu-me contra a parede junto do elevador e o seu casaco caiu para o chão. A sua mão subiu-me pela perna e ele ergueu-me o vestido, sem descolar os lábios dos meus.

– A primeira superfície é aqui – sussurrou, erguendo-me abruptamente. – Enrola as pernas à minha volta.

Eu assim fiz. Ele virou-me e deitou-me sobre a mesa do vestíbulo de forma a ficar de pé entre as minhas pernas. Reparei que o habitual vaso de flores tinha desaparecido. *O quê?* Ele meteu a mão no bolso dos *jeans*, tirou uma embalagem de preservativos e deu-ma, desapertando a braguilha.

– Sabes o quanto me excitas?

– O quê? – disse eu, ofegante. – Não... eu...

– Mas excitas – murmurou. Arrancou-me a embalagem das mãos.

Oh, aquilo estava a ser tão rápido, mas depois de toda aquela provocação torturante eu desejava-o terrivelmente – e queria-o já. Ele baixou os olhos para mim, colocou o preservativo e pôs-me as mãos debaixo das ancas, abrindo-me mais as pernas.

Pôs-se em posição e fez uma pausa.

– Fica de olhos abertos. Quero ver-te – sussurrou. Depois, entrelaçou as mãos nas minhas e mergulhou lentamente dentro de mim.

Eu tentei, a sério que tentei, mas a sensação era demasiado requintada. Tudo aquilo por que esperara depois das suas provocações. *Oh, esta sensação de preenchimento...* Gemi e arqueei as costas, afastando-as da mesa.

– Abre-te! – rosnou, apertando-me mais as mãos, e arremeteu bruscamente contra mim, fazendo-me gritar.

Eu pisquei os olhos e abri-os. Ele olhava-me esgazeado. Saiu lentamente de dentro de mim e voltou a penetrar-me, descontraindo a boca, como se fosse proferir um *Ah...* mas não disse nada. Ver a sua excitação e a reação que eu lhe provocava, incendiou-me por dentro e o sangue queimou-me as veias. Os seus olhos cinzentos perfuravam os meus. Ele aumentou de ritmo e eu rejubilei, exultante, ao vê-lo observar-me – a sua paixão, o seu amor – enquanto nos desfazíamos juntos.

Eu gritei, ao explodir em torno do seu membro, e Christian veio-se a seguir.

– Sim, Ana – gritou, caindo sobre mim, largando-me as mãos e poisando a cabeça sobre o meu peito. As minhas pernas estavam ainda enroladas à volta dele e aninhei a sua cabeça contra o meu peito, lutando para recuperar o fôlego, sob o olhar paciente e maternal nos quadros de Nossa Senhora.

Levantou a cabeça e olhou para mim.

– Ainda não acabei – murmurou, inclinando-se para a frente e beijando-me.

Estava deitada na cama de Christian, ofegante, colada ao seu peito. Com os diabos – será que a sua energia era inesgotável? Christian roçava-me os dedos pelas costas.

– Satisfeita, Miss Steele?

Murmurei o meu assentimento, pois já não tinha energia para falar. Ergui a cabeça e dirigi-lhe um olhar disperso, deleitando-me com o seu olhar afetuoso e terno. Inclinei a cabeça para baixo, num gesto muito deliberado, para que ele percebesse que eu ia beijar-lhe o peito.

Ele ficou momentaneamente hirto, e eu depositei-lhe um beijo suave nos pelos do peito, inalando o seu odor único, misturado com o cheiro a suor e sexo. Era inebriante. Ele virou-se de forma a ficarmos lado a lado e olhou para mim.

— Será o sexo assim para toda a gente? Surpreende-me que alguém saia à rua — murmurei, sentindo-me subitamente acanhada.

Ele sorriu.

— Não posso falar pelos outros, mas contigo é bastante especial, Anastasia — disse ele, curvando-se e beijando-me.

— Isso é porque o senhor é bastante especial, Mr. Grey — retorqui, sorrindo e acariciando-lhe a face. Ele piscou-me os olhos, desorientado.

— É tarde. Dorme — disse ele. Beijou-me e deitou-se, puxando-me contra si de forma a ficarmos encaixados um no outro, na cama.

— Tu não gostas de elogios.

— Dorme, Anastasia.

Hum… mas ele era mesmo muito especial. Raios… Porque é que não percebia isso?

— Adorei a casa — murmurei.

Ele não disse nada, durante um minuto, mas eu senti o seu sorriso.

— Amo-te. Dorme. — Roçou-me o nariz no cabelo e eu caí no sono, segura nos seus braços, a sonhar com pores do Sol, janelas com porta-das, amplas escadarias… e com um rapazinho de cabelos acobreados a correr por um prado, a rir, enquanto eu corria atrás dele.

— Tenho de ir, querida — disse-me Christian, beijando-me mesmo por baixo da orelha.

Abri os olhos. Era de manhã. Virei-me para ele, mas ele já estava levantado, vestido, fresco, delicioso e curvado sobre mim.

— Que horas são? *Oh não… Não quero chegar atrasada.*

— Não entres em pânico. Eu tenho uma reunião ao pequeno-almoço.
— Roçou o nariz no meu.

– Cheiras bem – murmurei, espreguiçando-me por baixo dele, com os membros agradavelmente tensos e perros das nossas explorações do dia anterior. Coloquei os braços à volta do seu pescoço.

– Não vás.

Inclinou a cabeça para um lado e arqueou as sobrancelhas.

– Miss Steele, estará a impedir-me de ir ganhar o meu sustento honestamente?

Acenei com a cabeça, sonolenta, e ele dirigiu-me o seu novo sorriso tímido.

– Por muito tentadora que sejas, tenho de ir. – Beijou-me e endireitou-se. Usava um fato azul-escuro muito elegante, uma camisa branca, e uma gravata azul-escura. Era a perfeita imagem do CEO… do CEO *sexy*.

– Adeusinho, querida – murmurou e saiu.

Olhei para o relógio e reparei que já eram sete horas – não devia ter ouvido o despertador. Bom, estava na hora de me levantar.

Tive uma inspiração no duche. Lembrara-me de outro presente de aniversário para oferecer a Christian. Era tão difícil comprar alguma coisa a um homem que tinha tudo. Já lhe tinha dado o meu presente principal, tinha ainda o outro objeto que comprara na loja de turistas, mas aquele era um presente que, na verdade, me era destinado a mim. Abracei-me a mim mesma, ao sair do duche, antecipando a surpresa. Só tinha de o preparar.

No quarto de vestir, enfiei-me num vestido justo, vermelho-escuro com um decote bastante cavado, quadrado. Sim, isto serve para ir trabalhar.

Agora o presente de Christian. Comecei a vasculhar nas suas gavetas, à procura das suas gravatas. Na gaveta de baixo encontrei os *jeans* ruços e esfarrapados que ele usava no quarto do prazer – ficava super *sexy* com eles. Afaguei-os delicadamente com a mão aberta. Oh, meu Deus, o tecido era tão macio.

Por baixo deles vi uma caixa de cartão preta e achatada, que me despertou imediatamente a atenção. O que teria lá dentro? Olhei para ela, sentindo que estava mais uma vez a invadir propriedade alheia. Tirei-a e abanei-a. Era pesada e continha papéis ou manuscritos. Não consegui resistir e abri a tampa – e voltei a fechá-la rapidamente. Merda, foto-grafias do Quarto Vermelho. O choque foi tal que me voltei a sentar sobre os tornozelos, tentando varrer a imagem do cérebro. *Porque abri a caixa? Porque teria ele guardado as fotografias?*

Estremeci e o meu subconsciente franziu-me o sobrolho – *isso foi antes de ti. Esquece-as.*

Ele tinha razão. Ao levantar-me, reparei que as suas gravatas esta-vam penduradas numa das extremidades do varão da roupa. Encontrei a minha preferida e saí rapidamente.

Aquelas fotos eram AA – Antes da Ana. O meu subconsciente ace-nou aprovadoramente, mas foi com o coração mais pesado que me enca-minhei para a sala grande para tomar o pequeno-almoço. Mrs. Jones sorriu-me calorosamente e depois franziu o sobrolho.

– Está tudo bem, Ana? – perguntou, amavelmente.

– Sim – murmurei, absorta. – Tem uma chave do... do quarto de jogos?

Ela deteve-se por instantes, surpreendida.

– Claro que sim. – Soltou um pequeno molho de chaves do cinto. – O que deseja para o pequeno-almoço, querida? – perguntou-me, ao dar-me as chaves.

– Apenas cereais. Eu não me demoro.

Agora sentia-me mais ambivalente em relação àquele presente, mas só porque descobrira as fotografias. *Nada mudou!*, gritou-me de novo o meu subconsciente, olhando-me furioso por cima dos seus óculos em forma de meia-lua. A fotografia que viste era *sexy*, atalhou a minha deusa interior, e eu franzi-lhe o sobrolho mentalmente. Pois era, dema-siado *sexy* para o meu gosto.

O que estaria ele a esconder mais? Vasculhei rapidamente no inte-rior da cómoda de museu, tirei o que precisava e fechei a porta do quarto de prazer à chave. Não daria jeito nenhum que José o descobrisse.

Devolvi as chaves a Mrs. Jones e devorei o meu pequeno-almoço, sentindo-me estranha pelo facto de Christian estar ausente. A ima-gem fotográfica pairava-me indesejavelmente pela mente. Interroguei--me quem seria? Leila, talvez?

Enquanto conduzia para o trabalho ponderei se deveria ou não contar a Christian que encontrara as fotografias. *Não*, gritou o meu subconsciente com o seu rosto de Edward Munch e eu concluí que ele talvez tivesse razão.

Ao sentar-me na secretária, o meu BlackBerry zuniu.

De: Christian Grey
Assunto: Superfícies
Data: 17 de junho de 2011 08:59
Para: Anastasia Steele

Calculo que faltem pelo menos umas 30 superfícies e estou ansioso por percorrer cada uma delas. Depois temos o chão, as paredes – sem esquecer a varanda.
Depois disso temos o meu escritório…

Sinto a tua falta.

Beijo

Christian Grey
CEO Priápico, Grey Enterprises Holdings, Inc.

O seu e-mail fez-me sorrir e as minhas anteriores reservas evaporaram-se. Era a mim que ele queria agora. Vieram-me à memória as escapadelas eróticas da noite anterior… *no elevador, no vestíbulo, na cama.* Priápico era adequado. Interroguei-me distraidamente sobre qual seria o equivalente no feminino.

De: Anastasia Steele
Assunto: Romance?
Data: 17 de junho de 2011 09:03
Para: Christian Grey

Mr. Grey,
A sua mente é obsessiva.

Senti a sua falta ao pequeno-almoço.
Mas Mrs. Jones foi bastante acomodatícia.

Bjs,
A

_____

De: Christian Grey
Assunto: Intrigado
Data: 17 de junho de 2011 09:07
Para: Anastasia Steele

Mrs. Jones foi acomodatícia em relação a quê?
O que é que está a tramar, Miss Steele?

Christian Grey
CEO Curioso, Grey Enterprises Holdings, Inc.

_____

Como é que ele sabia?

De: Anastasia Steele
Assunto: Batendo ao de Leve no Nariz
Data: 17 de junho de 2011 09:10
Para: Christian Grey

Espera para ver – é uma surpresa.

Preciso de trabalhar. Deixa-me em paz.

Amo-te.

Bjs, A

_____

De: Christian Grey
Assunto: Frustrado
Data: 17 de junho de 2011 09:12
Para: Anastasia Steele

Detesto quando me escondes coisas.

Christian Grey
CEO, Grey Enterprises Holdings, Inc.

_____

Olhei para o pequeno ecrã do meu BlackBerry. A veemência implícita no seu e-mail apanhou-me de surpresa. Porque se sentia ele assim? Não é que eu andasse a esconder fotografias eróticas dos meus ex.

De: Anastasia Steele
Assunto: Vou-te Fazer a Vontade
Data: 17 de junho de 2011 09:14
Para: Christian Grey

É para o teu aniversário.
Mais uma surpresa.
Não sejas tão petulante.

Bjs, A

Ele não respondeu imediatamente e eu fui chamada para uma reunião, por isso não pude remoer muito no assunto.

Para meu horror, quando voltei a olhar para o meu BlackBerry vi que eram quatro horas. O dia passara a correr e eu ainda não tinha nenhuma mensagem de Christian. Decidi mandar-lhe outro e-mail.

De: Anastasia Steele
Assunto: Olá
Data: 17 de junho de 2011 16:03
Para: Christian Grey

Não queres falar comigo?
Não te esqueças que vou tomar uma bebida com o José e que ele vai ficar connosco esta noite.
Por favor repensa a questão de te juntares a nós.

Bjs, A

Ele não respondeu e eu tive um ataque de ansiedade. Liguei para o seu telemóvel, mas foi para as mensagens. O anúncio dizia apenas: "Grey, deixe uma mensagem", no seu tom mais sucinto.

– Olá ... sou eu, a Ana. Estás bem? Telefona-me. – Gaguejei ao deixar-lhe a mensagem. Nunca antes tivera de lhe deixar nenhuma. Corei e desliguei. *É claro que ele sabe que és tu, idiota!* O meu subconsciente revirou-me os olhos. Senti-me tentada a telefonar à AP, Andrea, mas concluí que isso seria ir longe demais e prossegui relutantemente com o meu trabalho.

O meu telefone tocou inesperadamente e o meu coração deu um salto. *Christian!* Mas não, era Kate, a minha melhor amiga, finalmente!

– Ana – gritou ela, fosse onde fosse que estivesse.

– Kate! Já voltaste? Senti a tua falta.

– Eu também. Tenho tanta coisa para te contar. Estamos no Sea--Tac... eu e o meu homem. – Riu de uma forma muito pouco habitual nela.

– Fixe. Também tenho muita coisa para te contar.

– Vemo-nos no apartamento?

– Vou tomar um copo com o José. Vem ter connosco.

– O José está na cidade? Claro! Manda-me uma mensagem a dizer onde estão.

– Ok – disse eu com um sorriso radioso.

– Estás bem, Ana?

– Sim, estou bem.

– Ainda estás com o Christian?

– Sim.

– Ótimo. Adeusinho!

Oh não, ela também? A influência de Elliot não tinha limites.

– Sim... Adeusinho, querida. – Eu sorri e ela desligou.

Uau. Kate estava de volta. Como é que eu lhe ia contar tudo o que tinha acontecido? Teria de tomar notas para não me esquecer de nada.

Uma hora depois, o telefone do escritório tocou. *Christian?* Não, era Claire.

— Só queria que visses o tipo que está a perguntar por ti na receção. Como é que conheces estes borrachos todos, Ana?

José devia ter chegado. Olhei de relance para o relógio – eram cinco e cinquenta e cinco. Fui percorrida por um ligeiro estremecimento de excitação. Há séculos que não o via.

— Ana, uau! Estás com ótimo aspeto. Tão adulta – disse ele, com um sorriso.

Só porque estava com um vestido elegante? Caramba.

Ele abraçou-me com força.

— E alta – mumurou, assombrado.

— É apenas dos sapatos, José. Tu também não estás nada mal.

Ele estava de *jeans*, com uma *t-shirt* preta e uma camisa de flanela preta e branca, de xadrez.

— Vou buscar as minhas coisas e podemos ir embora.

— Fixe. Eu espero aqui.

Pedi duas *Rolling Rocks* ao balcão apinhado de gente e encaminhei-me para a mesa onde José estava sentado.

— Gostaste da casa de Christian?

— Sim. Não estive lá dentro. Limitei-me a entregar as fotografias no elevador de serviço. Um tipo chamado Taylor levou-as para cima. Parece ser uma casa e peras.

— É. Só queria que a visses por dentro.

— Estou ansioso por isso. *Salud*, Ana. Seattle tem a ver contigo.

Eu corei e batemos com as garrafas uma na outra. Christian é que tinha a ver comigo.

— *Salud*. Conta-me como correu a tua exposição.

Ele fez um grande sorriso e começou a contar. Vendera todas as fotografias exceto três delas, o que lhe permitira cobrir o seu empréstimo de estudante e ficar ainda com algum dinheiro.

— Fui contratado para tirar umas fotografias paisagísticas para a Junta de Turismo de Portland. Mesmo fixe, não é? – rematou, orgulhosamente.

– Oh, José, isso é magnífico. Não interfere com os teus estudos, pois não? – perguntei-lhe, de sobrolho franzido.

– Não. Agora que vocês se foram embora, bem como três dos amigos com quem eu costumava andar, tenho mais tempo.

– Nenhuma miúda gira para te ocupar o tempo? A última vez que te vi, tinhas meia dúzia de mulheres a beberem todas as tuas palavras. – Arqueei-lhe uma sobrancelha.

– Não, Ana, nenhuma delas é mulher para mim – Todo ele era fanfarronice.

– Ah, claro; José Rodríguez, o quebra-corações. – Ri baixinho.

– Eh, tenho os meus momentos, Steele. – Parecia ligeiramente magoado e eu senti-me acabrunhada.

– Claro que tens – disse eu, para o apaziguar.

– Então, como está o Grey? – perguntou e o seu tom mudou, tornando-se mais frio.

– Está bem. Estamos bem – murmurei.

– Sério, dizes tu?

– Sim, sério.

– Ele não é demasiado velho para ti?

– Oh, José, bem sabes o que diz a minha mãe, eu já nasci velha. José fez um trejeito irónico com a boca.

– Como está a tua mãe? – Pronto. Estávamos fora da zona de perigo.

– Ana!

Virei-me e vi Kate com Ethan. Ela estava linda: cabelo loiro arruivado, queimado pelo sol, um bronzeado dourado, um sorriso branco, radioso. Estava muito elegante de camisola branca e *jeans* justos brancos. Todos os olhos estavam postos em Kate. Saltei do meu lugar para lhe dar um abraço. Ah, que saudades tinha daquela mulher!

Ela afastou-me de si, segurando-me à distância e examinando-me atentamente. Corei sob o seu olhar intenso.

– Perdeste peso, muito peso. E estás diferente. Mais adulta. O que se tem estado a passar? – perguntou, armada em mãe galinha. – Gosto do teu vestido. Fica-te bem.

– Aconteceu muita coisa desde que te foste embora. Conto-te mais tarde, quando estivermos sozinhas. – Eu ainda não estava preparada para a Inquisição de Katherine Kavanagh. Ela olhou-me desconfiada.

– Estás bem? – perguntou-me, gentilmente.

– Sim – disse eu, sorrindo, embora estivesse mais feliz se soubesse onde estava Christian.

– Fixe.

– Olá, Ethan. – Sorri-lhe e ele deu-me um abraço rápido.

– Olá, Ana – sussurrou-me ao ouvido.

José franziu-lhe o sobrolho.

– Como correu o almoço com a Mia? – perguntei a Ethan.

– Foi interessante – disse ele, com um ar críptico.

Ah, sim?

– Ethan, conheces o José?

– Vimo-nos uma vez – murmurou José, avaliando Ethan, ao apertarem a mão.

– Sim, na casa de Kate, em Vancouver – disse Ethan sorrindo agradavelmente a José. – Certo, quem quer uma bebida?

Dirigi-me à casa de banho e enquanto lá estava, mandei uma mensagem a Christian a dizer-lhe onde estávamos; talvez ele viesse ter connosco. Não havia chamadas não atendidas nem qualquer e-mail dele. Aquilo não era próprio dele.

– O que se passa, Ana? – perguntou-me José, quando voltei para a mesa.

– Não consigo contactar o Christian. Espero que esteja tudo bem.

– Ele está bem. Queres mais uma cerveja?

– Claro.

Kate inclinou-se para mim.

– O Ethan diz que esteve uma ex-namorada louca no apartamento com uma arma?

– Pois… – disse eu, encolhendo os ombros apologeticamente. Oh, raios – teríamos de falar naquilo agora?

– Ana, o que raio se tem estado a passar? – Kate parou abruptamente e olhou para o telefone.

– Olá, querido – disse ela, ao atender a chamada. *Querido!* Depois franziu o sobrolho e olhou para mim. – Claro – disse ela, virando-se para mim. – É o Elliot… ele quer falar contigo.

– Ana – Elliot falava rapidamente num tom de voz baixo e eu senti um formigueiro agoirento no couro cabeludo.

– O que se passa?

– É o Christian. Ele não voltou de Portland.

– O quê? O que queres dizer com isso?

– O helicóptero dele desapareceu.

– O *Charlie Tango?* – sussurrei e todo o ar me abandonou os pulmões. – Não!

CAPÍTULO DEZANOVE

Olhei para o fogo, hipnotizada. As chamas dançavam e ondulavam em tons flamejantes de laranja com pontas azuis cobalto, na lareira do apartamento de Christian, e apesar do calor que emanava do lume e do cobertor que tinha à volta dos ombros, sentia frio. Estava gelada até aos ossos.

Ouvia vozes em surdina, muitas vozes em surdina, mas eram como um zunido distante, no *background*. Não ouvia o que diziam. Tudo o que ouvia, a única coisa em que me conseguia concentrar, era o zunido suave do gás na lareira.

Voltei a lembrar-me da casa que víramos no dia anterior e das grandes lareiras – verdadeiras lareiras para queimar lenha. Gostaria de fazer amor com Christian, em frente de uma verdadeira lareira, ou em frente daquele fogo. Sim, seria divertido. Sem dúvida que ele arranjaria maneira de o tornar memorável, como de todas as vezes que fizéramos amor. Contive uma gargalhada irónica no meu íntimo – mesmo das vezes em que estávamos apenas a foder. Sim, esses eram também momentos bastante memoráveis. *Onde estaria ele?*

As chamas dançavam e tremeluziam, aprisionando-me, entorpecendo-me. Eu estava unicamente concentrada na sua beleza flamejante e abrasadora. Eram fascinantes.

Anastasia, enfeitiçaste-me, dissera-me ele da primeira vez que dormira na minha cama. *Oh não...*

Abracei o meu próprio corpo e o mundo fugiu-me debaixo dos pés. A realidade invadiu-me a minha e o vazio arrepiante que sentia expandiu-se ainda mais. O *Charlie Tango* desaparecera.

– Aqui tem, Ana – disse Mrs. Jones, dando-me uma chávena de chá, e a sua voz fez-me regressar à sala, ao presente e à angústia. Peguei na chávena e no pires agradecida, e a sua trepidação denunciou-me o tremor nas mãos.

– Obrigada – disse num tom de voz áspero, o das lágrimas por derramar e do enorme nó que sentia na garganta.

Mia estava sentada no gigantesco sofá em U, de mãos dadas com Grace. Ambas olhavam para mim com a dor e a ansiedade estampadas nos seus rostos bonitos. Grace parecia mais velha – uma mãe preocupada com o seu filho. Eu pisquei os olhos, olhando-as desapaixonadamente. Não podia oferecer-lhes um sorriso tranquilizador, nem sequer uma lágrima – não havia ali nada, apenas apatia e um vazio crescente. Olhei para Ethan, José e Elliot, os três muito sérios, a conversarem calmamente à volta do balcão da cozinha. Estavam a discutir algo em voz baixa. Atrás deles estava Mrs. Jones a tratar da comida.

Kate estava na sala da televisão a monitorizar as notícias locais. Eu ouvia o ruído indistinto vindo do grande ecrã de plasma. Não suportaria ver de novo o título da notícia. – CHRISTIAN GREY DESAPARECIDO – e o seu lindo rosto na televisão.

Ocorreu-me vagamente que nunca vira tanta gente naquela sala e que mesmo assim pareciam pequenos devido às suas dimensões. Pequenas ilhas de pessoas ansiosas em casa do meu Cinquenta. O que acharia ele da presença deles ali?

Taylor e Carrick estavam algures a falar com as autoridades, que nos estavam a transmitir informações a conta-gotas, mas todas elas sem qualquer significado. O facto é que ele estava desaparecido. Estava desaparecido há oito horas. Sem dar sinal de vida ou notícias. A busca fora cancelada – pelo menos isso eu sabia. Estava demasiado escuro e nós não sabíamos onde ele estava. Poderia estar ferido, com fome, ou pior do que isso. *Não!*

Voltei a fazer uma prece silenciosa a Deus. *Por favor, faz com que o Christian esteja bem. Faz com que o Christian esteja bem.* Repeti-o vezes sem conta na cabeça – o meu mantra, a minha tábua de salvação, algo de concreto a que me agarrar no meio daquele desespero. Recusava-me a pensar o pior. Não, não iria por aí. Ainda havia esperança.

"Tu és a minha tábua de salvação." As palavras de Christian voltaram a assombrar-me. Sim, havia sempre uma esperança. Eu não podia desesperar. As suas palavras ecoaram-me na mente:

"Agora sou um acérrimo defensor da gratificação imediata. Carpe Diem, Ana."

Porque não aproveitou ele o dia?

"Estou a fazer isto porque encontrei finalmente alguém com quem quero passar o resto da minha vida."

Fechei os olhos numa prece silenciosa, baloiçando-me suavemente. *Por favor, não permitas que o resto da sua vida seja assim tão curto. Por favor, por favor.* Não tínhamos tido tempo suficiente... precisávamos de mais tempo. Tínhamos feito tanto nas últimas semanas, tínhamos chegado tão longe. Não podia acabar. Todos os nossos momentos de ternura: o batom; o dia em que fizera amor comigo pela primeira vez, no Hotel Olympic; o momento em que se oferecera a mim de joelhos; o momento em que eu lhe tocara finalmente.

"Eu sou o mesmo, Ana. Amo-te e preciso de ti. Toca-me, por favor."

Oh, eu amava-o tanto. Sem ele eu não seria nada, apenas uma sombra. Toda a luz se eclipsaria. *Não, não, não... meu pobre Christian.*

"Eu sou assim, Ana, todo eu... e sou inteiramente teu. O que tenho eu de fazer para que tu entendas isso, para que vejas que te quero de todas as formas possíveis e percebas que te amo?" E eu a ti, Cinquenta Sombras.

Abri os olhos e voltei a olhar para o fogo sem o ver, e as recordações do tempo que passáramos juntos sucediam-se na minha mente: a sua alegria infantil ao andarmos de planador e velejarmos; a sua aparência cortês, sofisticada e podre de *sexy* no baile de máscaras; dançar, sim, o dia em que dançáramos ali no apartamento, ao som de Sinatra, rodopiando pela sala; a sua esperança calada e ansiosa, no dia anterior, na casa – aquela vista assombrosa.

"Colocarei o meu mundo a teus pés, Anastasia. Quero-te de corpo e alma, para sempre."

Oh, por favor, permite que ele esteja bem. Ele não podia ter desaparecido. Ele era o centro do meu universo.

Um soluço involuntário escapou-me da garganta e eu tapei a boca com a mão. Não. Tinha de ser forte.

José apareceu subitamente ao meu lado. Ou já lá estaria há algum tempo? Eu não fazia ideia.

– Queres telefonar à tua mãe ou ao teu pai? – perguntou, brandamente.

Não! Abanei a cabeça e agarrei na mão de José. Não conseguia falar, sabia que me iria dissolver se o fizesse e nem o calor da sua mão, nem a forma como apertou delicadamente a minha mão me consolou.

Oh, mãe. O meu lábio estremeceu ao pensar na minha mãe. Deveria telefonar-lhe? Não. Não conseguiria lidar com a sua reação. Talvez telefonar a Ray: ele não iria emocionar-se — nunca se emocionava, nem mesmo quando os Mariners perdiam.

Grace levantou-se para se reunir aos rapazes e distraiu-me. Nunca devia ter estado sentada quieta, durante tanto tempo. Mia veio também sentar-se a meu lado e agarrou-me na outra mão.

— Ele vai voltar — disse ela, a princípio num tom de voz determinado, mas vacilando na última palavra. Estava com os olhos arregalados e vermelhos, pálida, com o rosto marcado pela falta de sono.

Olhei para Ethan, que estava a observar Mia, e Elliot, que estava abraçado a Grace. Olhei de relance para o relógio. Já passava das onze e estávamos a caminho da meia-noite. *Maldito tempo!* O vazio opressivo crescia a cada hora que passava, consumindo-me, sufocando-me. E lá no fundo percebi que estava a preparar-me para o pior. Fechei os olhos e fiz outra prece silenciosa, agarrando nas mãos de Mia e José.

Voltei a abrir os olhos e fitei mais uma vez as chamas. Conseguia visualizar o seu sorriso tímido — a minha expressão favorita nele, um vislumbre do verdadeiro Christian, o meu verdadeiro Christian. Ele era tantas pessoas ao mesmo tempo: o controlador, o CEO, o perseguidor, o deus do sexo, o Dominador e, ao mesmo tempo, tão infantil com os seus brinquedos. Sorri. O carro, o barco, o avião, o *Charlie Tango*... o meu rapazinho perdido, estava agora verdadeiramente perdido. O meu sorriso estremeceu e a dor trespassou-me. Lembrava-me dele no duche a limpar as marcas de batom.

"Eu não sou nada, Anastasia. Sou uma casca vazia. Sou um homem sem coração."

O nó na minha garganta aumentou. Oh, Christian, tens sim, tens um coração, e esse coração é meu. Quero cuidar dele para sempre. Eu amava-o apesar de ele ser tão complexo e difícil. Amá-lo-ia sempre. Nunca haveria outra pessoa, nunca.

Lembrava-me de estar sentada no Starbucks a avaliar os prós e contras do meu Christian. Todos esses contras, mesmo as fotografias que eu encontrara nessa manhã, pareciam agora insignificantes. Era apenas ele e a dúvida se voltaria ou não. *Oh, meu Deus, por favor, trá-lo de volta, permite que ele esteja bem, por favor. Eu irei à Igreja... eu farei tudo.* Ah, se ele voltasse para mim, eu iria aproveitar o dia. A sua voz voltou a ecoar-me na cabeça: *"Carpe Diem, Ana".*

Voltei a olhar para o fogo. As chamas continuavam a lamber-se e a serpentear em torno umas das outras, com um brilho luminoso. Depois Grace guinchou e tudo aconteceu em câmara lenta.

– Christian!

Virei a cabeça ainda a tempo de ver Grace sair disparada do sítio onde andava de um lado para o outro, algures atrás de mim, e atravessar rapidamente a sala grande. Christian estava à entrada, com um ar consternado, apenas em mangas de camisa e com as calças do fato, com o casaco, as meias e os sapatos na mão. Parecia cansado, sujo e estava absolutamente divinal.

Merda... Christian. Ele estava vivo. Olhei para ele, entorpecida, tentando perceber se estaria a alucinar ou se ele estava realmente ali.

Ele estava com uma expressão perfeitamente desconcertada. Poisou o casaco e os sapatos no chão a tempo de amparar Grace, que se atirou ao seu pescoço e o beijou com força na cara.

– Mãe? – Christian olhou-a totalmente confuso.

– Julgava que nunca mais te voltaria a ver – sussurrou Grace, expressando o medo que todos nós sentíamos.

– Mãe, estou aqui. – Senti consternação na sua voz.

– Hoje morri mil vezes – sussurrou ela, num tom quase inaudível, fazendo eco dos meus pensamentos. Depois arquejou e começou a soluçar, já incapaz de conter as lágrimas. Christian franziu o sobrolho, horrorizado ou mortificado – não sei bem – e envolveu-a num grande abraço instantes depois, puxando-a contra si.

– Oh, Christian – disse ela, sufocada, envolvendo-o nos seus braços e chorando contra o seu pescoço. Não havia ali sombra de comedimento mas Christian não a repeliu, abraçando-a e reconfortando-a, embalando-a nos seus braços. Lágrimas escaldantes acumularam-se nos meus olhos.

Carrick gritou do vestíbulo:

– Está vivo! Merda, estás aqui! – Vinha do escritório de Taylor, agarrado ao telemóvel e abraçou-os a ambos, de olhos fechados, agradavelmente aliviado.

– Pai?

Mia guinchou algo ininteligível a meu lado, levantou-se e correu para junto dos pais, abraçando-os também a todos. Mas eu não me conseguia mexer.

Carrick foi o primeiro a afastar-se, limpando os olhos e batendo ao de leve no ombro de Christian. Mia largou-os depois e Grace recuou.

– Desculpa – murmurou ela.

– Oh, mãe, não tem importância – disse Christian, ainda visivelmente consternado.

– Onde estavas? O que aconteceu? – gritou Grace, levando as mãos à cabeça.

– Mãe – murmurou Christian, puxando-a de novo para os seus braços e beijando-a no alto da cabeça –, eu estou aqui e estou bem, só que demorei uma eternidade a regressar de Portland. Porquê o comité de boas-vindas? – Olhou para cima e esquadrinhou a sala, até que os seus olhos se fixaram nos meus.

Pestanejou e olhou brevemente para José, que me largou a mão. A boca de Christian ficou tensa. Eu bebi-o com os olhos e o alívio percorreu-me o corpo, deixando-me sem forças, exausta e totalmente eufórica. Ainda assim não parava de chorar. Christian voltou a concentrar-se na mãe.

– Mãe, eu estou bem. O que se passa? – disse Christian, tranquilizadoramente. Ela colocou-lhe as mãos de ambos os lados do rosto.

– Christian, tens estado desaparecido. O teu plano de voo… Tu nunca chegaste a voltar para Seattle. Porque não nos contactaste?

Christian arqueou bruscamente as sobrancelhas, surpreendido.

– Não esperava que demorasse tanto tempo.

– Porque não telefonaste?

– Não tinha bateria no telemóvel.

– Não paraste… para fazer uma chamada a cobrar no destino?

– É uma longa história, mãe.

– Oh, Christian! Nunca mais me voltes a fazer isto, entendido? – disse ela, quase a gritar.

– Sim, mãe. – Limpou-lhe as lágrimas com os polegares e abraçou-a de novo. Quando ela recuperou a compostura, largou-a para abraçar Mia, que lhe bateu com força no peito.

– Estávamos preocupados contigo! – disse ela, impulsivamente, também em lágrimas.

– Por amor de Deus, eu já estou aqui – murmurou Christian.

Ao ver Elliot avançar, Christian confiou Mia a Carrick, que já tinha um braço por cima da mulher e enlaçou a filha com o outro. Para surpresa de Christian, Elliot abraçou-o brevemente, batendo-lhe com força nas costas.

– É ótimo ver-te – disse Elliot, em voz alta, talvez até um pouco rudemente, tentando esconder a sua emoção.

E foi com o rosto inundado de lágrimas que percebi tudo. A sala grande estava impregnada de amor incondicional. Ele tinha-o a rodos, só que nunca o aceitara antes e mesmo agora parecia totalmente desorientado.

Olha, Christian, todas estas pessoas te amam! Talvez agora comeces a acreditar nisso.

Kate estava atrás de mim a afagar-me delicadamente o cabelo – devia ter saído da sala da televisão.

– Ele está mesmo aqui, Ana – murmurou ela, tranquilizadoramente.

– Agora vou cumprimentar a minha miúda – disse Christian aos pais e ambos se afastaram, acenando com a cabeça e sorrindo.

Ele aproximou-se de mim, com uns olhos cinzentos brilhantes, embora exaustos e ainda confusos. Algures no meu íntimo, consegui reunir forças para me levantar cambaleante e correr para os seus braços abertos.

– Christian! – solucei.

– *Shh* – disse ele, abraçando-me, enterrando o rosto no meu cabelo e inspirando profundamente. Ergui o rosto manchado de lágrimas e ele deu-me um beijo breve demais.

– Olá – murmurou.

– Olá – disse eu, sentindo o nó ao fundo da garganta a arder.

– Sentiste a minha falta?

– Um pouco.

Ele sorriu.

– Dá para perceber – disse ele, limpando-me as lágrimas que recusavam parar, com um toque delicado da mão.

– Julgava… julgava que… – disse eu, sufocada.

– Bem vejo. *Shh…* eu estou aqui, eu estou aqui… – murmurou, beijando-me de novo, castamente.

– Estás bem? – perguntei, largando-o e tocando-lhe no peito, nos braços e na cintura. – A sensação de estar a tocar naquele homem quente, vigoroso e sensual tranquilizou-me; tinha-o de facto ali, à minha frente. Ele voltara. Christian não vacilou sequer, limitando-se a olhar para mim, atentamente.

– Estou bem e não vou a lado nenhum.

– Graças a Deus. – Voltei a agarrá-lo pela cintura e ele abraçou-me mais uma vez. – Tens fome? Queres beber alguma coisa?

– Sim.

Recuei para lhe ir buscar algo, mas ele não me largou, prendendo-me debaixo do braço e estendendo a mão a José.

– Mr. Grey – disse José, calmamente.

Christian conteve uma gargalhada:

– Christian, por favor – disse ele.

– Christian, bem-vindo de volta. Fico feliz por saber que está bem… e… obrigado por me deixar cá ficar.

– Não se preocupe. – Christian semicerrou os olhos, mas Mrs. Jones distraiu-o, aparecendo subitamente a seu lado. Só então me ocorreu que ela não estava tão elegante como era habitual. Não tinha reparado nisso antes. Tinha o cabelo solto e estava de perneiras cinzento-claras, com uma grande *sweatshirt* cinzenta com as palavras WSU COUGARS estampadas à frente, que a fazia parecer mais pequena. Parecia bastante mais jovem.

– Posso servir-lhe alguma coisa, Mr. Grey? – perguntou, limpando os olhos com um lenço de papel.

Christian sorriu-lhe afetuosamente.

– Uma cerveja, por favor, Grace. Uma *Budvar* e qualquer coisa para trincar.

– Eu vou buscar – murmurei, desejosa por fazer algo pelo meu homem.

– Não, não vás – disse ele, brandamente, apertando mais o braço em torno de mim.

O resto da família aproximou-se e Ethan e Kate reuniram-se a nós. Ele apertou a mão de Ethan e beijou rapidamente Kate na face. Mrs. Jones regressou com uma garrafa de cerveja e um copo. Ele pegou na garrafa mas recusou o copo. Ela sorriu e voltou para a cozinha.

– Surpreende-me que não queiras nada mais forte – murmurou Elliot.

– Afinal, o que raio te aconteceu? A primeira coisa que soube foi quando o pai me telefonou a dizer que o *heli* estava desaparecido.

– Elliot! – disse Grace, num tom repreensivo.

– Helicóptero – rosnou Christian, corrigindo Elliot, que sorriu, e eu fiquei com a impressão de que aquilo era uma piada de família.

– Vamos sentar-nos e eu conto-vos. – Christian puxou-me para um sofá e toda a gente se sentou de olhos postos em Christian. Ele deu um grande gole na cerveja. Olhou para Taylor, que andava a rondar à entrada e acenou-lhe com a cabeça. Taylor retribuiu o cumprimento.

– A tua filha?

– Agora está bem. Foi um falso alarme.

– Ótimo – disse Christian, sorrindo.

A filha? O que teria acontecido à filha de Taylor?

– Ainda bem que voltou. Precisa de mais alguma coisa?

– Temos um helicóptero para resgatar.

Taylor acenou com a cabeça.

– Agora, ou pode ser amanhã de manhã?

– Parece-me melhor amanhã de manhã.

– Muito bem, Mr. Grey. Precisa de mais alguma coisa?

Christian abanou a cabeça e ergueu-lhe a garrafa. Taylor dirigiu-lhe um sorriso raro – mais raro ainda do que os de Christian, creio eu – e saiu, provavelmente para o seu escritório ou para o seu quarto, no andar de cima.

– Christian, o que aconteceu? – perguntou Carrick, enfaticamente.

E Christian começou a contar a sua história. Estava a pilotar o

Charlie Tango com Ros, o seu braço direito, para ir tratar de um financiamento à WSU Vancouver. Eu estava de tal forma aturdida que mal conseguia acompanhar a história. Estava agarrada à sua mão, a olhar para as suas unhas bem tratadas, para os seus dedos compridos, para as rugas nos nós dos dedos, para o seu relógio de pulso – um *Ómega* com três pequenos mostradores – contemplando o seu lindo perfil enquanto continuava a contar a história:

– Ros nunca tinha visto o monte de Santa Helena, por isso, no regresso, fizemos um pequeno desvio para festejar. Eu sabia que as restrições temporárias de voo tinham sido levantadas há algum tempo e queria ir lá dar uma espreitadela, e ainda bem que o fizemos. Íamos a voar baixo, aí a uns sessenta metros do solo, quando o painel de instrumentos se iluminou. Tínhamos um incêndio na cauda e eu não tive outra hipótese senão desligar todos os comandos eletrónicos e aterrar. – Abanou a cabeça. – Aterrei, junto de Silver Lake, consegui que Ros saísse e consegui extinguir o fogo.

– Um incêndio? Em ambos os motores? – Carrick estava horrorizado.

– Sim.

– Merda! Mas eu pensava…

– Eu sei – disse Christian, interrompendo-o. – Foi uma sorte eu estar a voar tão baixo – murmurou. Estremeci. Ele largou-me a mão e pôs um braço à minha volta.

– Estás com frio? – perguntou e eu abanei a cabeça.

– Como apagaste o fogo? – perguntou Kate, com os seus instintos de Carla Bernstein a virem ao de cima. Caramba, às vezes parecia tão concisa.

– Com um extintor. Somos obrigados a andar com eles, por lei – respondeu Christian, num tom de voz moderado.

Lembrei-me das suas palavras de há muito tempo: *"Todos os dias agradeço à Divina Providência por teres sido tu a entrevistar-me e não a Katherine Kavanagh."*

– Porque não telefonaste ou usaste o rádio?

Christian abanou a cabeça:

– Com os comandos eletrónicos desligados não tínhamos rádio e eu não ia correr o risco de os ligar por causa do fogo. O GPS ainda estava a funcionar no BlackBerry, por isso consegui orientar-me até à estrada mais próxima. Demorámos quatro horas a lá chegar a pé. Ros estava de saltos. – Christian cerrou os lábios em linha reta, com um ar desaprovador.

– Não tínhamos rede no telemóvel, porque não havia nenhuma antena recetora em Gifford. A bateria de Ros foi a primeira a acabar e a minha acabou no caminho.

Que inferno. Fiquei tensa e Christian puxou-me para o seu colo.

– Então como regressaram a Seattle? – perguntou Grace, piscando ligeiramente os olhos, sem dúvida por nos ver aos dois naqueles preparos. Eu corei.

– Pedimos boleia e juntámos os nossos recursos. Eu e Ros tínhamos seiscentos dólares, ao todo. Pensámos que teríamos de subornar alguém para nos trazer, mas um camionista parou e concordou em trazer-nos até cá. Recusou-se a aceitar dinheiro e partilhou o almoço connosco. – Abanou a cabeça, constrangido, ao recordá-lo. – Demorámos uma eternidade. Ele não tinha telemóvel – é estranho, mas é verdade. Nunca me passou pela cabeça... – Fez uma pausa e olhou para a família.

– Que nós iríamos ficar preocupados? – disse Grace, num tom trocista. – Estávamos a dar em doidos!

– Chegaste aos noticiários, mano.

Christian revirou os olhos.

– Sim, eu calculei, quando dei de caras com esta receção e um molho de fotógrafos lá fora. Desculpa, mãe, devia ter pedido ao motorista para parar, para eu poder telefonar, mas eu estava ansioso por chegar. – Olhou para José.

Ah, então era por isso, pelo facto de o José ir dormir aqui. Franzi o sobrolho ao pensar nisso. Caramba – tanta preocupação.

Grace abanou a cabeça.

– Estou feliz por teres voltado inteiro, querido.

Comecei a descontrair-me e poisei a cabeça contra o seu peito. Ele cheirava a campo, misturado com um ligeiro cheiro a suor, a gel de banho e a Christian, o perfume mais agradável do mundo. As lágrimas começaram de novo a correr-me pela cara abaixo. Eram lágrimas de gratidão.

— Ambos os motores? — repetiu Carrick, incrédulo, franzindo o sobrolho.

— Vá-se lá saber porquê. — Christian encolheu os ombros, passando-me a mão pelas costas.

— Ei — sussurrou ele, colocando-me os dedos debaixo do queixo e inclinando-me a cabeça para trás. — Para de chorar.

Eu limpei o nariz com as costas da mão de uma forma muito pouco própria de uma senhora.

— Para de desaparecer — disse eu, fungando, e os seus lábios arquearam-se num sorriso.

— Uma falha elétrica… É estranho, não é? — disse Carrick de novo.

— Sim, isso também me passou pela cabeça, pai, mas neste momento gostaria apenas de ir para a cama e deixar essa merda toda para amanhã.

— E os *media* sabem que *Christian Grey* foi encontrado são e salvo? — disse Kate.

— Sim, a Andrea e o meu pessoal de RP tratarão dos *media*. Ros telefonou-lhe depois de a deixarmos em casa.

— Sim, a Andrea telefonou-me para me informar que tu estavas vivo — disse Carrick, sorrindo.

— Tenho de aumentar aquela mulher. É bastante tarde — disse Christian.

— Senhoras e senhores, creio que isto é sinal de que o meu querido mano precisa do seu repouso cosmético — gracejou Elliot sugestivamente e Christian fez-lhe uma careta.

— Cary, o meu filho está em segurança. Já me podes levar para casa. *Cary?* Grace olhou para o marido, com adoração.

— Sim, creio que não nos faria mal nenhum dormir — replicou Carrick, sorrindo para ela.

— Fiquem — sugeriu Christian.

— Não, querido, agora que sei que estás em segurança, quero ir para casa.

Christian poisou-me relutantemente sobre o sofá e levantou-se. Grace abraçou-o mais uma vez e encostou a cabeça ao seu peito, fechando os olhos, satisfeita. Ele envolveu-a nos seus braços.

— Estava tão preocupada, querido — sussurrou ela.

– Eu estou bem, mãe.

Ela inclinou-se para trás e examinou-o atentamente, enquanto ele a abraçava.

– Sim, acho que estás – disse ela, lentamente, olhando de relance para mim e sorrindo. Eu corei.

Seguimos Carrick e Grace até ao vestíbulo. Reparei que Mia e Ethan estavam numa animada conversa em voz baixa, atrás de mim, mas não consegui ouvir o que diziam.

Mia sorria timidamente para Ethan, e este estava pasmado a olhar para ela, a abanar a cabeça. Subitamente, ela cruzou os braços, deu meia-volta e ele esfregou a testa com a mão, visivelmente frustrado.

– Mãe, pai, esperem por mim – disse Mia, subitamente. Talvez fosse tão volátil como o irmão.

Kate abraçou-me com força.

– Dá para perceber que se passou algo de muito sério enquanto eu estava em Barbados, feliz e alheia a tudo. Parece-me óbvio que vocês estão ambos loucos um pelo outro. Ainda bem que ele está a salvo e não apenas por ele, Ana, por ti também.

– Obrigada, Kate – murmurei.

– Sim, quem poderia imaginar que encontraríamos o amor ao mesmo tempo? – disse ela, a sorrir. Uau, ela admitira-o.

– E com irmãos! – disse eu, rindo.

– Ainda acabamos como cunhadas – gracejou.

Eu fiquei tensa e pontapeei-me mentalmente, ao ver Kate recuar e olhar para mim como quem diz "o que é que me estás a esconder?" Corei. Raios. Deveria contar-lhe que ele me pedira em casamento?

– Anda, querida – disse Elliot, chamando-a do elevador.

– Falamos amanhã, Ana. Deves estar exausta.

Conseguira um adiamento.

– Claro. Tu também, Kate… viajaste de tão longe, hoje.

Abraçámo-nos mais uma vez e depois ela e Elliot seguiram os Grey até ao interior do elevador. Ethan apertou a mão a Christian e deu-me um abraço rápido. Parecia disperso, mas entrou no elevador atrás deles e as portas fecharam-se.

José vagueava pelo corredor quando saímos do vestíbulo.

— Oiçam, vou-me deitar… para vos deixar a sós — disse ele.

Eu corei. Porque seria aquilo embaraçante?

— Sabes para onde ir? — perguntou Christian.

José acenou com a cabeça.

— Sim, a empregada…

— Mrs. Jones — lembrei eu.

— Sim, Mrs. Jones conduziu-me lá, antes. Bela casa que aqui tens, Christian.

— Obrigado — disse Christian cortesmente, ao vir para junto de mim, colocando-me o braço por cima dos ombros. Depois, inclinou-se e beijou-me o cabelo.

— E eu vou comer o que quer que seja que Mrs. Jones me tenha preparado. Boa noite, José. — Christian voltou para a sala grande, deixando-me a mim e ao José à entrada.

Uau! Ele deixara-me a sós com o José.

— Bom, boa noite — José parecia desconfortável, de repente.

— Boa noite, José, e obrigada por ficares.

— Claro, Ana, sempre que o figurão do teu namorado rico desaparecer, eu estarei aqui.

— José! — disse-lhe, repreensivamente.

— Estava só a brincar. Não te zangues. Eu saio de manhã cedo. Vemo-nos um dia destes, está bem? Senti a tua falta.

— Claro, José, mas em breve, espero eu. Desculpa a noite de hoje ter sido uma… treta. — Sorri apologeticamente, com ar de tonta.

— Pois — disse ele, sorrindo. — Uma treta. — Abraçou-me. — A sério, Ana, ainda bem que estás feliz, mas estou aqui se precisares de mim.

Olhei para ele.

— Obrigada.

Ele dirigiu-me um breve sorriso agridoce e triste e subiu as escadas.

Voltei para a sala grande. Christian estava ao lado do sofá a observar-me com uma expressão inescrutável. Olhámos um para o outro. Estávamos finalmente sozinhos.

— Ele continua perdido por ti, sabes? — murmurou.

— Como sabe isso, Mr. Grey?

— Reconheço os sintomas, Miss Steele. Creio que padeço do mesmo mal.

– Julguei que nunca mais iria voltar a ver-te – sussurrei. Pronto, já o dissera. Exorcizara os meus piores medos, bem embalados numa frase curta.

– Não foi tão mau como parece.

Eu apanhei-lhe o casaco e os sapatos caídos no chão e aproximei-me dele.

– Eu levo isso – sussurrou ele, agarrando no casaco.

Christian fitou-me com um olhar em tudo semelhante ao meu – tenho a certeza – e puxou-me contra si, envolvendo-me nos seus braços. Ele estava ali, ele estava mesmo ali.

– Christian – arquejei, e as lágrimas voltaram.

– *Shh* – disse ele, tranquilizadoramente, beijando-me o cabelo. – Sabes... naqueles escassos segundos de puro terror, antes de aterrar, só pensava em ti. Tu és o meu talismã, Ana.

– Julgava que te tinha perdido – sussurrei. Estávamos de pé, agarrados um ao outro, a restabelecer a ligação entre nós e a tranquilizarmo-nos mutuamente. Quando o apertei nos meus braços, reparei que ainda estava a segurar nos seus sapatos, e deixei-os cair ruidosamente no chão.

– Anda tomar um duche comigo – murmurou.

– Ok – Olhei para ele. Não queria largá-lo. Ele baixou a mão e levantou-me o queixo com os dedos.

– Mesmo com o rosto manchado de lágrimas estás linda, Ana Steele. Curvou-se e beijou-me delicadamente – e os teus lábios são tão macios. – Voltou a beijar-me, mais profundamente.

Oh, meu Deus... pensar que o podia ter perdido... não... Parei de pensar e rendi-me.

– Preciso de poisar o casaco – murmurou ele.

– Larga-o – murmurei eu contra os seus lábios.

– Não posso.

Inclinei-me para trás e olhei para ele, intrigada.

Ele sorriu-me afetadamente.

– Eis o motivo. – Tirou a pequena caixa com o presente que eu lhe oferecera do bolso interior do casaco e atirou o casaco para cima das costas do sofá, poisando a caixa em cima dele.

Aproveita o dia, Ana, incitou-me o meu subconsciente. Bom, já passava da meia-noite. Tecnicamente, já era o dia do seu aniversário.

– Abre-a – sussurrei, com o coração a martelar-me o peito.

– Estava com esperança de que dissesses isso – murmurou. – Isto tem estado a dar comigo em louco.

Eu sorri-lhe com um ar endiabrado. Sentia-me estonteada. Ele fez-me aquele sorriso tímido e eu derreti, apesar de sentir o coração palpitante, deliciando-me com a sua expressão divertida, ainda que intrigada. Ele desembrulhou e abriu habilmente a caixa, franzindo a testa ao tirar um pequeno porta-chaves retangular, de plástico, com uma fotografia composta de pequenos pixéis que acendiam e apagavam como num ecrã LED. Representava a silhueta de Seattle com a palavra SEATTLE claramente escrita sobre a paisagem.

Ele olhou-o durante um minuto e depois fitou-me, perplexo, franzindo o sobrolho e deformando a sua linda testa.

– Vira-o – disse eu, contendo a respiração.

Ele virou-o e fitou-me bruscamente, com uns olhos cinzentos, esgazeados, cintilantes de assombro e de alegria, entreabrindo os lábios, incrédulo.

A palavra SIM aparecia e desaparecia no porta-chaves.

– Feliz aniversário – sussurrei.

CAPÍTULO VINTE

– Casas comigo? – sussurrou, incrédulo.

Eu acenei nervosamente com a cabeça, afogueada e ansiosa. Mal podia acreditar na reação dele – o homem que eu julgava ter perdido. Como era possível que não entendesse como eu o amava?

– Di-lo – ordenou, brandamente, com um olhar intenso e *sexy*.

– Sim, eu caso contigo.

Ele inspirou bruscamente, e agarrou-me de repente, fazendo-me girar de uma forma nada habitual nele. O seu riso jovial e descontraído irradiava uma alegria exultante. Agarrei-me aos seus braços para me segurar, sentindo os seus músculos ondular debaixo dos meus dedos, e as suas gargalhadas contagiantes arrastaram-me consigo. Estava estonteada, aturdida – a perfeita imagem da rapariga totalmente perdida de amor pelo seu homem. Ele pôs-me no chão e beijou-me. Com força. Tinha as mãos em ambos os lados do meu rosto e a sua língua era insistente, persuasiva... excitante.

– Oh, Ana – murmurou contra os meus lábios e a sua exultação deixou-me vacilante. Ele amava-me, disso não tinha qualquer dúvida. Desfrutei do sabor daquele homem delicioso que eu pensava que poderia não voltar a ver. A sua alegria era evidente. Estava com uns olhos brilhantes e um sorriso jovial. O seu alívio era quase palpável.

– Julgava que te tinha perdido – murmurei, ainda aturdida e ofegante do seu beijo.

– Seria preciso mais do que uma avaria num 135 para me afastar de ti, querida.

– Um 135?

– O *Charlie Tango* é um Eurocopter EC135, o mais seguro da sua classe. – Uma emoção desconhecida mas sombria perpassou-lhe o rosto, por breves instantes, perturbando-me. O que estaria ele a esconder de mim? Antes que eu lhe pudesse perguntar, ele ficou imóvel e olhou para mim, de sobrolho franzido, e julguei por instantes que mo fosse dizer. Pisquei os olhos e fitei aqueles olhos especulativos, cinzentos.

– Espera aí. Tu deste-me isto antes de estarmos com o Flynn – disse ele, erguendo o porta-chaves. Parecia quase horrorizado.

Oh, meu Deus, onde estaria ele a querer chegar com aquilo? Acenei com a cabeça, mantendo uma expressão séria.

Ele ficou de queixo caído.

Eu encolhi os ombros apologeticamente.

– Queria que soubesses que o que quer que o Flynn dissesse não faria diferença para mim.

Christian piscou-me os olhos, incrédulo.

– Então, quando eu te estava a implorar por uma resposta, ontem à noite, já a tinha? – Estava consternado. Voltei a acenar com a cabeça, tentando desesperadamente avaliar a sua reação. Ele olhou-me estupefacto, mas depois semicerrou os olhos, divertido, e fez um trejeito irónico com a boca.

– Toda aquela preocupação – sussurrou, ameaçadoramente. Eu sorri e voltei a encolher os ombros. – Não se arme em engraçada comigo, Miss Steele. Neste momento, a minha vontade... – Passou a mão pelo cabelo, abanou a cabeça e mudou de estratégia.

– Não posso acreditar que me deixaste pendurado. – Havia uma nota de incredibilidade na sua voz. A sua expressão alterou-se subtilmente, os seus olhos brilharam maliciosamente e a sua boca estremeceu com um sorriso sensual.

Com os diabos. Fui percorrida por um estremecimento. O que estaria ele a pensar?

– Acho que isto está a pedir um castigo qualquer, Miss Steele – disse ele, brandamente.

Castigo? Oh merda. Eu sabia que ele estava a brincar – ainda assim dei um passo cauteloso atrás.

Ele sorriu:

– Ai o jogo é esse? – sussurrou. – É que eu vou apanhar-te. – Um brilho jocoso e intenso iluminou-lhe os olhos. – Estás a morder o lábio – acrescentou ele, ameaçadoramente.

As minhas entranhas contraíram-se de imediato. *Oh meu Deus.* O meu futuro marido queria brincadeira. Recuei mais um passo e virei-me para fugir, mas foi inútil. Christian agarrou-me facilmente de uma só vez e eu gritei de prazer, surpresa e choque. Ele pendurou-me sobre o ombro e encaminhou-se para o fundo do corredor.

– Christian! – gritei, consciente de que José estava lá em cima, ainda que duvidasse que ele nos pudesse ouvir. Agarrei-me ao fundo das suas costas, para me equilibrar, e bati-lhe no rabo, num acesso de coragem. Ele bateu imediatamente a seguir.

– Au! – gritei.

– Hora do duche – declarou, triunfantemente.

– Põe-me no chão! – disse eu, tentando em vão dar a entender que o desaprovava. Era inútil debater-me – as minhas coxas estavam firmemente presas debaixo do seu braço e eu não conseguia parar de rir, por qualquer razão.

– Gostas desses sapatos? – perguntou, divertido, ao abrir a porta da casa de banho.

– Preferia que estivessem em contacto com o chão. – Tentei dizê-lo rispidamente, mas sem grande sucesso, pois não conseguia disfarçar o riso na voz.

– Os seus desejos são ordens, Miss Steele. – Tirou-me os sapatos sem me poisar no chão, deixando-os cair ruidosamente no chão ladrilhado. Ao passar pelo toucador, esvaziou os bolsos, tirando o BlackBerry desligado, as chaves, a carteira e o porta-chaves. Imaginei a minha aparência no espelho, daquele ângulo. Quando terminou, foi diretamente para o enorme chuveiro.

– Christian! – disse eu, repreensivamente, em voz alta. As suas intenções eram agora claras.

Ligou a água no máximo. *Caramba!* Um jorro de água gélida salpicou-me o rabo e eu guinchei, mas depois calei-me, mais uma vez consciente de que José estava no andar de cima. A água fria e eu estava totalmente vestida. A água gelada ensopou-me o vestido, as cuecas e o sutiã. Estava encharcada e não conseguia parar de rir, mais uma vez.

– Não! – guinchei. – Põe-me no chão! – Voltei a bater-lhe, desta vez com mais força, e Christian largou-me, deixando-me escorregar ao longo do seu corpo, agora ensopado. Tinha a camisa branca colada ao peito e as calças do fato encharcadas. Eu estava igualmente ensopada, corada, estonteada e ofegante, e ele sorria. Estava... estava incrivelmente *sexy*.

Ele recompôs-se, aninhando-me de novo o rosto nas mãos, de olhos cintilantes, e puxou-o ao encontro dos seus lábios. O seu beijo foi delicado, apaixonado e absolutamente estonteante. Eu já não queria saber se estava totalmente vestida e ensopada no chuveiro de Christian. Éramos só nós os dois debaixo da torrente de água. Ele voltara, estava a salvo e era meu.

As minhas mãos moveram-se inadvertidamente para a sua camisa, colada a todas as linhas e contornos do seu peito, revelando os pelos, espremidos debaixo do pano branco, ensopado. Eu puxei-lhe as fraldas da camisa para fora das calças e ele gemeu contra a minha boca, mas não descolou os lábios dos meus. Enquanto lhe desabotoava a camisa, alcançou o fecho do meu vestido e puxou-o lentamente. Os seus lábios tornaram-se mais insistentes e mais provocadores, a sua língua invadiu-me a boca, e o meu corpo explodiu de desejo. Puxei-lhe pela camisa, abrindo-a à força, e os botões saltaram por toda a parte, ricocheteando nos ladrilhos e desaparecendo no chão do chuveiro. Ao puxar-lhe a camisa branca dos ombros e ao longo dos braços, empurrei-o contra a parede, impedindo-o de me despir.

– Os botões de punho – murmurou, erguendo os pulsos, cobertos pela camisa ensopada e mole.

Os meus dedos desapertaram atabalhoadamente um deles, e depois o outro, deixando-os cair descuidadamente no chão ladrilhado. Seguiu-se a camisa. Os seus olhos procuraram os meus através da torrente de água. Ele estava com um olhar ardente, sensual e quente como a água. Agarrei no cós das suas calças mas ele abanou a cabeça e agarrou-me pelos ombros, virando-me de costas para ele. Uma vez terminada a longa jornada do fecho em direção a sul, afastou-me o cabelo molhado do pescoço e lambeu-o até à linha do cabelo e de novo para baixo, beijando-o e sugando-o ao fazê-lo.

Gemi e ele puxou-me lentamente o vestido pelos ombros, até à parte debaixo dos seios, beijando-me o pescoço por baixo da orelha. Depois abriu-me o sutiã e puxou-o, libertando-me os seios. As suas mãos contornaram o meu corpo, e ele agarrou-os segredando-me o seu apreço ao ouvido.

– Tão bonita – sussurrou.

Eu estava com os braços presos no sutiã e no vestido, ambos abertos, suspensos debaixo dos meus seios. Os meus braços estavam ainda presos nas mangas, mas tinha as mãos livres. Girei a cabeça para que Christian me pudesse alcançar mais facilmente o pescoço, comprimindo os seios contra as suas mãos mágicas e estiquei os braços para trás, escutando com agrado a sua inspiração brusca, assim que os meus dedos curiosos entraram em contacto com a sua ereção. Ele pressionou as virilhas contra as minhas mãos recetivas. Raios, porque não me deixava tirar-lhe as calças?

Puxou-me pelos mamilos e eu esqueci-me por completo das suas calças, à medida que estes enrijeciam e se alongavam sob o seu toque experiente. Um prazer intenso e libidinoso cresceu-me bruscamente no ventre e eu gemi, inclinando a cabeça para trás, contra o seu peito.

– Sim – sussurrou, virando-me de novo e aprisionando a minha boca na sua. Tirou-me o sutiã, o vestido e as cuecas, reunindo-os à camisa ensopada, no chão do chuveiro.

Eu agarrei no gel de banho que estava junto de nós. Christian ficou imóvel ao perceber o que eu ia fazer. Eu olhei-o nos olhos e espremi um pouco do gel de cheiro adocicado na palma da mão, erguendo a mão em frente do seu peito, à espera de uma resposta à minha pergunta silenciosa. Ele arregalou os olhos e acenou-me com a cabeça, quase impercetivelmente.

Coloquei delicadamente a mão sobre o seu esterno e comecei a massajar-lhe a pele com o gel. Ele inspirou bruscamente e o seu peito dilatou-se, mas ficou perfeitamente imóvel. Instantes depois, agarrou-me as ancas mas não me afastou de si. Observava-me com um olhar cauteloso, mais intenso do que propriamente assustado, mas os seus lábios entreabriram-se e a sua respiração acelerou.

– Não te incomoda? – sussurrei.

– Não. – A sua breve resposta sussurrada era quase um suspiro e eu recordei os muitos duches que tínhamos tomado juntos. O do Olympic era uma recordação agridoce. Bom, agora já lhe podia tocar.

Lavei o meu homem com delicados movimentos circulares, movendo as mãos até às suas axilas, sobre as costelas, ao longo da sua barriga lisa e firme, em direção ao rasto de pelos do seu baixo-ventre, e ao cós das suas calças.

– Agora é a minha vez – sussurrou ele, pegando no champô, deslocando-nos a ambos para fora do alcance da torrente de água e espremendo algum champô no alto da minha cabeça.

Creio que era a minha deixa para parar de o lavar, por isso encaixei os dedos no cós das suas calças. Ele esfregou o champô no meu cabelo, massajando-me o couro cabeludo com os seus dedos longos e firmes. Eu gemi, demonstrando o meu apreço, e fechei os olhos, abandonando-me àquela sensação divinal. Aquilo era exatamente o que eu precisava depois de todo o *stress* da noite.

Ele riu baixinho. Eu abri um olho e dei com ele a sorrir para mim.

– Gostas?

– Hum...

Ele voltou a sorrir.

– Eu também – disse ele, inclinando-se para me beijar a testa, e os seus dedos continuaram a massajar-me firme e delicadamente o couro cabeludo.

– Vira-te – disse ele, num tom autoritário. Continuou a massajar-me lentamente a cabeça com os dedos, purificando-me, descontraindo-me e acarinhando-me. Oh, aquilo era pura felicidade. Tirou mais champô, lavando-me delicadamente os longos cachos de cabelo que me caíam pelas costas, e quando terminou voltou a puxar-me para baixo do chuveiro.

– Inclina a cabeça para trás – ordenou ele, calmamente.

Eu obedeci de bom grado e ele enxaguou-me delicadamente, libertando-me da espuma. Quando terminou eu virei-me para ele mais uma vez e as minhas mãos desceram em linha reta até às suas calças.

– Quero lavar-te todo – sussurrei. Ele fez-me aquele sorriso enviesado e ergueu as mãos como quem diz "sou todo teu, querida". Eu sorri. Parecia dia de Natal. Abri-lhe rapidamente a braguilha e as suas calças e os seus *boxers* depressa se reuniram ao resto da roupa. Endireitei-me e peguei no gel de banho e na esponja.

– Pareces feliz por me ver – murmurei, secamente.

– Eu fico sempre feliz por a ver, Miss Steele – disse-me ele, com um sorriso afetado.

Ensaboei a esponja e voltei a percorrer o mesmo caminho pelo seu peito. Estava mais descontraído – talvez pelo facto de eu não estar realmente a tocar-lhe. Dirigi-me para sul com a esponja, fazendo-a deslizar-lhe pela barriga, pelo rasto de pelos do seu baixo-ventre, através dos pelos públicos e a todo o comprimento da sua ereção.

Olhei-o e ele fitava-me, de olhos semicerrados, cheio de desejo carnal. *Hum… gosto desse olhar.* Larguei a esponja e usei as mãos, agarrando firmemente no seu membro. Ele fechou os olhos e inclinou a cabeça para trás, empurrando as ancas contra as minhas mãos.

Oh, sim! Era tão excitante. A minha deusa interior reaparecera, depois de passar a noite a baloiçar-se e a chorar a um canto. Usava um batom vermelho-vivo.

Os olhos ardentes de Christian fixaram-se subitamente nos meus. Lembrara-se de alguma coisa.

– É sábado – exclamou ele, de olhos brilhantes, carregados de um assombro lascivo, agarrando-me pela cintura, puxando-me contra si e beijando-me selvaticamente.

Eh lá – mudança de ritmo!

As suas mãos deslizaram-me pelo corpo escorregadio e molhado até ao sexo, explorando-me e estimulando-me com os dedos, e a sua boca implacável deixou-me sem fôlego. A outra mão segurava-me no cabelo molhado, prendendo-me contra si, sujeitando-me à força da sua paixão desenfreada. Os seus dedos mergulharam dentro de mim.

– Ahh – gemi contra a sua boca.

– Sim – sussurrou e ergueu-me, colocando as mãos debaixo do meu rabo. – Enrola as pernas à minha volta, querida. – As minhas pernas obedeceram e eu agarrei-me ao pescoço dele como uma lapa. Apoiou-me contra a parede do duche e fez uma pausa, olhando-me.

– Olhos abertos – murmurou. – Quero ver-te.

Eu pisquei-lhe os olhos, com o coração a martelar-me o peito, sentindo o sangue quente pulsar-me pesadamente pelo corpo e um desejo real, desenfreado, avolumar-se dentro de mim. Ele penetrou-me muito lentamente, preenchendo-me, reclamando a minha posse – pele contra pele – e eu empurrei o corpo contra ele e gemi alto. Logo que me penetrou por completo, voltou a fazer uma pausa, com uma expressão carregada, intensa.

– Tu és minha, Anastasia – sussurrou.

– Sempre.

Sorriu vitoriosamente e mudou de posição, fazendo-me arquejar.

– Agora já podemos contar a toda a gente, porque tu aceitaste. – Falava num tom reverente. Depois inclinou-se, aprisionando a minha boca na sua, e começou a mexer-se… devagar, docemente.

Fechei os olhos e inclinei a cabeça para trás, arqueando o corpo, submetendo-me à sua vontade, escrava do seu ritmo intoxicante e lento.

Os seus dentes roçaram-me pelo maxilar e pelo queixo, descendo pelo meu pescoço, à medida que o seu ritmo aumentava, estimulando-me, elevando-me, afastando-me daquele plano terreno, da torrente abundante de água do duche, do susto arrepiante da noite. Era apenas eu e o meu homem – totalmente absorvidos um no outro, movendo-nos em uníssono, como se fôssemos um só, arquejando e gemendo juntos. Eu saboreava a maravilhosa sensação de estar na sua posse, à medida que o meu corpo se expandia e florescia em torno do seu membro.

Podia tê-lo perdido… e amo-o… Amava-o tanto. Subitamente senti-me transcendida pela enormidade do meu amor, pela profundidade do meu compromisso para com ele. Amaria aquele homem pelo resto da minha vida. E foi com este pensamento assombroso que explodi em torno do seu membro, num orgasmo curativo e catártico, gritando o seu nome, com lágrimas a escorrerem-me pela cara.

Ele atingiu o clímax e verteu-se para dentro de mim, deixando-se escorregar para o chão com o rosto enterrado no meu pescoço, segurando-me firmemente, beijando-me a face e as lágrimas, deixando que a torrente de água quente nos lavasse.

– Estou com os dedos engelhados – murmurei, saciada e relaxada, encostada ao seu peito. Ele levou os meus dedos aos lábios, beijando cada um deles.

– Devíamos sair deste duche.

– Estou confortável aqui. – Eu estava sentada entre as suas pernas e ele abraçava-me contra si. Não me apetecia mexer.

Christian assentiu num murmúrio, mas eu senti-me subitamente derreada, absolutamente exausta. Acontecera tanta coisa naquela última semana; o suficiente para uma vida inteira de drama e agora ia casar-me. Uma gargalhada incrédula escapou-se-me dos lábios.

– Está divertida com alguma coisa, Miss Steele? – perguntou, afetuosamente.

– Foi uma semana agitada.

Ele sorriu.

– Lá isso é verdade.

– Graças a Deus que voltou inteiro, Mr. Grey – sussurrei, apreensiva, só de pensar no que podia ter acontecido. Ele ficou tenso e eu arrependi-me imediatamente de lho ter lembrado.

– Eu estava assustado – confessou, para minha grande surpresa.

– Antes?

Ele acenou com a cabeça, com uma expressão séria.

Com os diabos.

– Então, minimizaste a coisa para tranquilizar a tua família?

– Sim, estava baixo demais para fazer uma boa aterragem, mas acabei por conseguir.

Raios. Olhei-o e ele estava com uma expressão grave. A água continuava a precipitar-se sobre nós.

– Até que ponto foi perigoso? – Ele baixou os olhos para mim.

– Foi perigoso. – Fez uma pausa. – Durante alguns segundos pavorosos julguei que nunca mais te ia ver.

Abracei-o com força.

– Não consigo imaginar a minha vida sem ti, Christian. Amo-te tanto que até assusta.

– Eu também – sussurrou. – A minha vida seria vazia sem ti. Amo-te tanto. – Apertou-me mais nos seus braços e roçou-me o nariz no cabelo. – Jamais te deixarei ir embora.

– Eu jamais me quererei ir embora. – Beijei-lhe o pescoço. Ele inclinou-se e beijou-me delicadamente.

Instantes depois mexeu-se.

– Anda, vamos enxugar-te e meter-te na cama. Eu estou exausto e tu pareces derreada.

Inclinei-me para trás e arqueei uma sobrancelha ao ouvir a sua escolha de palavras. Ele inclinou a cabeça para um lado e sorriu-me afetadamente.

– Tem alguma coisa a dizer, Miss Steele?

Abanei a cabeça e levantei-me, vacilante.

Estava sentada na cama. Christian insistira em secar-me o cabelo e era bastante hábil nisso. A razão de ser disso não era uma ideia agradável, por isso descartei-a imediatamente. Já passava das duas da manhã e eu estava pronta para dormir. Christian olhou para mim, examinando mais uma vez o porta-chaves, antes de se meter na cama, e voltou a abanar a cabeça, incrédulo.

– Isto é tão bonito. Foi o melhor presente de aniversário que tive na vida. – Olhou para mim com um olhar brando e afetuoso. – Melhor do que o meu póster assinado por Guiseppe DeNatale.

– Eu ter-te-ia respondido antes, mas como ias fazer anos... O que oferecer a um homem que tem tudo? Decidi oferecer-me... a mim própria.

Ele poisou o porta-chaves em cima da mesa de cabeceira e aninhou-se a meu lado, puxando-me contra o seu peito de forma a ficarmos encaixados um no outro.

– É perfeito, tal como tu.

Sorri afetadamente, embora ele não pudesse ver a minha expressão.

– Estou longe de ser perfeita, Christian.

– Isso é um sorriso afetado, Miss Steele?

Como é que ele sabia?

– Talvez – disse eu, dando uma gargalhada. – Posso perguntar-te uma coisa?

– Claro – disse ele, roçando-me o nariz no pescoço.

– Não telefonaste durante a tua viagem de regresso de Portland. Foi mesmo por causa do José que não o fizeste? Estavas preocupado por eu estar aqui sozinha com ele?

Christian não disse nada. Virei-me para ele e repreendi-o. Ele estava de olhos arregalados:

– Não vês como isso é ridículo? O *stress* que provocaste a mim e à tua família? Todos nós te adoramos.

Ele piscou os olhos várias vezes e dirigiu-me o seu sorriso tímido.

– Não fazia ideia de que iam ficar todos tão preocupados.

Crispei os lábios.

– Quando é que vais meter nessa cabeça dura que és amado?

– Cabeça dura? – Ele arqueou as sobrancelhas surpreendido.

Eu acenei com a cabeça:

– Sim, cabeça dura.

– Não me parece que os ossos da minha cabeça sejam muito mais densos do que o resto dos meus ossos.

– Eu estou a falar a sério! Para de me tentar fazer rir. Ainda estou um pouco zangada contigo, embora o facto de estares em casa, são e salvo, tenha diluído parcialmente a coisa. Quando pensei… – Emudeci ao recordar aquelas horas de ansiedade. – Bom, tu sabes o que eu pensei.

O seu olhar suavizou-se e ele acariciou-me a cara. – Lamento, ok?

– A tua pobre mãe também. Foi bastante comovente ver-te com ela – sussurrei.

Ele sorriu timidamente.

– Nunca a tinha visto assim. – Piscou os olhos ao recordá-lo. – Sim, foi qualquer coisa de especial. Ela é tão senhora de si, normalmente. Foi um grande choque.

– Vês? Toda a gente te adora – disse eu, sorrindo. – Talvez agora comeces a acreditar nisso. – Inclinei-me e beijei-o delicadamente. – Feliz aniversário, Christian. Ainda bem que aqui estás para partilhares o teu dia comigo. E ainda não viste o que eu tenho para te dar amanhã… ou melhor… hoje – disse eu, sorrindo afetadamente.

– Há mais? – disse ele, espantado, e o seu rosto abriu-se num sorriso de cortar a respiração.

– Há, pois, Mr. Grey, mas terá de esperar até lá.

Despertei subitamente de um sonho ou de um pesadelo e estava com a pulsação acelerada. Virei-me, apavorada, mas para meu alívio, Christian dormia profundamente a meu lado. Como eu mudara de posição, ele esticou o braço a dormir e poisou-o sobre mim, encostando a cabeça ao meu ombro e suspirando suavemente.

O quarto estava inundado de luz. Eram oito horas. Christian nunca dormia até tão tarde. Deitei-me para trás e deixei que o meu coração desenfreado acalmasse. Porquê a ansiedade? Seria o rescaldo da noite anterior?

Virei-me e olhei-o. Ele estava ali, a salvo. Respirei fundo para me recompor e olhei para o seu belo rosto. Um rosto que me era agora muito familiar e cujas depressões e sombras me ficariam para sempre gravadas na memória.

Ele parecia muito mais jovem enquanto dormia. Sorri, porque hoje era um ano mais velho. Abracei-me a mim mesma ao pensar no meu presente. Oooh... o que iria ele fazer? Deveria talvez começar por lhe levar o pequeno-almoço à cama. Além disso, o José podia ainda lá estar.

Encontrei o José ao balcão, a comer uma tigela de cereais, e não pude deixar de corar quando o vi. Ele sabia que eu tinha passado a noite com Christian. Porque me sentia tão acanhada de repente? Não é que estivesse nua, ou coisa do género, pois vestira o meu robe comprido.

– Bom dia, José – disse eu, num tom confiante.

– Olá, Ana! – O seu rosto iluminou-se. Estava verdadeiramente feliz por me ver. Não havia sombra de provocação ou desdém lascivo na sua expressão.

– Dormiste bem? – perguntei.

– Claro. A vista daqui de cima é magnífica.

– Sim, é bastante especial. – Tal como o dono do apartamento. – Queres um pequeno-almoço a sério? – disse eu, provocadoramente.

– Adorava.

– Hoje é o aniversário do Christian e eu vou levar-lhe o pequeno-almoço à cama.

– Ele está acordado?

– Não, creio que está exausto de ontem.

Desviei rapidamente os olhos dele e encaminhei-me para o frigorífico, para que ele não me visse corar. *Caramba, era apenas o José.* Quando tirei os ovos e o *bacon* do frigorífico, José estava a sorrir para mim.

– Tu gostas mesmo dele, não gostas?

Crispei os lábios.

– Eu amo-o, José.

Ele arregalou os olhos por instantes e sorriu.

– Como poderias não amar? – perguntou ele, fazendo um gesto abrangente para a sala grande.

Franzi-lhe o sobrolho.

– Uau, muito obrigada!

– Eh, Ana, estava só a brincar.

Será que iria sempre ser acusada disso? De estar a casar com Christian por dinheiro?

– Estou a brincar, a sério. Tu nunca foste esse tipo de miúda.

– Uma omeleta serve? – perguntei, mudando de assunto. Não queria discutir.

– Claro.

– Para mim também – disse Christian, entrando calmamente na sala grande. Caramba, estava podre de *sexy*, apenas de calças de pijama, caídas sobre as ancas daquela forma.

– José – disse ele, com um aceno de cabeça.

– Christian – disse José, retribuindo o aceno com um ar solene.

Christian virou-se para mim e sorriu-me afetadamente ao ver-me de olhos pregados nele. Fizera aquilo de propósito. Eu fitei-o de olhos semicerrados, tentando desesperadamente recuperar o meu equilíbrio e a expressão de Christian alterou-se subtilmente. Percebera que eu sabia qual era a sua intenção e não estava nada ralado com isso.

– Ia levar-te o pequeno-almoço à cama.

Ele pavoneou-se até junto de mim, envolveu-me num braço, inclinou--me o queixo para cima e plantou-me um beijo húmido e ruidoso na boca. Nem parecia dele!

– Bom dia, Anastasia. – Apeteceu-me franzir-lhe o sobrolho e dizer-lhe que se comportasse, mas era o dia do seu aniversário. Corei. Porque seria tão territorial?

– Bom dia, Christian, feliz aniversário – disse eu, sorrindo e ele dirigiu-me um sorriso afetado.

– Estou ansioso por receber o outro presente. – E pronto, fiquei da cor do Quarto Vermelho da Dor, olhando nervosamente para José, que parecia ter engolido algo de desagradável. Dei meia volta e come-cei a preparar a comida.

– Então, que planos tens para hoje, José? – perguntou Christian, num tom aparentemente descontraído, sentando-se num banco ao balcão.

– Vou visitar o meu pai e Ray, o pai da Ana.

Christian franziu o sobrolho.

– Eles conhecem-se?

– Sim, estiveram juntos no exército. Perderam o contacto um com o outro, até eu e a Ana andarmos juntos na faculdade. Tem uma certa piada. Agora são grandes amigos. Vamos à pesca.

– Pesca? – Christian parecia genuinamente interessado.

– Sim, fazem-se grandes pescarias nestas águas da costa. As tru-tas arco-íris crescem bastante.

– É verdade. Eu e o meu irmão Elliot, uma vez, pescámos uma de quinze quilos e meio.

Eles estavam a falar de pesca? Que vício seria aquele da pesca? Nunca o entendera.

– Quinze quilos e meio? Nada mau, mas o recorde é do pai da Ana. Uma truta de dezanove quilos e meio.

– Estás a brincar! Ele nunca falou nisso.

– A propósito, feliz aniversário.

– Obrigado. Então, onde gostas de pescar?

Eu abstraí-me da conversa, pois não era coisa que me interessasse, mas ao mesmo tempo senti-me aliviada. Vês, Christian? O José não é assim tão mau.

Na altura em que o José estava para sair, já estavam ambos muito mais à vontade um com o outro. Christian vestiu rapidamente uns *jeans* e uma *t-shirt*, e acompanhou-me a mim e ao José ao vestíbulo, descalço.

– Obrigado por me teres deixado passar aqui a noite – disse José a Christian, ao apertarem a mão.

– Sempre que quiseres – respondeu Christian, sorrindo.

José abraçou-me rapidamente.

– Tem cuidado contigo.

– Claro. Foi ótimo ver-te. Da próxima vez fazemos uma noitada a sério.

– Fico à espera que cumpras. – Acenou-nos do interior do elevador e foi-se embora.

– Vês? Ele não é assim tão mau.

– Ele ainda te quer saltar para cima, Ana, mas não posso dizer que o censure por isso.

– Isso não é verdade, Christian!

– Estás mesmo a leste, não estás? – perguntou, com um sorriso afetado. – Ele deseja-te, a sério.

Eu franzi o sobrolho.

– Christian, ele é apenas um amigo, um bom amigo. – Apercebi-me subitamente de que parecia Christian quando falava de Mrs. Robinson. A ideia era inquietante.

Christian ergueu as mãos, num gesto apaziguador.

– Não quero discutir – disse ele, brandamente.

Ah, mas nós não estamos a discutir... pois não?

– Eu também não.

– Não lhe disseste que nos íamos casar.

– Não, achei que devia dizer primeiro à mãe e ao Ray. – *Merda*, era a primeira vez que pensava nisso desde que aceitara. Raios, o que iriam dizer os meus pais?

Christian anuiu:

– Sim, tens razão, e eu... eu devia pedir a tua mão ao teu pai.

Dei uma gargalhada.

– Oh, Christian, não estamos no século xviii.

Com os diabos. O que iria Ray dizer? Só de pensar na conversa fiquei apavorada.

– É tradição – disse Christian, encolhendo os ombros.

– Falamos nisso mais tarde. Quero dar-te o outro presente. – A minha ideia era distraí-lo. Aquele presente estava a abrir-me um buraco na consciência. Precisava de lho dar para ver como ele reagia.

Sorriu-me timidamente e o coração parou-me por instantes. Jamais me cansaria de olhar para aquele sorriso enquanto fosse viva.

– Estás a morder o lábio, outra vez – disse ele, puxando-me o queixo.

Fui percorrida por um estremecimento quando os seus dedos me tocaram. Peguei-lhe na mão, antes que a coragem me faltasse de vez, e levei-o de novo para o quarto, sem dizer uma palavra. Larguei-lhe a mão e deixei-o junto da cama, tirando as outras duas caixas de presentes debaixo da cama.

– Dois? – perguntou, surpreendido.

Eu respirei fundo:

– Comprei este… antes do incidente de ontem, mas agora já não sei se to devo dar. – Dei-lhe rapidamente um dos pacotes, antes que mudasse de ideias. Ele olhou para mim, intrigado, sentindo a minha incerteza.

– Tens a certeza de que queres que eu o abra?

Acenei ansiosamente com a cabeça.

Christian rasgou a embalagem e olhou para a caixa, surpreendido.

– *Charlie Tango* – sussurrei.

Ele sorriu. A caixa continha um pequeno helicóptero de madeira, com uns grandes rotores alimentados a energia solar. Ele abriu a caixa.

– Energia solar – murmurou. – Uau. – Antes que eu desse por isso, já ele estava sentado na cama a montá-lo. Montou num instante e ergueu-o na palma da mão. Um helicóptero azul, de madeira. Ele olhou para mim com aquele maravilhoso sorriso de rapaz americano e foi até à janela. A luz do sol banhou o pequeno helicóptero e os rotores começaram a girar.

– Olha para isto – sussurrou, examinando-o atentamente. – As coisas que já se fazem com esta tecnologia. – Ergueu-o ao nível dos olhos, olhando para os rotores a girar. Estava fascinado e era fascinante vê-lo a olhar para o pequeno helicóptero, perdido nas suas cogitações. Em que estaria a pensar?

– Gostas dele?

– Adoro-o, Ana. Obrigado. – Agarrou-me e beijou-me rapidamente, voltando a concentrar-se nos rotores a girar. – Vou colocá-lo junto do planador, no meu escritório – disse ele, distraidamente, olhando para os rotores. Desviou a mão do sol e os rotores abrandaram, acabando por parar.

Não consegui conter um sorriso de orelha a orelha. Apetecia-me abraçar-me a mim mesma. Ele adorava-o. Claro, era um interessado por tecnologias alternativas. Não me lembrara disso na pressa de o comprar. Poisou-o sobre a cómoda e virou-se para mim.

– Far-me-á companhia enquanto recuperamos o *Charlie Tango*.

– É recuperável?

– Não sei. Espero que sim, de contrário terei saudades daquela beleza.

Aquela beleza? Fiquei chocada comigo própria ao sentir uma pontinha de ciúmes de um objeto inanimado. O meu subconsciente conteve uma gargalhada trocista, mas eu ignorei-o.

– O que está na outra caixa? – perguntou, de olhos muito abertos, com um entusiasmo quase infantil.

Merda.

– Não sei bem se este presente é para ti ou para mim.

– A sério? – Percebi que lhe tinha despertado o interesse e entreguei-lhe nervosamente a segunda caixa. Ele agitou-a delicadamente e ambos ouvimos algo chocalhar pesadamente no interior. Ele olhou para mim.

– Porque estás tão nervosa? – perguntou, intrigado. Encolhi os ombros embaraçada e corei. Ele arqueou uma sobrancelha.

– Conseguiu deixar-me intrigado, Miss Steele – sussurrou. A sua voz percorreu-me e o desejo e a expectativa floresceram no meu ventre. – Tenho de confessar que estou a gostar das tuas reações. O que tens tu andado a fazer? – disse ele, semicerrando os olhos, com um ar especulativo.

Não abri a boca e contive a respiração.

Ele abriu a tampa da caixa e tirou um pequeno cartão, o resto do conteúdo estava embrulhado em papel de seda. Abriu o cartão e olhou-me bruscamente, arregalando os olhos, não sei se chocado ou surpreendido.

– Fazer-te coisas grosseiras? – murmurou. Eu acenei com a cabeça e engoli em seco. Ele inclinou a cabeça para um lado, com um ar cauteloso, avaliando a minha reação, e franziu o sobrolho, voltando depois a concentrar-se na caixa. Rasgou o papel de seda azul e tirou uma mascarilha, uns grampos de mamilos, um tampão anal, o seu iPod, a sua gravata cinzento-prateada e, finalmente – ainda que não menos importante – a chave do seu quarto do prazer.

Olhou para mim com uma expressão sombria e inescrutável. *Oh, merda.* Teria dado um passo em falso?

– Queres brincar? – perguntou, brandamente.

– Sim – sussurrei.

– No dia do meu aniversário?

– Sim. – A minha voz não podia ser mais débil.

Uma miríade de emoções perpassaram-lhe o rosto, embora eu não conseguisse identificar nenhuma delas, mas ele optou por ficar ansioso. *Hum...* Não era propriamente a reação que eu esperava.

– Tens a certeza? – perguntou.

– Não com chicotes e coisas do género.

– Eu compreendo isso.

– Nesse caso, sim, tenho a certeza.

Ele abanou a cabeça e olhou para o conteúdo da caixa.

– Insaciável e louca por sexo. Bom, creio que podemos dar algum uso a esta coleção – murmurou, quase para consigo mesmo, voltando a guardar tudo dentro da caixa. Quando voltou a olhar para mim, a sua expressão mudara por completo. *Com os diabos.* Estava com uns olhos ardentes e a sua boca arqueou-se lentamente num sorriso erótico. Estendeu-me a mão.

– Já – disse ele. Não era um pedido. Senti tudo contrair-se bruscamente nas profundezas do meu ventre.

Dei-lhe a mão.

– Anda – ordenou, e eu segui-o para fora do quarto, com o coração na boca. Um desejo escorregadio e quente percorreu-me o sangue e as minhas entranhas contraíram-se avidamente, expectantes. Finalmente!

CAPÍTULO VINTE E UM

Christian parou em frente do quarto do prazer.

– Tens a certeza disto? – perguntou, com um olhar escaldante, ainda que ansioso.

– Sim – murmurei, sorrindo-lhe timidamente.

Os seus olhos tornaram-se mais brandos.

– Há alguma coisa que não queiras fazer?

A sua pergunta inesperada desorientou-me. A minha mente entrou em sobrecarga e eu lembrei-me de algo.

– Não quero que me tires fotografias.

Ele ficou imóvel e a sua expressão endureceu. Inclinou a cabeça para um lado e olhou-me com um ar especulativo.

Oh, merda. Julguei que ele fosse perguntar-me porquê, mas felizmente não o fez.

– Ok – murmurou, franzindo a testa ao abrir a porta. Depois desviou-se, convidando-me a entrar. Sentia os seus olhos cravados em mim, ao entrar atrás de mim e fechar a porta.

Poisou a caixa do presente sobre a cómoda, tirou o iPod, ligou-o, acenando para a aparelhagem na parede e as portas de vidro fumado abriram-se silenciosamente. Carregou em alguns botões e o ruído de um metropolitano ecoou pelo quarto. Baixou o volume e a lenta batida eletrónica que se seguiu converteu-se em música ambiente. Uma mulher começou a cantar. Eu não sabia quem ela era, mas a sua voz era suave, embora rouca, e a batida era contida, pausada... erótica. *Oh meu Deus*, era música para fazer amor.

Christian virou-se para mim. Eu estava no meio do quarto, com o coração a martelar-me o peito e o sangue a zunir-me nas veias, palpitando ao ritmo sedutor da música – ou pelo menos era isso que parecia. Ele aproximou-se descontraidamente de mim e puxou-me pelo queixo, para que eu não mordesse mais o lábio.

– O que queres fazer, Anastasia? – murmurou, depositando-me um beijo casto ao canto da boca, ainda a segurar-me no queixo.

– É o teu aniversário. Faço o que tu quiseres – sussurrei. Ele percorreu-me o lábio inferior com o polegar, franzindo de novo a testa.

– Estamos aqui por tu pensares que eu quero aqui estar? – As suas palavras eram brandas mas ele olhava-me atentamente.

– Não – sussurrei. – Eu também quero estar aqui.

O seu olhar tornou-se mais sombrio e mais ousado, ao avaliar a minha resposta.

Uma eternidade depois disse:

– As possibilidades são tantas, Miss Steele. – Estava com uma voz grave, excitada. – Mas vamos começar por lhe tirar a roupa. – Puxou-me o cinto do robe e este abriu-se, revelando o meu *negligé* de seda. Depois, recuou e sentou-se despreocupadamente no braço do sofá.

– Despe-te, devagar – disse ele, dirigindo-me um olhar sensual e desafiador.

Engoli em seco, sem querer, e apertei as coxas, uma contra a outra. Já estava húmida entre as pernas. A minha deusa interior estava nua, atrás de mim, totalmente a postos, à espera, a implorar-me que me despachasse. Eu puxei o robe dos ombros, sem desviar os meus olhos dos seus, e encolhi os ombros, deixando-o ondular para o chão. Os seus olhos cinzentos e hipnóticos aqueceram, e ele passou o indicador pelos lábios, de olhos postos em mim.

Puxei as alças finas do meu *negligé* dos ombros, olhando-o por breves instantes, e larguei-as, e o *negligé* deslizou-me suavemente pelo corpo, amontoando-se a meus pés. Estava nua, quase ofegante, e absolutamente pronta.

Christian deteve-se por instantes e eu maravilhei-me com a expressão francamente sensual do seu olhar apreciador. Levantou-se e aproximou-se da cómoda, pegando na sua gravata prateada – a minha preferida. Ele passou-a por entre os dedos, ao virar-se e aproximar-se descontraidamente de mim, com um sorriso nos lábios. Quando parou diante de mim eu esperava que ele me pedisse para lhe estender as mãos, mas ele não o fez.

– Acho que está demasiado despida, Miss Steele – murmurou,

colocando-me a gravata à volta do pescoço e prendendo-a devagar mas habilmente no que eu supunha ser um belo nó de gravata. Ao apertar o nó, os seus dedos roçaram-me pela base da garganta e a eletricidade percorreu-me o corpo, fazendo-me arquejar. Deixou a extremidade mais larga da gravata bastante comprida, de forma a roçar-me ao longo dos pelos púbicos.

— Agora está magnífica, Miss Steele — disse ele, curvando-se e beijando-me delicadamente nos lábios. Foi um beijo rápido e eu queria mais. Um desejo desenfreado percorria-me o corpo em espiral.

— O que vou eu fazer contigo agora? — perguntou, agarrando na gravata e puxando-a bruscamente, o que me forçou a avançar para os seus braços. Mergulhou-me as mãos no cabelo e puxou-me a cabeça para trás, beijando-me realmente com força, com uma língua impiedosa, implacável.

Uma das suas mãos deslizou livremente pelas minhas costas, agarrando-me no rabo. Quando se afastou estava ofegante, a olhar para mim com uns olhos cor de cinza fundida. Eu estava arquejante, carente, e sentia-me totalmente dispersa. De certeza que ia ficar com os lábios inchados depois daquela investida sensual.

— Vira-te — ordenou, brandamente, e eu obedeci. Ele tirou-me o elástico do cabelo, entrançou-mo rapidamente e prendeu-o. Depois puxou-me a trança, inclinando-me a cabeça para trás.

— Tens um cabelo lindo, Anastasia — disse ele, beijando-me a garganta e provocando-me arrepios ao longo da espinha. — Terás apenas de me dizer para parar. Sabes isso, não sabes? — sussurrou contra a minha garganta.

Acenei com a cabeça, de olhos fechados, desfrutando do toque dos seus lábios. Ele virou-me outra vez e agarrou na ponta da gravata.

— Anda — disse ele, puxando-me delicadamente em direção à cómoda onde o resto do conteúdo da caixa estava em exposição.

— Anastasia, estes objetos… — Ergueu o tampão anal. — Este tamanho é demasiado grande. Sendo tu uma virgem anal, não é aconselhável começares com este. É melhor começarmos com isto. — Ergueu o dedo mindinho e eu arquejei, chocada. Dedos… *ali?* Ele sorriu-me afetadamente e a ideia desagradável de que o contrato mencionava *fisting* anal assaltou-me a memória.

– Dedo, singular – disse ele, brandamente, com aquela estranha aptidão para me ler os pensamentos. Eu olhei bruscamente para ele. Como fazia ele aquilo?

– Estes grampos são terríveis. – Bateu ao de leve nos grampos dos mamilos. – Vamos utilizar estes. – Poisou um tipo diferente de grampos sobre a cómoda. Pareciam uns ganchos de cabelo enormes, só que tinham pequenas joias negras penduradas. – São ajustáveis – murmurou Christian, num tom preocupado e gentil.

Pestanejei e olhei para ele de olhos arregalados. Christian, o meu mentor sexual. Ele sabia muito mais acerca daquilo do que eu. Jamais o apanharia. Franzi o sobrolho. Ele sabia mais do que eu acerca de quase tudo... exceto cozinhar.

– Estás esclarecida?

– Sim – sussurrei com a boca seca. – Vais dizer-me o que tencionas fazer?

– Não, vou improvisando à medida que for avançando. Isto não é uma cena, Anastasia.

– Como me devo comportar?

Ele franziu a testa.

– Como quiseres.

Oh!

– Estavas a contar com o meu alter-ego, Anastasia? – perguntou, num tom vagamente trocista e intrigado, ao mesmo tempo. Eu pisquei-lhe os olhos.

– Sim, eu gosto dele – murmurei. Ele dirigiu-me o seu sorriso secreto e levantou o braço, passando-me o polegar pela face.

– Sabes uma coisa? – sussurrou, passando-me o polegar pelo lábio inferior. – Eu sou o teu amante e não o teu Dominador. Adoro ouvir-te rir, adoro o teu riso infantil. Gosto de te ver descontraída e feliz, como estavas nas fotos do José. Foi essa a rapariga que foi parar ao meu escritório. Foi essa a rapariga por quem me apaixonei.

Eu fiquei de queixo caído e um calor agradável floresceu-me no coração. Era alegria – pura alegria.

– Mas independentemente disso, também gosto de lhe fazer coisas grosseiras, Miss Steele, e o meu alter-ego sabe alguns truques. Por isso faça o que lhe mandam e vire-se. – Os seus olhos brilharam com malícia e toda a minha alegria se deslocou bruscamente para sul, tolhendo-me, prendendo-me todos os tendões abaixo da cintura, e eu obedeci. Ele abriu uma das gavetas, atrás de mim, parando de novo à minha frente, instantes depois.

– Anda – ordenou, puxando-me pela gravata e levando-me até junto da mesa. Ao passarmos pelo sofá, reparei pela primeira vez que todas as vergastas tinham desaparecido e isso confundiu-me. Estariam lá no dia anterior, quando eu lá fora? Não me lembrava. Teria sido Christian que as tirara ou Mrs. Jones? Christian interrompeu a minha linha de raciocínio.

– Quero que te ajoelhes em cima da mesa – disse ele, quando estávamos junto da mesa.

Ah, ok. O que teria ele em mente? A minha deusa interior estava ansiosa por saber – estava já de pernas no ar, em posição de tesoura, a olhá-lo com adoração.

Ele ergueu-me delicadamente para cima da mesa e eu dobrei as pernas debaixo do corpo, ajoelhando-me diante dele, surpreendida com a minha própria elegância. Agora, os nossos olhos estavam ao mesmo nível. Ele passou as mãos pelas minhas coxas, agarrou-me nos joelhos, afastou-me as pernas, e ficou de pé, mesmo à minha frente. Estava muito sério, com uns olhos mais sombrios, semicerrados... carregados de luxúria.

– Braços atrás das costas. Vou algemar-te.

Tirou umas algemas de couro do bolso de trás e contornou-me o corpo com os braços. Pronto. Onde iria ele levar-me desta vez?

A sua proximidade era intoxicante. Aquele homem ia ser meu marido. Poder-se-ia sentir tamanha luxúria por um marido? Não me lembrava de ter lido isso em parte alguma. Não consegui resistir-lhe e rocei-lhe os lábios entreabertos pelo maxilar, sentindo a sua barba ao mesmo tempo espinhosa e macia sob a minha língua – uma combinação inebriante. Ele ficou imóvel e fechou os olhos. Depois conteve a respiração e recuou.

– Para, senão isto vai acabar mais depressa do que qualquer um de nós deseja – advertiu. Por instantes pensei que estivesse zangado, mas depois ele sorriu e os seus olhos ardentes estavam cintilantes de humor.

– És irresistível – disse eu, com um ar amuado.

– Não me digas – disse ele, secamente.

Acenei com a cabeça.

– Bom... não me distraias senão amordaço-te.

– Eu gosto de te distrair – sussurrei, olhando teimosamente para ele. Ele arqueou-me uma sobrancelha.

– Ou espanco-te.

Oh! Tentei disfarçar um sorriso. Em tempos, tal ameaça ter-me-ia subjugado, e não fora assim há tanto tempo. Jamais ousaria beijá-lo espontaneamente enquanto ele estivesse naquele quarto. Agora percebia que ele já não me intimidava. Era uma revelação. Sorri-lhe maliciosamente e ele retribuiu-me um sorriso afetado.

– Comporta-te – resmungou, recuando, olhando para mim e batendo com as algemas de couro na palma da mão. O aviso estava lá, implícito nos seus gestos. Tentei fazer um ar arrependido e acho que consegui. Ele voltou a aproximar-se de mim.

– Assim está melhor – sussurrou, inclinando-se mais uma vez para trás de mim, com as algemas. Resisti à tentação de lhe tocar mas inalei o seu maravilhoso odor, ainda fresco do duche da noite anterior. *Hum...* devia engarrafar isto.

Esperava que ele me algemasse os pulsos, mas ele prendeu-me as algemas acima dos cotovelos, o que me obrigou a arquear as costas e a empinar os seios para cima, ainda que os meus cotovelos não estivessem de forma nenhuma unidos. Quando terminou, recuou para me admirar.

– Sentes-te bem? – perguntou-me. Não era uma posição muito confortável, mas eu estava de tal forma ansiosa por saber onde ele queria chegar com aquilo que acenei com a cabeça, a desfalecer de carência.

– Ótimo. – Tirou a máscara do bolso de trás.

– Acho que já viste o suficiente – murmurou e enfiou-me a máscara na cabeça, cobrindo-me os olhos. A minha respiração acelerou. *Uau.* Porque seria tão erótico não poder ver? Ali estava eu, amarrada, de joelhos, em cima de uma mesa, à espera, sentindo uma expectativa deliciosamente quente e densa no ventre. Mas ainda podia ouvir, e a batida melódica e constante da música prosseguia, ressoando-me pelo corpo. Não tinha reparado nisso antes. Ele devia tê-la posto em modo de repetição.

Christian afastou-se. O que estava ele a fazer? Voltou para junto da cómoda, abriu uma gaveta e voltou a fechá-la. Momentos depois, voltou e eu senti-o à minha frente. Havia um cheiro pungente e almiscarado no ar. Era delicioso. Quase de fazer crescer água na boca.

– Não quero estragar a minha gravata preferida – murmurou, soltando-a lentamente ao desfazer o nó.

Inspirei bruscamente, ao sentir a ponta da gravata roçar-me pelo corpo acima, fazendo-me cócegas. Estragar a gravata? Escutei atentamente para perceber o que ele ia fazer. Estava a esfregar as mãos. Os seus nós dos dedos roçaram-me subitamente pela face, percorrendo-me a linha do maxilar.

O seu toque provocou-me um delicioso estremecimento e o meu corpo retesou-se. Ele fletiu a mão sobre o meu pescoço. Estava untada com um óleo de cheiro adocicado, por isso deslizou suavemente sobre a minha garganta, descendo-me pela clavícula e subindo até ao meu ombro. Os seus dedos massajavam-me delicadamente. *Oh, está a dar-me uma massagem.* Não é que contasse com isso.

Colocou a outra mão sobre o meu ombro e iniciou mais uma viagem estimulante ao longo da minha clavícula. Gemi suavemente e ele desceu-me até aos seios, cada vez mais ansiosos – ansiosos pelo seu toque. Era torturante. Arqueei mais o corpo ao encontro do seu toque destro, mas as suas mãos deslizaram-me lentamente e de forma calculada até aos flancos, ao ritmo da música, evitando cuidadosamente os seios. Gemi, não sei se de prazer ou de frustração.

– És tão bonita, Ana – murmurou, num tom de voz grave e rouco, com a boca junto do meu ouvido. O seu nariz percorreu-me o maxilar e ele continuou a massajar-me... por baixo dos seios, ao longo da barriga e mais abaixo... Beijou-me fugazmente nos lábios, roçando-me o nariz pelo pescoço e pela garganta. *Com os diabos, estou a arder...* a proximidade, as mãos, as palavras...

– E em breve irei acolher-te e abraçar-te como minha esposa – sussurrou ele.

Oh meu Deus.

– Amar-te e acarinhar-te.

Caramba.

– Com o meu corpo te adorarei.

Inclinei a cabeça para trás e gemi. Os seus dedos deslizaram sobre os meus pelos púbicos e o meu sexo e ele massajou-me o clítoris com a palma da mão.

– Mrs. Grey – sussurrou enquanto me massajava.

Gemi.

– Sim – murmurou, continuando a estimular-me com a palma da mão. – Abre a boca.

Eu já estava com a boca aberta de arquejar, mas abri-a um pouco mais e ele colocou um grande objeto metálico e frio entre os meus lábios. Tinha a forma de uma enorme chucha, com pequenos sulcos e entalhes, e algo semelhante a uma corrente na ponta. Era grande.

– Chupa – ordenou, brandamente. Vou introduzir isto dentro de ti.

Dentro de mim? Dentro de mim, onde? Senti o coração na boca.

– Chupa – repetiu e parou de me massajar com a palma da mão.

Não, não pares! – apeteceu-me gritar, mas estava com a boca cheia. As suas mãos oleadas deslizaram-me pelo corpo, agarrando-me finalmente nos seios negligenciados.

– Não pares de chupar.

Ele massajou-me delicadamente os mamilos com os polegares e os indicadores, que endureceram e se alongaram sob o seu toque experiente, projetando vagas sinápticas de prazer até às minhas virilhas.

– Tens uns seios tão bonitos, Ana – murmurou e os meus mamilos reagiram, endurecendo ainda mais. Ele murmurou aprovadoramente e eu gemi. Os seus lábios desceram-me do pescoço até um dos seios, mordendo-me e sugando-me suavemente, repetidas vezes, na direção do mamilo e de repente, senti o grampo morder-me a carne.

– Ah! – O instrumento que tinha na boca abafou-me o gemido. Caramba, a sensação era maravilhosamente crua, dolorosa e agradável… ah… que beliscão. Ele lambeu-me delicadamente o mamilo preso, com a língua, e enquanto o fazia aplicou o outro. A mordedura do segundo grampo foi igualmente dolorosa… mas tão boa como a primeira. Gemi alto.

– Sente – sussurrou.

Oh, eu sinto, eu sinto, eu sinto.

– Dá-me isso – puxou-me delicadamente a chucha ornamentada de metal que eu tinha na boca e eu larguei-a. As suas mãos percorreram-me mais uma vez o corpo, em direção ao meu sexo. Ele voltara a olear as mãos e estas deslizaram-me para o traseiro.

Arquejei. O que iria ele fazer? Retesei-me de joelhos, sentindo-o passar-me os dedos pelas nádegas.

– *Shh*, calma – sussurrou-me junto ao ouvido, beijando-me o pescoço, afagando-me e estimulando-me com os dedos.

O que vai ele fazer? A outra mão deslizou-me pela barriga até ao sexo, massajando-me mais uma vez com a palma da mão. Os seus dedos mergulharam lentamente dentro de mim e eu gemi alto, manifestando o meu apreço.

– Vou introduzir isto dentro de ti – murmurou. – Não aqui...

Os seus dedos deslizaram por entre as minhas nádegas espalhando o óleo.

– ...mas sim aqui.

Moveu os dedos em círculos, para dentro e para fora, roçando-os na parede frontal da minha vagina. Gemi e os meus mamilos presos incharam.

– Ah.

– Shh. – Christian tirou os dedos e introduziu o objeto dentro de mim. Depois aninhou-me o rosto nas mãos e beijou-me, invadindo-me a boca. Eu ouvi um *click* indistinto e o tampão dentro de mim começou imediatamente a vibrar – *lá dentro!* A sensação era extraordinária – nunca antes sentira nada semelhante.

– Ah!

– Calma – disse Christian para me serenar, abafando-me os gemidos com a sua boca. As suas mãos desceram e puxaram muito delicadamente os grampos. Gritei alto.

– Christian, por favor!

– Calma, querida, aguenta-te.

Aquilo era demais – eram estímulos a mais por toda a parte. O meu corpo começou a elevar-se, mas eu não conseguia controlar a excitação de joelhos. *Oh meu Deus...* Conseguiria aguentar aquilo?

– Linda menina – disse ele, tranquilizadoramente.

– Christian – disse eu, ofegante, parecendo desesperada até aos meus próprios ouvidos.

– Calma, Ana, sente-o, não tenhas medo. – As mãos dele estavam agora na minha cintura, a segurar-me, mas eu não conseguia concentrar-me nas suas mãos, com o que tinha dentro de mim e também devido aos grampos. O meu corpo estava a preparar-se para uma explosão – devido àquela vibração implacável e à deliciosa tortura dos meus mamilos. *Com os diabos.* Ia ser demasiado intenso. As suas mãos escorregadias e oleadas desceram-me pelas ancas, contornando-me o corpo, tocando-me, sentindo-me, massajando-me a pele, massajando-me o rabo.

– Tão bonita – murmurou, introduzindo subitamente um dedo oleado dentro de mim... *ali!* Dentro do meu rabo. *Merda.* Era uma sensação estranha, plena, proibida... mas... tão... boa. Ele movia-o lentamente para dentro e para fora, roçando-me os dentes pelo queixo.

– Tão bonita, Ana.

Eu estava como que suspensa lá no alto – no alto de uma ampla ravina – a planar e depois a cair vertiginosamente, mergulhando em direção à Terra. Não consegui conter-me mais e gritei. O meu corpo sofreu uma convulsão e atingi o clímax devido àquela sensação avassaladora de preenchimento. Toda eu era sensações, enquanto o meu corpo explodia. Christian soltou primeiro um grampo e depois o outro e os meus mamilos vibraram doce e dolorosamente, mas a sensação era maravilhosa, e o orgasmo prolongou-se interminavelmente – aquele orgasmo. O seu dedo continuou onde estava, deslizando delicadamente para dentro e para fora.

– *Argh!* – gritei e Christian envolveu-me nos seus braços, segurando-me. O meu corpo continuava a pulsar impiedosamente por dentro.

– *Não!* – gritei de novo, implorante. Desta vez ele tirou o vibrador e o dedo de dentro de mim, mas o meu corpo continuou a sofrer convulsões.

Abriu uma das algemas. Os meus braços caíram para a frente, a minha mão tombou inerte sobre o seu ombro e eu senti-me perdida, perdida no meio daquela sensação avassaladora. Toda eu era fôlego destroçado, desejo esgotado, delicioso esquecimento.

Percebi vagamente que Christian me pegara ao colo e me levara para a cama, deitando-me sobre os lençóis frescos, de cetim. Instantes depois, as suas mãos ainda oleadas massajaram-me a parte de trás das coxas, os joelhos, a barriga das pernas e os ombros. A cama afundou-se e eu senti-o estender-se a meu lado.

Ele tirou-me a máscara, mas eu não tinha energia para abrir os olhos. Depois, pegou-me na trança, tirou o elástico e inclinou-se para a frente, beijando-me suavemente nos lábios. Apenas a minha respiração errática perturbava o silêncio do quarto, acabando por abrandar enquanto eu voltava a descer suavemente à Terra. A música parara.

– Tão bonita – murmurou.

Quando consegui persuadir um dos meus olhos a abrir-se, ele estava a olhar para mim com um sorriso brando.

– Olá – disse ele. Eu deixei escapar um gemido e o sorriso dele alargou-se. – Foi suficientemente grosseiro para ti?

Assenti e sorri-lhe relutantemente. Caramba, mais grosseiro do que aquilo e eu teria de o espancar a ele e a mim própria.

– Acho que estás a tentar matar-me – murmurei.

– Morte por orgasmo – disse ele, com um sorriso afetado. – Há formas bem piores de morrer – disse ele, mas depois franziu ligeiramente o sobrolho, ao lembrar-se de algo desagradável, o que me afligiu. Ergui a mão e acariciei-lhe o rosto.

– Podes matar-me desta forma quando quiseres – sussurrei, reparando que ele estava maravilhosamente nu e pronto para entrar em ação.

Quando me agarrou na mão e me beijou os nós dos dedos inclinei-me para a frente, prendi-lhe o rosto entre as mãos, puxando a sua boca ao encontro da minha. Beijou-me por breves instantes e depois parou.

– Isto é o que eu quero fazer – murmurou, metendo a mão debaixo da almofada e agarrando no comando da aparelhagem. Carregou num botão e os acordes suaves de uma guitarra ecoaram pelas paredes.

– Quero fazer amor contigo – disse ele, fitando-me. Uma sinceridade terna e viva ardia-lhe nos olhos cinzentos. Uma voz familiar começou a cantar "The First Time I Ever Saw Your Face", em música de fundo, e os seus lábios vieram ao encontro dos meus.

Ao contrair-me em torno do seu membro e atingir de novo o orgasmo, Christian veio-se nos meus braços, atirando a cabeça para trás e gritando o meu nome. Estávamos ambos cara a cara, sentados na sua cama enorme, com ele a apertar-me firmemente contra o seu peito e eu sentada em cima dele. E foi nesse instante – nesse instante de alegria, na companhia daquele homem, ao som daquela música – que me voltei a sentir, não apenas física mas emocionalmente esmagada pela intensidade da experiência que ali tivera com ele, nessa manhã, e por tudo o que se passara na semana anterior. Sentia-me totalmente esmagada por todas essas emoções. Estava profundamente apaixonada por ele e, pela primeira vez, a começar a entender a forma como ele encarava a minha segurança.

Ao recordar o acidente iminente com o *Charlie Tango*, no dia anterior, estremeci e vieram-me as lágrimas aos olhos. Se alguma vez lhe acontecesse alguma coisa... Eu amava-o tanto. As lágrimas correram-me livremente pela cara. Christian tinha tantas facetas – o personagem doce e delicado e o lado agreste e Dominador que parecia dizer "posso fazer-te o que me der na real gana que os teus orgasmos serão sempre tipo comboio" – as suas cinquenta sombras – todo ele. Todas elas eram espetaculares e todas elas eram minhas. Eu estava consciente de que não nos conhecíamos bem e que tínhamos uma montanha de problemas para ultrapassar, mas sabia que o iríamos conseguir, por amor um ao outro – e teríamos uma vida inteira para isso.

– Eh – sussurrou, agarrando-me na cara entre as mãos e olhando para mim. Ainda estava dentro de mim. – Porque estás a chorar? – A sua voz estava carregada de preocupação.

– Por te amar tanto – sussurrei. Ele semicerrou os olhos como se estivesse drogado, absorvendo as minhas palavras. Quando os voltou a abrir estavam ardentes de amor.

– E eu a ti, Ana. Tu fazes-me sentir... completo. – Beijou-me delicadamente no final da música de Roberta Flack.

Falámos até à exaustão, sentados na cama do quarto do prazer, eu ao colo dele, ambos de pernas enroladas à volta um do outro. O lençol de cetim vermelho envolvia-nos como um casulo real. Eu não fazia ideia de quanto tempo passara. Christian estava-se a rir da minha imitação de Kate, durante a sessão fotográfica no Heathman.

– Só de pensar que poderia ter sido ela a entrevistar-me. Abençoadas constipações – murmurou, beijando-me o nariz.

– Creio que ela estava com gripe, Christian – disse, representativamente, passando-lhe distraidamente os dedos ao longo dos pelos do peito, maravilhada pelo facto de ele o estar a tolerar tão bem. – As vergastas desapareceram todas – murmurei, recordando o meu momento de distração. Ele prendeu-me o cabelo atrás da orelha pela milionésima vez.

– Achei que jamais irias ultrapassar esse limite intransponível.

– Não, creio que não – sussurrei, de olhos muito abertos. Depois, dei comigo a olhar para os chicotes, palmatórias e chibatas, pendurados na parede oposta, e ele seguiu o meu olhar.

– Queres que eu me desembarace deles, também? – Estava divertido, mas a ser sincero.

– Da chibata não... a castanha, nem daquele açoite de camurça – respondi, corando.

Ele sorriu-me.

– Ok, a chibata e o açoite. A menina é uma caixinha de surpresas, Miss Steele.

– Tal como o senhor, Mr. Grey. É uma das coisas que adoro em si. – Beijei-o delicadamente ao canto da boca.

– O que mais gostas em mim? – perguntou, arregalando os olhos.

Sabia que era complicado para ele fazer aquela pergunta. Senti-me acabrunhada e pisquei-lhe os olhos. Eu gostava de tudo nele – até das suas cinquenta sombras. Sabia que a vida com Christian jamais seria aborrecida.

– Disto – passei-lhe o indicador pelos lábios. – Adoro isto, o que daqui sai e o que me fazes com isto. E também o que tens aqui dentro. – Acariciei-lhe a têmpora. – És tão inteligente, tão espirituoso, tão competente em tantas áreas. Mas é sobretudo do que está aqui dentro que gosto mais. – Encostei suavemente a palma da mão ao seu peito, sentindo o batimento regular do seu coração. És o homem mais compassivo que conheço. É assombroso o que fazes e a forma como trabalhas – sussurrei.

– Assombroso? – Ele estava intrigado, mas havia vestígios de humor no seu rosto. Depois, a sua expressão transformou-se e sorriu timidamente como se estivesse embaraçado. Apeteceu-me atirar-me a ele, e foi o que fiz.

Eu dormitava, embrulhada em cetim e em Grey. Christian roçou o nariz em mim para me acordar.

– Tens fome? – perguntou.

– Hum, estou esfomeada.

– Eu também.

Apoiei-me na cama e olhei para ele, estendido na cama.

– É o dia do seu aniversário, Mr. Grey. Vou cozinhar-lhe qualquer coisa. O que gostaria de comer?

– Surpreende-me – disse ele, passando-me a mão pelas costas e afagando-me delicadamente. – Tenho de verificar o meu BlackBerry, para ver as mensagens que perdi ontem. – Suspirou e começou a sentar-se e eu percebi que aquele momento especial terminara… por agora.

– Vamos tomar duche – disse ele.

Quem era eu para dizer que não ao aniversariante?

Christian estava no escritório, ao telefone. Taylor estava com ele, com uma expressão séria, mas com uma aparência descontraída, de *jeans* e *t-shirt* preta, justa. Eu estava a tratar do almoço na cozinha. Encontrara postas de salmão no frigorífico e estava a cozinhá-las em molho de limão, a fazer uma salada, e a cozer umas batatas pequenas. Sentia-me extraordinariamente descontraída e feliz – literalmente no topo do mundo.

Virei-me na direção da enorme janela e contemplei o maravilhoso céu azul. *Toda aquela conversa… todo aquele sexo… hum.* Uma mulher era bem capaz de se habituar àquilo.

Taylor saiu do escritório, interrompendo os meus devaneios. Baixei o volume do meu iPod e tirei um auricular.

– Olá, Taylor.

– Ana – disse ele, com um aceno de cabeça.

– A sua filha está bem?

– Está sim, obrigado. A minha ex-mulher julgou que ela estivesse com uma apendicite, mas estava a exagerar, como de costume. – Taylor revirou os olhos, surpreendendo-me. – A Sophie está bem, embora tenha apanhado um vírus intestinal, dos chatos.

– Lamento. – Ele sorriu. – Localizaram o *Charlie Tango?*

– Sim, a equipa de resgate vai a caminho. Deve voltar para Boeing Field hoje, ao final da noite.

– Ah, ótimo.

Ele fez-me um sorriso tenso.

– Posso ajudá-la em mais alguma coisa, minha senhora?

– Não, não, claro que não. – Corei… Alguma vez me iria habituar a que Taylor me tratasse por "minha senhora"? Fazia-me sentir tão velha. Pelo menos aí com uns trinta anos.

Ele acenou com a cabeça e saiu da sala grande. Christian continuava ao telefone. Eu estava à espera que as batatas cozessem e isso deu-me uma ideia. Fui buscar a minha bolsa e tirei o BlackBerry. Tinha uma mensagem da Kate:

Telefono-te esta noite. Estou ansiosa por uma looooonga conversa

Eu respondi-lhe:

Eu também

Ia ser bom falar com a Kate.

Abri o programa de e-mail e digitei uma mensagem rápida a Christian:

De: Anastasia Steele
Assunto: Almoço
Data: 18 de junho de 2011 13:12
Para: Christian Grey

Caro Mr. Grey,

Estou a enviar-lhe um e-mail para o informar de que o almoço está quase pronto e que fiz umas cenas debochadas alucinantes, há algumas horas atrás.

É recomendável fazer cenas debochadas no dia de aniversário.

Outra coisa – Amo-te.

Bjs, A

(Tua noiva)

———

Escutei atentamente na expectativa de uma reação, mas ele continuava ao telefone. Encolhi os ombros. Talvez estivesse demasiado ocupado. O meu BlackBerry vibrou.

———

De: Christian Grey
Assunto: Cenas Debochadas
Data: 18 de junho de 2011 13:15
Para: Anastasia Steele

Que aspeto te pareceu mais alucinante?
Vou tomar nota.

Christian Grey
CEO Esfomeado e a Desfalecer Depois dos Esforços da Manhã, Grey Enterprises Holdings, Inc.

PS: Adoro a tua assinatura.
PSS: O que aconteceu à arte de conversar?

De: Anastasia Steele
Assunto: Esfomeado?
Data: 18 de junho de 2011 13:18
Para: Christian Grey

Caro Mr. Grey,
Chamo-lhe a atenção para a primeira linha do meu anterior e-mail a informá-lo de que o nosso almoço está de facto quase pronto… portanto, nada de fome nem de desfalecimentos.

Quanto aos aspetos alucinantes das cenas debochadas… francamente – foi tudo alucinante. Teria interesse em ler as suas notas. Também gosto da minha assinatura entre parêntesis.

Bjs, A
(Sua noiva)

PS: Desde quando se tornou tão loquaz? O senhor está ao telefone!

Carreguei no "enviar" e olhei para cima. Ele estava à minha frente com um sorriso afetado. Mas antes que eu pudesse dizer alguma coisa, contornou rapidamente a bancada central da cozinha, puxou-me para os seus braços e beijou-me profundamente.

– É tudo, Miss Steele. – Dito isto, largou-me e voltou calmamente para o escritório: descalço, de *jeans* e com a camisa branca por fora das calças, deixando-me ofegante.

Fiz um molho de iogurte com agriões e coentros para acompanhar o salmão, e pus a mesa no balcão da cozinha. Detestava interrompê-lo quando ele estava a trabalhar, mas agora estava parada, à entrada do escritório. Ele ainda estava ao telefone, com um cabelo absolutamente pós-coital, e uns olhos cinzentos, brilhantes – um maravilhoso regalo para os olhos. Quando me viu, levantou a cabeça e já não desviou os olhos de mim. Franziu ligeiramente o sobrolho e eu não percebi se era para mim, ou por causa da conversa ao telefone.

– Deixa-os entrar e não os aborreças, percebeste, Mia? – disse ele, num tom de voz sibilante, revirando os olhos. – Ótimo.

Fiz o gesto de comer e ele sorriu-me e acenou com a cabeça.

– Até logo. – Desligou o telefone. – Mais um telefonema? – pediu.

– Claro.

– Esse vestido é muito curto – acrescentou.

– Gostas? – disse eu, dando uma pequena pirueta. Era uma das compras de Caroline Acton. Um vestido sem mangas em tons suaves de turquesa, provavelmente mais adequado para a praia, mas estava um dia tão bonito em tantos aspetos... Ele franziu o sobrolho e fiquei com um ar desolado.

– Ficas fantástica com ele, Ana. Só não quero que mais ninguém te veja assim.

– Oh! – disse eu, franzindo-lhe o sobrolho. – Estamos em casa, Christian. Só aqui está o pessoal.

Ele fez um trejeito com a boca. Ou estava a esconder que estava divertido, ou não estava a achar piada nenhuma. Mas acabou por acenar com a cabeça, com um ar mais tranquilo. Abanei-lhe a cabeça e voltei para a cozinha – estaria mesmo a falar a sério?

Cinco minutos depois, estava de novo à minha frente, com o telefone na mão.

– Tenho o Ray ao telefone, para ti – murmurou com um olhar receoso.

Senti o ar fugir-me de repente dos pulmões e agarrei no telefone, tapando o bocal do telefone.

– Tu disseste-lhe! – exclamei em surdina e Christian anuiu, arregalando os olhos ao ver a minha expressão claramente consternada.

Merda! Respirei fundo.

– Olá, pai.

– O Christian acabou de me perguntar se podia casar contigo – disse Ray.

O silêncio prolongou-se entre nós enquanto eu pensava, desesperada, no que dizer. Ray ficou calado, como de costume, sem me dar pistas sobre a sua reação à notícia.

– O que lhe respondeste? – Fui a primeira a ceder.

– Disse que queria falar contigo. É um pouco repentino, não te parece, Annie? Tu não o conheces há muito tempo. Quer dizer, ele é bom tipo e sabe pescar... mas tão cedo? – Estava com uma voz calma e comedida.

– Sim, é repentino... Espera um momento. – Saí precipitadamente da área da cozinha, afastando-me do olhar ansioso de Christian, e encaminhei-me para a janela grande. As portas da varanda estavam abertas e eu saí lá para fora, para o sol. Não consegui ir mesmo até à beira da varanda. Era demasiado alta.

– Eu sei que é repentino e tudo isso... mas... eu amo-o, ele ama-me e quer casar comigo. Nunca haverá outra pessoa para mim. – Corei ao pensar que aquela talvez fosse a conversa mais íntima que jamais tivera com o meu padrasto.

Ray estava silencioso do outro lado da linha.

– Já disseste à tua mãe?

– Não.

– Annie... Eu sei que ele é podre de rico e preenche os requisitos, mas casamento? É um passo muito importante. Tens a certeza?

– É o homem da minha vida – sussurrei.

– Eh, lá – disse Ray, instantes depois, num tom de voz mais brando.

– Ele é tudo para mim.

– Annie, Annie, Annie, tu és uma jovem tão obstinada. Espero sinceramente que saibas o que estás a fazer. Passa-lhe o telefone outra vez, se não te importas.

– Claro, pai. Levas-me ao altar no dia do casamento? – perguntei, calmamente.

– Oh, querida. – A voz embargou-se-lhe e ficou em silêncio por instantes. Vieram-me as lágrimas aos olhos ao sentir a emoção na sua voz. – Nada me daria maior prazer – acabou por dizer.

Oh, Ray. Amo-te tanto... Engoli em seco para não chorar.

– Obrigada, pai. Vou passar de novo ao Christian. Sê gentil com ele. Eu amo-o – sussurrei.

Pareceu-me que Ray estava a sorrir do outro lado da linha, mas era difícil de perceber. Com Ray era sempre difícil de perceber.

– Claro, Annie. Vem visitar o velhote e vê se trazes esse Christian contigo.

Voltei para a sala – furiosa com Christian, pelo facto de ele não me ter avisado – e passei-lhe o telefone, deixando transparecer na minha expressão até que ponto estava irritada. Ele estava divertido ao pegar no telefone e voltou para o escritório.

Dois minutos depois reapareceu.

– Obtive a bênção renitente do teu padrasto – disse ele, orgulhosamente, tão orgulhosamente que me fez rir. Sorriu. Estava a agir como se tivesse acabado de negociar uma fusão ou uma aquisição importante, o que de certa forma era verdade.

– Raios, mulher, tu és boa cozinheira. – Christian engoliu a sua última garfada e ergueu-me o copo de vinho branco. Corei com o elogio e ocorreu-me que só poderia cozinhar para ele aos fins de semana. Franzi o sobrolho. Eu gostava de cozinhar. Deveria talvez ter-lhe feito um bolo de anos. Olhei para o meu relógio de pulso. Ainda tinha tempo.

– Ana? – disse ele, interrompendo os meus pensamentos. – Porque me pediste para não te fotografar? – A sua pergunta sobressaltou-me, sobretudo porque a sua voz era enganadoramente suave.

Oh... merda. As fotos. Baixei os olhos para o prato vazio, torcendo os dedos no colo. O que podia eu dizer? Prometera a mim mesma não lhe contar que encontrara a sua versão da *Penthouse Pets.*

– Ana – disse ele, bruscamente –, o que foi? – Dei um salto e o tom da sua voz ordenou-me que olhasse para ele. Quando pensara eu que ele não me intimidava?

– Descobri as tuas fotos – sussurrei.

Ele arregalou os olhos, chocado.

– Estiveste no cofre? – perguntou, incrédulo.

– Cofre? Não, eu não sabia que tinhas um cofre.

Ele franziu o sobrolho.

– Não entendo.

– Era uma caixa que estava no teu quarto de vestir. Estava à procura da tua gravata e a caixa estava debaixo dos teus *jeans*... aqueles que habitualmente usas no quarto do prazer, mas hoje não usaste.
– Corei.

Ele olhou-me pasmado, passando nervosamente a mão pelo cabelo, enquanto processava a informação. Esfregou o queixo, pensativo, incapaz de esconder a irritação e a perplexidade estampadas no seu rosto. Subitamente, abanou a cabeça, exasperado – mas também divertido – e um ligeiro sorriso de admiração surgiu-lhe ao canto da boca. Encostou a ponta dos dedos uns aos outros, diante do rosto, e voltou a concentrar-se em mim.

– Não é o que tu pensas. Tinha-me esquecido completamente delas. Essa caixa tinha sido tirada dali. Essas fotos deviam estar no meu cofre.

– Quem é que as tirou do cofre? – sussurrei.

Ele engoliu em seco.

– Há apenas uma pessoa que o poderia ter feito.

– Ah, sim? Quem? E o que é que queres dizer com "não é o que eu penso"? O que queres dizer com isso?

Ele suspirou e inclinou a cabeça para um lado e eu fiquei com a impressão de que estava ele embaraçado. *E tem razões para estar!*, rosnou o meu subconsciente.

– Isto vai parecer frio, mas... elas são uma apólice de seguro – sussurrou, preparando-se para a minha resposta.

– Uma apólice de seguro?

– Contra a exposição.

A moeda de um cêntimo caiu, rodopiando ruidosamente na minha cabeça vazia.

– Ah, bom – murmurei, pois não sabia o que mais dizer. Fechei os olhos. Pronto, já está. Tudo estragado em cinquenta tons, aqui e agora.
– Sim, tens razão – murmurei. – Parece-me frio. – Levantei-me para tirar os pratos. Não queria saber mais.

– Ana.

– As raparigas sabem disso... as submissas?

Ele franziu o sobrolho.

– É claro que sabem.

Bom, já era alguma coisa. Ele esticou o braço e puxou-me para junto de si.

– Essas fotos deviam estar no cofre. Não são para uso recreativo. – Calou-se. – Na altura em que foram tiradas talvez fossem, mas... – Deteve-se com um ar suplicante. – Não têm qualquer significado.

– Quem as pôs no teu quarto de vestir?

– Só pode ter sido a Leila.

– Ela sabe a combinação do teu cofre?

Ele encolheu os ombros.

– Não me surpreenderia. É uma combinação muito longa que eu utilizo muito raramente. É o único número que tenho escrito e nunca alterei. – Abanou a cabeça. – Pergunto a mim mesmo o que mais saberá ela e se terá levado mais alguma coisa daqui. – Franziu o sobrolho e voltou a concentrar-se em mim. – Ouve, eu destruo as fotos. Neste instante, se quiseres.

– As fotos são tuas, Christian. Faz o que quiseres com elas – murmurei.

– Não sejas assim – disse ele, segurando-me a cabeça entre as mãos e fixando os seus olhos nos meus. – Eu não quero essa vida. Quero a nossa vida juntos.

Com os diabos. Como sabia ele que por trás do meu horror em relação às fotos estava a minha paranoia?

– Ana, julgava que tínhamos exorcizado todos esses fantasmas esta manhã. Eu sinto isso. Tu não?

Pisquei-lhe os olhos, recordando a manhã deliciosa, romântica e francamente obscena que passáramos no quarto do prazer.

– Sim – disse eu, sorrindo. – Sim, eu também sinto isso.

– Ótimo. – Inclinou-se para a frente e beijou-me, aninhando-me nos seus braços. – Vou destruí-las – murmurou – e depois tenho de ir trabalhar. Lamento, querida, mas tenho de tratar de uma montanha de negócios esta tarde.

– Não faz mal, eu tenho de telefonar à minha mãe – disse eu, fazendo uma careta. – Depois quero ir fazer umas compras e fazer-te um bolo.

Ele sorriu e os seus olhos iluminaram-se como os de um miúdo pequeno.

– Um bolo?

Acenei afirmativamente.

– Um bolo de chocolate?

– Queres um bolo de chocolate? – O seu sorriso era contagiante.

Acenou com a cabeça.

– Verei o que posso fazer, Mr. Grey.

Beijou-me mais uma vez.

Carla estava muda de espanto.

– Diz qualquer coisa, mãe.

– Não estás grávida, pois não, Ana? – sussurrou, horrorizada.

– Não, não, nada disso. – A deceção cortou-me o coração. Entristeceu-me o facto de ela pensar isso de mim, mas depois lembrei-me, com infinita apreensão, que ela estava grávida de mim quando casara com o meu pai.

– Desculpa querida, mas isto é tão repentino. Quer dizer, Christian vale a pena como homem, mas tu és muito jovem e devias conhecer um pouco do mundo.

– Não consegues ficar feliz por mim, mãe? Eu amo-o.

– Preciso apenas de me habituar à ideia, querida. Foi um choque. Na Geórgia percebi que havia algo de muito especial entre vocês os dois, mas casamento…?

Na Geórgia ele queria que eu fosse sua submissa, mas eu não lhe iria contar isso.

– Já marcaram uma data?

– Não.

– Quem me dera que o teu pai fosse vivo – sussurrou. Oh não… isso não. Agora não.

– Eu sei, mãe, eu também teria gostado de o conhecer.

– Ele só pegou em ti uma vez e estava tão orgulhoso. Achava-te a rapariguinha mais bonita do mundo. – Falava num tom de voz terrivelmente baixo, ao repetir a história já conhecida… outra vez. A seguir ia ficar lavada em lágrimas.

– Eu sei, mãe.

– E depois morreu. – Fungou e eu percebi que aquilo era a gota de água, como sempre.

– Mãe – sussurrei, desejando poder alcançá-la através do telefone e abraçá-la.

– Sou uma velha tonta – murmurou, fungando de novo. – É claro que estou feliz por ti, querida. O Ray já sabe? – perguntou, parecendo ter recuperado a compostura.

– O Christian acabou de lhe pedir.

– Ah, mas isso é amoroso. Ótimo. – Parecia melancólica, mas estava a esforçar-se.

– Pois é – murmurei.

– Ana, minha querida, amo-te muito, e *estou* feliz por ti. Têm de cá vir visitar-nos os dois.

– Sim, mãe, também te adoro.

– O Bob está a chamar-me, tenho de ir. Dá-me uma data. Temos de planear tudo… Vais fazer um casamento grande?

Raios. Um casamento grande. Ainda nem sequer pensara nisso. Um casamento grande? Não. Eu não queria um casamento grande.

– Ainda não sei. Assim que souber, telefono.

– Ótimo. Cuida de ti e tem cuidado. Vocês os dois precisam de se divertir um pouco… têm muito tempo para ter filhos mais tarde.

Filhos! *Hum*… lá estava ela outra vez; mais uma referência – nem por isso velada – ao facto de ela me ter tido tão cedo.

– Mãe, eu não destruí a tua vida, pois não?

Ela arquejou.

– Ah não, nunca penses isso, Ana. Tu foste a melhor coisa que me aconteceu, a mim e ao teu pai. Só gostava que ele aqui estivesse para te ver tão crescida e prestes a casar. – Estava de novo nostálgica e chorosa.

– Eu também gostaria. – Abanei a cabeça, pensando no meu mítico pai. – Mãe, não te empato mais. Volto a ligar em breve.

– Adoro-te, querida,

– Eu também, mãe. Adeus.

Era um sonho trabalhar na cozinha de Christian. Para um homem que não sabia cozinhar parecia ter tudo. Desconfiava que Mrs. Jones também gostava de cozinhar. A única coisa de que precisava era de um pouco de chocolate de boa qualidade para o *glacê*. Deixei as duas metades

544

do bolo num tabuleiro para arrefecerem, agarrei na minha mala e espreitei pela porta do escritório de Christian. Estava concentrado no ecrã do computador. Levantou os olhos para mim e sorriu.

– Vou agora à loja comprar alguns ingredientes.

– Ok – disse ele, franzindo-me o sobrolho.

– O que foi?

– Não vais vestir uns *jeans* ou coisa do género?

– Oh, vá lá, Christian, são apenas pernas.

Ele olhou para mim, com um ar muito pouco divertido. Aquilo ia dar discussão e era o dia do seu aniversário. Revirei-lhe os olhos, sentindo-me uma adolescente mal comportada.

– E se estivéssemos na praia? – perguntei, mudando de estratégia.

– Não estamos na praia.

– Irias opor-te se estivéssemos na praia?

Ponderou na pergunta por instantes.

– Não – respondeu, simplesmente.

Eu voltei a revirar os olhos e sorri-lhe afetadamente.

– Bom, então imagina que estamos. Adeusinho. – Virei-me e dirigi-me apressadamente para o vestíbulo. Consegui chegar ao elevador antes de ele me apanhar. Quando as portas se fecharam, acenei-lhe e sorri-lhe docemente, deixando-o a olhar, impotente – mas felizmente divertido – de olhos semicerrados. Abanou a cabeça, exasperado, e depois deixei de o ver.

Oh, aquilo tinha sido excitante. A adrenalina latejava-me nas veias e o coração parecia querer saltar-me do peito. Mas fui acalmando, à medida que o elevador descia, tal como o meu estado de espírito. Merda, o que tinha feito?

Puxara a cauda a um tigre. Ele iria estar furioso quando eu voltasse. O meu subconsciente olhava-me fixamente por cima dos seus óculos em forma de meia-lua, com um ramo de salgueiro na mão. Merda. Pensei na pouca experiência que tinha com homens. Nunca antes vivera com um homem – à exceção de Ray – e por qualquer razão ele não contava. Era meu pai... ou melhor, o homem que eu considerava meu pai. E agora tinha Christian. Creio que ele também nunca vivera com ninguém. Tinha de lhe perguntar – isto se ele ainda falasse comigo.

Mas achava mesmo que tinha o direito de me vestir como quisesse. Lembrei-me das suas regras. Sim, aquilo devia ser difícil para ele, mas pagara certamente uma fortuna por aquele vestido. Devia ter dado instruções mais precisas no Neimans: nada demasiado curto!

A saia não era assim tão curta, pois não? Examinei-a no grande espelho do átrio. Raios, era de facto muito curta, mas agora já marcara a minha posição e iria sem dúvida ter de enfrentar as consequências. Pensei distraidamente no que ele iria fazer, mas primeiro precisava de dinheiro.

Olhei para o recibo do multibanco: 51 589,26 dólares, ou seja 50 000 dólares a mais! *Anastasia, também vais ter de aprender a ser rica, se disseres que sim.* E foi assim que tudo começou. Levantei os meus reles cinquenta dólares e dirigi-me para a loja.

Quando cheguei fui diretamente para a cozinha e não pude deixar de sentir um calafrio. Christian ainda estava no escritório. Caramba, passara lá a tarde quase toda. Concluí que a minha melhor opção era enfrentá-lo e ver os danos que causara. Espreitei cautelosamente pela porta do escritório. Ele estava ao telefone, a olhar através da janela.

– E o especialista da Eurocopter chega na segunda-feira à tarde? Ótimo, mantenham-me informado. Digam-lhe que preciso de saber quais foram as suas conclusões iniciais, segunda-feira à noite ou terça-feira de manhã. – Desligou e girou a cadeira, mas parou quando me viu. Estava com uma expressão impassível.

– Olá – sussurrei. Ele não respondeu e o meu coração precipitou-se para o estômago, em queda livre. Entrei cautelosamente no escritório e contornei a secretária até ao sítio onde ele estava sentado. Ele continuou calado, sem desviar os olhos dos meus. Eu estava parada à sua frente e sentia-me idiota em cinquenta tons.

– Voltei. Estás zangado comigo?

Ele suspirou, pegou-me na mão e puxou-me para o seu colo, abraçando-me e enterrando-me o nariz no cabelo.

– Estou – disse ele.

– Desculpa, não sei o que me deu. – Aninhei-me no seu colo,

inalando o seu cheiro divinal. Sentia-me segura, apesar de ele estar furioso.

— Eu também não. Veste o que quiseres — murmurou. Passou-me a mão pela perna nua até à coxa. — Além disso, este vestido tem as suas vantagens. — Curvou-se para me beijar e assim que os nossos lábios se tocaram, a paixão, a luxúria ou uma necessidade profundamente enraizada de me redimir percorreu-me o corpo, e o desejo incendiou-me o sangue. Agarrei-lhe na cabeça entre as mãos, mergulhando os dedos no seu cabelo. O seu corpo reagiu e ele gemeu, mordiscando-me avidamente o lábio inferior — a garganta, e orelha — e a sua língua invadiu-me a boca. Antes que eu desse por isso, abriu o fecho das calças, sentou-me no seu colo e penetrou-me. Agarrei-me às costas da cadeira. Os meus pés mal tocavam no chão… e começámos a mexer-nos.

— Gosto da tua forma de pedir desculpa — sussurrou contra o meu cabelo.

— E eu da tua — disse eu a rir, aconchegando-me contra o seu peito. — Já terminaste?

— Meu Deus, Ana, queres mais?

— Não! Estava a referir-me ao trabalho.

— Termino dentro de meia hora. Ouvi a tua mensagem no meu correio de voz.

— A de ontem.

— Parecias preocupada.

Abracei-o com força.

— E estava. Não é habitual não responderes.

Ele beijou-me o cabelo.

— O teu bolo deve estar pronto dentro de meia hora. — Sorri-lhe e saltei do seu colo.

— Estou ansioso. Tinha um cheiro delicioso, quase evocativo, quando estava no forno.

Sorri-lhe timidamente e senti-me um nadinha inibida, mas a sua expressão era semelhante à minha. Caramba, seríamos assim tão diferentes? Talvez fossem as suas primeiras recordações acerca de bolos. Curvei-me, beijei-o rapidamente no canto da boca e voltei para a cozinha.

Tinha tudo pronto quando o ouvi sair do escritório e acendi a vela dourada do seu bolo. Fez-me um sorriso de orelha a orelha, aproximando-se calmamente de mim, e eu cantei-lhe o "Parabéns a Você", baixinho. Ele curvou-se e apagou a vela, de olhos fechados.

– Já pedi o meu desejo – disse ele, ao voltar a abrir os olhos, e o seu olhar fez-me corar por qualquer razão.

– O *glacê* ainda está mole. Espero que gostes.

– Estou ansioso por prová-lo, Anastasia – murmurou. Parecia tão *sexy* dito assim. Cortei uma fatia para cada um e começámos a comê-las com pequenos garfos de bolo.

– Hum – gemeu ele, num tom apreciador. – É por isso que eu quero casar contigo.

Eu ri, aliviada… ele gostava do bolo.

– Preparada para enfrentar a minha família? – perguntou Christian, desligando a ignição do R8. Estávamos estacionados no caminho de acesso da casa dos seus pais.

– Sim. Vais dizer-lhes?

– Claro. Estou ansioso por ver a reação deles. – Sorriu-me, com uma expressão trocista e saiu do carro.

Eram sete e meia e, embora tivesse estado um dia quente, soprava uma brisa fresca, de fim de tarde, do lado da baía. Embrulhei-me na minha *écharpe* ao sair do carro. Usava um vestido de *cocktail*, verde-esmeralda, que encontrara nessa manhã, ao vasculhar no quarto de vestir. Tinha um cinto largo a condizer. Christian deu-me a mão e encaminhámo-nos para a porta da frente. Carrick escancarou-a antes de podermos sequer bater à porta.

– Olá, Christian. Feliz aniversário, filho. – Agarrou na mão estendida de Christian e envolveu-o num breve abraço, surpreendendo-o.

– Hum… obrigado, pai.

– Ana, que bom voltar a ver-te. – Abraçou-me também e seguimo-lo para dentro de casa.

Antes que conseguíssemos chegar à sala, Kate percorreu apressadamente o corredor ao encontro de ambos. Parecia furiosa.

Oh, não!

— Vocês os dois! Quero falar convosco — rosnou, como quem diz "é melhor não se meterem comigo". Olhei nervosamente para Christian que decidiu fazer-lhe a vontade, por isso seguimo-la até à sala de jantar, deixando Carrick perplexo, à entrada da sala de estar. Ela fechou a porta e virou-se para mim:

— O que raio vem a ser isto? — perguntou ela, num tom sibilante, acenando-me com um pedaço de papel. Sem saber o que fazer, tirei-lho da mão e examinei-o rapidamente. Fiquei com a boca seca. *Com os diabos.* Era o meu e-mail de resposta a Christian, a discutir o contrato.

CAPÍTULO VINTE E DOIS

A cor fugiu-me por completo do rosto, o sangue gelou-me nas veias e o medo percorreu-me o corpo. Coloquei-me instintivamente entre ela e Christian.

– O que foi? – perguntou Christian, receosamente.

Eu ignorei-o. Não podia acreditar que Kate estivesse a fazer aquilo.

– Não tens nada a ver com isso, Kate. – Dirigi-lhe um olhar rancoroso e o medo deu lugar à raiva. Como se atrevia ela a fazer aquilo? Nunca naquele momento, nunca no dia de hoje. Nunca no dia de aniversário de Christian. Ela pestanejou, arregalando de seguida os olhos verdes, surpreendida com a minha resposta.

– O que foi, Ana? – repetiu Christian, num tom mais ameaçador.

– Christian, não te importas de sair, por favor? – pedi-lhe.

– Não. Mostra-me – disse ele num tom de voz duro e frio. Esticou a mão e eu percebi que era melhor não argumentar com ele e dei-lhe o e-mail relutantemente.

– O que te fez ele? – perguntou Kate, ignorando Christian. Parecia tão apreensiva. Eu corei. Uma série de imagens eróticas vieram-me por instantes à mente.

– Não tens nada a ver com isso, Kate – disse eu, incapaz de conter a irritação na voz.

– Onde foste arranjar isto? – perguntou Christian, com a cabeça inclinada para um lado. Estava com uma expressão impassível, mas o seu tom de voz… era ameaçadoramente suave. Kate corou.

– Isso é irrelevante – prosseguiu ela, perante o seu olhar duro. – Estava no bolso de um casaco que eu encontrei pendurado na porta do quarto de Ana. Presumo que seja teu. – A dureza de Kate esmoreceu um pouco, ao defrontar-se com o olhar cinzento e flamejante de Christian, mas depois pareceu recuperar e franziu-lhe o sobrolho.

Parecia um farol de hostilidade, de vestido justo, vermelho-vivo. Estava magnífica. Mas porque raio teria ela andado a mexer nas minhas roupas? Normalmente era o contrário.

– Contaste a alguém? – A voz de Christian era como uma luva de seda.

– Não! Claro que não – disse Kate, ofendida, num tom brusco. Christian acenou com a cabeça e pareceu descontrair-se, virando-se e encaminhando-se para a lareira. Sem dizermos uma palavra, eu e Kate vimo-lo tirar um isqueiro de cima da lareira, pegar fogo ao e-mail e largá-lo, deixando-o flutuar lentamente para dentro da grade até desaparecer. O silêncio na sala era opressivo.

– Nem mesmo ao Elliot? – perguntei, voltando a dirigir a minha atenção para Kate.

– A ninguém – disse Kate, num tom enfático e, pela primeira vez, pareceu ficar confusa e magoada. – Só quero ter a certeza de que estás bem, Ana – sussurrou ela.

– Estou bem, Kate, melhor do que bem. Por favor. O Christian e eu estamos bem, muito bem mesmo, isso são águas passadas. Por favor, ignora-o.

– Ignoro-o? – perguntou ela. – Como posso eu ignorá-lo? O que te fez ele? – Os seus olhos verdes estavam carregados de preocupação sentida.

– Sinceramente, Kate, ele não me fez nada, eu estou bem.

Ela piscou-me os olhos.

– A sério? – perguntou.

Christian envolveu-me com um braço e puxou-me para si, sem tirar os olhos de Kate.

– A Ana aceitou ser minha esposa, Kate – disse ele, calmamente.

– Esposa? – guinchou Kate, incrédula, arregalando os olhos.

– Nós vamos casar-nos e vamos anunciar o nosso noivado esta noite – disse ele.

– Oh! – Kate olhou-me pasmada. Estava perplexa. – Deixo-te sozinha durante dezasseis dias e acontece uma coisa destas? É bastante repentino. Então ontem quando eu disse… – Olhou-me, confusa. – O que tem aquele e-mail a ver com isto tudo?

– Nada, Kate. Esquece-o… por favor. Eu amo-o e ele ama-me. Não faças isso. Não estragues a festa dele e a nossa noite – sussurrei. Ela pestanejou e as lágrimas brilharam-lhe subitamente nos olhos.

– Não, claro que não. Estás bem? – Queria que eu a tranquilizasse.

– Nunca estive tão feliz – sussurrei. Ela pegou-me na mão, ignorando o facto de Christian ter um braço sobre mim.

– Estás mesmo bem? – perguntou ela, num tom esperançoso.

– Sim – disse eu, sorrindo, e a minha alegria voltou. Ela estava de novo do meu lado. Sorriu-me e a minha felicidade refletiu-se nela. Libertei-me de Christian e ela abraçou-me subitamente.

– Oh, Ana, fiquei tão preocupada quando li aquilo. Não sabia o que pensar. Explicas-me tudo? – sussurrou ela.

– Um dia explico, mas não agora.

– Ótimo. Eu não vou contar a ninguém. Amo-te muito, Ana, como se fosses minha irmã. Só que pensei… não sabia o que pensar. Desculpa. Se estás feliz, eu também estou. – Olhou diretamente para Christian e repetiu o seu pedido de desculpas. Ele acenou-lhe com a cabeça com um olhar glacial e a sua expressão não se alterou. Oh merda, ainda estava furioso.

– A sério que lamento. Tens razão, não tenho nada a ver com isso – sussurrou-me ela.

Alguém bateu à porta, o que nos fez afastar uma da outra, em sobressalto. Grace espreitou.

– Está tudo bem, querido? – perguntou ela a Christian.

– Está tudo ótimo, Mrs. Grey – disse Kate, imediatamente.

– Está tudo bem, mãe – disse Christian.

– Ótimo – Grace entrou. – Nesse caso, não se importam que eu dê um abraço de parabéns ao meu filho? – Dirigiu-nos um grande sorriso a ambas. – Ele deu-lhe um abraço apertado e derreteu-se imediatamente.

– Feliz aniversário, querido – disse ela, brandamente, fechando os olhos nos seus braços. – Estou tão feliz por ainda estares entre nós.

– Eu estou bem, mãe – respondeu Christian, sorrindo-lhe. Ela recuou, olhou para ele atentamente e sorriu.

– Estou tão feliz por ti – disse ela, acariciando-lhe o rosto.

Ele dirigiu-lhe o seu sorriso de mil megawatts.

Ela sabe! Quando lhe disse ele?

– Bom, meninos, se já terminaram o vosso *tète-à-tète*, temos ali um monte de pessoas que se veio certificar de que estás realmente inteiro e desejar-te um feliz aniversário.

– Eu já vou.

Grace olhou nervosamente para mim e para Kate, e os nossos sorrisos pareceram tranquilizá-la. Piscou-me o olho ao segurar-nos na porta. Christian estendeu-me a mão e eu agarrei nela.

– Christian, peço imensa desculpa – disse Kate, humildemente. A versão Kate humilde era algo digno de se ver. Christian acenou-lhe com a cabeça e saímos atrás dela.

Olhei ansiosamente para Christian, no corredor.

– A tua mãe sabe acerca de nós?

– Sim.

– Ah, bom. – Estremeci só de pensar que a nossa noite podia ter descarrilado, graças à tenacidade de Miss Kavanagh, com as implicações do estilo de vida de Christian reveladas a todos.

– Bom, foi um começo de noite interessante – disse-lhe eu, sorrindo-lhe docemente. Ele olhou-me de relance e eu vi que o seu olhar bem-disposto estava de volta. Graças a Deus.

– A menina tem de facto um dom para os eufemismos, Miss Steele. – Levou a minha mão aos lábios e beijou-me os nós dos dedos, ao entrarmos na sala de estar, onde fomos acolhidos por uma súbita e ensurdecedora salva de palmas espontânea.

Raios! Quantas pessoas estariam ali?

Sondei rapidamente a sala: estavam lá todos os Grey; Ethan com Mia; o Dr. Flynn com a mulher – creio eu –; Mac, do barco; um afro-americano alto e atraente que me lembrava de ter visto no escritório de Christian, no dia em que nos tínhamos conhecido; Lily – a amiga mal-humorada de Mia; duas mulheres que não reconheci de todo e... *oh não* – o coração caiu-me aos pés – *aquela mulher...* Mrs. Robinson.

Gretchen materializou-se com uma bandeja de taças de champanhe. Usava um vestido decotado, preto e tinha o cabelo preso em cima, em vez dos totós. Ao olhar para Christian corou e pestanejou. O aplauso diluiu-se. Christian apertou-me a mão e todos os olhos se viraram para ele, expectantes.

– Muito obrigada a todos. Parece que vou precisar de um destes. – Tirou duas bebidas da bandeja de Gretchen, sorrindo-lhe brevemente. Gretchen parecia prestes a morrer ou a desmaiar. Ele deu-me um copo.

Christian ergueu o copo ao resto da sala e toda a gente se chegou imediatamente à frente. A pérfida mulher de negro comandava as hostes. Será que nunca se vestia de outra cor?

– Christian, estava tão preocupada. – Elena abraçou-o por breves instantes, beijando-o em ambas as faces. Ele não me largou, apesar de eu tentar soltar a mão.

– Eu estou bem, Elena – murmurou Christian, friamente.

– Porque não me telefonaste? – O seu apelo era desesperado e os seus olhos procuraram os dele.

– Porque tenho estado ocupado.

– Não recebeste as minhas mensagens?

Christian remexeu-se, constrangido, puxando-me mais para junto de si, e envolveu-me com um braço. A sua expressão permaneceu impassível, ao olhar para Elena. Como já não podia ignorar-me mais, Elena acenou-me cortesmente com a cabeça.

– Ana – ronronou ela. – Está linda, querida.

– Obrigada, Elena – ronronei eu, em resposta.

Apanhei Grace a olhar e a franzir o sobrolho, ao observar-nos aos três.

– Preciso de fazer uma declaração, Elena – disse Christian, olhando-a desapaixonadamente.

Os seus olhos azul-claros ensombraram-se.

– Claro – disse ela, fingindo sorrir, e recuou.

– Oiçam todos – disse Christian, em voz alta, esperando alguns instantes, até que os murmúrios na sala cessassem. Todos os olhos estavam de novo fixos nele. – Obrigado por tem vindo hoje. Devo dizer que esperava um jantar sossegado em família, por isso isto é uma agradável surpresa. – Dirigiu um olhar severo a Mia, que lhe acenou brevemente com a mão. Christian abanou a cabeça, exasperado, e prosseguiu.

— Eu e Ros — disse ele, apontando para uma mulher ruiva que estava junto de uma loura pequena e animada — quase tivemos um acidente ontem.

Ah, então aquela é que era a Ros com quem ele trabalhava. Ela sorriu e ergueu o copo para ele, e acenou-lhe com a cabeça.

— Por isso estou especialmente feliz por estar aqui hoje para partilhar grandes notícias convosco. Esta linda mulher — olhou de relance para mim —, Miss Anastasia Rose Steele, aceitou ser minha esposa, e eu gostaria que fossem os primeiros a saber.

Ouviram-se exclamações generalizadas de espanto, um viva ou outro, e uma salva de palmas. Caramba, aquilo estava mesmo a acontecer. Eu acho que estava da cor do vestido de Kate. Christian agarrou-me no queixo, erguendo-me os lábios na direção dos seus e beijou-me rapidamente.

— Em breve serás minha.

— Já sou — sussurrei.

— Legalmente — disse-me ele, apenas com os lábios, com um sorriso malicioso.

Lily estava junto de Mia e parecia abatida; Gretchen parecia ter comido algo desagradável e amargo. Eu esquadrinhei ansiosamente a multidão ali reunida e vi Elena. Estava de boca aberta, perplexa — dir-se-ia até horrorizada — e não pude deixar de sentir uma intensa satisfação pelo facto de a ver sem palavras. O que raio estava ela a fazer ali, afinal?

Carrick e Grace interromperam os meus pensamentos impiedosos e pouco depois estava a ser abraçada e beijada por todos os Grey.

— Oh Ana, estou tão contente por ires passar a pertencer à família — disse Grace, impetuosamente. — A mudança em Christian... Ele está... feliz. Estou-te tão agradecida. — Corei, embaraçada pela sua exuberância, mas no meu íntimo também estava encantada.

— Onde está o anel? — perguntou Mia, ao abraçar-me.

— Hum... *O anel! Raios.* Nem sequer pensara no anel. Olhei para Christian.

— Vamos escolher o anel juntos — disse Christian, olhando furioso para ela.

— Não olhes assim para mim, Grey! — replicou ela, num tom repreensivo, abraçando-o. — Estou radiante por ti, Christian — disse ela. Mia era a única pessoa que eu conhecia que não se deixava intimidar pelo olhar furioso de Grey. A mim intimidava-me ... ou pelo menos costumava intimidar.

– Quando é que se vão casar? Já marcaram uma data? – perguntou ela a Christian, com um sorriso radioso.

Ele abanou a cabeça, visivelmente exasperado.

– Não faço ideia. Não, não marcámos data. A Ana e eu temos de conversar sobre tudo isso – disse ele, irritado.

– Espero que façam um grande casamento, aqui – disse ela, ignorando o seu tom de voz cáustico, sorrindo entusiasticamente.

– É possível que viajemos de avião para Las Vegas, amanhã – rosnou-lhe e foi agraciado pelo beicinho amuado de Mia Grey. Ele revirou os olhos e virou-se para Elliot que lhe deu o segundo abraço de urso em igual número de dias.

– É assim mesmo, mano – disse ele, batendo nas costas de Christian.

A reação da sala foi arrasadora e só minutos depois dei comigo de novo junto de Christian, que estava com o Dr. Flynn. Elena parecia ter desaparecido e Gretchen estava a encher copos de champanhe com um ar taciturno.

Junto do Dr. Flynn estava uma jovem surpreendente de longos cabelos escuros, quase negros, um decote impressionante, e belos olhos cor de avelã.

– Christian – disse Flynn, estendendo a mão e Christian apertou-a de bom grado.

– John. Rhian. – Beijou a mulher de cabelos escuros na cara. Era pequena e bonita.

– Ainda bem que ainda estás entre nós, Christian. A minha vida seria bastante enfadonha – e pobre – sem ti.

Christian sesboçou um sorriso afetado.

– John! – disse Rhian, num tom repreensivo, para divertimento de Christian.

– Rhian, esta é Anastasia, a minha noiva. Ana, esta é a esposa de John.

– É um prazer conhecer a mulher que conquistou finalmente o coração do Christian – disse Rhian, com um sorriso amável.

– Obrigada – murmurei, de novo embaraçada.

– Deste demasiado efeito à bola, Christian – disse o Dr. Flynn, abanando a cabeça, incrédulo. Christian franziu-lhe o sobrolho.

– Tu e as tuas metáforas de *cricket*. – Rhian revirou os olhos. – Parabéns aos dois e feliz aniversário, Christian.

– Que maravilhoso presente de aniversário – disse-me ela, com um grande sorriso.

Eu não fazia ideia de que o Dr. Flynn ou Elena lá iriam estar. Foi um choque. Dei voltas à cabeça para ver se havia alguma pergunta que lhe pudesse fazer, mas uma festa de aniversário dificilmente se poderia considerar o local adequado para uma consulta psiquiátrica.

Conversámos informalmente durante alguns minutos. Rhian era mãe a tempo inteiro e tinha dois filhos. Deduzi que ela fosse o motivo pelo qual o dr.Flynn exercia a sua profissão nos Estados Unidos.

– Ela está bem, Christian. Está a reagir bem ao tratamento. Mais algumas semanas e poderemos pensar num programa ambulatório. – Dr. Flynn e Christian falavam em voz baixa mas eu não pude deixar de ouvir a conversa, desligando-me bastante indelicadamente da conversa de Rhian.

– Por isso agora são os amiguinhos e as fraldas...

– Isso deve-lhe ocupar bastante tempo – disse eu, corando, voltando a dar atenção a Rhian, que riu docemente. Sabia que Christian e Flynn estavam a falar de Leila.

– Pergunta-lhe uma coisa da minha parte – disse Christian.

– E você o que faz, Anastasia?

– Ana, por favor. Trabalho numa editora.

Christian e o Dr. Flynn baixaram mais a voz, que frustrante que aquilo era. Depois, as duas mulheres que eu não reconhecera antes reuniram-se a nós e eles interromperam a conversa – Ros e Gwen, a loura animada que Christian apresentou como sendo a companheira dela.

Ros era encantadora e depressa descobri que elas viviam quase em frente do Escala. Ela desfez-se em elogios em relação às aptidões de piloto de Christian. Disse que era a primeira vez que viajava no *Charlie Tango* e não hesitaria em viajar de novo. Era uma das poucas mulheres que eu conhecia que não estava deslumbrada por ele... e o motivo era óbvio.

Gwen era risonha, tinha um sentido de humor irónico, e Christian parecia sentir-se extraordinariamente à vontade com ambas. Conhecia-as bem. Não falaram de trabalho mas eu fiquei com a impressão de que Ros era uma mulher inteligente, capaz de acompanhar facilmente o seu ritmo. Dava também umas gargalhadas guturais de fumadora inveterada.

Grace interrompeu a nossa conversa descontraída para informar que o jantar estava a ser servido, em regime de *buffet*, na cozinha dos Grey, e os convidados foram-se dirigindo lentamente para as traseiras da casa.

Mia deteve-me no corredor. Com aquele vestido rosa-pálido, cheio de folhos, estilo *baby doll*, e uns saltos altíssimos, agigantava-se sobre mim como uma Fada do Natal. Tinha dois copos de *cocktail* na mão.

– Ana – sussurrou-me ela, num tom conspirador. Olhei de relance para Christian, que me largou e me olhou como quem diz "boa sorte, eu também a acho impossível de aturar", e eu escapei-me para a sala de jantar com ela.

– Toma – disse ela, maliciosamente –, este é um dos *cocktails* especiais de vermute com limão do meu pai, é muito mais agradável do que champanhe. – Deu-me um copo e observou-me atentamente enquanto eu o provava, hesitante.

– Hum… delicioso, mas forte. – O que quereria ela? Estaria a tentar embebedar-me?

– Ana, preciso de um conselho e não posso perguntar à Lily, pois ela é demasiado crítica acerca de tudo. – Revirou os olhos e sorriu-me. – Ela tem tantos ciúmes de ti. Acho que esperava poder um dia ficar com o Christian. – Mia desatou a rir às gargalhadas do absurdo e eu retraí-me interiormente.

Aquilo era algo a que eu teria de me acostumar para sempre – o facto de outras mulheres cobiçarem o meu homem. Varri esse pensamento indesejável da cabeça e concentrei-me no tema imediato, bebendo outro gole do meu vermute.

– Claro, vou tentar ajudar. Fala.

– Como sabes, o Ethan e eu conhecemo-nos há pouco tempo, graças a ti – disse ela, com um sorriso radioso.

– Sim. – Onde estaria ela a querer chegar com aquela conversa?

– Ana, ele não quer ser meu namorado – disse ela, fazendo beicinho.

– Oh – disse eu, piscando os olhos, perplexa. *Talvez ele não goste o suficiente de ti para isso*, pensei eu.

– Escuta, isso não faz sentido para mim. Ele não quer ser meu namorado, porque a irmã dele anda com o meu irmão. Acha tudo isto um pouco incestuoso, percebes? Mas eu sei que ele gosta de mim. O que posso eu fazer?

– Ah, compreendo – disse eu, tentando ganhar algum tempo. O que podia eu dizer? – Não consegues ser amiga dele e esperar algum tempo? Quer dizer, acabaste de o conhecer.

Ela arqueou uma sobrancelha.

– Escuta, eu sei que eu também acabei de conhecer o Christian, mas... – Franzi o sobrolho sem saber o que dizer. – Mia, isso é algo que tu e o Ethan têm de resolver juntos. Eu tentaria a via da amizade.

Mia sorriu.

– Aprendeste a olhar assim com o Christian.

Corei.

– Se queres um conselho, pergunta à Kate. Ela é capaz de saber mais qualquer coisa sobre os sentimentos do irmão.

– Achas que sim? – perguntou Mia.

– Sim – disse eu, sorrindo encorajadoramente.

– Fixe. Obrigada, Ana. – Deu-me outro abraço e encaminhou-se para a porta, entusiasmada, e a uma velocidade impressionante, tendo em conta os saltos que usava – sem dúvida, no intuito de ir importunar Kate. Bebi mais um gole de vermute, e estava a ponto de a seguir, quando algo me fez ficar pregada ao chão.

Elena entrou calmamente na sala com uma expressão tensa, carregada de raiva e sombria determinação. Fechou suavemente a porta atrás de si e franziu-me o sobrolho.

Oh, raios.

– Ana – disse ela, com um sorriso escarninho.

Apelei a toda a minha serenidade, ligeiramente inebriada pelos dois copos de champanhe e do *cocktail* letal que tinha na mão. Acho que todo o sangue se esvaiu do meu rosto, mas mobilizei o meu subconsciente e a minha deusa interior, de forma a parecer tão calma e inabalável quanto possível.

– Elena – disse eu, num tom de voz baixo, mas firme, apesar de sentir a boca seca. Porque seria que aquela mulher me apavorava tanto? O que quereria ela agora?

– Dar-lhe-ia os meus sinceros parabéns, mas creio que isso é incongruente. – Os seus olhos azuis, penetrantes, olhavam friamente os meus, carregados de ódio.

– Não preciso dos seus parabéns nem os quero, Elena. Estou surpreendida e dececionada pelo facto de a ver aqui.

Ela arqueou uma sobrancelha. Acho que estava impressionada.

– Julgava-a uma adversária à altura, Anastasia, mas você surpreende-me a todo o momento.

– Eu não penso sequer em si – menti, friamente. Christian teria orgulho em mim. – Agora, se não se importa, tenho coisas mais interessantes para fazer do que perder tempo consigo.

– Mais devagar, menina – disse ela, num tom sibilante, encostando-se à porta, e bloqueando-a de facto. – O que raio julga que está a fazer, ao aceitar casar com o Christian? Se achou, por um instante que fosse, que o poderia fazer feliz, está muito enganada.

– O que eu aceitei fazer com o Christian não lhe diz respeito – disse eu sorrindo, com uma doçura sarcástica, mas ela ignorou-me.

– Ele tem as suas necessidades, necessidades que você não poderá sequer tentar satisfazer – disse ela, com um regozijo malévolo.

– O que sabe você das necessidades dele? – rosnei. A minha indignação flamejava, queimando-me por dentro e a adrenalina explodiu-me pelo corpo. Como se atrevia aquela cabra a dar-me sermões? – Você não passa de uma abusadora de crianças doente. Se dependesse de mim, atirá-la-ia para o sétimo círculo do Inferno e voltaria de lá a sorrir. Agora, saia da minha frente, ou terei de a obrigar a fazê-lo?

– A senhora está a cometer um grande erro. – Sacudiu um dedo longo e bem tratado na minha direção. – Como se atreve a julgar o nosso estilo de vida? Não sabe nada, não faz a mínima ideia daquilo em que se está a meter, e se acha que ele se vai contentar com uma caçadora de fortunas tímida como você…

Já chega! Atirei-lhe com o resto da minha bebida à cara, enso-pando-a.

– Não se atreva a dizer-me em que é que eu me estou a meter! – gritei-lhe. – Quando vai aprender? Isso não lhe diz respeito!

Ela olhou-me de boca aberta, horrorizada, limpando a bebida pegajosa do rosto. Achei que ela estava prestes a atirar-se a mim, mas a porta abriu-se, e ela foi subitamente projetada para a frente.

Christian estava à entrada e avaliou a situação num milésimo de segundo – eu pálida e trémula, ela ensopada e lívida. O seu belo rosto ensombrou-se num esgar de raiva, ao avançar para o meio de nós.

– O que raio estás a fazer, Elena? – disse ele, num tom de voz glacial, carregado de ameaças.

Ela piscou-lhe os olhos.

– Ela não serve para ti, Christian – sussurrou ela.

– O quê? – gritou ele, assustando-nos às duas. Eu não conseguia ver-lhe o seu rosto, mas todo o seu corpo estava tenso e irradiava animosidade.

– Como raio sabes tu o que me serve?

– Tu tens necessidades, Christian – disse ela, num tom de voz mais suave.

– Já te disse antes que isso não te diz respeito – rugiu ele. Oh raios, o Christian Furibundo empinara a cabeça, nem por isso feia. As pessoas iam ouvir.

– O que é isto? – perguntou ele, fazendo uma pausa e olhando-a, furioso. – Achas que tu é que serves? Tu? Achas que tu é que serves para mim? – O seu tom de voz era mais brando, mas pingava desprezo e, subitamente não me apeteceu estar ali. Não queria assistir àquele encontro íntimo. Estava a intrometer-me. Mas estava paralisada – os meus membros recusavam a mover-se.

Elena engoliu em seco e pareceu endireitar-se. A sua postura modificou-se subtilmente, tornando-se mais dominante e ela deu um passo na direção dele.

– Eu fui a melhor coisa que te aconteceu – disse-lhe ela, arrogantemente, num tom sibilante. – Olha para ti agora. Um dos empreendedores mais ricos e mais bem-sucedidos dos Estados Unidos. És controlado, motivado, não precisas de nada. És senhor do teu próprio universo.

Ele recuou como se lhe tivessem batido e olhou-a pasmado, incrédulo e indignado.

– Tu adoraste, Christian, não tentes enganar-te a ti mesmo. Estavas a caminho da autodestruição e eu salvei-te disso, salvei-te de uma vida atrás das grades. Acredita, querido, era aí que terias acabado. Ensinei-te tudo o que sabes, tudo aquilo de que precisas.

Christian empalideceu, olhando-a horrorizado, e quando falou, o seu tom de voz era baixo e incrédulo.

– Tu ensinaste-me a foder, Elena. Mas isso é vazio, tal como tu. Não admira que o Linc te abandonasse.

A bílis subiu-me à boca. Eu não devia estar ali, mas estava pregada ao chão, morbidamente fascinada, enquanto eles se esventravam um ao outro.

– Nunca me abraçaste – sussurrou Christian. – Nunca me disseste que me amavas.

Ela semicerrou os olhos.

– O amor é para os tolos, Christian.

– Sai da minha casa. – Fomos surpreendidos pela voz implacável e furiosa de Grace e as nossas três cabeças viraram-se rapidamente para o sítio onde ela estava, à entrada. Olhava furiosa para Elena, que empalideceu por baixo do bronzeado de Saint-Tropez.

Foi como se o tempo parasse. Inspirámos bruscamente em uníssono e Grace entrou voluntariosamente na sala. Os seus olhos ardiam de fúria e nunca se desviaram dos de Elena, até parar diante dela. Elena arregalou os olhos, alarmada, e Grace esbofeteou-a com força. O ruído do impacto ressoou pelas paredes da sala de jantar.

– Tira as tuas patas nojentas do meu filho, sua puta, e sai da minha casa, já! – disse ela, num tom sibilante, de dentes cerrados.

Elena agarrou-se à face avermelhada, piscou os olhos e olhou por instantes para Grace, horrorizada, saindo apressadamente da sala sem se dar ao trabalho de fechar a porta atrás de si.

Grace virou-se lentamente para Christian. Um silêncio tenso abateu-se sobre nós, como um pesado cobertor, enquanto Christian e Grace olhavam um para o outro. Instantes depois, Grace disse:

– Ana, importa-se de me dar um minuto a sós com o meu filho, antes de eu lho voltar a entregar? – Falava num tom de voz calmo e rouco, mas muito forte.

562

– Claro – sussurrei e saí o mais depressa que pude, olhando ansiosamente por cima do ombro. Mas nenhum deles olhou para mim quando eu saí. Continuavam a olhar um para o outro e a sua comunicação silenciosa era ensurdecedora.

Senti-me momentaneamente perdida, no corredor. O coração martelava-me o peito e o sangue corria-me velozmente pelas veias… Sentia-me apavorada e impotente. Merda, aquilo fora pesado e agora Grace já sabia. Não conseguia imaginar o que ela iria dizer a Christian e, mesmo sabendo que era errado, encostei-me à porta a tentar ouvir.

– Há quanto tempo, Christian? – Grace falava num tom de voz suave e eu mal a conseguia ouvir.

Não ouvi a resposta dele.

– Que idade tinhas? – Estava com uma voz mais insistente. – Diz-me. Que idade tinhas quando tudo isto começou? – Voltei a não conseguir ouvir Christian.

– Está tudo bem, Ana? – perguntou Ros, interrompendo-me.

– Sim, está tudo bem, obrigada, eu…

Ros sorriu.

– Vou só buscar a minha mala. Preciso de um cigarro.

Por uma fração de segundo, pensei em juntar-me a ela.

– Eu ia à casa de banho – precisava de me acalmar e reunir as ideias, para processar tudo o que acabava de testemunhar e ouvir. Lá em cima parecia ser o sítio mais seguro para estar sozinha. Vi Ros encaminhar-se para a sala de estar e subi apressadamente os degraus, dois a dois, até ao segundo andar, e depois até ao terceiro. Desejava apenas estar num sítio.

Abri a porta do quarto de infância de Christian e fechei-a atrás de mim, respirando fundo. Aproximei-me da cama e deixei-me cair em cima dela, olhando para o teto branco e liso.

Com os diabos. Aquela fora, seguramente, uma das confrontações mais excruciantes que tivera na vida e agora sentia-me entorpecida. O meu noivo e a sua ex-amante – ou melhor, aspirante a esposa, teriam de entender isso. Dito isto, senti-me em parte satisfeita pelo facto de ela se ter revelado e de eu estar lá para o testemunhar.

Os meus pensamentos desviaram-se para Grace. Pobre Grace, que ouvira tudo aquilo. Agarrei numa das almofadas de Christian. Ela devia ter ouvido que Christian e Elena tinham tido um caso – mas não a natureza deste. Graças a Deus. Gemi.

O que estava eu a fazer? Talvez a bruxa pérfida tivesse uma certa razão.

Não, recusava-me a acreditar nisso. Ela era tão fria e cruel. Abanei a cabeça. Ela estava enganada. Eu servia para Christian. Era de mim que ele precisava e, num momento de assombrosa clareza, questionei não a forma *como* ele vivera a sua vida, até há pouco tempo atrás, mas sim o *porquê*. Os motivos por que o fizera a inúmeras raparigas. Não estava sequer interessada em saber quantas. Não era o como que estava errado, pois todas elas eram adultas. Todas elas estavam – como o colocara Flynn? – em relações seguras, sãs e consensuais. Era o porquê. O que estava errado era o porquê. O porquê vinha do seu mundo tenebroso.

Fechei os olhos e poisei os braços sobre eles. Mas ele agora seguira em frente, deixara tudo isso para trás e estávamos ambos na luz. Eu estava deslumbrada com ele e ele comigo. Podíamos guiar-nos um ao outro. Depois lembrei-me de algo. *Merda!* Um pensamento perturbante e insidioso. Estava no único local onde poderia enterrar esse fantasma. Sentei-me. Sim, tinha de o fazer.

Levantei-me tremulamente, sacudi os sapatos dos pés e dirigi-me à sua secretária, examinando o mural de mensagens por cima dela. As fotos do jovem Christian ainda lá estavam – mais vívidas do que nunca, ao pensar no espetáculo a que acabara de assistir, entre ele e Mrs. Robinson. E lá estava a pequena foto a preto e branco a um canto – a foto da sua mãe, a prostituta viciada em *crack*.

Liguei o candeeiro da secretária e apontei a luz para a fotografia. Eu nem sequer sabia o nome dela. Era muito parecida com ele, só que mais jovem e mais triste, e tudo o que senti, ao olhar para o seu rosto carregado de mágoa, foi compaixão. Tentei ver as semelhanças entre o seu rosto e o meu. Franzi os olhos para a fotografia, olhando-a bem de perto, e não vi nenhuma, tirando talvez o cabelo, mas acho que o dela era mais claro do que o meu. Eu não era nada parecida com ela. Foi um alívio.

O meu subconsciente censurou-me desdenhosamente, de braços cruzados, olhando-me fixamente por cima dos seus óculos em forma de meia-lua. *Porque te estás a torturar? Tu aceitaste. Já fizeste a tua cama.*

Crispei-lhe os lábios. Sim, aceitei de bom grado. Queria deitar-me naquela cama com o Christian durante o resto da minha vida. A minha deusa interior sorriu serenamente, sentada na posição de lótus. Sim. Eu tomara a decisão certa.

Tinha de o encontrar – Christian devia estar preocupado. Não fazia ideia há quanto tempo estava naquele quarto; ele iria pensar que eu tinha fugido. Revirei os olhos ao pensar na sua reação exagerada. Esperava que ele e Grace já tivessem terminado. Estremeci ao pensar no que ela lhe poderia ter dito mais.

Encontrei Christian enquanto ele subia as escadas para o segundo andar, à minha procura. O seu rosto estava tenso e cansado – já não era o Cinquenta despreocupado com quem eu chegara. Eu estava no patamar e ele parou no último degrau, de forma a ficarmos olhos nos olhos.

– Olá – disse ele, cautelosamente.

– Olá – respondi eu, receosa.

– Estava preocupado…

– Eu sei – atalhei. – Desculpa, mas não consegui encarar as festividades. Tive de me afastar para pensar, percebes? – Ergui a mão e acariciei-lhe o rosto. Ele fechou os olhos e encostou a cara à minha mão.

– E achaste que o poderias fazer no meu quarto?

– Sim.

Ele agarrou-me na mão a abraçou-me e eu deixei-me envolver nos seus braços, de bom grado, o meu local preferido no mundo.

Cheirava a roupa lavada, gel de banho e a Christian – o cheiro mais tranquilizante e excitante do planeta. Ele inspirou, com o nariz enterrado no meu cabelo.

– Lamento que tivesses de suportar aquilo.

– A culpa não é tua, Christian. Porque é que ela cá estava? – Ele olhou-me e revirou a boca apologeticamente.

– É uma amiga da família.

Tentei não reagir.

– Agora já não é. Como está a tua mãe?

– A mãe agora está furiosa comigo. Ainda bem que aqui estás e estamos no meio de uma festa, caso contrário poderia estar a respirar pela última vez.

– Isso está assim tão mau?

Ele anuiu, com um olhar sério, e eu senti a sua perplexidade em relação à reação dela.

– Podes censurá-la por isso? – Eu falava num tom calmo e persuasivo.

Abraçou-me com força. Parecia indeciso, como que a reunir as ideias. Finalmente respondeu.

– Não.

Eh lá! Um avanço.

– Podemos sentar-nos? – perguntei.

– Claro. Aqui?

Eu anuí e sentámo-nos ambos ao cimo da escada.

– Então, como te sentes? – perguntei, ansiosamente, agarrando--lhe na mão e olhando para o seu rosto triste e sério.

Ele suspirou.

– Sinto-me liberto. – Encolheu os ombros e depois fez um grande sorriso, o seu maravilhoso sorriso despreocupado, e o cansaço e a tensão, presentes momentos antes, desapareceram.

– A sério? – perguntei, também com um grande sorriso. Uau. Seria capaz de rastejar sobre vidros partidos, por aquele sorriso.

– A nossa relação de negócios está acabada. Arrumada.

Franzi-lhe o sobrolho.

– Vais liquidar o negócio do salão?

Ele conteve uma gargalhada.

– Não sou assim tão vingativo, Anastasia – disse ele, num tom repreensivo. – Não, vou oferecer-lho. Falarei com o meu advogado na segunda-feira. Devo-lhe isso.

Arqueei-lhe uma sobrancelha.

– Não há mais Mrs. Robinson? – Ele fez um trejeito divertido com a boca e abanou a cabeça.

– Foi-se.

Eu sorri.

– Tenho pena que tenhas perdido uma amiga.

Ele encolheu os ombros e sorriu afetadamente.

– Tens?

– Não – confessei, corando.

– Anda. – Levantou-se e estendeu-me a mão. – Vamos juntar-nos à festa em nossa honra. Talvez até me embebede.

– Tu ficas bêbado? – perguntei, ao dar-lhe a mão.

– Desde a minha adolescência rebelde que não. – Descemos as escadas.

– Comeste? – perguntou-me.

Oh, raios.

– Não.

– Mas devias comer. A avaliar pelo aspeto e o cheiro de Elena, atiraste-lhe com um dos *cocktails* letais do meu pai. – Olhou para mim, tentando em vão esconder como isso o divertira.

– Christian, eu...

Ele levantou a mão.

– Não há discussão, Anastasia. Se vais beber e atirar álcool para cima das minhas ex, essa é a regra número um. Creio que já tivemos essa discussão depois de passarmos a nossa primeira noite juntos.

Ah sim, no Heathman.

De regresso ao corredor, ele fez uma pausa e acariciou-me o rosto, roçando-me ao de leve os dedos pelo maxilar.

– Fiquei horas acordado a ver-te dormir – murmurou. – Acho que já nessa altura te amava.

Oh.

Ele curvou-se e beijou-me suavemente e tudo em mim derreteu, toda a tensão da última hora se escoou languidamente do meu corpo.

– Come – sussurrou.

– Ok – aquiesci. Naquele momento era provável que fizesse qualquer coisa por ele. Ele deu-me a mão e conduziu-me à cozinha, onde a festa seguia de vento em popa.

– Boa noite John, boa noite Rhian.

– Mais uma vez parabéns, Ana. Vocês os dois vão ficar ótimos – disse o Dr. Flynn, sorrindo-nos amavelmente, de braço dado com Rhian, no corredor, quando estavam ambos para sair.

– Boa noite.

Christian fechou a porta e abanou a cabeça. Olhou para mim e os seus olhos ficaram subitamente brilhantes de excitação.

O que é isto?

– Já só cá está a família. Acho que a minha mãe bebeu demais. – Grace estava a cantar *karaoke* numa consola de jogos qualquer, na sala de estar, e Kate e Mia estavam a dar-lhe luta.

– Podes censurá-la por isso? – perguntei-lhe, com um sorriso afetado, tentando manter o ambiente descontraído entre nós. E consegui.

– Isso é um sorriso afetado, Miss Steele?

– É.

– Foi um dia levado do diabo.

– Christian, ultimamente todos os dias passados contigo são dias levados dos diabos. – O meu tom era sardónico.

Ele abanou a cabeça:

– Bem visto, Miss Steele. Venha, quero mostrar-lhe uma coisa. – Pegou-me na mão e conduziu-me pela casa, até à cozinha onde Carrick, Ethan e Elliot estavam a falar dos Mariners, a beber os últimos *cocktails* e a comer os restos.

– Vão dar um passeio? – perguntou Elliot sugestivamente, num tom provocador, ao sairmos pelas portas altas, com portadas. Christian ignorou-o. Carrick franziu o sobrolho a Elliot e abanou a cabeça, repreendendo-o silenciosamente.

Ao descermos os degraus para o relvado, eu tirei os sapatos. Uma meia-lua cintilava intensamente sobre a baía. Estava brilhante e refletia tudo numa miríade de tons de cinzento, com as luzes de Seattle a brilharem à distância. As luzes da casa dos barcos estavam acesas, como um farol a brilhar suavemente nos reflexos frios da lua.

– Gostaria de ir à igreja amanhã, Christian.

– Ah sim?

– Rezei para que regressasses vivo e regressaste. É o mínimo que posso fazer.

– Ok.

Vagueámos durante alguns momentos, de mão dada, num silêncio descontraído. Depois, ocorreu-me algo:

– Onde vais colocar as fotos que o José me tirou?

– Pensei em pô-las na casa nova.

– Compraste-a?

Ele parou e olhou para mim com a voz carregada de afeto.

– Sim, pensei que tinhas gostado dela.

– E gostei. Quando a compraste?

– Ontem de manhã. Agora precisamos de decidir o que fazer com ela – murmurou, aliviado.

– Não a deites abaixo, por favor. É uma casa tão bonita. Precisa apenas de um pouco de amor e carinho.

Christian olhou-me de relance e sorriu.

– Ok. Vou falar com o Elliot. Ele conhece uma boa arquiteta, que fez alguns trabalhos na minha casa em Aspen. Ele pode tratar da remodelação.

Eu contive uma gargalhada, ao lembrar-me subitamente da última vez que atravessáramos o relvado sob o luar, para irmos à casa dos barcos. Talvez fôssemos fazer isso agora. Sorri.

– O que foi?

– Lembrei-me da última vez que me levaste à casa dos barcos.

Christian riu baixinho.

– Ah, isso foi divertido. Na verdade... – Parou subitamente, pendurou-me ao ombro e eu guinchei, embora já não tivéssemos de percorrer uma grande distância.

– Se a memória não me engana, estavas bastante esfomeado – disse eu, arquejante.

– Anastasia, eu estou sempre bastante esfomeado.

– Não, não estás.

Bateu-me no rabo ao parar em frente à porta de madeira. Deixou-me escorregar pelo seu corpo até ao chão, agarrando-me na cabeça entre as mãos.

– Não, agora já não. – Curvou-se e beijou-me com força. Quando se afastou, eu estava ofegante e o desejo percorria-me o corpo.

Ele olhou para mim e eu percebi que estava ansioso sob o brilho da nesga de luz que vinha do interior da casa dos barcos. O meu homem ansioso. Não um cavaleiro branco ou um cavaleiro negro, mas sim um homem – um homem lindo e não tão passado como isso – que eu amava. Levantei o braço e acariciei-lhe o rosto, passando os dedos pelas suas patilhas, ao longo do maxilar e do queixo, deixando que o meu indicador lhe tocasse nos lábios, e ele descontraiu-se.

– Tenho uma coisa para te mostrar – murmurou, abrindo a porta.

A luz áspera das lâmpadas flourescentes iluminou a impressionante lancha a motor, atracada na doca, a baloiçar suavemente nas águas escuras. Junto dela estava um barco a remos.

– Anda. – Christian deu-me a mão e conduziu-me pelas escadas de madeira. Abriu a porta ao cimo das escadas e desviou-se para eu entrar.

Fiquei de queixo caído. O sótão estava irreconhecível. A sala estava cheia de flores... havia flores por toda a parte. Alguém criara um ninho mágico com lindas flores silvestres misturadas com luzes cintilantes de Natal e lanternas em miniatura, que brilhavam em tons suaves e pálidos por toda a sala.

Virei bruscamente o rosto ao encontro do seu e ele estava a olhar para mim, com uma expressão inescrutável. Depois, encolheu os ombros.

– Querias corações e flores – murmurou.

Pisquei-lhe os olhos. Mal podia acreditar no que estava a ver.

– Tens o meu coração. – Fez um gesto abrangente para a sala.

– E aqui estão as flores – sussurrei, completando a sua frase. – É lindo, Christian. – Não sabia o que mais dizer. Sentia o coração na boca e as lágrimas ardiam-me nos olhos.

Puxou-me a mão e conduziu-me para dentro do quarto e, antes que eu desse por isso, ele estava apoiado sobre um joelho diante de mim. *Com os diabos... desta não estava à espera!* Contive a respiração.

Ele tirou um anel do bolso de dentro do casaco e olhou para mim, com uns olhos cinzento-claros, puros e cheios de emoção.

– Anastasia Steele, amo-te. Quero amar-te, estimar-te e proteger-te pelo resto da minha vida. Sê minha para sempre. Partilha a vida comigo. Casa comigo.

Eu pisquei-lhe os olhos, com as lágrimas a caírem-me pelo rosto. O meu Cinquenta, o meu homem. Amava-o tanto. Tudo o que consegui dizer, quando aquela onda sísmica de emoções me atingiu foi:

– Sim.

Ele sorriu, aliviado, e colocou-me lentamente o anel no dedo. Era um lindo diamante oval num anel de platina. *Eh lá... era grande...* Grande e, ainda assim, simples e impressionante pela sua simplicidade.

– Oh, Christian – solucei, subitamente, a transbordar de alegria, e reuni-me a ele, ajoelhando-me, arrepanhando-lhe os cabelos, de punhos cerrados, beijando-o de alma e coração. Beijei aquele homem lindíssimo, que me amava tal como eu o amava e ele envolveu-me nos seus braços, levando as mãos ao meu cabelo, com a boca colada à minha. No meu íntimo sabia que seria sempre sua e que ele seria sempre meu. Tínhamos chegado longe, juntos, e tínhamos um caminho muito longo a percorrer, mas éramos feitos um para o outro. Estávamos destinados um ao outro.

Ele deu uma grande passa no cigarro, e a ponta deste brilhou incandescente na escuridão. Soprou o fumo, exalando longamente, terminando com dois anéis de fumo pálidos e fantasmagóricos, que se dissolveram diante de si, à luz do luar. Remexeu-se no assento, entediado, e bebeu um gole rápido de *bourbon* barato, de uma garrafa embrulhada num papel castanho, sebento, antes de a voltar a poisar entre as suas coxas.

Mal podia acreditar que ainda o seguia. A sua boca contorceu-se num sorriso sardónico. O helicóptero fora um passo precipitado e ousado. Uma das coisas mais emocionantes que fizera na sua vida, mas sem resultados. Revirou os olhos ironicamente. *Quem iria imaginar que o filho da puta sabia mesmo pilotar aquela merda?*

Conteve uma gargalhada.

Tinham-no subestimado. Se Grey pensara, por um instante que fosse, que ele iria mergulhar no crepúsculo a chorar baixinho, o imbecil não percebia nada de nada.

Fora assim durante toda a sua vida. As pessoas subestimavam-no constantemente – não passava de um homem que lia livros. Foda-se para isso! Um homem com uma memória fotográfica que lia livros. Oh, as coisas que aprendera, as coisas que sabia. Voltou a conter uma gargalhada. *Sim, sobre ti, Grey. As coisas que eu sei acerca de ti.*

Nada mau para um miúdo vindo da sarjeta de Detroit.

Nada mau para um miúdo que ganhara uma bolsa de estudo em Princeton.

Nada mau para um miúdo que se matara a estudar na faculdade e conseguira entrar no ramo editorial.

E agora tudo isso estava lixado, lixado por causa de Grey e da sua cabra. Franziu o sobrolho para a casa, como se esta representasse tudo o que odiava. Nem pensar. A única tragédia fora a gaja loura e mamalhuda, de preto, a cambalear pelo caminho de acesso, em lágrimas, antes de subir para o *CLK* branco e pôr-se a andar.

Riu baixinho, sem vontade, e retraiu-se. Foda-se, ainda tinha as costelas doridas do pontapé repentino que o homem de confiança de Grey lhe dera.

Voltou a rever a cena mentalmente: *"Se voltas a tocar em Miss Steele, eu mato-te"*.

Esse filho da puta também iria pagá-las. Sim, ia ter o que merecia.

Voltou a recostar-se no assento. *Parece que vai ser uma noite longa.* Mas iria lá ficar, a vigiar e a esperar. Deu mais uma passa no seu *Marlboro*. Iria ter a sua oportunidade. Em breve iria ter a sua oportunidade.

JÁ PUBLICADO, DA MESMA COLEÇÃO:

As Cinquenta Sombras de Grey

O primeiro volume da trilogia de que todas as mulheres estão a falar... discretamente.

As Cinquenta Sombras de Grey é um romance obsessivo, viciante e que fica na nossa memória para sempre.

Anastasia Steele é uma estudante de literatura jovem e inexperiente. Christian Grey é o temido e carismático presidente de uma poderosa corporação internacional.

O destino levará Anastasia a entrevistá-lo para um jornal universitário. No ambiente sofisticado e luxuoso de um arranha-céus, ela descobre-se estranhamente atraída por aquele homem enigmático, sombrio, cuja beleza corta a respiração.

Voltarão a encontrar-se dias mais tarde, por acaso ou talvez não. O implacável homem de negócios revela-se incapaz de resistir ao discreto charme da estudante. Ele quer desesperadamente possuí-la. Mas apenas se ela aceitar os bizarros termos que ele propõe...

Anastasia hesita. Todo aquele poder a assusta – os aviões privados, os carros topo de gama, os guarda-costas... Mas teme ainda mais as peculiares inclinações de Grey, as suas exigências, a obsessão pelo controlo... E uma voracidade sexual que parece não conhecer quaisquer limites. Dividida entre os negros segredos que ele esconde e o seu próprio e irreprimível desejo, Anastasia vacila. Estará pronta para ceder? Para entrar finalmente no Quarto Vermelho da Dor?

EM BREVE, DA MESMA COLEÇÃO:

As Cinquenta Sombras – Livre

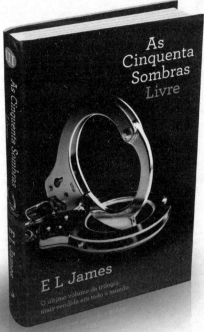

O terceiro volume da trilogia
de que todas as mulheres estão a falar... discretamente.

Quando a jovem e inocente Anastasia Steele encontrou pela primeira vez o impetuoso e fascinante milionário Christian Grey, começou entre eles um *affair* sensual que lhes mudou a vida para sempre. Assustada e intrigada pelas singulares inclinações eróticas de Grey, Anastasia exige-lhe um compromisso total na relação. Com medo de a perder, ele aceita.

Agora Anastasia e Grey têm finalmente tudo o que desejavam – o amor, a paixão, a intimidade, uma incomensurável riqueza e todo um mundo de possibilidades à sua espera. Mas ela sabe que amar as cinquenta sombras dele não será fácil, e que estarem juntos vai implicar ultrapassar barreiras que nenhum deles poderia prever. Anastasia vai ter de aprender a partilhar o opulento estilo de vida de Grey sem sacrificar a sua identidade. E ele terá de aprender a superar o seu obsessivo impulso de tudo controlar, enquanto se debate com os demónios do seu terrível passado.

E quando tudo parece estar conjugado para que ambos consigam finalmente ultrapassar todos os obstáculos, o destino conspira para tornar dolorosamente reais os maiores medos de Anastasia.

Revisão: **Lua de Papel**
Capa: **Jennifer McGuire**
Adaptação da capa: **Maria Manuel Lacerda/Lua de Papel**
Paginação: **Ana Sena**
Produzido e acabado por: **Multitipo**